*Alter Orient und Altes Testament*
Veröffentlichungen zur Kultur und Geschichte
des Alten Orients und des Alten Testaments

Band 224

Thomas Podella

Ṣôm-Fasten

# Alter Orient und Altes Testament

Veröffentlichungen zur Kultur und Geschichte des Alten Orients
und des Alten Testaments

Herausgeber

Kurt Bergerhof · Manfried Dietrich · Oswald Loretz

1989

Verlag Butzon & Bercker Kevelaer

Neukirchener Verlag Neukirchen-Vluyn

# Ṣôm-Fasten

Kollektive Trauer um den verborgenen Gott
im Alten Testament

von
Thomas Podella

1989

Verlag Butzon & Bercker Kevelaer

Neukirchener Verlag Neukirchen-Vluyn

CIP-Titelaufnahme der Deutschen Bibliothek

**Podella, Thomas:**
Ṣôm-Fasten : kollektive Trauer um den verborgenen Gott im Alten Testament / von Thomas Podella. – Kevelaer : Butzon u. Bercker ; Neukirchen-Vluyn : Neukirchener Verl., 1989
(Alter Orient und Altes Testament ; Bd. 224)
Zugl.: Berlin, Kirchl. Hochsch., Diss., 1987/88
ISBN 3-7666-9638-6 (Butzon u. Bercker) Gewebe
ISBN 3-7887-1309-7 (Neukirchener Verl.) Gewebe
NE: GT


Herstellung: Weihert-Druck GmbH, Darmstadt
Printed in Germany
ISBN 3-7887-1309-7 Neukirchener Verlag
ISBN 3-7666-9638-6 Verlag Butzon & Bercker

für Brigitte

zum 9.April

VORWORT

Titel und Untertitel dieser Studie zeigen die Verbindung zweier Phänomene *-Fasten und Trauer-* an, die auf den ersten Blick nichts miteinander gemein zu haben scheinen. Fasten ist nach unserem Sprachgebrauch primär mit christlichen und islamischen Fastenzeiten verbunden, und die Bedeutung des Ritus ist als Verzicht auf Nahrung am Tage oder als Enthaltsamkeit gegenüber Luxus- und Genußmitteln wie z.B. Tabak, Alkoholika, bestimmten Fleischsorten etc. festgeschrieben. Entsprechend erfolgen Zweck- und Zielbestimmungen des Fastens meist spiritualisierend als Reinigung, Besinnung auf das Eigentliche, Konzentration auf Geist und Seele oder als Nachahmung biblischer Fastenzeiten, womit rituell eine Brücke zwischen den Zeiten und zu den verehrten oder angebeteten Personen geschlagen wird.

Fastenzeit ist darum eine besondere Zeit in der Zeit, in welcher das normale Leben durch verschiedene Formen von Enthaltung vermindert wird und darum potentiell auch die Möglichkeit des Todes in sich birgt. Daß diese Aspekte von Tod und Gefahr nicht erst sekundär dem Fasten zugewachsen oder durch die vorösterliche Fastenzeit mit ihrem Verweis auf Tod und Auferwekkung Jesu Christi vermittelt sind, sondern den *ursprünglichen* Bezug des Fastens darstellen, ist dem Untertitel *Kollektive Trauer um den verborgenen Gott* zu entnehmen.

Die Erfahrung kollektiver Bedrohung und Todesgefahr eignet zwar in besonderer Weise dem Atomzeitalter, ist aber weder, wie die Hungerkatastrophen verdeutlichen, auf eine Verselbständigung von Forschung und Technik noch auf bestimmte geschichtliche Epochen beschränkt. Ob Familie, Dorf, Stadt, Nation oder Kontinent - zu jeder Zeit haben diese Kollektive als Ganzes den Tod selbst oder seine Nähe zu spüren bekommen. Die Aussagen des Alten Testaments und einiger Texte aus seiner Umwelt stellen zwar lediglich einen kleinen Ausschnitt des breiten Spektrums kollektiver Notzeiten dar, zeigen aber, wie und mit welchen Vorstellungen man ihnen begegnete. Dabei spielt die Gewichtung von lebensfördernden und -garantierenden Mächten und deren Gegenspielern eine zentrale Rolle. Tod und Todesgefahr werden als Präsenz- oder Handlungsentzug der Gottheit und damit als willentlicher Akt gedeutet und auf einer kommunikativ-personalen Ebene benannt. Auf diese Weise wird die Gefahr nicht als kontingentes oder schicksalhaftes Geschehen erduldet, sondern als konkretes Ursache-Folge-Verhältnis analysiert und einer Lösung zugeführt.

Zwischen dem Vorwurf, daß die Gottheit sich willkürlich entzogen habe und dem Bekenntnis zum eigenen Versagen als Ursache dieses Entzuges läßt sich ferner eine Entwicklung des alttestamentlichen Gottesbegriffs deutlich machen. Je größer die menschliche Selbstverantwortung für Not und Gefahr wird, desto mehr verstärken sich die Aussagen von einem trotz der Not *gerecht* handelnden Gott.

Die hier in überarbeiteter Fassung publizierte Studie ist unter gleichem Titel im WS 1987/88 als Dissertation von der Kirchlichen Hochschule in Berlin angenommen worden. Die Anordnung der einzelnen Abschnitte wurde nach strengeren sachlichen Maßstäben gestaltet, das 2.Kapitel wurde um Abschnitt 4.1-3, das 6.Kapitel um die Abschnitte 1.3 und 3 erweitert.

Die Anregung zur Ausarbeitung des behandeltens Thema geht im wesentlichen auf die Lektüre des Aufsatzes "Das Gebet um Abwendung der Not" von H.-J. Zobel in Vetus Testamentum 21 (1971),91-99 zurück. Die Entstehung der Arbeit wurde von Herrn Prof.Dr.Peter Welten nach Kräften unterstützt und begleitet. Für seine stetige Gesprächs- und Hilfsbereitschaft gebührt ihm an erster Stelle mein herzlicher Dank. Für die Erstellung der Korreferate danke ich Herrn Prof.Dr.Hentschke, Berlin, und Herrn Prof.Dr.W.Röllig, Tübingen. Letzterem, sowie Frau PD Dr.B.Groneberg und Herrn Prof.Dr.E.von Schuler verdanke ich wertvolle Hinweise zu den altorientalischen Texten und deren Gedankenwelt. Schließlich sollen diejenigen nicht ungenannt bleiben, die durch Interesse, Kritik und Ermutigung zum Entstehen der Arbeit beigetragen haben, die Herren Professoren Dr.B.Janowski, Dr.P.Xella, Dr.H.Cancik und Dr.S.Mittmann, als dessen Assistent ich die Möglichkeit erhielt, mich auch mit der materialen Kulturwelt des Alten Testaments zu beschäftigen, und die Kollegen Dr.K.Koenen und J.Renz.

Dettenhausen, im Oktober 1988 Thomas Podella

## INHALT

## 3. Kapitel: Trauer und Tod



## 4. Kapitel: Kollektives Fasten im Alten Testament

**Einleitung**

Kollektive Fastenzeiten gehören in der jüdischen, christlichen und islamischen Religion zum Inventar der jährlich begangenen großen Feste. In der Bezeichnung dieser Fastenzeiten mittels der hebr. Wurzel *ṣûm* und des arab. *ṣaum* stimmen jedoch nur alttestamentliche und arabisch-islamische Belege überein, denn in jüdischen Texten der nachchristlichen Zeit werden die Fasten nahezu ausnahmslos mit dem Terminus *taᶜanît* benannt.[1]

Für eine Untersuchung dessen, was im Alten Testament unter kollektivem *ṣôm*-Fasten materialiter zu verstehen ist, unter welchen Voraussetzungen es zur Anwendung kommt und welche ideengeschichtlichen Implikationen es beinhaltet, stehen zunächst die atl. Texte selbst als Quelle zur Verfügung. Unter der Voraussetzung, daß das islamische Fasten die altjüdisch biblischen Fastenformen sachlich wie historisch voraussetzt[2], darf das Quellenmaterial auf die biblischen *ṣôm*-Fasten-Texte beschränkt werden. Eine altorientalisch ausgeweitete Betrachtung des Phänomens jedoch erfordern zwei Beobachtungen.

Im Aramäischen und Hebräischen ist die Wurzel צום zuerst belegt, sie fehlt im Ugaritischen[3], Phönizischen und den mesopotamischen Dialektsprachen. Dieser Sachverhalt trifft in gleicher Weise die Sache selbst, da ein Fastenritus außer im Alten Testament nirgends in altorientalischen Quellen bezeugt ist. Hier erscheint "Fasten" als Folge von Krankheit[4] oder körperlicher Schwäche.

Das Problem erscheint in anderem Licht, wenn man die mit dem Begriff "Fasten" verbundene Assoziation -und lexikalische Grundbedeutung- der Verweigerung von Nahrungsaufnahme zunächst einmal beiseite läßt.

---

[1]Vgl. unten 285ff.

[2]S.u. 276ff.

[3]S.u. 117f.

[4]Vgl. *Parpola*, LAS I, Nr. 197; LAS II 58 A.99.

Nach der Mehrzahl der atl. Belege ist *ṣôm*-Fasten weniger ein spezifisch auf Nahrung gerichteter Einzelritus als fast immer mit Trauerriten verbunden und kann sogar zu einem Oberbegriff für sie werden.[5] Die rituelle Verbindung von Fasten und Trauer begegnet in der Totentrauer wie auch in individueller und kollektiver Klage. Dabei fällt das Übergewicht der literarischen Bezeugung auf die kollektiven Fastenformen, die zugleich als Sitz im Leben der Klagelieder des Volkes (KV) angesehen werden. Unter der Voraussetzung, daß *ṣôm* den Oberbegriff einer kollektiven Trauerfeier bildet, verliert die vermeintliche Einzigartigkeit des Ritus an Evidenz. *Ṣôm*-Fasten erscheint nunmehr im Kontext kollektiver Klage und Trauer, die in altorientalischen Quellen gut bezeugt, aber terminologisch nicht als "Fasten" qualifiziert ist.

Die eigentümliche Verbindung, die innnerhalb der öffentlichen Klagefeier ("public lament") Trauer- und Fastenriten eingehen, hat besonders bei skandinavischen Autoren Beachtung gefunden. So findet HVIDBERG in Jo 1-2, einem der zentralen Fastentexte:

> "a few passages which according to stylistic form and motif date back to early Israelite traditions of lamentations and weeping connected with the withering of the vegetation in the fire of the summer sun, which again dated back to the ancient Canaanite lamentation over Baᶜal's death".[6]

Abgesehen von den historischen Prämissen liegen einer solchen Deutung verschiedene Voraussetzungen mehr oder weniger explizit zu Grunde: 1. das Postulat eines kanaanäischen Klageformulars, das beim Absterben der Vegetation den Tod Baals beklage, und 2. die israelitische Adaption dieses Formulars, das nun nicht mehr auf einen Gott, sondern nur noch auf die Vegetation bezogen sei.

---

[5] S.u. 15.

[6] *F.F.Hvidberg* , Weeping and Laughter in the Old Testament. A Study of Canaanite-Israelite Religion, Leiden 1962 (erschienen erstmals in dänischer Sprache Graad og Latter i Det gamle Testamente, En Studie i kanaanaeisk-israelitisk Religion im Jahre 1938), 142. *A.S.Kapelrud*, Joel-Studies, Uppsala 1948, 19f. resümiert unter Bezug auf die Arbeit von *A.J.Wensinck*, Some Semitic Rites of Mourning and Religion, Amsterdam 1917,: "Weeping has acquired a new interpretation, but it has its origin in the mourning and wailing over one who died, and, as long as the fertility-cult existed - and it died hard - the reference to weeping in a religious connexion is apt to lead one's attention to it". Vgl. neuerdings *Barstad*, Polemics, 82ff.: "Lamentation and Fertility".

Ausgangspunkt dieser Theorien ist die Annahme, daß es ein vorderasiatisch weit verbreitetes "pattern" gebe, demzufolge Vegetationsgottheiten analog den jahreszeitlichen Rhythmen "sterben" und "wieder aufleben".[7]

Gerade diese Voraussetzung trifft aber für die sumerisch-akkadische *Inanna/Ištar* und ihren Tod in der Unterwelt nicht zu.[8] Auch für die babylonische *Tammuz*-Gestalt ist eine solche Verbindung mindestens fraglich.[9] Dabei steht nicht zur Diskussion, daß es Gottheiten gibt, die zeitweilig einem *begrenzten* Tod ausgeliefert sind, sondern daß es *Vegetationsgottheiten* seien, deren Tod jährlich immer wieder neu erfolge und beklagt werde.

Literarische, historiographische und rituell gebundene Texte aus Israels mesopotamischer und kleinasiatischer Umwelt bestätigen zunächst nur, daß kollektive Trauer nationale oder städtische Notlagen voraussetzt und diese mit verschiedenen Formen göttlicher Abwesenheit identifiziert werden.[10]

Diese Beobachtung legt die Vermutung nahe, daß es ein übergreifendes Motiv "Trauer um den verborgenen Gott" gibt, innerhalb dessen der Tod einer "Vegetations"gottheit lediglich eine Variante, nicht aber das "pattern" bildet.

Für die Untersuchung des altestamentlichen *ṣôm*-Fastens als summarischem Begriff kollektiver Trauer werden damit strukturelle und inhaltliche Erwägungen wesentlich, die einerseits am Phänomen des Rituellen andererseits an Vorstellungen der Umwelt interessiert sind.

Entscheidenden Einfluß auf die Entwicklung des atl. *ṣôm*-Fastens haben drei Faktoren:

1. Als Oberbegriff eines komplexen Handlungsstandards bezeichnet *ṣôm* aus der Totentrauer stammende Trauerriten, welche einem gemeinsemitischen Muster folgen und auch in Israels syrisch-mesopotamischer Umwelt angesichts kollektiver Notlagen bezeugt und insofern nicht spezifisch israelitisch sind. Im

---

[7] Vgl. die Kritiken: "Von einer allgemeinen und beliebig als Interpretationsmuster verwendbaren 'kanaanäischen Konzeption sterbender und auferstehender Gottheiten'... kann somit keine Rede sein", *Weippert*, BDBAT 3 (1984), 81; ferner darf auch eine an Jahreszyklen orientierte Interpretation des ugaritischen Baal-Epos als gescheitert gelten, vgl. *Kinet*, Ugarit, 80f.

[8] So in dem Mythos "Inannas Gang zur Unterwelt", s.u. 35ff.

[9] Vgl. zuletzt *Weippert*, a.a.O., 80. Zu Dumuzi und seinen unterschiedlichen (?) Erscheinungsformen vgl. *Th.Jacobsen*, Toward the Image of Tammuz, 87f; zu "Dumuzi the Shepherd" und "Dumuzi of the Grain"; zur Klage um den Gott Damu, 40ff.; ders., Treasures, 47ff.

[10] S.u. Kap. 2.

Unterschied jedoch zum Alten Testament kennt die Umwelt eine Subsumierung dieser Riten unter den Oberbegriff "Fasten" nicht.

2. Die Texte Ugarits, Mesopotamiens und des z.T. semitisch beeinflußten Kleinasien geben zu erkennen, daß kollektive todbringende Gefahren mit Hilfe der Vorstellung von der zeitweisen Abwesenheit oder des Todes einer Gottheit bewältigt werden.

3. Zum anderen scheint aber auch das Alte Testament von Vorstellungen beeinflußt zu sein, die die paradigmatische Funktion des Todes und der Trauer in ihren Gottesbegriff miteinbeziehen – zumal dann, wenn Israel mit dem Zusammenbruch Judas und Jerusalems Gottverlassenheit in exemplarischer Weise erfahren hat.

Für die Frage nach Sinn und Bedeutung des alttestamentlichen *ṣôm*-Fastens werden damit thematische wie an den *ṣôm*-Texten orientierte Untersuchungen relevant.

Zur Veranschaulichung der Argumentationsbasis werden die paradigmatischen Texte der Umwelt im Wortlaut dargeboten. Dies erfolgt besonders dann, wenn ältere Bearbeitungen eine Transkription und/oder neue Übersetzung erforderten.[11] Ebenfalls werden alttestamentliche poetische Texte in ihren relevanten Passagen zitiert, wenn die Abfolge der kolometrisch gegliederten Einheiten[12] sachlich oder literarkritisch relevant ist.[13]

Ziel der Untersuchungen zum kollektiven Fasten ist zunächst und unter Einbeziehung gegenwärtiger Forschungspositionen die Beschreibung des *ṣôm*-Fastens als Ritual (1.Kapitel). Phänomenologisch wird in einem zweiten Schritt (2.Kapitel) dem Problem "kollektive Not als Folge göttlicher Verborgenheit" nachzugehen sein, wobei die Formen solcher Verborgenheit und die Formen der menschlichen Reaktion, etwa zwischen mesopotamischen und kleinasiatischen Zeugnissen zu präzisieren sind. In einer dritten Annäherung soll die Funktion der rituellen Elemente in ihrem primären Sitz im Leben, der Totentrauer, be-

---

[11] Aus drucktechnischen Gründen wurde das Akkadische kursiv; das Sumerische, Logogramme und Determinative steil und kleingeschrieben, *h* steht für ḫ.

[12] Zur kolometrischen Methode vgl. die Bemerkungen zu Jer 14, 139ff. Ihre Verwendung stellt einen Versuch dar, die Gliederung der poetischen Einheiten zu profilieren. Innerhalb dieser Erprobung scheint es jedoch verfrüht, mit ihrer Hilfe mehr als Beobachtungen und hypothetische Schlußfolgerungen zu gewinnen.

[13] Besonders zu Jer 14 und Joel.

trachtet und hinsichtlich ihrer Relevanz für die Ausführenden interpretiert werden (3.Kapitel). Engstens damit verbunden ist die Frage nach dem Bedingungsgefüge, das die Transformierung primärer Totentrauer in sekundäre Not-Trauer, das Fasten, ermöglicht, den Trauerriten und der Todesvorstellung also eine paradigmatische Funktion zuweist. Dabei können einerseits die religionsgeschichtlichen Wurzeln des alttestamentlichen Fastenrituals schärfer hervortreten, andererseits vermag die geschichtstheologische Konfiguration des israelitischen Gottesbegriffs profiliert zu werden.

Inwieweit die anhand der Umwelttexte gewonnenen Einsichten im Alten Testament selbst verfolgt werden können, welchen Adaptions- und Transformationsprozessen sich die Ausgestaltung des *ṣôm*-Fastens schließlich verdankt, ist die zentrale Fragestellung (4.Kapitel). Dabei zeigen sich sowohl formale Differenzen zwischen individuellem und kollektivem Fasten (5.Kapitel), als auch die verschiedenen Formen alttestamentlich kollektiver Fastenpraxis. Schließlich soll eine inhaltliche Interpretation der verschiedenen Formen des Fasten-Rituals angesichts ihrer kulturhistorischen Entstehungsbedingungen in exilisch-nachexilischer Zeit erfolgen, die zugleich als Voraussetzung der Wirkungs-, bzw. Nachgeschichte des atl. Fastens zu gelten hat (6.Kapitel).

## ERSTES KAPITEL: צום-FASTEN ALS RITUAL

### 1. Zum Verständnis kollektiven Fastens

### 1.1 Fasten als kulturelles Phänomen

Terminus technicus für Fasten ist in der Bibel hebr. *ṣôm* und griech. *nästis, nästeuein, nästeia*, lat. *ieiunus, ieiunare, ieiunium*. In der Antike bezeichnet griech. *nästis ktl.* die Nüchternheit des am Morgen erwachenden Menschen[1] und ist demzufolge ein biologisch-physisches, ein natürliches Phänomen. Davon abgeleitet und insofern als sekundär gelten dagegen diejenigen Formen der Nüchternheit, die dem Menschen verordnet werden. Solche Arten sekundären Fastens werden entweder durch Katastrophen wie Krieg, Mißernte und Dürre[2] oder aber durch kulturelle Vermittlung, d.h. religiös begründete und gesellschaftlich akzeptierte Vorschriften veranlaßt.[3] Anders als individuelles Fasten, welches häufig als Initiationsritus[4] geübt wird, verweisen kollektive Fastenbräuche auf das Geschick der Gemeinschaft oder des ihr übergeordneten sozialen Systems. In der griechischen, römischen und altisraelitischen Religion sind die *Nästeia* der attischen Thesmophorien[5], das *ieiunium* am

---

[1] Vgl. *Arbesmann*, Fasten, 1ff; *ders.*, RE 11, pass.; zuletzt mit Lit. *Gerlitz*, Fasten I, 41-45. Zur morgendlichen (?) Nüchternheit vgl. *Homer*, Od. XVIII, 367ff.; Il. XIX, 156; 205ff.

[2] Zur Abwechslung von Zeiten des Mangels und des Überflusses vgl. beispielsweise *Lévy-Strauss*, Mythologica II, 454ff.

[3] Zur Unterscheidung in diesem Sinne s. bereits *Arbesmann*, Fasten, 4.

[4] Vgl. etwa *Gerlitz*, a.a.O., 42f.; *Arbesmann*, a.a.O., 72ff; *Burkert*, Religion, 133.426ff.

[5] S. *Arbesmann*, a.a.O., 90ff; *ders.*, RE 11, 15-28; *Wachsmuth*, Thesmophoria, KP 5, 751f.; *Burkert*, a.a.O., 365ff.

*sacrum anniversarium Cereris*[6] und das hebräische *ṣôm*-Fasten[7] als kollektive Fastenbräuche signifikant.

Diese durch religiöse Kasuistik verordnete Fasten[8] vollziehen sich als zielgerichtete und in analogen Situationen wiederholbare, d.h. dann (wieder)-verwendbare Riten.[9] Rituelles Fasten vermittelt zwischen der natürlichen Nüchternheit des Menschen die Nacht hindurch bis zum Morgen und dem von Hungersnöten und Dürrekatastrophen erzwungenen Fasten; es vermittelt zwischen Natur und Kultur. Der kulturelle Charakter des angewandten Fastens zeigt sich z.B. darin, daß hier "bis zum Abend" gefastet, in der Nacht aber Nahrungsaufnahme gestattet wird.[10] Dem natürlichen "Fasten" bei Nacht steht das kulturelle Fasten am Tage gegenüber.

Künstliche Nahrungsverweigerung und anschließende Wiederaufnahme verweisen damit potentiell auf Situationen, in denen tatsächlich keine Nahrung vorhanden ist, also auf Krisenzeiten und deren Beendigung.

Für agrarische, Regenfeldbau betreibende, wie auch für nomadische oder seminomadische Gesellschaften[11] bedeutet der jährliche Vegetationsrhythmus eine zeitlich strukturierte Nahrungsentwicklung und -produktion. In diesem Zusammenhang berichtet LEVY-STRAUSS, daß man in China am 105. Tag nach dem Wintersolstitium, d.h. zum Frühlingsäquinoktium, die zuvor gelöschten Herdfeuer in feierlicher Zeremonie wiederentfacht habe.[12] Er folgert:

---

[6]Vgl. *Arbesmann*, a.a.O., 94f.; *Eisenhut*, Ceres, KP 1, 1113ff; *ders.*, Cerealia, a.a.O., 1115; *Hunger*, Lexikon, 88.; *Wissowa*, RE 3, 1970-1979.

[7]Als kollektive Fastenzeiten gelten das Fasten am großen Versöhnungstag und die seit dem Exil in Gebrauch befindlichen Gedenk- oder Sacharja-Fasten. Neben diesen regelmäßig wiederkehrenden Fasten stehen allerdings solche, die bei nationalen Katastrophen kasuell verordnet werden und wie sie, außerhalb des Alten Testaments hinsichtlich ihrer Kasuistik und Form in mTaan festgelegt wurden, vgl. vorläufig *Mantel*, Fasten II, 45f.; *Hall/Crehan*, Fasten III, 46ff.

[8]Vgl. *Gerlitz*, a.a.O., 42.

[9]Zu Begriff und Funktion von Ritus und Ritual s.u. 15ff.

[10]Vgl. etwa Ri 20,26; ISam 7,6; s.a. *Lipinski*, La Liturgie penitentielle, 29; *Lech*, Das ramadan-Fasten, 190ff.

[11]Gemeint sind Gesellschaftsformen, die nicht durch künstlich geschaffene Wasserspeicher eine relative Unabhängigkeit von den Regenzeiten erreichen. Anders ist dies in den Wasserbau betreibenden sog. hydraulischen Gesellschaften, vgl. *Wittfogel*, Despotie, 35ff.

[12]Mythologica II, 447; s.a. Mythologica I, 373ff.

"die Küche wird wirklich oder symbolisch aufgehoben; während einer bestimmten Zeit...wird zwischen der Menschheit und der Natur ein unmittelbarer Kontakt hergestellt, wie er zu jener mythischen Zeit, da das Feuer noch nicht existierte und die Menschen ihre Nahrung entweder roh oder nur kurz von den Strahlen der Sonne erwärmt essen mußten..."[13], bestand.

LEVY-STRAUSS handelt hier zwar nicht über das Fasten, aber dennoch wird deutlich, daß mit dem Verlöschen der Herdfeuer der Mensch auf die natürliche Nahrung und Vegetation zurückgewiesen wird, während die kulturelle Küche kalt bleibt. Die Ersetzung des Feuers durch die Sonne sowie die Datierung auf die Frühlings-Tag-und-Nacht-Gleiche deuten weitere Implikationen an. Der Termin des Frühlingsäquinoktium markiert zwar auch die Ablösung der bisher längeren Nacht durch die nun folgenden längeren Tage, primär aber den durch die Sonne gewirkten neuen Vegetationsbeginn. Im Wechselspiel zwischen Sonne und Regen entscheidet sich, ob die Vegetation den existentiell nötigen Ertrag bringen wird. Diesen Wechsel im Vegetationsrhythmus spiegelt das Auslöschen und Wiederentfachen des Küchenfeuers wider.[14]

Repräsentieren Fasten und Brechen der Fasten den Wechsel vom Hunger zum Essen, dann verwundert nicht, daß sowohl die *Nästeia* der attischen Thesmophorien, als auch das *sacrum anniversarium Cereris* mit Fruchtbarkeit und Vegetation verbunden sind.

Zu Beginn des dreitägigen Thesmophorienfestes ziehen die Frauen zum Thesmophorion hinauf und werfen am Abend Ferkel in die Gruben der Demeter. Die Kadaver dieser Ferkel werden zu einem späteren Termin aus der Grube wieder heraufgeholt, da man glaubt, daß ihre Vermischung mit dem Saatgut zu einer guten Ernte[15] führe. Am zweiten, *Nästeia* "Fasten" genannten Tag sitzen die Frauen auf der Erde, trauern[16] und fasten, was nach BURKERT als Nach-

---

[13] Mythologica II, 455.

[14] Zumindest tendenziell ist dabei die Gefahr enthalten, daß die Natur sich entzieht. Der Übergang gehört damit zu jenen klassischen Grenzwechseln, welche besonders gesichert werden müssen. S.u.

[15] Vgl. *Burkert*, a.a.O., 365f.

[16] So in Nachahmung der Stimmung Demeters nach Kenntnisnahme vom Raub Kores. S. *Burkert*, a.a.O., 367f.

ahmung vorkultureller Lebens zu verstehen sei.[17] Das Brechen der Fasten erfolgt am dritten Tag unter Anrufung der Göttin "der schönen Geburt", *Kalligéneia.* Dieses Hauptfest des griechischen Demeterkultes ist in erster Linie ein Fruchtbarkeitsfest, orientiert sich am *Nästeia*-Tag jedoch an Demeters Suche nach der geraubten Tochter Kore: wie ein wilder Vogel eilt sie durch das Land mit aufgelöstem Haar, Fackeln tragend und ohne Ambrosia und Nektar zu berühren.[18] Für diese Zeit der Suche Demeters nach Kore resümiert BURKERT: "Vergeblich ziehen die Rinder den Pflug, fallen die Gerstenkörner in die Erde, nichts keimt und wächst...".[19] Die Welt steht quasi still, das Leben wird angehalten. Auch die latinisierte Form des Festes, das *sacrum anniversarium Cereris,* auch *castum Cereris* genannt, wird angesichts der Suche Ceres (Demeter) nach ihrer Tochter Proserpina (Kore-Persephone)[20] ähnlich zu verstehen sein.

Vermittelt durch die antike Ideenwelt und die Wiedergabe des hebr. *ṣôm* durch griech. *nästis ktl.* erscheint der Fastenritus primär als Nahrungsritus, ist aber, wie o.g. Beispiel zeigt, schon im homerischen Demeter-Hymnus potentiell mit kollektiver Not verbunden. Diese antiken Konnotationen sind durch die bis in heutige Zeit reichende (christlich-religiöse) Vermittlung des Fastenbrauchtums verdeckt, wenn nicht gar verloren.

Orientiert am Lauf des christlichen Kirchenjahres gilt die Zeit zwischen Aschermittwoch und der Osternacht, die *Quadragesima,* zur Erinnerung an Tod und Auferstehung Jesu Christi als Fastenzeit.[21] Veranlaßt durch den kirchenjahreszeitlichen Rhythmus geht ihr eine Periode ausgesprochener Ausgelassenheit voran: die Karnevals- oder Faschingszeit.[22]

---

[17] So nach Diod. 5,4,7 s. *Burkert,* a.a.O., 368. Ebd. Anm.29 auch der Hinweis, daß die Frauen auf Eretria kein Feuer (!) verwendeten.

[18] *Burkert,* a.a.O., 249; vgl. Hom. Hymn.II,40ff.; 200ff.

[19] Ebd., s. auch *Arbesmann,* a.a.O., 90ff.

[20] Vgl. *Arbesmann,* a.a.O., 94f.

[21] Vgl. *Gerlitz,* Fasten I, 43; *Hall/Crehan,* Fasten III, 50ff.

[22] Vgl. dazu sowie zum Fastnachtsspiel das instruktive Nachwort von *Wuttke,* Fastnachtsspiele, 422; vgl. auch *Fehrle,* Fasten, 1234ff; *Sartori,* Fastnacht, 1246ff.1254.1260ff.

Die Fastenzeit endet in der Regel mit der Feier der Osternacht durch das Entzünden eines (Kerzen-)Lichtes oder wird durch Glockengeläut bekanntgegeben.[23]

Nach dem Zeugnis der synoptischen Evangelien fällt der christliche Ostertermin auf den 14.Nisan, ist somit zeitgleich mit dem jüdischen Passa-Fest. Auch wenn diese zeitliche Identität in späterer Zeit aufgegeben wurde, Ostern am 1.Sonntag nach dem 1.Vollmond nach dem Frühjahrsäquinoktium - Passa am 14.Tag nach dem ersten Frühjahrsvollmond[24], bleibt deutlich, daß Ostern und Passa in enger Verbindung zum Frühjahrsäquinoktium stehen.

Unabhängig von allen exegetischen Schwierigkeiten, die die Passa-Texte im Alten Testament, vornehmlich Ex 12-13 und Dtn 16,1-8[25], bereiten, herrscht Konsens darüber, daß das jüdische Passa ein ursprüngliches Naturfest war und später zu einer Gedächtnisfeier an den Exodus umgedeutet wurde.[26] Im Mittelpunkt des Passa- und auch des Mazzenfestes wird natürlich belassene Nahrung verzehrt. So soll am 14.Tag des ersten Jahresmonats Abib, dem späteren Nisan, das Fleisch weder roh noch gekocht, sondern nur "am Feuer" gebraten gegessen werden (Ex 12,9), und die Zubereitung des Brotes hat ohne Verwendung von Sauerteig zu erfolgen (Ex 12,15f; Dtn 16,3ff). Praekulturelle Zubereitung von Fleisch und Brot wie auch die Terminierung in den ersten Frühjahrsmonat[27] weisen auf zeremonielle Begehungen zum Frühlings- und Vegetationsbeginn[28], bzw. zur Ernte[29] hin.

---

[23]Ethnologisches Material bei *Lévy-Strauss*, Mythologica II, 449ff; *Frazer*, GB V, 253ff; *vGennep*, Manuel de Folklore francais contemporain III, Paris 1946ff, 1125ff.

[24]S.a. *Josuttis*, Gottesdienst, 289f; *Leipoldt/Grundmann*, Umwelt I, 201ff; *Lohse*, Umwelt, 113ff.

[25]S. kürzlich *van Seters*, ZAW 95 (1983), 167-182.

[26]S. *Henninger*, Über religiöse Strukturen nomadischer Gruppen, 46. Nicht nur die historisierende Umdeutung, sondern auch die Terminierung auf den 14.Nisan lösen das Passa-Mazzen-Fest damit schon in atl. Zeit vom Lauf der Vegetationsperioden ab, vgl. *Schmidt*, Glaube, 119.

[27]Zum Wechsel der Monatsnamen und zur Übernahme des babylonischen Kalenders vgl. *de Vaux*, Lebensordnungen I, 306ff.

[28]Auch die mögliche Herleitung des Passa aus dem nomadischen Frühjahrsweidewechsel unterstützt diese Verbindung, insofern die Nomaden ihre Winterweiden verlassen und im Frühjahr nach neuen Futtergründen suchen. Vgl. dazu *Rost*, ZDPV 56 (1943), 205ff; *deVaux*, Sacrifice,16f. *ders*, Lebensordnungen II, 347; *Henninger*, Les fêtes, 56ff.; *ders.*, Strukturen, 46 Anm.

Über mehrere Stadien der Umdeutung und Vermittlung (Passa - Jesu Tod - Ostern - Fastenzeit) scheint somit auch die christliche Fastenzeit in einem Kontext zu stehen, der mit dem Rhythmus und der Sicherung der existenznotwendigen Vegetation zusammengehört.

Es ist einer dieser Vermittlungsschritte, dem sich die Ausweitung des ursprünglichen Osterfastens der Karwoche durch die spätere Voranstellung des vierzig-tägigen Quadragesimalfastens verdankt.[30] Während das Quadragesimalfasten aller Wahrscheinlichkeit nach zu den 40tägigen Fasten Moses am Sinai (Ex 24,18; 34,28) und Jesu in der Wüste (Mk 1,12par.) eine Analogie bildet[31], wird das in der Karwoche stattfindende Osterfasten auf den Tod Jesu bezogen und von TERTULLIAN mit dem in Mk 2,18-20par. erwähnten Fasten identifiziert.[32]

> Mk 2,18-20: "Und es waren die Jünger des Johannes und die Pharisäer am Fasten. Und sie kommen und sagen ihm (Jesus): 'Warum fasten die Jünger des Johannes und die Jünger der Pharisäer, deine Jünger aber fasten nicht?' 19 Und Jesus sprach zu ihnen: 'Können etwa die Söhne des Hochzeitssaals, während der Bräutigam bei ihnen ist, fasten? 20 Kommen werden aber Tage, wenn hinweggenommen wird von ihnen der Bräutigam, und dann werden sie fasten an jenem Tage."[33]

In der Parallelversion der V.19-20 bietet Mt 9,15 nun eine auffallende Variante:

> "Jesus sagte zu ihnen: 'Können denn die Söhne des Hochzeitssaals TRAUER halten, solange der Bräutigam bei ihnen ist? Doch es werden Tage kommen, da ihnen der Bräutigam entrissen wird: dann werden sie fasten!"

---

44 zu Migration, Transmigration und Transhumanz; s. ferner *Schmidt*, Glaube, 115ff.

[29] Sofern das Passa-Mazzen-Fest eine Kombination aus nomadischen Migrations- und bäuerlichen Erntebräuchen darstellt, s. *Schmidt*, a.a.O., 116f.

[30] Zur ursprünglichen Unterscheidung und späteren Verbindung beider Fastenzeiten vgl. *Hall/Crehan*, a.a.O., 51ff.

[31] Vgl. ebd.

[32] Hinweis a.a.O., 50f.; Tertullian, IEI 2,3.

[33] Übersetzung bei *Pesch*, Markus 1, 170.

Matthäus ersetzt das *nästeuein* in Mk 2,19 durch *penthein* "trauern", "klagen", "beklagen"[34] und identifiziert damit zwei Sachverhalte, die schon im Alten Testament in enger Verbindung miteinander vorliegen: *Fasten und Trauer.*

## 1.2 Das צום-Fasten im Alten Testament

Die hebräische Sprache verfügt über mehrere Termini und Wendungen, um Nahrungsverweigerung, also Fasten, auszudrücken. Neben *l' 'kl/brh* II *lḥm* "kein Brot essen" (z.B. ISam 28,20; IISam 12,17), *knᶜ* "sich demütigen" (IKön 21,29) und der Wendung *ᶜnh* Pi. *npš* "sich selbst demütigen" (z.B. Jes 58,3; Lev 16,29.31; 23,27.32)[35] steht besonders die Wurzel צום, nominal (*ṣôm*) und verbal (*ṣûm*) belegt[36].

Aus dem Kontext der jeweiligen Belege ergibt sich, daß *ṣôm*-Fasten nur in ISam 31,13/IChr 10,12 und IISam 1,2 als Trauerbrauch in der Totenklage um Saul und Jonathan geübt wird. Daneben setzt Sach 7,5; 8,19 das Fasten als institutionalisierte, öffentliche Gedenkfeier anläßlich der Ereignisse um die Zerstörung Jerusalems im Jahre 587 v.Chr. voraus. Alle weiteren Belege sprechen vom Fasten angesichts einer individuellen oder kollektiven Notlage.[37] Den Charakter des Fastens als einer öffentlichen religiösen Begehung, auch *ywm ṣôm* "Fastentag"[38] genannt, lassen diejenigen Texte erkennen, die von

[34]Vgl. *Balz*, EWNT III, 162f.

[35]Zu den Termini vgl. KBL[3] s.vv.; ferner *Brongers*, Fasting, 2. Das in Esr 9,5 belegte Nomen *tᶜnyt* ist eine aramäisch beeinflußte Nominalbildung von *ᶜnh* II s. *Meyer*, HG II, 36, und bezeichnet in der rabbinischen Literatur vor allem den Mischna-Traktat mTaan und die sog. Fastenrolle Megillat Taᶜanit, vgl. *Schäfer*, Lexikon, 99; s. auch *Brongers*, a.a.O., 17ff; *Jastrow*, Dictionary, 1684; *Levy*, Wörterbuch IV, 178ff; 657.

[36]Nominal: IISam 12,16; IKön 21,9.12; Jes 58,5.6; Jer 36,6.9; Jo 1,14; 2,15; Jon 3,5; Sach 8,19; Esr 8,21; IIChr 20,3; Est 4,3; Dan 9,3; Neh 9,1; Ps 35,13; 69,11; 109,24; Jo 2,12; Jes 58,3; Est 9,31. Verbal: IISam 12,21.22.23.16; Sach 7,5 (2x); Jes 58,3.4; Neh 1,4; Est 4,16 (2x); IKön 21,27; Esr 8,23; Jer 14,12; Ri 20,26; ISam 7,6; 31,13; IISam 1,12; IChr 10,12. Davon in der Wendung "ein Fasten ausrufen/heiligen" *qrʾ / qdš ṣôm*: IKön 21,9.12; IIChr 20,3; Esr 8,21; Jer 36,6.9; Jon 3,5; Jo 1,14; 2,15.

[37]Individuell wohl nur in Ps 35,13; 69,11; 109, 24; IKön 21,27 und IISam 12,21ff.

[38]Jes 58,3; Jer 36,6.

einem an alle Bewohner der Stadt oder des Landes gerichteten Aufruf[39] berichten. Neben dem so der ganzen Begehung den Namen gebenden *ṣôm* begegnen jedoch weitere Bräuche, wie z.B.: kleiderzerreißen (*qr$^{c}$ bgd*)[40], anlegen des Saqgewandes (*lbš/ks'/ḥgr śq*)[41], sich nicht salben (*negativ: swk šmn* IISam 14,2)[42], s. mit Staub und Erde bestreuen (*lbš śq w'pr; 'dmh $^{c}$l* + Suff.)[43], sitzen auf Staub/Erde (*'pr, 'pr yṣ$^{c}$*)[44], sitzen im Staub (*yšb $^{c}$l h'pr, 'pr yṣ$^{c}$*)[45], trauern (*spd*)[46], s. enthalten und weinen (*nzr* Ni., *bkh*)[47]. Sie finden in den bezeichneten Texten keine spezifische Verwendung, sondern kommen jeweils als Trauerbräuche anläßlich eines Todesfalls oder der Vernichtung ganzer Städte vor.[48]

Texte, die aufgrund der Wendung "ein Fasten ausrufen/heiligen"[49] eine öffentliche religiöse Begehung beschreiben und deren Ablauf erkennen lassen, geben weitere Hinweise auf das Geschehen.[50] Als Beteiligte finden die Einwohner von Stadt und Land, Amtsträger wie König, Prophet, Älteste und Priester Erwähnung. Als Ort setzten zumindest IIChr 20,1ff, Jo 2,17; Jer 36 den

---

[39] In allen Texten mit der Wendung *qr' / qdš ṣôm*, s.o. A. 49.

[40] IKön 21,27; Jo 2,13; Est 4,1.

[41] Jo 1,8.13; Jon 3,5.6; IISam 12,16; Est 4,1ff; IKön 21,27.

[42] IISam 12,20.

[43] Est 4,1; Neh 9,1.

[44] Jes 58,5; Dan 9,3.

[45] Jon 3,6; Est 4,3.

[46] Sach 7,5.

[47] Sach 7,3.

[48] Kleiderzerreißen (*bgd prm, m$^{c}$yl/bgd/śmlh + qr$^{c}$*): Gen 37,34; Lev 10, 6; 21,10; IISam 1,11; 3,31; 13,31; IISam 1,2; Hi 1,20; 2,12 u.ö. Saqgewand (*ḥgr śq, śym śq + bmtnym, śq tpr $^{c}$l* + Suff.): Gen 37, 34; IISam 3,31; Ez 27,31; Jo 1,8; Hi 16,15; Jdt 8,5; 10,33 u.ö. Staub und Erde (*zrq/$^{c}$lh $^{c}$pr $^{c}$l r'š, 'dmh $^{c}$l r'š*): IISam 1,2; 15,32; Ez 27,30; Hi 2,12 u.ö. Salbverbot (*'l swk šmn*): IISam 14,2; Jdt 10,3. Sitzen/Liegen auf d. Erde (*škb 'rṣ, l'rṣ yšb*): IISam 13,31 (Ez 8,14); Gen 23,3; Jes 3,26; Hi 2,13 u.ö. Sitzen/s.Wälzen im Staub (*yšb btwk h'pr, plš b'pr*): Hi 2,8; Jer 6, 26; Ez 27,30.

[49] S.o. A.36.

[50] So besonders in Jo 1,14ff; Jon 3 und IIChr 20.

Tempelbereich voraus.[51] Im Mittelpunkt der Zeremonie stehen, wie IIChr 20,1-19 zeigt, ein Klagegebet (V.6-12), eine (prophetisch) vermittelte Orakelantwort (V.15-17) und eine darauf folgende Proskynese des Volkes mit dem Lobpreis Jahwes (V.18-19).[52]

*Ṣôm* bezeichnet demnach nicht ein einzelnes Handlungselement, sondern eine öffentlich-kollektive Begehung mit deren einzelnen Elementen und ist insofern terminus technicus eines größeren Handlungsablaufes, der nach allgemeinem Konsens als kultisch-ritueller Hintergrund der Volksklagelieder des Psalters gilt, und zwar als deren Sitz im Leben.[53]

Der skizzierte Handlungsablauf, bestehend aus Sprachhandlung (Gebet) und körpersymbolischen Gesten (Trauerbräuche), gewinnt so den Charakter einer Institution, welche je nach Bedarf angewandt und in der Folge ritualisiert wurde.

## 2. Zur Interpretation rituellen Handelns

### 2.1 Ritual und Ritus

Der Überblick über das alttestamentliche kollektive Fasten hat gezeigt, daß die öffentliche Bekanntmachung des Fastens zu einer festen Abfolge einzelner Handlungselemente führt und ein Handlungsstandard entsteht, der zwischen einer ursprünglichen und davon abgeleiteten Situationen[54] vermittelt. Das sich auf der Oberfläche automatisch vollziehende Geschehen samt seiner operativen Qualität geht zurück auf einen Vermittlungsprozess von Erfahrung und Einübung und ist sozial konditioniert.[55] Die Automatik sequentiell festge-

---

[51] Im einzelnen s. dazu u. 187f.; 199ff.; 147f.

[52] Vgl. Jon 3; Jo 1-2; s. *Wolff*, Aufruf, 392ff; *ders.*, Bk XIV/2, 34ff.60ff.

[53] *Baumgartner*, Joel, 12ff; *Gunkel-Begrich*, Einleitung, 117; *vWaldow*, Anlaß, 74f; *Rendtorff*, Testament, 106f; *Schmidt*, Glaube, 123; *Albertz*, Frömmigkeit, 26f; *Stolz*, THAT II, 537; *Kraus*, Psalmen I, 53f; *Mowinckel*, Psalms I, 193ff; *Veijola*, Verheißung, 176; *Kaiser*, Einleitung, 336.

[54] Besonders in der Ethologie ist dieser Zusammenhang unter dem Stichwort Ritualisation präsent. So dient z.B. ursprünglich genetisch vermitteltes Instinktverhalten der Tiere (Drohgehabe zur Abwehr eines Nebenbuhlers) in ritualisierter Form einem ganz anderen Zweck (Imponiergehabe während der Balz). S. hierzu *Gladigow*, Religion, 98ff; vgl. auch *Douglas*, Ritual, 11ff.

[55] In dieser weitgehend kulturellen Vermittlung durch Erfahrung, Lernen und Üben liegt der Unterschied zum tierischen Instinktverhalten, das überwiegend genetisch weitergegeben wird, vgl. ebd.; zur kulturspezifischen Verwendung

legter Handlungen birgt dabei die Gefahr in sich, daß das bloße Handeln zum Selbstzweck wird, sein Sinn, Ziel und Wert verdeckt und mit der Zeit vergessen werden. In diesem negativen Sinn äußert sich bereits die kultkritische Prophetie im Alten Testament.[56] Ebenso läßt die spiritualisierende Opferterminologie, derzufolge Demut als Opfer begriffen werden kann[57], eine nachträgliche (Wieder-)Einführung des Handlungssinns erkennen. Ausgehend von diesen kritischen Ansätzen, die die Differenz zwischen Handlung und ihrem ursprünglichen Sinn bereits reflektierten, wurde der Begriff *Ritual* nicht nur zu benutzen vermieden, sondern wurde zu einem "anstößige[n] Wort", zum "Ausdruck für leeren Konformismus"[58] In neueren religionswissenschaftlichen und (sozial)anthropologischen Arbeiten allerdings läßt sich ein positiver Umgang mit dem Begriff "Ritual" und der so bezeichneten Sache in verschiedenster Form erkennen. Zwar bleibt die standardisierte Handlungsfolge ein Charakteristikum des Rituals, wird aber in ihrer symbolischen Dichte und sozialen Funktion analysiert und interpretiert.[59] Nach TURNER ist ein Ritual ein Handlungsstandard, der nicht etwas zum Ziel hat, das durch Arbeit bewältigt werden könnte, sondern ein "prescribed formal behavior for occasions not given over to technological routine, having reference to beliefs in mystical beings or powers".[60]

Soll dieser Definition entsprechend auch der mit *ṣôm* "Fasten" bezeichnete Zusammenhang von verbalem (Klagegebet) und manuellem (Trauerbräuche) Geschehen als Ritual verstanden werden, so darf nicht außer acht bleiben, daß standardisierte Handlungskomplexe im Alten Testament nur schwer erkennbar sind und auch der Begriff Ritual in der alttestamentlichen Wissenschaft keine besondere Rolle spielt.[61]

---

manueller Äußerungsformen, Gesten und Gebärden vgl. *La Barre*, Grundlage, 264285.

[56]Vgl. unten zu Jes 58.

[57]S.u. 24f.

[58]*Douglas*, Ritual, 11.

[59]Vgl. den bereits zitierten Band von *M.Douglas*, Ritual, Tabu und Körpersymbolik; *dies.*, Reinheit und Gefährdung; sowie die Arbeiten von *Victor Turner*, deren wohl berühmteste "The Ritual Process" erstmals 1969 publiziert wurde und jetzt -zwanzig Jahre später- ins Deutsche übersetzt werden soll.

[60]*Turner*, Forest, 19.

[61]Selbst in der RGG fehlt ein entsprechendes Stichwort.

Im Gegensatz zur kan.-syr. und mesopotamischen Umwelt, wo genau festzuliegen scheint, wie man sich in bestimmten Situationen zu verhalten und welche Gebete und Beschwörungen man zu rezitieren hat[62], sind im Alten Testament Handlungsanweisungen und zugehörige Gebetstexte getrennt überliefert. Das Ritual des großen Versöhnungstages (Lev 16) schreibt z.B. eine komplexe Handlungsfolge vor, übermittelt den Wortlaut des zu sprechenden Sündenbekenntnisses (V.21) jedoch nicht.[63] Ähnlich enthält der Psalter eine große Sammlung nach Form und Gattung zu unterscheidender Gebetstexte, deren Sitz im Leben nur im Rückschlußverfahren ermittelt werden kann.[64] Solchermaßen getrennt vorliegende Überlieferung von Wort- und Handlungsformularen unterscheidet das AT von seiner Umwelt und verbietet die Annahme eines allgemeingültigen vorderorientalischen "cultic pattern", dem der israelitische Kultus folge.[65]

---

[62]Vor allem kommt dies in den großen Beschwörungsserien *Maqlû*, *Šurpu* und *Bīt rimki* zum Ausdruck, vgl. *Falkenstein-vSoden*, SAHG, 74ff; *Reiner*, *Šurpu*, 1ff; *dies.*, Literatur, 190ff; *Laessoe*, Bīt rimki, pass.; zu Ugarit vgl. *Xella*, TRU 1; *deTarragon*, Le Culte, 79ff. Die Zusammengehörigkeit mes. Gebetstexte zu einer Gattung oder zu bestimmten Ritualen geht aus Über- oder Unterschriften hervor, die die Texte als én = *šiptu* "Beschwörung" oder ihren Zweck als inim.inim.ma...kàm "Beschwörung gegen..." präzise bezeichnen, s. zuletzt *vWeiher*, ADFU 10, 3ff. In der Assyriologie ist es im Anschluß an *B.Landsberger* üblich geworden, solcherart bezeichnete (Gebets)-Texte, die an eine oder mehrere Gottheiten gerichtet sind, Gebetsbeschwörungen zu nennen, s. ebd.; *Mayer*, UFBG, 9. Diese Gebetsbeschwörungen hat *We. Mayer* hinsichtlich ihrer Form in Anlehnung an die atl. Gattungsforschung untersucht. Er bezeichnet diese Gebete als "rituelle Bittgebete des Einzelnen" (a.a.O., 10f.), wobei "rituell" meine, daß sie einem Ritus zugeordnet und im Unterschied zu individuellen Gebeten "vorformuliert" seien (ebd.). *Bitt*gebete aber seien sie vor allem deswegen, weil sie die Beseitigung des Übels in Form einer Bitte überliefern. Die Bezeichnung "Bittgebete" statt "Gebetsbeschwörung" wählt *Mayer* nicht nur aufgrund der analysierten Form, sondern vor allem deswegen, weil das Wort "Beschwörung" den Verdacht nahelegen könnte, daß die Gebete "magisch wirksame Formeln" (a.a.O., 9) darstellten. In seiner Argumentation verzichtet *Mayer* nicht nur auf eine Klärung dessen, was "magisch wirksam" bedeutet, sondern auch auf Überlegungen zum Verhältnis zwischen Sprache (Gebet) und ritueller Handlung, wie *Groneberg*, JNES 39, 240f., deutlich macht. Statt einer isolierten Betrachtung sprachlicher und ritueller Elemente wäre im Blick auf die Wirksamkeit des Rituals eine beide Elemente gleichwertig beachtende Interpretation notwendig.

[63]S. *Janowski*, Sühne, 194 mit Anm.45.

[64]S. z.B. *Hermisson*, Sprache, 9ff.

[65]Vgl. etwa die von *Hooke/James* herausgegebenen Sammelbände. Dabei ist nicht einmal der Begriff "Kult" eindeutig, s. die feinen Differenzierungen bei *Stolz*, Psalmen, 7-12; *Gerstenberger*, Mensch, 160; *Albertz*, Frömmigkeit, 27.

Eine Erklärung dieses Phänomens ist kürzlich von STOLZ unter dem Stichwort des "Nachkultischen" vorgetragen worden. Bereits in vorexilischer Zeit sei manchen Propheten der institutionalisierte Kultus problematisch geworden, während in exilischer Zeit die Priesterschrift die Kultgesetzgebung in Israels Frühzeit verlege und Ezechiel erst in der eschatologischen Endzeit einen umfassenden Tempelkultus erwarte.[66] Nachkultisch meine darum nicht ein zeitliches und auf die Tempelzerstörung zu beziehendes Phänomen, sondern intellektuelle Kritik an der "Wirklichkeitsdarstellung des Kults".[67] Ursache der Trennung von Wort- und Handlungsformularen ist[68] das altorientalisch singuläre Phänomen einer gesellschafts- und kultkritischen Prophetie.

Das inneralttestamentlich bereits kritische Verhältnis zu Kultus und Ritus entbindet allerdings weder von der Aufgabe, ihrem ursprünglichen Sinn und Ziel nachzugehen, noch wäre die strikte Vermeidung der Begriffe methodisch angemessen.

In Anlehnung an STOLZ erscheint so das kollektive Fasten als ein Handlungskomplex, aus dem die Klagegebete abgelöst und gesondert überliefert worden wären, um für eine nachkultische Verwendung bereit zu stehen.[69] Dies jedoch impliziert eine ursprüngliche Verbindung im Fastenritual, das seinerseits als eine der kultischen Institutionen Israels gelten kann. Die Analyse darf dann aber nicht von den Gebetstexten auf ihren Sitz im Leben einfach zurückschliessen, sondern muß bei der Erfassung von Handlungsablauf und -elementen einsetzen[70].

---

[66] *Stolz*, a.a.O., 18f.

[67] A.a.O., 19.

[68] In diesen Bereich gehört dann ebenfalls die Spiritualisierung kultischer Begriffe im AT, vgl. *Hermisson*, a.a.O., pass.; und in Qumran, vgl. *Lichtenberger-Janowski*, Enderwartung, pass.

[69] Dieser Ablösung verdanken sich ebenfalls die Aufnahmen einzelner Elemente der kollektiven Klage in der Prophetie (Jer 14, s.u. 135 ) und die sog. Mischgattungen in den Pss, vgl. *Gunkel-Begrich*, Einleitung,117; *Stolz*, a.a.O., 21ff.

[70] Zu dieser Umkehrung der traditionellen Fragerichtung von der Situation hin zur verwendeten Gattung s.u. 22f.

## 2.2 Die Ordnungsfunktion des Rituals

Ein ritualisierter Handlungsablauf setzt Ordnung(en). Die Versammlung der Einwohner beim Fasten an einem bestimmten Ort, sowie die bewußte Plazierung der Funktionsträger konstruieren räumliche Ordnungen, Terminierungen wie "Fasttag" oder "bis zum Abend" zeitliche Ordnungen.[71] Raum, Zeit[72], Gesten und Gebärden erhalten symbolische Bedeutung[73].

Die für die Ausführenden implizierte Leistungsfähigkeit operativer Symbole ist dabei in einer erfahrenen, geglaubten oder ontologisch behaupteten Beziehung zwischen Symbol und Symbolisiertem[74] begründet.

> Der sog. Voodoo-Tod tritt ein durch die Überzeugung des Verfluchten, ein todeswürdiges Tabu verletzt zu haben. Die Vergegenwärtigung der "Schuldangst"[75] führt zum psychosomatischen Suizid. Auch vom psychogenen Tod desjenigen, der glaubt, ein Todeszauber liege auf ihm gilt, daß er sich selbst sterben läßt.[76] Im Alten Testament können im Ritual des großen Versöhnungstages (Lev 16) die Riten der Handaufstemmung und der Applikation des Sühnopferblutes an den Altar als symbolische Identifikation des Opfernden mit dem sterbenden Tier und als symbolische Lebensrückgabe (Blut) an Jahwe (Altar des Heiligtums) verstanden werden.[77] Die sühnewirkende Leistung des Ritualgeschehens resultiert daraus, daß für die Ausführenden das

---

[71] Vgl. etwa Ri 20,26ff; IKön 21,9ff; Jo 2,12ff; zu den Raumordnungskriterien anläßlich der Priesterweihe Aarons in Ex 27 vgl. *Leach*, Kultur, 106ff.

[72] Vgl. zur Ordnung von Raum und Zeit in den Mythen *Cassirer*, PSF II, 114ff.; 145ff.

[73] Zur Verwendung von Symbolen in rituellen Handlungsabläufen vgl. *Douglas*, Ritual, 20; *dies.*, Reinheit, 79ff.

[74] Vgl. dazu *Cassirer*, PSF II, 39 (s. aber kritisch zum neukantianischen Ansatz Cassirers *Habermas*, Arbeit, 31; *Kirk*, Myth, 264ff.); *Dux*, Logik, 166f spricht von "Ursprungslogik" oder von einer "mythischen Kausalvorstellung". Zur Verwendung von Analogien in magischen Handlungen vgl. *Tambiah*, Form, 265ff; zur Unterscheidung magisch-religiös s. *Dux*, a.a.O.,161f.; *Turner-Turner*, Celebration, 217f.

[75] S. *Drewermann*, Psychoanalyse 3, 142ff.

[76] Zu diesen Phänomenen vgl. *K.D.Stumpfe*, Der psychogene Tod des Menschen als Folge eines Todeszaubers, in: Anthropos 71 (1976), 525-532.

[77] Vgl. *Janowski*, Sühne, 243. Hier bleibt jedoch unklar, warum der Ritus der Handaufstemmung "symbolisch", der der Blutapplikation "zeichenhaft-real" genannt wird.

Blut das von Jahwe gegebene -und aufgrund der Kompetenz des Gebers operative- Sühnemittel sei.[78]

Um einer Verwechselung der Akzente zu entgehen, was (1.) ein Symbol im Unterschied zum operativen Symbol ausmacht, und was (2.) seinen operativen Charakter begründet, hat LEACH[79] Symbole (in Analogie zur Metapher) von Zeichen (in Analogie zur Metonymie) unterschieden. Metasprachlich stehen "Symbol" wie "Metapher" für eine willkürlich behauptete Verknüpfung zweier verschiedener Kontexte, während "Zeichen" eine Verknüpfung innerhalb eines Kontextes meint.[80]

Rituell-symbolische Verknüpfungen kontextfremder Einheiten selektieren aus der möglichen Vielfalt und strukturieren die beiden Kontexte selbst. Es entsteht ein kontextübergreifender Grenzbereich, der ein rituell-symbolisches-Subsystem bildet.[81] Jede einzelne Verknüpfung überschreitet die jeweiligen System- oder Kontextgrenzen, markiert diese als Grenzen und wird insofern selbst produktiv.

Im *ṣôm*-Ritual erfolgen solche Grenzüberschreitungen vor allem in der Trauer. Rituelle Trauer verbindet die Störung der Gemeinschaft symbolisch mit dem Tod eines Menschen, so daß die aktuelle Notlage nach bewährtem Muster gedeutet, geklärt und überlebt werden kann.

Deutung und Lösung der Krise wie auch das Leben mit ihr erfolgen dabei nicht willkürlich und mittels sinnloser Manipulationen, wie man rituell-magisches Handeln des öfteren eilfertig abqualifiziert, sondern regelhaft und sinn-

---

[78]Vgl. *Janowski*, a.a.O., 247.

[79]A.a.O., 16ff.

[80]Ebd. Die Bestimmung von Umfang und Grenzen der jeweiligen Kontexte birgt jedoch, wie bei jeder Theoriebildung, die Gefahr einer allzu subjektiven Kriterienstellung in sich.

[81]Aufgenommen werden damit funktionale, systemtheoretische Kategorien, wie sie *Luhmann* im deutschsprachigen Raum auf die Religion als soziales System übertragen hat, vgl. Funktion, 13ff; *Geisthardt*, Skizze, 16ff. Im Unterschied zu selbstregulierenden, selbstreferentiellen Systemen sind Symbolsysteme nur innerhalb der spezifischen Trägergruppe interpretierbar, vgl. *Döbert*, Systemtheorie, 75ff. Trotz aller (berechtigten) Kritik an *Luhmanns* supertheoretischer Sprachregelung (s. *Welker*, Theologie, 9ff.) verhelfen die funktionalen Kategorien dazu, hier rituelle Trauer als ein Phänomen zu begreifen, das zwei ursprünglich kontextfremde Bereiche (Totentrauer - Dürre-, Kriegsnot etc.) miteinander in Beziehung setzt, ohne sofort auf "animistische" Theorien rekurrieren zu müssen.

voll. Daß grenzüberschreitende Verknüpfungen zwischen System und Umwelt Sinn konstituieren, haben unabhängig voneinander LUHMANN für die funktionale Systemtheorie und RICOEUR für den Begriff der Metapher herausgestellt.[82]

Nach RICOEUR setze die Metapher da eine Beziehung zwischen Objekten, wo üblicherweise keine gegenseitige Relation bestehe. Daher sei die Metapher ein "category mistake... ein semantisches Mißverständnis".[83] In der metaphorischen Neuaussage entstehe eine "wahrhafte Sinn-Schöpfung"[84], die zugleich ein Modell von Wirklichkeit konstituiert und so einen heuristischen Zugriff auf sie mittels Sprache, Gesten und anderer manueller Äußerungen[85] erlaubt. Die scheinbar banale Aussage, daß rituelles Geschehen sinnkonstituierend und darum sinnvoll sei, läßt sich für das Fasten-Ritual auf drei verschiedenen Ebenen präzisieren:

-auf der symbolischen Ebene, indem Totentrauer aus der Situation des Sterbens abgelöst und in die Situation möglichen Sterbens transportiert wird;

-auf der rituellen Ebene, indem die Totentrauer in der neuen Situation ihren Sinn entscheidend verändert[86], und

-für die Ausführenden selbst, indem eine sinnlose und verzweifelte Notlage in ihrem Ursache-Folge-Verhältnis analysiert und darum gedeutet werden kann.

Analyse, Deutung und Interpretation von Wechseln innerhalb der Lebenszeit erfolgen in exemplarischer Weise in Übergangsritualen, wobei der Wechsel durch Passageriten vollzogen und gesichert wird.[87] Das Ritual des Versöh-

---

[82]"Im Grenzbegriff und im Grenzerleben ist die Möglichkeit des Transzendierens und die Realität der jeweils anderen Seite vorgesehen und unabweisbar impliziert" *Luhmann*, Funktion, 185; *ders.*, Soziale Systeme, 52ff; *ders.*, Sinn, 12, zur Sinnverwendung sozialer Systeme als Strategie "selektiven Verhaltens". Vgl. zur Metapher *Ricoeur*, Stellung und Funktion, 45ff; in linguistischer Sicht *Jakobson*, Doppelcharakter, 323ff; *Lieb*, Begriff, 334ff; *Linguistisches Wörterbuch* 2, 448f.

[83]*Ricoeur*, a.a.O., 48.

[84]Ebd.

[85]Zur Metapher als heuristischer Fiktion vgl. *Ricoeur*, a.a.O., 52.

[86]S.u. 73ff. und die Arbeit von *Kutsch*, der beide Bereiche unter dem Stichwort der Minderung zur Deckung bringt.

[87]So nach *vGennep*, Les Rites, pass.; vgl. auch *Leach*, Kultur, 98ff.; *vd-Leeuw*, Phänomenologie 210; *Haag*, Teufelsglaube, 176ff; *Luhmann*, Funktion, 115; *Turner*, Ritual, 166ff.; *Gay*, Zygon 18, 273ff.; *Thiel*, Religionsethnologie, 102ff.

nungstages (Lev 16) oder Rituale der Krankenheilung[88] kontrollieren den Wechsel von ungesühnter zu gesühnter Sünde, vom Krank- zum Gesund-Sein. Ähnlich den Übergängen in der Lebenszeit (Geburt, Pubertät, Hochzeit, Tod)[89] zielen auch Sühne- und Heilungsrituale auf eine status-Erhöhung des Übergängers.[90]

Daβ diese status-Wechsel neben dem Übergänger auch die ihn bergende soziale Gemeinschaft betreffen, zeigen Hochzeits- und Pubertätsriten, die Einzelne oder ein Paar in die gröβere Gemeinschaft feierlich aufnehmen. Deutlicher aber kommt das Phänomen noch im Todesfall zum Ausdruck, wenn sich eine Familie aufgrund der entstandenen Lücke oder des plötzlichen Fehlens ihres Oberhauptes neu konstituieren muβ.[91] Trauerriten im Todesfall, in individueller wie kollektiver Not lassen ein Geflecht sozialer Beziehungen zwischen Individuum und Kollektiv entstehen, das nun seinerseits mit den personal vorgestellten Mächten, die für Tod und Notlage zur Verantwortung gezogen werden, seien es Gottheiten oder dämonisch-numinose Wesen, eng verknüpft ist.

### 2.3 Zusammenfassung

Als metaphorisch-symbolisches Handeln verknüpft rituelles Handeln ursprünglich unterschiedene Situationen und Kontexte miteinander. Das *ṣôm*-Ritual transformiert die kollektive Notlage in die Situation der Totentrauer und strukturiert Ort, Zeit und die sozialen status der Beteiligten.

Der zu ermittelnde Sinn des Rituals hängt damit zunächst von den Handlungen selbst und erst in zweiter Linie von den sprachlichen Äuβerungen ab. Zum Verständnis der symbolischen Ebene soll die Funktion der Trauerriten im

---

[88]S.u. A. 91 ; zur Krankenheilung vgl. *Seybold*, Gebet, 81ff.

[89]Vgl. *Haag*, a.a.O., ebd.; *Turner*, Forest, 6ff.; *Thiel*, a.a.O., 103f.

[90]Zu den sozialen Implikationen der Krankheit, der gesellschaftlichen und kultischen Isolation eines Kranken (z.B. Ps 35) vgl. *Seybold*, a.a.O., 48ff.; *Gerstenberger*, Mensch, 167ff.; *Seybold-Müller*, Krankheit, 13ff.

[91]Vgl. etwa zur (kultischen) Wiedereingliederung eines ehemals Kranken in die Gesellschaft *Seybold*, a.a.O., 88f.; im Todesfall: *Gladigow*, Konstruktion, 119ff.; *deVaux*, Lebensordnungen I, 99ff.; *Tsukimoto*, Totenpflege, 230f.

Todesfall bestimmt werden[92], um ein funktionales *tertium comparationis* zu erschließen.[93] Dabei ist zunächst auf die Kristallisationspunkte der neueren Diskussion um das kollektive Fastenritual einzugehen.

## 3 Gegenwärtige Problem- und Fragestellungen

### 3.1 Verschiedene Deutungen des kollektiven Fastens

Eine Sprache und Gebärden gleichberechtigt analysierende Darstellung wurde bislang zum *ṣôm*-Ritual nicht vorgetragen. Vielmehr werden die Deutungen der Riten von den sprachlichen Elementen, den Gebeten, her gegeben. Das z.T. daraus resultierende uneinheitliche Verständnis von *ṣûm* "fasten" und *ṣôm*-Ritual reicht bis in die Übersetzungen hinein: "Bußtag", "Fastentag" oder "Volkstrauertag".[94] Konsens liegt allenfalls da vor, wo das Fasten als ursprünglich kanaanäischer Trauerritus identifiziert wird - dies jedoch mit der Einschränkung, daß im Alten Testament bereits eine *interpretatio israelitica* stattgefunden habe, mithin die Aspekte von Tod und Trauer kaum noch zu erkennen seien.[95] Während eine Deutung des Fastens im *ṣôm*-Ritual als Trauerritus von vornherein ausgeklammert wird, mangelt es nicht an Versuchen, das Fasten funktional anhand der einzelnen Texte zu bestimmen. Zentrale

---

[92] S.u. Kap. 3.

[93] S.u. 114ff.

[94] *Hermisson*, Sprache, 78, interpretiert im Sinne von Buße, da Fasten als Reaktion auf eine Notlage und damit zur Abwendung des göttlichen Zorns im AT verstanden sei. *VonWaldow*, Anlaß, 81, hält sich an die rein lexikalische Bedeutung von *ṣûm* = fasten, während *Stolz*, THAT II, 537, stärker den Aspekt der Trauer in seiner Übersetzung hervorhebt. S. neuerdings auch *Gerlitz*, Fasten I, 42ff; *Mantel*, Fasten II, 45ff.; *Hall-Crehan*, Fasten III, 48ff.

[95] *Stolz*, a.a.O., 536: "Restbestand kanaanäischen Totenkults"; *Hermisson*, a.a.O., 77; *vonWaldow*, a.a.O., 76, stellt heraus, daß Fasten als auf Tote bezogener Ritus mit Fasten in Notlagen nichts gemein habe; *Brongers*, Fasting, 5, sieht hier ein gesellschaftlich konventioniertes "survival", dessen eigentlicher Sinn längst vergessen war. *Hall-Crehan*, a.a.O., 48, "Fasten ist die angemessene Form eines Sündenbekenntnisses".

Deutungskategorie ist dabei der Begriff der Buße.[96] In dieser Weise ethisch qualifiziert, läßt sich das Fasten als Bußritus bis ins Mittelalter verfolgen.[97] Für das unmittelbare Umfeld des Alten Testaments wird ebenfalls der sühnewirkende und sündenvergebende Aspekt des Fastens hervorgehoben.[98] Lediglich E.KUTSCH hat den Versuch unternommen, Fasten im Zusammenhang mit anderen Trauerriten funktional zu bestimmen.[99]

Ausgehend von ihrer Verwendung anläßlich eines Todesfalls und individueller wie kollektiver Notlagen gelangt KUTSCH zu dem Ergebnis, daß diese Riten entweder ein "Gemindertsein" (Totentrauer) oder "Selbstminderung" (Notlage) ausdrücken und faßt beides unter dem Oberbegriff der "Minderung" zusammen.[100] Zweck der Riten sei es, Demut und Gebeugtsein gegenüber der Gottheit auszudrücken, um so Mitleid und gnädige Zuwendung zu erlangen.[101]

Gegenüber dieser einlinigen Interpretation eruiert BRONGERS sechs, anhand der Belegstellen gewonnene Funktionen des Fastens: Fasten nach dem Tod, vorbereitendes oder einleitendes Fasten vor Begegnung mit dem Heiligen, Fasten als wirkmächtige Gebetsunterstützung, Sühnefasten, fürbittendes Fasten und das sog. Sacharja-Fasten, das als öffentliche Gedenkfeier anläßlich der Zerstörung Jerusalems 587 v.Chr. bis in christliche Zeit geübt wurde.[102]

Der Fastenritus wird so entweder in seinen Nuancen auf eine zentrale Kategorie festgelegt oder überdifferenziert. Auch die Verwendung der Kategorie

---

[96] S.o. A. 94 ; ferner *Seybold*, Gebet, 84, der Fasten neben anderen Klageriten als Element eines im Alten Orient weit verbreiteten Bußrituals im Krankheitsfall, 82f, versteht; solche Bußriten vollzieht der Kranke entweder selbst oder werden von einem Dritten für ihn vollzogen. *Hermisson*, a.a.O., 79, sieht angesichts der Notlage des Fastenden das Fasten als "'äußeres' Zeichen einer bestimmten Haltung des Menschen vor Gott"; ohne nähere Begründung *Stolz*, a.a.O., 538. Vorsichtiger *Welten*, TRE 7, 433ff.

[97] Vgl. *Gerlitz*, Aspekte, 255ff.; *ders.*, Beichte, 87.

[98] Vgl. *Brongers*, a.a.O., 13-20; *Hall-Crehan*, a.a.O., 48f.; *Janowski*, Sühne, 137ff. zum hellenistischen und rabbinischen Judentum.

[99] Vgl. ThSt 78, 25-42.

[100] A.a.O., 34-37; ihm weitestgehend folgend auch *Stolz*, a.a.O., 536ff.

[101] So implizit bei Kutsch, deutlicher bei *Hall-Crehan*, a.a.O., 48 "Fasten dient zumeist dem Zweck, Gottes Gnade zu gewinnen oder seinen Zorn abzuwenden"; ähnlich auch *Mowinckel*, Psalms I, 193, wonach die Riten einen "state of impurity" ausdrücken und (214f.) das zumeist fehlende Sündenbekenntnis vertreten und damit die Klage zur "penitential lament" machten.

[102] *Brongers*, Fasting, 3f.; zu den Gedenkfasten in nachbiblischer Zeit, 13ff.

"Buße" impliziert ein bestimmtes Vorverständnis.[103] Im Bußfasten bringe man die von Jahwe "geforderte Haltung zeichenhaft zum Ausdruck", doch stelle sie kein selbstwirksames Mittel (mehr?) dar, um auf die Gottheit einzuwirken.[104] Möglicherweise liegt gerade in der potentiellen Mißverständlichkeit des Fastens selbst die Ursache der prophetischen Kritik (vgl. Jes 58,1-12; Jo 2,12ff.), die das Fasten inhaltlich neu als soziales Wohlverhalten faßt.[105]

Es konkurrieren damit zwei sich gegenseitig ausschließende Verstehensmuster. Als "Bußritus" ist das Fasten offen für prophetische Kritik, die davor warnt, durch Fasten das Gottesverhältnis beeinflussen zu können (Sach 7,1ff.). Andererseits ist besonders im nachbiblischen Judentum das Fasten als Opfer-Ersatz hochgeachtet und als sühnewirkender Ritus verstanden und praktiziert worden.[106]

Überlegungen zu einer gemeinsamen Wurzel des kollektiven *ṣôm*-Fastens und des apotropäischen Fastens als Trauerritus werden nicht (mehr) in Erwägung gezogen.[107]

### 3.2 Jahwes Heilshandeln in der Klage des Volkes

Unter den Klageliedern des Volkes (weiterhin kurz KV) versteht man gemeinhin[108] diejenigen Gebetstexte, die 1. ihren Sitz im Leben im *ṣôm*-Ritual haben, 2. eine gemeinsame Formensprache aufweisen und 3. über einen ge-

---

[103] Vgl. *Hermisson*, a.a.O., 78 Anm.1.

[104] Ebd. *Hermisson* gibt jedoch zu verstehen, daß der Fastenbrauch ursprünglich magisch-zwanghaften Charakter besaß. Zur Verwendung des Fastens als apotropäischem Reinigungsritus vgl. *Gerlitz*, ZRGG 20, 212-222.

[105] Hinter dieser Übertragung kultischer Ordnungskategorien auf den sozialen Bereich, *Hermisson*, a.a.O., 83, steht die grundlegende Erfahrung, daß vor Gott nicht allein die Einhaltung einer kultischen Ordnung, sondern auch der sittlich-moralischen Ordnung zählt; s. *Hermisson*, a.a.O., 81.

[106] S. *Janowski*, Sühne, 138 mit Hinweis auf die entsprechenden Belege; s. auch *Brongers*, a.a.O., 18 mit Hinweis auf berakot 17a.

[107] S.o. A. 95.

[108] S.u. A. 109.

meinsamen Themenkreis (Wortschatz) verfügen.[109] Die Zuordnung der im Psalter überlieferten KV zum *ṣôm*-Ritual wird durch einen Vergleich mit den in den Fasten-Texten überkommenen KV und deren einzelnen Formelementen deutlich.[110]

Innerhalb neuerer Arbeiten begegnen die KV in thematisch orientierten Einzeluntersuchungen[111] neben anderen Texten und Gattungen. Für ihr Verständnis als sprachliches Element des *ṣôm*-Rituals sind die gattungskonstituierenden Elemente: *Rückblick auf Jahwes frühere Heilstaten und Anklage Gottes* wesentlich.

Der Rückblick auf Jahwes frühere Heilstaten hat nicht nur gattungskonstituierende Funktion, sondern in ihm bekommt die "Vergegenwärtigung von Geschichte (sc. in den Psalmen) ihren unmittelbarsten und greifbarsten Ausdruck".[112] Das hier angesiedelte Reden von Geschichte, d.h. von Ereignissen in der zurückliegenden Geschichte, beziehe sich 1. auf das Unheilshandeln Jahwes

---

[109]So nach den klassischen Kriterien Gunkels, s. *Gunkel-Begrich*, Einleitung, 22f. Über den Umfang dieses Textkorpus herrscht allerdings nur bedingt Einmütigkeit:

*Mowinckel*: Ps 12, 14, 44 , 58, 60, 74, 79, 80, 83, 90, 94, 144, Thr 5; *Gunkel*: Üs 44, 58, 74, 79, 80, 83, 106, 125, Thr 5; *Seidel*: Ps 60, 74, 79, 80, 83, 85, 90, 137; *Kraus*: Ps 44, 60, 74, 79, 80, 83, 85, 90, 94, 123, 126, 129, 137; *Kaiser*: Ps 44, 60, 74, 79, 80, 83, 85, 90, 137, Thr 5. Vgl. *Mowinckel*, Psalms I, 194 (ohne Lamentations in the I-Form); *Gunkel-Begrich*, a.a.O., 117 (reine KV); *Kraus*, Psalmen I, 53; *Seidel*, Spuren, 26; *Kaiser*, Einleitung, 336. Einheitlich werden Ps 44, 60, 74, 79, 80, 83 und 90 als KV gewertet, während hinsichtlich der restlichen Belege die Meinungen divergieren. Zum formkritischen Kriterium: fehlendes Sündenbekenntnis vgl. u. 29ff.

[110]Vgl. IIChr 20,6-12; Jer 14, 2-6.7-9.19-22 (nur Elemente, s.u. 121ff.); (Jos 7, 7-9 kein Fasten aber KV ähnlich); Esr 9,6-15; Neh 1,5-11; Dan 9, 4-19 (alle mit KV-Elementen und großen Sündenbekenntnissen, s.u. 225ff.). Zur Modifikation der Gattungskriterien s.u. 237ff.

[111]S.u. 29ff. Explizit nicht mit dem Fasten, sondern mit kollektiven Klagefeiern befaßt sich *Veijola* in seiner Studie zum 89. Psalm: Verheißung in der Krise. Für *Veijola*, a.a.O., 182ff., stellen die hier u.a. relevanten Fastentexte ISam 7,6ff. und Ri 20,26-28 dtr "Rückprojektionen der eigenen Gegenwart in eine weit zurückliegende Vergangenheit dar", 197, wobei das häufige Vorkommen von Bethel und Mizpa als den Orten, wo Klagefeiern stattfanden, daraufhindeutet, daß die dtr Bewegung hier zu Hause gewesen sein könnte, 190ff.

[112]So *Westermann*, Lob, 165; s. auch *Albertz*, a.a.O., 28ff.

und der Feinde[113] (formal im Klageelement), 2. auf Klage oder Bitte[114] oder stelle 3. ein selbständiges Formelement dar. Das entscheidende formale Kriterium ist der geschichtliche Rückblick als eigenständiges, auch syntaktisch ausgewiesenes Formelement (Ps 44,(2)3-4; 60,8-10; 74,13-17; 77,6-7.14-21; 80,9-12; 83,10,13; 85,2-4; 89,10-13). Inhaltlich umfassen die positiven Geschichtserinnerungen die Ereignisse vom Exodus bis zur Landnahme Israels und damit genau die existenzgründenden Taten Jahwes an Israel.[115]

Durch Aufnahme speziell kollektiver Erfahrungen unterscheiden sich die Rückblicke in den KV deutlich von denen der KE mit ihrem elementar individuellen Erfahrungsreichtum. Für ALBERTZ Indiz genug, zwischen offizieller Religion (KV) und persönlicher Frömmigkeit (KE) zu differenzieren.[116]

Angesichts des zur Sprache kommenden Materials aus der Volksgeschichte bleibt jedoch der Terminus "offiziell" unscharf, denn daß kollektive Erfahrungen und Traditionen nur auf offizieller, dh. priesterlicher und königlicher Lehre beruhen, wäre noch zu belegen.[117]

Die *Funktion* der Rede von Jahwes früheren Heilstaten bestehe hingegen darin, daß ein Kontrast oder eine Spannung zwischen einst und jetzt erzeugt werde.[118] Auf der kommunikativen Ebene dienten alle Arten positiver Geschichtserinnerung in den KV dazu, die Bitte um das dringend erforderliche göttliche Eingreifen zu verstärken.[119] Der stilistisch-rhetorische wie auch se-

---

[113]Das Folgende entsprechend der Differenzierung *Kühlewein's*, Geschichte, 38ff., womit im Endeffekt alles, vom Standpunkt des Psalmisten aus gesehen, Zurückliegende als *Geschichte* thematisiert wird.

[114]*Kühlewein*, a.a.O., 49ff: meist formuliert als Begründungs-, Relativ- oder Vergleichssatz oder als Objekt eines Verbalsatzes. Vgl. Ps 89,50; 79,1ff.; 95,4; diese in Syntagmen enthaltenen Hinweise auf früher Geschehenes stellen allerdings kein eigenständiges Formelement dar, auf das es hier ja ankäme, sondern sind in Formelemente eingebaute Motive.

[115]Zur Analyse und zum Nebeneinander von Geschichtstradition und mythischer Tradition s.u. 250ff.

[116]Vgl. *Albertz*, a.a.O., 27; s. ferner *Vorländer*, Mein Gott, 293ff., und *Albertz*, a.a.O., 28, zur Möglichkeit der Kollektivierung ursprünglich individueller Frömmigkeitsformen; s. auch *Veijola*, Verheißung, 133ff., zur Übertragung personal gebundenen Verheißungsgutes auf das Volk.

[117]Vgl. *Verf.*, Grundzüge, BN 43 (1988), 70ff.

[118]Vgl. *Kühlewein*, a.a.O., 49; *Albertz*, a.a.O., 27; *Westermann*, a.a.O., 165ff.

[119]*Kühlewein*, a.a.O., 53f; 56; 57; 60; 106f; 122f.

mantische Kontrast soll nahezu automatisch Jahwes Eingreifen herbeiführen,[120] womit die Frage nach der rituellen Funktionsfähigkeit auf die literarische Ebene verlagert wird.

Die Möglichkeit einer solchen Rede von Jahwes früheren Heilstaten wird in einem spezifisch israelitischen Geschichtsbegriff gefunden. Geschichte werde erfahren als ein typologischer Zusammenhang von Vergangenheit, Gegenwart und Zukunft, der aus dem "alle Zeiten durchdauernden Heilsangebot Gottes"[121] erwachse.

> Das göttliche Heilshandeln wird als Konstante im Sturm der Zeiten verstanden, als ein die Geschichte linear strukturierendes Element.[122] Gegen eine solche Vereinfachung spricht indes nicht nur, daß Jahwes frühere *Heilstaten* in den KV als Summe von Einzeltaten einer bestimmten Epoche (Exodus-Landnahme) geschildert werden, sondern auch die *Unterbrechung des göttlichen Heilshandelns*, angesagt durch die prophetische Gerichtsverkündigung oder durch die Zurückweisung des hilfesuchenden Volkes, z.B. in Jer 15,1ff.[123] Von einem "durchdauernden" Heilsangebot läßt sich allenfalls von einem exponierten Beobachtungsort aus sprechen, nicht jedoch für denjenigen, der konkret die Not am eigenen Leibe erfährt.[124] Geschichte scheint sich demnach von ihrer jeweiligen Verwendung her zu definieren: Geschichte im DtrG ist etwas anderes als in P, ChrG oder in den KV. Je nachdem, welche Motivation hinter dem Erzählen und Aufzeichnen israelitischer Geschichtsdaten steht, wird zu ermessen sein, als was Geschichte zu verstehen ist. So zeigen z.B. die Bußgebete in Neh 9 und Dan 9 einen Rhythmus von göttlicher Heilstat und menschlichem

---

[120] *Kühlewein*, a.a.O., 54, ist hier an ein magisches Verständnis gedacht? Es stellt sich die Frage, ob der Kontrast für den antiken Menschen tatsächlich eine Denkkategorie darstellt, was doch für die Gebete eine Situation des Argumentierens erforderte.

[121] *Zirker*, Vergegenwärtigung, 112; *Kühlewein*, a.a.O., 66; *Gese*, Denken, 86: "Jede Situation oder Zeitart ist schon einmal in der unübersehbaren Abfolge der Situationen dagewesen, jede kehrt wieder, doch ist diese Abfolge als solche unbestimmbar; bestimmbar ist an Hand der Symptome nur, welche Situation einzutreten im Begriffe steht". (Zur vorausgesetzten mesopotamischen Vorzeichenwissenschaft vgl. *Gese*, a.a.O., 85f.).

[122] So deutlich *Pannenberg*, Heilsgeschehen, 24f.; zur Kritik an den Kategorien linear und zyklisch vgl. jüngst *H.Cancik*, Rechtfertigung Gottes, 265 mit Anm. 29.

[123] S.u. 136f.

[124] Vgl. nur den pessimistischen Schluß des DtrG, wie Dtr überhaupt Geschichte weniger als Heils-, sondern als Sündengeschichte schreibt, vgl. *Wolff*, Kerygma, 308ff.

Ungehorsam[125], so daß offen bleibt, wer die die Geschichte tragende Konstante bildet, der immer wieder gnädige Gott oder der immer wieder ungehorsame Mensch?[126]

Läßt sich ein pauschales Urteil über die Funktion des Rückblicks auf Jahwes frühere Heilstaten nicht gewinnen, so sei im Vorgriff auf die weitere Untersuchung darauf hingewiesen, daß durch die Geschichtserinnerung aktuelle mit früherer Not verbunden wird. Damit dient Geschichte zur Konstruktion von Situationsanalogien. Sie erzeugt und legitimiert Handlungsfähigkeit[127] und wird selbst zur Geschichtstheologie.

### 3.3 Jahwes Unheilshandeln in der Klage des Volkes

War im vorherigen Abschnitt vom Heilshandeln Jahwes die Rede, so kommt hier sein Unheilshandeln zur Sprache,[128] in der als DU-Klage formulierten Anklage Gottes.[129] Dabei wird die Not nicht nur auf Jahwe zurückgeführt, sondern eigenes Verschulden strikt (Ps 44,18ff.) zurückgewiesen.[130]

Auffallend ist, daß die Begründung der gegenwärtigen Not durch ein Sündenbekenntnis nicht in den KV des Psalters, sondern in prophetischen oder dtr beeinflußten historiographischen Texten vorliegt (z.B. Jer 14,7.20; Jes 64,6b.8; Thr 5,7.16).[131] Damit erhebt sich die Frage, ob ein Sündenbekenntnis konstitu-

---

[125]S.u. 225ff.

[126]So besteht die Funktion des Rückblicks in den KV in der Vorstellung von Jahwe als König und Krieger, entfaltet also einen ganz spezifischen Vorstellungsgehalt, s. im Einzelnen u. 250ff.

[127]S.u. 255ff.

[128]Vgl. *Kühlewein*, a.a.O., 33ff.; *Albertz*, a.a.O., 38ff.

[129]S. *Kühlewein*, a.a.O., 42; s. weiter unten.

[130]Auch hier sieht *Kühlewein*, a.a.O., 48f. in der Unschuldserklärung eine Erweiterung der Klage - was aber wenn Sündenhinweis und Unschuldserklärung fehlen? Müßte man hier nicht formgeschichtlich differenzieren?

[131]S. *Kühlewein*, a.a.O., 44ff.; ferner *Kellermann*, BN 13, 71.

tiv zur KV gehört, und wenn nicht: unter welchen Bedingungen und wann es integriert wurde.[132]

Nach herrschender Auffassung besteht auch die Funktion der Unschuldserklärung und der Warum (*lmh*)-Frage -ähnlich dem Rückblick auf Jahwes frühere Heilstaten- in der Erzeugung einer Spannung zwischen einst und jetzt.[133] Die Unschuldserklärung verstärke damit die Du-Klage, artikuliere einen Widerspruch im Sein Gottes selbst (Vgl. Ps 44,10-15.25; 60,3-5.12; 74,1-11; 80,5-7.13; 85,6; 89,39-47.50).

Inhaltlich äußert sich dies in dem Vorwurf, daß Gott sein Volk verworfen und verlassen habe (Ps 44,10; 60,3.12; 74,1 u.ö.[134]), wobei der Eindruck entsteht, daß Jahwe die geschichtlich begründete Beziehung zu seinem Volk abgebrochen habe und nun als Gegner erfahren werde.[135] Diese Sicht führt ALBERTZ zu zwei wesentlichen Konsequenzen:

> Einerseits stelle die kollektive Not im Unterschied zur individuellen Not die Gottesbeziehung grundsätzlich in Frage, und andererseits ähnele Gott in den KV eher einem König denn einem Familienvater in den KE.[136] Die intendierte Differenzierung macht auch an dieser Stelle deutlich, daß KE und KV aus unterschiedlichem Traditionsmaterial gespeist sind, das vorerst jedoch nur individuelle und kollektive Erfahrungen unterscheiden läßt.[137]

---

[132]Urspünglich bei *Gunkel-Begrich*, Einleitung, 131; *Wendel*, Laiengebet, 144f; Dtr beeinflußt und später eingefügt *Scharbert*, BZNF 2 (1958), 14ff.; *Kühlewein*, a.a.O., 46ff. So verwendet etwa *Kühlewein*, a.a.O., 44-48, die Existenz des Formelements Sündenbekenntnis als gattungsgeschichtliches Argument: je umfangreicher das Sündenbekenntnis - desto später der Text. Ebenso herrsche ein reziprokes Verhältnis zwischen Anklage Gottes und Sündenbekenntnis - je größer dieses, desto kleiner jenes. Zur deutlich dtr beeinflußten Herkunft der Sündenbekenntnisse und deren sekundärer Verknüpfung mit den KV und dem *ṣôm*-Ritual s. u. zu Jer 14,7ff.; ISam 7,2.5ff.

[133]S. *Kühlewein*, a.a.O., 49.

[134]Vgl. *Albertz*, a.a.O., 38, weitere Belege 224 Anm. 132-136.

[135]*Albertz*, a.a.O., 39.41. Ebenfalls ist nach *Albertz*, a.a.O.,39, das aktive, zornige Handeln Jahwes gegen sein Volk ein weiteres Spezifikum der den KV zugrundeliegenden offiziellen Religion, da in den KE ein solches Handeln weitaus weniger häufig begegne.

[136]*Albertz*, a.a.O., 42. Zur Bestätigung dieser Sicht auf ganz anderem Wege, nämlich in der Vergegenwärtigung des Königtums Gottes mittels der mythischen Elemente in den KV s.u. 258ff.

[137]S.u. Kap. 5.

Diejenigen Aussagen, die von einer Untätigkeit, Verborgen- oder Abwesenheit Gottes sprechen,[138] wurden bislang kaum gewürdigt. W.H.SCHMIDT verdanken wir den Hinweis, daß in Ps 44 (KV) und Ps 78 (Geschichtspsalm) mittels der Termini "Schlafen" und "Erwachen" auf das Gottesschlaf-Mythologem und die diesem zugrundeliegende Konzeption vom sommerlichen Tod der Vegetationsgottheit[139] angespielt werde.

Außerhalb der KV liegt die Motivverbindung "Rückblick auf Jahwes frühere Heilstaten" und "Rede von Jahwes Untätigkeit" nur in Ps 78 vor. Wie auch andere Geschichtspsalmen (Ps 105; 106) zeigen, werden Jahwes Heilstaten in zweifacher Weise vergegenwärtigt: als Summarium der einzelnen Ereignisse zwischen Exodus und Landnahme (KV und Ps 105)[140] oder aber unter Einbeziehung der menschlichen Reaktion, so daß göttliche Heils- und menschliche Unheilstat einander korrespondieren (Ps 106; 78; Neh 9; Esr 9; Dan 9).[141] Dieser Unterscheidung gemäß werden auch die Aussagen vom "Schlafen" und "Erwachen" Gottes; in Ps 44,24ff. (KV + Rückblick + Unschuldsbeteuerung!) und in Ps 78 (Geschichtspsalm + Sündenhinweis) unterschiedlich beurteilt werden müssen. Das göttliche Erwachen in Ps 78,65 gehört in die Reihe der Heilserweise, denen menschlicher Ungehorsam und göttliches Gerichtshandeln folgt, während in Ps 44,24ff. zwar eine Notsituation vorliegt, diese aber gerade nicht als Gericht oder zu Recht ergangene Strafe verstanden wird. Hier dient das Gottesschlaf-Motiv der Anklage, dort der Heilsschilderung. Beide Formen entfalten ein gemeinsames Thema: die Bundestreue (Ps 105,8f.). Entweder wird Jahwes *Bundestreue* exemplarisch dargestellt oder aber anhand der Erweiterungen um den menschlichen Ungehorsam der *Bundesbruch* des Volkes (Ps 78,10).[142] Göttliche Untätigkeit wird als

---

[138] Vgl. z.B. Jer 14,8f.; Ps 44,24ff.; *Albertz*, a.a.O., 41f. deutet diesen Sachverhalt zwar an, subsumiert aber das Motiv unter die Aussagen vom "Verstoßen" und "Verlassen" Gottes.

[139] *Schmidt*, Glaube, 159, u. besonderer Hinweis auf Hab 2,19; s. ablehnend *Weippert*, BDBAT 3, 75-87.

[140] S.u. 250ff.

[141] S. *Westermann*, a.a.O., 186f.; will man hier Kategorien verwenden, so könnte man an ein rhythmisches Geschehen zwischen Mensch und Gott denken. Hier zeigt sich einmal mehr, daß pauschale Urteile zum Geschichtsverständnis nicht berücksichtigen, welche Verwendung der aufgezeichneten Geschichte intendiert ist und dadurch Auswahl, Kompilation und Harmonisierungen bestimmt. Geschichtsverwendung entspringt weder historischem Bewußtsein noch theoretischer oder historischer Neugier, sondern ist von allem Anfang an auf praktische Anwendung ausgerichtet. Zur Untauglichkeit pauschaler Kategorien wie "hebräisches" und "griechisches" Denken, aber auch ihrer Katalogisierung als Opposition linear:zyklisch s. *Cancik*, Rechtfertigung Gottes, 262ff.

[142] Zum Vorwurf gegen Jahwe, daß gerade er selbst seinen Bund zu brechen im Begriffe steht, s.u. zu Jer 14,19-22.

rechtens erfolgte Strafe für eigenen Ungehorsam oder wie in den KV als unrechtmäßige Willkür verstanden.[143] Ist demnach mit verschiedenen Verwendungsformen des Schlaf-Motivs und der Geschichtserinnerung zu rechnen, so auch mit verschiedenen Sitzen im Leben. Hymnische Vergegenwärtigung (positiv kultisch) setzt evidenterweise eine andere Situation voraus, als die z.T. in den Bereich der Lehre, Ermahnung und Buße gehörende spezifisch bewertete Geschichte[144].

SCHMIDT's Hinweis gewinnt jedoch seine Kontur, wenn in den KV die Spannung zwischen jetziger Not und einstigem Heilshandeln Jahwes so erzeugt wird, daß die Existenz Gottes selbst zur Disposition steht.

Indem Israel die Existenz seines Gottes und sein heilvolles Handeln mittels geschichtlicher Erzählungen und Kategorien zum Ausdruck bringt, tritt die mythische Redeweise deutlich zurück. Damit erhalten auch die Kategorien der Wahrnehmung göttlicher Präsenz und göttlichen Handelns eine ganz andere, von den ikonischen Wahrnehmungsmustern der Umwelt unterschiedene Qualität.

Kollektive Notsituationen werden auch in Israels vorderasiatischer Umwelt teilweise mit Trauer verbunden. Primär allerdings sind Vorstellungen von einer Unterwelts- bzw. Himmelfahrt einer Gottheit, daß sich die Gottheit irgendwo versteckt halte, sie in Form ihres Kultbildes verschleppt worden sei oder sich angesichts ihres astralen Charakters hinter solaren oder lunaren Eklipsen verberge.[145]

---

[143]Gleichzeitig unterscheidet sich die mit der Anklage Gottes häufig verbundene Warum-Frage (Jer 14,8.9.19; Ps 44,24; 74,1.11; 80,13 u.ö.) aber auch von der dem verborgenen Sinn eines Unheils nachspürenden Theodizee-Frage (s. *Cancik*, a.a.O., 272f.), da hier kein (weisheitlich bedingtes) Nachsinnen über den Zusammenhang der Zeiten oder von Tun und Ergehen vorliegt, sondern die Frage als rhethorische Form der Klage zu verstehen ist, vgl. *Balentine*, Hidden God, 129: "here the lament is itself the point of the entire prayer".

[144]In späterer Zeit entwickelt sich daraus ein "Bundeskult", der offenbar zur Erneuerung des von menschlicher Seite gebrochenen Bundes diente, s. *Baltzer*, Bundesformular, 68ff.

[145]S. im einzelnen u. 35ff.

## ZWEITES KAPITEL: GOTTVERLASSENHEIT IN ISRAELS UMWELT

### 1. Einführung

Bisher stellt sich das atl. Fasten-Ritual als kollektive Begehung in nationalen Krisenzeiten dar. Fasten im eigentlichen Sinne tritt deutlich zugunsten gemeinschaftlicher Trauerriten zurück, und die vorgetragene Klage konstatiert, daß Jahwes Handeln nicht mehr seinen früheren Heilserweisen entspreche. Zur Aussage göttlicher Aktivität bedienen sich die atl. Autoren einer an der Volksgeschichte orientierten Redeweise, so daß Jahwe als ein Gott erscheint, dessen Präsenz und Wirken in der Geschichte selbst erfahrbar sei. Diese geschichtstheologische Deutung göttlichen Handelns teilt Israels vorderasiatische Umwelt nicht. Die Götter handeln hier vornehmlich in Mythen, und wenn ein Eingreifen, z.B. im Krieg geschildert wird, so sind sie durch Standarten, Embleme oder Bilder präsentiert.[1] Als dritte Form göttlicher Aktivität dürfen Naturereignisse gewertet werden, hinter denen entweder funktional gebundene oder astral gedachte Gottheiten wirksam sind. Die Wahrnehmungs- und Beschreibungskategorien göttlichen Wirkens bleiben damit kulturspezifisch differenziert und erschweren den Vergleich mit atl. Vorstellungen und Texten.

Vergleichbar bleibt allerdings die Art und Weise, wie in kollektiven Krisenzeiten verfahren und worauf die Not zurückgeführt wird.

Kollektive, d.h. Land und Leute betreffende Notlagen in Verbindung mit Trauer bezeugen nicht nur die Fastentexte des Alten Testaments, sondern auch Rituale, Mythen und Königsinschriften aus Mesopotamien und Ugarit. Die Texte zeigen[2], daß kollektive Not durch die Abwesenheit eines Gottes, durch seine

---

[1]Vgl. *Weippert*, Heiliger Krieg, 476ff.

[2]Es handelt sich dabei um den Mythos "Inannas Gang zur Unterwelt"; die Überwindung Baals durch Mot; die Nabonid-Inschrift $H_1B$; das sog. Nebukadnezar-Epos; und ein Gebet und Ritual an einen verfinsterten Gott. Darüberhinaus lassen Passagen aus den Gottesbriefen Sargons und Asarhaddons v. Assyrien, aus Dumuzis Traum und aus dem Gilgameschepos, erkennen, welche Funktion Trauerriten im Blick auf die Toten selbst haben können.

Untätigkeit oder Verborgenheit veranlaßt ist. Zu dieser, auf einen Gott bezogenen Trauer formuliert LANDSBERGER:[3]

> Die *"Fiktion bei der Trauer um einen Gott ist die, daß er seine Stätte im Tempel verlassen hat, sei es daß er, von einem feindlichen Gott überwältigt, in die Unterwelt hinabsteigen mußte, sei es daß er im Zorne über die Menschheit sich entfernt hat, im Gebirge einherjagend oder im Feindesland verweilend".*

Ursache der kollektiven Not ist demnach die Gottverlassenheit, welche verschiedene Formen annehmen kann. Ihnen ist gemein, daß die Gottheit der Wahrnehmung entzogen ist. Objekte dieser Wahrnehmung können entweder eine ikonische oder anikonische Präsentation der Gottheit sein oder aber Ereignisabläufe, hinter denen ein lebenserhaltendes Handeln der Gottheit vermutet wird. Besonders die hethitischen Telepinu-Texte zeigen eine enge rituelle Einbindung, die die Funktion des Mythologems vom verschwundenen[4] Gott erkennen läßt.

Im Blick auf die alttestamentlichen Fastentexte, die Trauer angesichts kollektiver Not beschreiben, darüber hinaus aber auch bestimmte Formen der Gottverlassenheit voraussetzen[5], bieten die Texte der Umwelt nicht nur Analogien, sondern setzen das Phänomen Trauer um einen Gott explizit voraus. Der Bezugspunkt zwischen den atl. Aussagen und den Texten der Umwelt ist damit die Frage nach den *Formen der eine kollektive Not verursachenden Gottverlassenheit* und ihrer sprachlichen Bewältigung. Den Ausgangspunkt dieses Vergleichs bildet die allgemein menschliche Erfahrung nationaler Krisenzeiten und der sich dadurch ergebende Anspruch zu handeln.

---

[3] *Landsberger*, Kalender, 5.

[4] Der hier als t.t. eingeführte Begriff "verschwundener Gott" ist der hethitologischen Literatur entnommen. Er ist insofern berechtigt, als das plötzliche Auftreten einer Notlage auf ein Verschwinden des Gottes zurückgeführt wird, er ist mißverständlich, weil sich auch hier der Gott entweder der Wahrnehmung entzieht, als astrale Gottheit von seiner Ekliptik abweicht, oder sich schlicht versteckt, d.h. verbirgt, s.u. 3.

[5] S.u. Kap. 4.

## 2. Gottverlassenheit in Mesopotamien und Ugarit

### 2.1 -als mythologisches Motiv

Der sowohl in sumerischen Abschriften der altbabylonischen Zeit wie in akkadischen Abschriften der mittel- bis neuassyrischen Zeit überlieferte Mythos *Inannas Gang zur Unterwelt*[6] erzählt von dem Besuch der Göttin Inanna/Ištar, den sie der Unterweltsgöttin Ereškigal[7] abstattet, dort gefangengenommen und erst durch das Eingreifen Ea's/Enki's[8] wieder befreit wird.[9]

Der Gefahr ihres Vorhabens bewußt, spricht Inanna mit ihrem Boten Ninšubur[10] noch vor ihrer gemeinsamen Ankunft in der Unterwelt[11] ab, was Ninšubur zu tun habe[12], falls Inanna binnen dreier Tage[13] nicht zurück sei.

Nachdem Inanna ihre Heiligtümer[14] verlassen hat (Z.7-13), spricht sie zu ihrem Boten Ninšubur:

---

[6] Vgl. *Reiner*, Literatur, 160; zu Text und Bearbeitung vgl. *Sladek*, Inanna's Descent to the Netherworld. Die sumerische Fassung aus 29 Textfragmenten zumeist aus Nippur und Ur bei *Sladek*, a.a.O.,103ff.; die akkadische, wesentlich kürzere Fassung, nach den Haupttextzeugen aus der Assurbanipalbibliothek in Kujuncik, a.a.O., 240f; sowie *Borger*, BAL 1; neue Texte zur 3.Tafel aus Ur bei *Kramer*, PAPS 124, 299ff.; *Wilcke*, ASAW 65/4, 12f.

[7] Vgl. *D.O.Edzard*, *Ereškigal*, WdM 2, 62-64, 66.

[8] Zu Ea/Enki s. zuletzt *Galter*, Ea/Enki, pass.

[9] Zur Deutung des Mythos s. z.B. *Alster*, ASJ 5, 9ff.; *Hutter*, Vorstellungen, 116ff.; *Burkert*, Texte, 66f.; *Kirk*, Myth, 108ff.; *Wilcke*, Opposition, 59ff.; *Afanasieva*, ZA 70, 167ff.

[10] Zu *Ninšubur* s. *Groneberg*, Einführungsszene, 107 u.ö.; sowie jetzt *F.A.M. Wiggerman*, The Staff of *Ninšubura*. Studies in Babylonian Demonology, II, JEOL 29 (1985-86), 3-34.

[11] Lokalisierung und Beschreibung der Unterwelt bei *Sladek*, a.a.O., 58ff.

[12] Zu dieser Absicherung s. *Hutter*, a.a.O., 123, sowie *Sladek*, a.a.O., 49f.

[13] Diese dreitages-Frist hat mehrfach zu Spekulationen hinsichtlich des christlichen Auferstehungsbekenntnisses "am dritten Tage" geliefert, wird jedoch nicht von allen Textvertretern gebucht, sondern kann auch bedeutend länger sein, wie die Version aus Ur belegt, s. a.a.O., 204.

[14] Das *Eanna v. Uruk*, das *Emuškalamma v. Bad-Tibira*, das *Gigunu* v. *Zabalam*, das *Ešarra v. Adab*, das *Baradurgarra v. Nippur*, das *Ḫursagkalama* v. *Kiš* und das *Eulmaš v. Akkad*, s. dazu *Bergmann*, ZA 56, 1ff.

29 Come my faithful major-domo of (my temple) Eanna
30 My major-domo (who speaks) consoling words
31 My knight (who speaks) trustworthy words
32 When I have descended to the netherworld
33 And when I have arrived in the netherworld
34 Make a lament (ír) for me in my ruined [temples][15]
35 Beat the drums (šem)[16] for me in the sanctuary
36 Make the rounds of the temples of the gods for me[17]
37 Scratch[18] at [your eyes]; scratch at your nose...
38 Scratch at your buttocks, the private place
39 Like a pauper, clothe yourself in a single garment.

Auch der Wortlaut der Klage, die Ninšubur vorbringen soll, wird im Wortlaut mitgeteilt (Z.40-67), wobei Inanna bereits davon ausgeht, daß nur Enki ihr helfen wird, da er über die "lebenspendende Pflanze" (ú-nam-ti-la) und das "lebenspendende Wasser" (a-nam-ti-la) verfügt und Inanna wiederbeleben kann.[19]

Nachdem Inanna nun tatsächlich aus der Unterwelt nicht zurückgekehrt ist, sondern dort "als Leichnam an einen Haken gehängt" (Z.171)[20] wird, beginnt Ninšubur zu klagen und zu trauern. Für diese Zeit der Abwesenheit der Göttin von ihren Heiligtümern belegen die sum. und akk. Version eine kollektive Not.

In der sum. Fassung (Z.34) werden die von Inanna verlassenen Tempel als "Ruinen" bezeichnet, während nach der akk. Fassung (Z.76-80) alle sexuellen, d.h. auf Fortpflanzung und Fruchtbarkeit gerichteten Aktivitäten bei Mensch und Tier zum Erliegen kommen.

---

[15] Zu diesem Zusammenhang, daß ein Tempel als Ruine gilt, wenn sein Gott ihn verlassen hat, vgl. auch u. 40ff.

[16] Zu den Klagetermini vgl. *Krecher*, Kultlyrik, 23ff.; s. auch ders., a.a.O., 46ff.

[16] Solches nacheinander erfolgende Aufsuchen mehrerer Tempel deutet bereits darauf hin, daß -wie der spätere Verlauf zeigt- Enlil und Sîn nicht helfen werden, vgl. *Falkenstein*, AfO 14, 119.

[18] Terminus ist ḫur vgl. *Sladek*, a.a.O., 118; s. CAD s.v. *eṣēru* "zeichnen, ritzen", s. auch KTU 1.5 VI 17ff.

[19] Ea/Enki operiert damit als Schöpfergott, vgl. *Galter*, 85ff.

[20] Inanna ist also tot. Vgl. auch in der akk. Version ihre Wiederbelebung durch Besprengen mit Lebenswasser, *mê balāṭi suluḫšima*.

Enki ersinnt einen Plan, um die Ordnung der Unterwelt zu überlisten und so die Ordnung im Diesseits wiederherzustellen (Z.222-253, 254-281). Der Plan, Inanna aus der Unterwelt zu befreien, gelingt, doch fordern die Unterweltsdämonen von Inanna vor ihrem endgültigen Fortgang noch ein Substitut, in diesem Fall Ninšubur (Z.254-281). Inanna jedoch verweigert ihre Herausgabe, weil Ninšubur sich mit Trauer und Klage den Regeln entsprechend verhalten hat:

> Z.326 She is the one who brought me back to life
> Z.327 How could I turn her over to you?

Trauer und Klage Ninšuburs[21] ermöglichen so den interzessorischen Einsatz Inannas bei den Unterweltsmächten und verweisen auf eine mögliche Beziehung zwischen dem Toten und dem Trauernden.

Ebenfalls den Tod der Gottheit in der Unterwelt setzen die fünfte und sechste Tafel des ugaritischen Baalzyklus[22] in KTU 1.VI 11ff., vermutlich in der Mitte des 2.Jt.v.Chr. voraus. Hier werden die Trauerreaktionen Els und Anats überliefert, nachdem Baal von Mot überwunden wurde und zur Unterwelt (*arṣ*) gefallen war:[23]

> 11 Danach stieg der wohlwollende El, 12 der Erbarmungsreiche von seinem Thron. Er setzte sich 13 auf einen Hocker, und von dem Hokker setzte er sich 14 auf die Erde. Er schüttete Ähren 15 der Trauer auf sein Haupt, Staub des Sich-wälzens 16 auf seine Stirn. Als Kleid zog er 17 einen Gurt/ein gegürtetes Gewand an. Die Haut schneidet er 18 mit einem Stein, die Seitenlocken mit einem Rasiermesser. 19 Er schnitt in Wangen(-Bart) und Kinn(-Bart). 20 Er harkte seinen Unterarm(knochen), er pflügte 21 wie einen Garten die Herzgegend. Wie ein Tal harkte er 22 den Rücken. Er erhob seine Stimme und schrie: 23 Baal ist tot. Was ist mit dem Volk? Der Sohn 24 Dagans.

---

[21] Ähnliches Verhalten wird ebenfalls von Šara im Sigkuršaga, dem Tempel von Umma (Z.328ff.) und von Lulal im Emuškalamma, dem Tempel von Bad-tibira (Z.338ff.) berichtet. Trauer und Klage von Ninšubur, Šara und Lulal stehen damit in strengem Gegensatz zu Dumuzi "clothed in a magnificent garment, sitting on an magnificent throne" (Z.349). Weil Dumuzi an seinem königlichen Status festhält, statt um Inanna zu klagen und zu trauern, liefert sie ihn als ihr Substitut an die Dämonen der Unterwelt aus.

[22] Zur Theologie des Zyklus vgl. *Gibson*, OrNS 53, 202ff.

[23] Zum folgenden Text im Einzelnen vgl. *Verf.*, SEL 4 (1987), 67-78; *Dietrich-Loretz*, UF 18, 101ff.; *Loretz*, Regenritual, 132f.

Was ist mit den Vielen? Hinter 25 Baal will ich zur Unterwelt hinabsteigen.

Diese Trauerszene, die in KTU 1.5 VI 31b – 1.6 I 8a nur wenig verändert[24] mit Anat als Subjekt begegnet, ist hinsichtlich ihrer Topik der atl. Trauer vielfach verwandt.[25] Dabei setzt der Text den Tod Baals voraus, welcher mit einer kollektiven Notlage einhergeht und worauf die Frage Els, was nun aus Baals Volk werden solle (Z.6–7), abzielt.[26] Wie Els Traum vom Wiederaufleben Baals erkennen läßt (KTU 1.6 III 1ff.), haben Himmel und Flußbette während Baals Abwesenheit keine Gaben gespendet, so daß die Not als Wassermangel zu verstehen ist.

### 2.2 –als historisch–literarischer Topos

Ebenfalls in Königsinschriften und Texten pseudohistorischen Inhalts begegnet die Motivverbindung: nationale Not + Gottverlassenheit. Besonders in Situationen kriegerischer Auseinandersetzungen, die u.A. in den im folgenden zu besprechenden Texten reflektiert werden, muß mit propagandistischer Ausgestaltung und psychologisch wirksamer Schilderung der gegnerischen Greuel gerechnet werden. Von daher empfiehlt es sich, die hier dargestellten Formen von Gottverlassenheit als Topos zu begreifen, dem allerdings die Vorstellung zugrundeliegt, daß mit dem Raub des Gottesbildes auch der Gott selbst entführt werde.[27]

---

[24] Es fehlt nur eine korrespondierende Szene zum Abstieg Els von seinem Thron, während sie sonst durch Verwendung von Morphemen der 2.Sg.fem. dem Subjekt, Anat, angepaßt ist.

[25] S.o. 13f.

[26] Dabei ist nicht sicher, ob sich diese Not auf Götter-, Menschenwelt oder beides bezieht.

[27] Vgl. *W.Mayer*, Der babylonische Feldzug Tukulti-Ninurtas I. von Assyrien, SEL 5 (1988),143-161, 156f.

Die Inschrift der Mutter Nabonids, des letzten der neubabylonischen Könige, berichtet über eine kollektive Not als Folge des Fortgangs von Sîn, dem Stadtgott Harrans.[28]

6 *...šá ina* mu.xvi.kám $^{d}$pa.a.šeš
7 *šàr* tin.tir$^{ki}$ $^{d}$xxx *šàr ilāni*$^{meš}$ *it-ti āli-šu*
8 *u bīti-šú iz-nu-ú i-lu-ú ša-ma-miš ālu ù*
9 *niše*$^{meš}$ *šá ina lib-bi-šú il-li-ku*$^{?}$ *kar*$^{?}$*-mu-ti*
10 *ina lib-bi šá aš-ra-a-tú* $^{d}$xxx $^{d}$nin.gal $^{d}$Nusku
11 *u* $^{d}$*sa-dàr-nun-na áš-te-'e-u pal-ha-ku ilu-ut-su-un*
12 *šá* $^{d}$xxx *šàr ilī* túg.sig$^{šú}$ *aṣ-bat-ma mu-ši u ur-ra*
13 *áš-te-ni-'i-a ilu-ut-su rabīti*$^{ti}$ *u*$_{4}$*-mi-šam la na-par-ka-a*
14 *šá* $^{d}$xxx $^{d}$Šamaš $^{d}$xv *u* $^{d}$Adda *ma-la bal-ṭa-ku*
15 *ina šamê*$^{e}$ *u erṣeti*$^{ti}$ *pa-li-ha-at-su-nu ana-ku šal-mu-a*
16 *dam-qa šá id-di-nu-nu umu mu-ši arhu u šattu ad-din-šú-nu-tu*
17 túg.sig $^{d}$xxx *šàr ilāni*$^{meš}$ *aṣ-bat-ma mu-ši u ur-ra*
18 *ina*$^{II}$*-ia it-ti-šú ba-šá-a ina su-pi*$^{?}$*-e u la-ban ap-pi*
19 *ku-um-mu-sak ina mah-ri-šú-un um-ma ta-a-a-ra*$^{!}$*-tu-ku*
20 *a-na ali-ka lib-šá-ma ni-ši ṣal-mat qaq-qa-du*
21 *lip-la-hu ilu-ú-ut-ka rabīti*$^{ti}$ *a-na nu-uh-hu*
22 *libbi ili-ia u* $^{d}$xv*-ia lu-bu-šú* sig.sag *šu-kut-ti*
23 *kaspu hurāṣu ṣu-ba-a-ti eš-šú* šim.hi.a *u* ni.giš.dùg
24 *la ú-ṭah-ha a-na zu-um-ri-iá ṣu-bat nak-su*
25 *la-ab-šá-ku-ma mu-ṣi-e-a šaq-qu-um-mu...*

Übersetzung:

6 ...Daraufhin, daß[29] im 16.Jahr Nabû-apla-uṣur's,
7 des Königs von Babylon, Sîn, der König der Götter, mit seiner Stadt
8 und seinem Tempel zürnte, zum Himmel aufstieg, Stadt und
9 die Menschen darin verödeten,
10 inmitten der Heiligtümer suchte ich Sîn, Ningal, Nusku
11 und Sadarnunna immer wieder. Ehrfürchtig war ich gegenüber ihrer Gottheit.
12 Den Mantelsaum Sîn's, des Königs der Götter, ergriff ich Nacht und Tag.
13 Ich suchte immer wieder, täglich, ohne Unterlaß die große Gottheit
14 des Sîn, Šamaš, Ištar, Adda - solange ich lebte.
15 In Himmel und Erde bin ich ihre Verehrerin. Meine Unversehrtheit,
16 das Gute, was sie mir gegeben haben, gab ich ihnen tags, nachts, monatlich und jährlich (zurück).

---

[28]Text nach *Gadd*, AnSt 8, 46. Zu den weiteren Nabonid Texten vgl. a.a.O., 35f.; Paralleltexte aus Sippar und Babylon in VAB IV 218ff.; 284ff., vgl. weiter *Röllig*, ZA 56, 218ff.; *Moran*, OrNS 28, 130ff.; zur historischen Situation s. z.B. *Borger*, JCS 19, 59ff.; *Saggs*, Iraq 31, 166ff.; *Tadmor*, AS 16, 356ff.

[29]Vgl. GAG § 174h.

17 Den Mantelsaum Sîn's, des Königs der Götter, ergriff ich nachts und tags.
18 Meine Augen waren bei ihm mit Gebet und Nasestreichen.[30]
19 Ich kniete vor ihnen: "Deine Verzeihensbeweise[31]
20 laß existieren für deine Stadt; die Menschen, die Schwarzköpfigen,
21 mögen deine große Gottheit fürchten!" Zur Besänftigung
22 des Herzens meines Gottes und meiner Göttin habe ich nicht ein Gewand aus Rotpurpur, Schmuck,
23 Silber, Gold, ein neues Gewand, Parfüme und gutes Öl
24 an meinen Körper gebracht. (In) ein zerschnittenes Gewand
25 war ich gekleidet. Mein Ausgehen war lautlos...

Dieser Teil der Adda-Guppi-Inschrift $H_1B$ spiegelt historisch Ereignisse des Jahres 610 v.Chr. wider, als eine Koalition des Neubabyloniers Nabupolassar mit den Medern gegen Assur marschierte und auch die Stadt Harran belagerte.[32]

Theologisch wird das Ereignis als kollektive Not (Z.9) infolge des Zorns und Weggangs (Z.7-8) des Stadtgottes Sîn verstanden. Neben dem demütigen Gebet um Rückkehr des Gottes (Z.18-21) sind Trauerriten erwähnt (Z.22-25), die sich durch Verzicht auf körperliche Schönheit auszeichnen[33] und dazu dienen (Z.21ff.), "das Herz meines Gottes und meiner Göttin zu besänftigen".[34]

Die epische Erzählung[35] CT 13,48[36] handelt von der nach Elam verschleppten Statue des babylonischen Stadtgottes Marduk[37] zur Zeit Nebukad-

---

[30]Zum Ritus *laban appi* "Nasestreichen" vgl. *U.Magen*, Assyrische Königsdarstellungen - Aspekte der Herrschaft, BaF 9, Mainz 1986, 106 und Tf.10-11. Vgl. auch u. zu *ḥlh pnym*, 209.

[31]Entweder Schreibfehler *-ru* statt *-ra* "deine Verzeihensbeweise", s. AHw 1303, oder hapax **tajjarūtu* (Abstraktum auf *-ūtu*). Zu *-ku*, spB neben *-ka* s. GAG § 42j. Wörtlich "dein Zurückgewendet-Sein", wodurch auch hier Verzeihen, Vergebung in Analogie zu einer "Umkehr" des Gottes verstanden wird.

[32]Vgl. zur Literatur, o. A. 28.

[33]Vgl. die atl. Trauerriten o. 13f.; u. 73f.

[34]Das verwendete Verbum *nuhhu* entspricht dem hbr. *nwḥ* I "Ruhe verschaffen, beschwichtigen". S. auch *Vogelzang-vBekkum*, Meaning and Symbolism, 270.

[35]Überblick zur akk. Literatur bei *Röllig*, Literatur, RlA 7 (1987), 35-66.

[36]Letzte Bearbeitung bei *Winckler*, AOF I, 542-543 (K 3426); neue Umschrift und Übersetzung bei *Miller-Roberts*, The Hand of the Lord, 77f.

[37]Z.4, 5, 17; vgl. *Sommerfeld*, Aufstieg, 187f.; s. auch *Brinkmann*, History, 104-116. Weiteres Material, besonders zur Rückführung und Rückkehr von Gott-

nezars I. (1124–1103 v.Chr.).[38] Da ab Z.11 die Zeilenanfänge nicht erhalten sind, mithin die jeweiligen Sprecher undeutlich bleiben, seien nur Situationsbeschreibung (Z.1–4) und Bittgebet (Z.5–10) in Umschrift und Übersetzung wiedergegeben:[39]

1 *a-šib i-na* ká.dingir.ra$^{ki}$ $^{d}$ag.níg.du.šeš *[*
2 *il-tam-mir ki-i* ur.mah *ki-i* $^{d}$Adad *i-šag[-gum*
3 $^{lú}$gal$^{meš}$-*šú e-du-ú-tu ki-ma la-ab-bu ú-šag[-lat*
4 *a-na* $^{d}$marduk en tin.tir$^{ki}$ *il-la-ku su-pu⌞ ú-šu?*
5 *a-hu-lap at-tu-ú-a šu-ta-nu-hu ù ú-tu[*
6 *a-hu-lap i-na* kur-*ia šá ba-ke-e ù sa-pa-a-[du*
7 *a-hu-lap i-na* un$^{meš}$-*ia šá nu-um-bé-e ù ba-ke-e*
8 *a]-di ma-ti* en tin.tir$^{ki}$ *ina* kur *na-ki-ri áš-ba-a*
*ti*
9 *x-x]-bal-[t⌉ a i-na lìb-bi-ka* tin.tir$^{ki}$ *ba-nu-um-ma*
10 *[a-na]* é.[sag⌝.íla *šá ta-ram-mu šu-us-hi-ra pa-ni-ka*

---

heiten bei *Miller-Roberts*, a.a.O., 9ff. Vgl. ferner *Machinist*, Tukulti-Ninurta, 151ff. mit Hinweis auf die sumerischen Städteklagen. Aussagekräftig im Blick auf das Thema Gottverlassenheit und Todespräsenz ist ferner VR 35, s. *R.H.Sack*, The Nabonidus Legend, RA 77 (1983), 59-67, hier, 62, wo die Götter ihre Heiligtümer verlassen und unterdessen die Menschen "wie Leichname" (*ewû* + *šalamtaš*) geworden sind.

[38]Es gilt als gesichert, daß die Marduk-Statue durch den elamischen Herrscher *Kutir-Nahhunte* im Jahre 1157 v.Chr. nach Elam deportiert wurde, vgl. *W.Mayer*, Der babylonische Feldzug Tukulti-Ninurtas I. von Assyrien, SEL 5 (1988),143-161, 154f.

[39]Ab Z. 11 lautet der Text:

11 *]* $^{d}$ag.níg.du.šeš en ká.dingir.ra$^{ki}$ *iš-mé-e-ma*
12 *u⌉ l-tu* an-e *in-da-naq-qu-ta-áš-ši*
13 *i]na pi-i aq-bak-ka a-na-ku*
14 ] *šá du-un-qa al-ta-tap-pa-rak-ka*
15 -] *ia [te]-ba-a-ta a-na* kur.mar.tu$^{ki}$
16 ]kur *tè-mì-ka ši-mi*
17 nim.]ma$^{ki}$ *a-na* ká.dingir.ra$^{ki}$ *li-qa-an-nu*
18 ká.din⌝gir.ra$^{ki}$ nim.ma$^{ki}$ *lud! -din-ak-ka*
19 ]*ka e-li-ti⌝ ù] šá-pil-ti*
20 *k]i? iṣ-ṣa-bat x* dingir$^{meš}$-*šú?*

Offenbar erhört Marduk (Z.11) die Gebete und läßt vom Himmel eine Botschaft (?) "immer wieder zu ihr (Babylon) herabfallen".

Übersetzung:

1 Es sitzt in Babylon[40] Nabû-kudur-uṣur[41]
2 Er tobt wie ein Löwe, wie Adad brüllt er.
3 Seine Großen, die Notabeln, versetzt er wie ein Löwe in Schrecken.[42]
4 Zu Marduk, dem Herrn von Babylon gehen seine Gebe[te].
5 "Gnade für mich, Sich-Abmühen und ?
6 Gnade für mein Land, das des Weinens und Trauerns (ist)[43],
7 Gnade für meine Menschen, die des Klagens und Weinens (sind)[44].
8 Wie lange[45], Herr von Babylon, weilst du[46] (noch) im Feindesland?
9 ?] in dein Inneres, das schöne Babylon[47],
10 zum Esangila, das du liebst, wende dein Antlitz zurück[48]."

Klage und Trauer um den "verborgenen", d.h. hier verschleppten Gott Marduk werden nach Z.6f. von Land und Leuten geübt und mittels spezifischer Klagetermini (*bakû, nabû, sapādu*) ausgedrückt. Ebenso entsprechen die

---

[40]Die assyrische Herkunft des Textes deutet zusammen mit der Schilderung des klagenden Königs daraufhin, daß hier aus der Sicht der Sieger geurteilt wird, es sich um eine politische Tendenzschrift handelt. Vgl. auch *Brinkman*, a.a.O., 110f.

[41]Zur Namenbildung mittels des Elementes *-kudurru-* vgl. a.a.O., 104 mit Anm. 565.

[42]Ergänzt mit CAD E, 35a.

[43]*bakû* und *sapādu* "weinen", "trauern, s. d. Brust schlagen" sind öfter als Parallel-Paar belegt, s. CAD S, 150b.

[44]Zu *nabû* B "to wail, lament" vgl. CAD N, 39; in AHw 699f. unter einem Lemma *nabû* "nennen, berufen", im D-Stamm "klagen" notiert.

[45]Das Fragewort *adi mati* "wie lange" entspricht sachlich der Bitte um den Gnadenspruch *ahulap*, vgl. den Kommentar zu BWL 50,37; vgl. *Groneberg*, Syntax, s.v.; vgl. in den KV besonders *ʿd mh/mty* in Ps 80,5; 74,10; 79,5, weiter s. auch *Michel*, Tempora, 203f.

[46]*ašbati*, 2.Sg.fem.Stativ < *(w)ašābu*; zu der nur aA und aB seltenen archaischen Endung für die 2.Sg.m. *-āti* statt *-āta* vgl. GAG § 75b.c.

[47]Der syntaktische Bezug ist unklar. Es wird gemeint sein, daß Marduk sich seiner schönen Stadt erinnern o.ä. möge.

[48]Zu dieser Bitte um Umkehr (*sahāru* Š-Stamm) vgl. die Bitte um Rückwendung in Ps 80,15 auf Jahwe bezogen.

Bitte um den Gnadenspruch, *ahulap* [49], und die Frage "wie lange" (*adi mati*) ganz mesopotamischer wie alttestamentlicher Gebetsterminologie[50].

Die Fortführung Marduks (passiv) steht hier im Widerspruch zu der Aussage, wie lange Marduk noch im Feindesland weilen werde (Z.8), womit auf das Verhältnis zwischen der Gottheit Marduk und seiner ikonischen Präsentation angespielt wird. Die Einheit zwischen "Gottheit und Kultbild"[51] sucht man dadurch zu sichern, daß die Verschleppung der Statue als willentlicher Fortgang der Gottheit aus Zorn über seine Menschen interpretiert[52] wird. Der "Zorn" des Gottes ist somit ein auf die Verschleppung bezogenes nachträgliches Interpretament, während konkret die Erbeutung der Statue durch Feindeshand vorliegt.[53]

Der große Feldzugsbericht Sargons II. gegen Urartu (TCL 3)[54], adressiert an den Gott Assur sowie Götter und Göttinnen der Stadt Assur, die Stadt selbst und ihre Bewohner (Z.1-4), bietet in Z.367-407 eine Liste der Beutestücke aus dem Tempel des Gottes Ḫaldi[55]. Z.368 nennt als erste Objekte "$^{d}$Ḫaldi, seinen Gott, und $^{d}$Bagbartu, seine Göttin", danach Tempelmobiliar und schließt in Z.405 "...führte ich (Sargon) fort (*šalālu*)". Den Bewohnern des eroberten Gebietes von Muṣaṣir werden Arbeitsleistungen auferlegt (Z.410). Daraufhin reagiert der urartäische König:

---

[49] S. auch in Ash. § 68,7, s.u. 105f.

[50] Vgl. *Mayer*, UFBG, 213 zu *nashuru* "sich zuwenden"; zur atl. Terminologie s. *Stummer*, Parallelen, 94ff.; *Gerstenberger*, Mensch, 25ff.

[51] *J.Renger*, Art. Kultbild A., RlA 6, 307-314, 313; es ist historisch aber damit zu rechnen, daß eine Ersatzstatue an dem entsprechenden Kultort aufgestellt wurde.

[52] Vgl. *Oppenheim*, Ancient Mesopotamia, 184; *Renger*, a.a.O., 314; vgl. auch $H_1B$ Z.8 Sîn zürnt Stadt und Land und steigt zum Himmel auf, s.o. 39f.

[53] So wurden Eklipsen nicht nur als böse Vorzeichen aufgefaßt, sondern auch mit Gefahr für Land und König verbunden. Vgl. die *šar pūhi*-Rituale, *Parpola*, LAS II, XXIIff.; ACh Šamaš 8,6 "If an eclipse takes place and Venus and Jupiter are visible, the king is safe, but the country will be attacked by an enemy".

[54] Zuletzt bei *Wa.Mayer*, MDOG 115, 68-132. Im folgenden alle Zitate nach dieser Bearbeitung.

[55] Zum urartäischen Nationalgott Ḫaldi mit seinen Kultzentren in Ardini-Muṣaṣir und Tušpa (modern Van) vgl. *Haas*, Berggötter, 198ff.

Z.411 "ᵐRusa hörte (davon) und fiel zu Boden (*qaqqariš napalsuhu*).
Er zerriß seine Mäntel[56] und[57] seine Kraft verließ ihn.
Z.412 Er riß seinen Turban ab. Sein Haar riß er aus[58] und er.....[59] seinen Leib mit seinen beiden (Händen). Er wurde auf sein Antlitz geworfen.
Z.413 Sein Herz blieb stehen und sein Inneres brannte. Mit seinem Mund wurden Schmerzensschreie ausgestoßen.
Z.414 Im ganzen Gebiet von Urartu habe ich Trauergeschrei[60] erschallen lassen, und Wehklage habe ich ertönen lassen für alle Zukunft im Lande Na'iri[61]."

Sowohl der Charakter der Riten als auch die explizite Nennung von "Trauergeschrei" (Z.414) erweisen die Szene als Trauerreaktion. Der im Ursache-Folge-Verhältnis ausgesagte Kraftverlust des Königs durch das Zerreißen des Mantels[62] belegt, daß der König einen status-Wechsel vollzieht.[63] Ähnlich dem Thronabstieg Els[64] reagiert der König mit Trauer auf die von Sargon getroffenen Maßnahmen und den Raub des urartäischen Götterpaares.

---

[56] *nahlapta(m) šarāṭu*, vgl. auch *Lie*, Sargon, 54, 369; *Oppenheim*, Dreams, 336 a 2; Jon 3,6.

[57] Enklitisches *-ma* verbindet diese Aussagen im Sinne einer logischen Folge, vgl. GAG § 123a.

[58] Vgl. auch Ez 24,17.

[59] Das zu erwartende Geschehen scheint eine Selbstmutilation gewesen zu sein.

[60] Vgl. AHw 1048b, CAD S s.v.

[61] Assyrischer Name für das urartäische Biainele, vgl. *Diakonoff-Kashkai*, RGTC 9, 60, 19-21.

[62] Vgl. u. zu Jon 3.

[63] Vgl. zum Abreißen des Mantelsaumes ISam 15,27, *Conrad*, Samuel, 273ff. Mantel wie Mantelsaum sind hier als pars-pro-toto Begriffe für deren Träger vorgestellt.

[64] S.o. 37f.

### 2.3 – als ritueller Gegenstand am Beispiel von Eklipsen

Nicht nur in mythischen und historischen Texten ist der Verlust der Gottespräsenz bezeugt, sondern auch in der Gebets- und Ritualliteratur. Gebet[65] und Ritual[66] an einen verfinsterten Gott verdeutlichen den Zusammenhang zwischen Todesgefahr und Nichtwahrnehmbarkeit einer Gottheit.

Das jungbabylonisch-literarische und in neuassyrischer Abschrift vorliegende Gebet OrNS 17, 416ff. schildert die kosmischen Auswirkungen einer Eklipse in Verbindung mit einer umfassenden Trauer und Klage.[67]

1 *ra-'-im* $^{d}$*Ma-mi a-[*
2 *im-me-ní-e i-du-ru pa-nu[-ú-ka]*
3 gi.izi.lá $^{d}$*Ma-mi mu-šá-mir ir-ka[l-la]*
4 *i-du-ru* $^{d}$*í-gì-gì il-me-nu šá-ma-mi*
5 *i-ba-ku-ú* $^{d}$*a-nun-na-ki lìb-bi* ki$^{tim}$ *ut-tah-ha-as*
6 *šá šar-rat ir-kal-li it-ta-áš-hi-ṭa i-da-[a-ša]*
7 *ina* ká.gal an$^{e}$ *ta-šá-kín e-ṭí-[tu]*
8 *i-du-ra* é.kur$^{meš}$ *šá* giš.hur$^{meš}$-*ši-na ina šá-ma[-mi*
9 *ad-ru* $^{lú}$sanga$^{meš}$-*ši-na su-hu-up ina qaq?[-qa?-r]i?*
10 un$^{meš}$ *ṣal-mat* sag.du *i-dam*$^{!}$*-mu-um kima nu-'-[ri]*
11 *i-du-ur* dumu$^{!}$ $^{lú}$engar *ul u-še-ṣa-a za-r[u?-šu?*
12 *ú-diš an-hu-ut-ka li-me-ru šá-[ma-mi*
13 $^{d}$*í-gì-gì ina* en.nun$^{meš}$-*šú-nu ki-niš lit-tas-hi-r[u*
14 *[l]i-ta-al-ṣu* $^{d}$*a-nun-na-ki lìb-bi* ki *li[-ih-du?]*
15 *[šar]-rat ir-kal-li li-di-il* [ká$^{?}$.gal$^{?}$
16 *[ina]* ká.gal an$^{e}$ *li-ba-šì ú-[-mu?*
17 *li-ih-da-a* é.kur$^{meš}$ *šá* giš.hur-*ši-na ina šá-ma[-mi*
18 *liš-šá-kín nin-<da>-bu-ši-na qut-ri-ni-ši-na lu sa-d⌝a-ru]*
19 $^{lú}$*nu-'-a-ri ina* giš.zà.mí *li-ih-ta-bi-ṣa ina ja-ru[*
20 *ina ma-har* $^{lú}$sanga-*ši-na liš-šá-kín sa-li-[mu]*
21 *ina ni-im-ri-ka* dumu $^{lú}$engar *ú-qa-ta-a za-ru[-šu]*
22 *li-[na]-du šar*$_4$ dingir$^{meš}$ $^{lú}$*nu-'a-re ina* giš.zà.mí
23 $^{lú}$[x].uš *li-li-is-su li-ri-[im?/iš?]*

*Kolophon*

---

[65]Vgl. auch *Groneberg*, Syntax, Bd.2, 183.

[66]Vgl. u. 48f.

[67]Letzte Bearbeitung bei *Ebeling*, OrNS 17 (1948), 416-422; s. jetzt *W.Heimpel*, The Sun at Night and the Doors of Heaven in Babylonian Texts, JCS 38 (1986), 127-151, bes. 137ff.

Übersetzung:

1 Geliebter der Mami[68] ...[
2 Wodurch[69] verfinsterte sich dein Gesicht,
3 Leuchte der Mami[70], die die Unterwelt erleuchtet,
4 fürchten sich die Igigi, sind die Himmel schlimm geworden,
5 weinen die Anunnaki, schluchzt[71] das Innere der Erde,
6 sind entblößt die Arme der Königin der Unterwelt[72],
7 ist gesetzt an das Tor des Himmels Dunkelh[eit,
8 sind verfinstert die Tempel, deren Grundrisse im Himmel sind,
9 fürchten sich ihre Priester -niedergeworfen [zum Boden[73],
10 jammern die Menschen, die Schwarzköpfigen, wie *nāru*-Sänger,
11 fürchtet sich der Landmann, bringt nicht aus den Samen[?]/seine Aussaat[?].
12 Erneuere deine Verfallenheit, leuchten mögen die Himmel[74].
13 Die Igigi mögen sich auf ihren Wachen zuverlässig immer wieder umwenden.
14 Auf Dauer mögen die Anunnaki jubeln, möge das Innere der Erde sich freuen.
15 Die Königin der Unterwelt möge verriegeln das Tor[??].
16 Im Tor des Himmels werde Tag[?].

---

[68]Angesprochen ist vermutlich Šamaš oder Nergal, vgl. *Groneberg*, Syntax Bd.2, 183. Zu Mami vgl. *D.O.Edzard*, Art. *Mamītu*, WdM 2, 95; ders., Art. Muttergöttin, WdM 2, 103-6, 105. Da aus Z.2f.21 der Lichtcharakter des angesprochenen Gottes hervorgeht, scheint Mami hier eine verkürzte Form von *Mamītu* zu sein. Ihr Gatte ist Erra, bzw. Nergal. Demgegenüber scheint CAD G 114b den Gott Sîn zu meinen. Die Lesung an-*ma-mi* statt [d]*ma-mi* wäre aufgrund des doppelten phonetischen Komplements zumindest ungewöhnlich.

[69]Vgl. GAG § 120a.

[70]CAD G 114b: an-*ma-mi* "torch of the sky...".

[71]Mit CAD N 132b *nahāsu* B Št-Stamm; vgl. aber AHw 174b s.v. *duhhusu* Dt "bedrückt werden".

[72]Das Entblößen der Arme der Unterweltskönigin könnte in Antithese zu Z.15 vielleicht als Öffnung der Unterwelt verstanden werden, *Ebeling*, a.a.O., 421. Möglicherweise besteht aber auch ein Zusammenhang mit den Aussagen in Inannas Gang zur Unterwelt, *Sladek*, Inannas Descent, 171 Z.232: "Her (Inannas) pure body is not covered by any cloth", in GEN, vgl. *Shaffer*, Gilgamesh, 109 Z.202: "Her (Ninazus Mutter) pure shoulders are not covered with a garment", vgl. auch *Alster*, ASJ 5, 4f., 10f.

[73]Zur Klage, indem man sich auf den Boden wirft vgl. Ps 44,26 "unsere Leiber kleben an der Erde".

[74]Vgl. CAD A[2] 121a. *edēšu* D-Stamm meint vornehmlich die Erneuerung der Gottesstatuen, Kultbilder. Die Selbsterneuerung scheint eine typische Aussage von Lichtgottheiten zu sein, vgl. CAD E s.v. *edēšu* Dt-Stamm, 31f. und hat mit einer Selbstbelebung einer toten Gottheit, *Ebeling*, a.a.O., 417, nichts zu tun.

17 Es mögen sich freuen die Tempel, deren Grundrisse im Himmel sind.
18 Es möge hingelegt werden ihr Brotopfer, ihre Weihrauchopfer mögen regelmäßig sein.
19 Der *nāru*-Sänger möge auf der Leier Freudenlieder singen.[75]
20 Vor ihren Priestern möge Frieden hingesetzt werden.
21 Bei deinem Licht beendet der Landmann seine Aussaat.[76]
22 Es mögen preisen den König der Götter die *nāru*-Sänger auf der Leier.
23 Der *kalû*-Priester? möge die Pauke bedecken.?
Kolophon[77]

Das Gebet gliedert sich deutlich in die Abschnitte I. Anrede (Z.1), II. Klage (Z.2-11), III. Bitte (Z.12-21), IV. Lobwunsch (Z.22) und V. Ritualanweisung (Z.23). Die einzelnen Formelemente sind dadurch gekennzeichnet, daß die Verben in Z.2-11 von dem Interrogativpronomen *immenê* "warum, wodurch"[78] syntaktisch abhängen. Andererseits setzt Z.12 mit einem Imperativ ein, der ausschließlich von Prekativen (Z.12-21) gefolgt wird. Klage- und Bittelement sind dabei so aufeinander bezogen, daß sachlich jedem beklagten Zustand in Z.2-11 eine Bitte um dessen Aufhebung (Z.12-21) zugeordnet ist.

Anlaß des Gebets ist die Verfinsterung einer Lichtgottheit, eine Total-Eklipse (Z.2 *adāru*)[79]. Das Ereignis nimmt kosmische Dimensionen an, da Himmel, Erde und Unterwelt (Z.3-7) betroffen sind. Auf der Erde sind die Tempel als irdischer Fußpunkt göttlichen Planens[80] samt ihrem Kultus und ihren Priestern (Z.8f., 17-20) nicht mehr funktionsfähig; die Nahrungsversorgung ist gefährdet, da keine Aussaat mehr möglich scheint (Z.11, 21).

---

[75] Siehe CAD N 377b.

[76] Siehe CAD I/J 54b. Vielleicht ist in Z.11 entsprechend *za-ru-šu* zu lesen "er bringt nicht aus seine Saat".?

[77] Vgl. *Hunger*, Kolophone, Nr. 282: "24 Gemäß seinem Original geschrieben und kolla[tioniert] 25 Für das Lesen eilig [exzerpiert]".

[78] Vgl. GAG § 120a; s.a. die Warum-Fragen in den KV Ps 74,1; 80,13; 74,11; 44,24.

[79] Das Verbum *adāru* ist sowohl in der Bedeutung "s. fürchten, Angst haben", als auch "to become eclipsed", CAD A 104ff. belegt. Vgl. auch die Bildungen *bīt tādirti* und *ūmu ša tādirti* "Haus, Tag des Klagens/der Finsternis", die jeweils mit einem von *adāru* abgeleiteten Nomen, *tādirtu*, gebildet werden, s. *Parpola*, LAS 61; 197.

[80] giš.hur = *uṣṣurtu* meint weniger die reale Zeichnung, sondern eher den göttlichen Plan, dessen Realisierung der irdische Tempel ist, vgl. *Farber-Flügge*, Mythos, 182ff.

Abschnitte aus einem neubabylonischen Ritual gegen Mondfinsternis[81] verdeutlichen den Zusammenhang zwischen kollektiver Klage, Verfinsterung des Mondgottes und dem Auftreten tödlicher Mächte.

Aus dem Anfang des Rituals (Z.6–8) geht hervor, daß der Sprecher, der König?, weder ißt, noch trinkt, daß er auf den Boden kauert (*napalsuhu*), sein Gesicht mit Staub (*epru*) bedeckt ist und seine Stadt ein Klagelied angestimmt hat (*ina ṣerhi ālišu*). Z.16–21:[82]

16 *ki-ma* an.mi-ú *šá-ru-ú* $^{\text{lú}}$ku$_4$.é gi.izi.lá *i-qa-da-ma it-ti ga-rak-ku ú-šá-aṣ-ba-at*
17 $^{\text{lú}}$gala dúr-*ab-ma né-peš šá* šu(2) $^{\text{lú}}$gala *a-di* an.mi *ú-nam-mir* dù-*uš*
18 *a-di* an.mi *ú-nam-mar* izi *ina* ugu-*hi ga-rak-ku la te-bel<-li>*
19 *ki-is-pi a-na* a.gàr šub$^{\text{meš}}$ *ta-kàs-sip$_4$ ki-is-pi a-na* id$^{\text{meš}}$ *šá me-e la ub-bal<-ú>* ki.min
20 *ki-is-pi a-na* $^{\text{d}}$*a-nun-na-ki ta-kàs-sip$_4$*
21 *a-di* an.mi *ú-nam-mar* un$^{\text{meš}}$ kur *ṣu-bat* sag.du-*šú-nu šá-ah-tu ina lu-bar-ra-šú-nu* sag.du-*šu-nu kát-mu*

Übersetzung:

16 Sobald die Finsternis beginnt, entzündet der *ērib-bīti*-Priester[83] eine Fackel und entzündet die Kohlenpfanne[84].
17 Der *kalû*-Priester soll (sich) setzen und den Hand-Ritus des *kalû*-Priesters ausführen, bis die Finsternis hell geworden ist.
18 Bis die Finsternis hell wird, soll das Feuer in der Kohlenpfanne nicht erlöschen.
19 *kispu* sollst du für die brachliegenden Felder darbringen, *kispu* für die Flüsse, die kein Wasser führen ebenso.
20 *kispu* sollst du für die Anunnaki darbringen.
21 Bis die Finsternis hell wird, nehmen die Menschen des Landes ihre Kopfbedeckung ab, sie bekleiden ihren Kopf mit ihren Kleidern.[85]

---

[81] BRM IV, 6, bearbeitet bei *Ebeling*, TuL Nr. 24.

[82] Zu dieser Passage s. *Tsukimoto*, Totenpflege, 197f.

[83] Vgl. CAD E, 290-292.

[84] *garakku* ist entweder ein Ziegelaltärchen, AHw s.v., oder aber eine Kohlenpfanne "brazier", CAD G 46b, letzteres ist wahrscheinlicher.

[85] CAD L 229b.

Der letzte Ritus (Z.21), Abnehmen der Kopfbedeckung und anschließende Bekleidung, begegnet nochmals in Z.44, wobei jedoch "zerschnittene" Kleider (*ina lubaršunu nuk‹ku›sūtu*) als Kopfbekleidung dienen.[86]

Neben den auf Trauer verweisenden Kleiderriten werden in Z.19-20 *kispu*-Opfer erwähnt, die apotropäische Funktion haben. Als solche sind sie von der Totenpflege abgeleitete Besänftigungsgaben an die Unterweltsgötter.[87] Lassen sich die Orte, an denen *kispu* dargebracht wird, Felder und Flußufer, als "paradigmatische Chaossituation"[88] begreifen, so zeigt sich, daß mit der Mondfinsternis (an.mi = *attalû*) tödliche Mächte auftreten, deren Wirkungen zu verhindern sind. Gegenstand der Trauer ist weder der verfinsterte Gott, noch ist der Tod des Mondgottes vorausgesetzt[89]. Trauer und *kispu*-Opfer erfüllen vielmehr eine Schutzfunktion vor den während der Mondfinsternis auftretenden Unterweltsmächten.

Anhangsweise sei erwähnt, daß auch die profane Literatur der Zeit Asarhaddons und Assurbanipals einen Zusammenhang zwischen Eklipsen, göttlichem Zorn und kollektiver Klage sieht.[90] Einzigartig dagegen ist bislang die Wendung "*Ištar*, im Trauergestus für dich (*ina kihullîki*) habe ich mich hingekauert, trauere (*aspid*) mit deinen Menschen"[91] im Beschwörungsritual an *Ištar und Dumuzi*, das "im Monat Tammuz, wenn Ištar um *Dumuzi*, ihren Liebhaber, die Bevölkerung des Landes weinen läßt (*nišī māti ušabkû*)"[92] stattfindet. Das Ritual, das offenbar während der jährlichen Tammuz-Klagefeier[93] zur Anwendung kam, dient nach seiner Überschrift der Befreiung eines Menschen, der vom Totengeist oder anderen

---

[86]Vgl. HiB Z.24 *ṣubat naksu* o. 39 Z.24.

[87]Vgl. *Tsukimoto*, Totenpflege, 184ff.

[88]*Janowski*, Sühne, 51.

[89]S. bei *Ebeling*, TuL, 91.

[90]Vgl. die Wendung *ūmu ša tāderti* in LAS 61,5 und 257 Rs. 4f., sowie ABL 518,7. Vgl. *Parpola*, LAS II, 66, 254 sowie den Kommentar zu LAS 278,9 in LAS II, 268. ABL 518,5-8 belegt, daß die Menschen anläßlich göttlichen Zorns (*iznu*) eine "Klagefeier halten" (*ta'-dir'-tu ukallu*), s. AHw 1300a.

[91]*Farber*, BID, 154 Z.198.

[92]A.a.O., 140 Z.3f.

[93]Vgl. Ez 8,14; *Falkenstein*, Tammuz, 46ff.; *Landsberger*, Kalender, 5f.; *Yamauchi*, Tammuz, 283ff.

dämonischen Wesen gepackt wurde.[94] Dabei hat der Kranke mit *Ištar* im *kihullû*-Ritus[95] um *Dumuzi* zu trauern. Der Ritus selbst stellt eine Verbindung zwischen dem Kranken, *Ištar* und *Dumuzi* her. In Analogie zu "Inannas Gang zur Unterwelt" wird die Interzession des Unterweltgängers an die entsprechende Ausführung von Trauer und Klage gebunden.[96]

### 3 Verschwundene Götter in Kleinasien

Sowohl Mythos als auch Mythologem vom "verschwundenen" Gott[97] sind in der z.T. hattisch, luwisch und hurritisch beeinflußten Literatur der Hethiter[98] gut bezeugt. Die wohl hattische Vorstellung ist in mythischen und historiographischen Texten[99] mit einer kollektiven Notzeit verbunden. Solche Notzei-

---

[94] Vgl. *Farber*, a.a.O., 140 Z.1-2.

[95] Der Ritus ist bislang in seiner Gestalt nicht präzise bestimmbar. Er steht jedoch in enger Verbindung mit weiteren Riten des Kranken, der sich mit Segeltuch kleiden und siebenmal seine Arme schlagen soll, a.a.O., 155 Z.195f.

[96] A.a.O., 152 Z.177ff., wird Dumuzi explizit gebeten, bei seiner Unterweltsfahrt die Mächte des Todes von dem Kranken fernzuhalten, d.h. wie Inanna sich für den Trauernden einzusetzen, s.o. Auch in einem kleinasiatischen Heilungsritual wird der Kranke mit der in der Unterwelt befindlichen *Ištar Šawuška* identifiziert, um mit dieser die Krise des Todes zu überwinden, s. *Wegner*, Gestalt, 63f.

[97] Vgl. *E.vSchuler*, Art. Verschwundene Gottheiten, WdM 2, 207-208; *Goetze*, Kleinasien 143ff.; s. auch die (mir nicht zugängliche) ungedruckte Arbeit von *G.C.Moore*, The Disappearing Deity Motif in Hittite Texts: A Study in Religious History, Wolfson College Trinity 1975 (frdl. Hinweis Prof.Dr.E.von Schuler).

[98] Zur kulturellen und religiösen Vermittlungsfunktion besonders von Kizzuwatna vgl. *Haas-Wilhelm*, Riten, 31f.

[99] Vgl. u. 97; ferner: *H.A.Hoffner*, Hittite Mythological Texts: A Survey, in: Unity and Diversity. Essays in the History, Literature, and Religion of the Ancient Near East, ed. by H.Goedicke, J.J.M. Roberts, Baltimore-London 1975, 136-145; *J.G.Macqueen*, Hattian Mythology and Hittite Monarchy, AnSt 9 (1959), 171-188; zum Mythos vom verschwundenen Gott s. speziell *H.G.Güterbock*, Hethitische Literatur, 243ff. Zu nennen wären über das hier vorgestellte Material hinaus: fragmentarische Texte um *Anzili* und *Zukki* (CTH ‹RHA XIV-XVI, 1956-58› 264,6; 346,2); das Notzeit-Mythologem im Palaischen (CTH 438; RHA XVII,1959, 1-92, bes. 40-63) vgl. *Güterbock*, a.a.O.; ders., Hittite Mythology, 143ff.; *Lebrun*, Mythes Anatoliens, 117f.

ten sind entweder als Hungersnöte[100] oder Wirkungslosigkeit vitaler Prozesse zu begreifen und gefährden den Fortbestand jeglichen Lebens.

Weitaus ausgeprägter als beispielsweise in Mesopotamien ist die rituelle Beseitigung des Notstandes durch Evokationsrituale, mit deren Hilfe der verschwundene Gott herbeizitiert wird. Die hethitischen Texte kennen jedoch keine kollektiven Trauerriten, wenngleich sie dem Auftreten von Todesmächten analoge Vorstellungen voraussetzen.[101]

## 3.1 Notzeit und verschwundener Gott in den Kumarbi-Mythen

Der ursprünglich hurritische, aber in hethitischer[102] Sprache überlieferte Mythos von dem amphibischen Meeresdämon *Ḫedammu*[103] beschreibt eine Notzeit, die durch seine ungeheure Gefräßigkeit ausgelöst wird[104].

Nachdem *Ištar* "die leeren Städte" (Nr.4,28ff.) und den Dämon selbst entdeckt hat, macht sie sich auf, um die Nachricht an die Götter im Himmel weiterzugeben. Ihre Entdeckung ist so furchterregend, daß sie selbst keinerlei Nahrung zu sich nehmen kann (Nr.5,6ff.) und der Wettergott[105] sogleich in Tränen ausbricht (Nr.5,16f.). Die Versammlung der Götter befürchtet, daß der Rebell (*tarpanalli*, eigentl. "Ersatzperson") gegen den Wettergott ($^{d}$U, vgl. Nr.7, 12'ff.) es noch so weit bringen werde, daß die Menschheit ausgerottet würde und die Götter sich selbst versorgen müßten:

---

[100] Zur implizierten Hungersnot vgl. z.B. *Klengel*, AOF 1, 165ff; zu Mesopotamien s. *Kienast*, Hungersnot, 498ff.; *Oppenheim*, "Siege-documents", 69ff.

[101] Es wäre zu überlegen, ob nicht die unterschiedliche Ausgestaltung der Jenseitsvorstellungen das Fehlen von Trauer bedingt. So enthalten die kleinasiatischen Unterweltsvorstellungen deutlich positivere Züge, vgl. *Haas*, OrNS 45, 197ff., als die teilweise diesseitige Verhältnisse ins Gegenteil verkehrenden Vorstellungen Mesopotamiens.

[102] Vgl. *E.vSchuler*, Art. *Ḫedammu*, WdM 2, 173; CTH 348 Transkription bei *Laroche*, RHA 82 (1968), 55-62; Text und Bearbeitung bei *Siegelová*, StBoT 14, 35ff; s.a. *Güterbock*, Hethitische Literatur, 236f.

[103] S. *vSchuler*, ebd.

[104] Vgl. *Wegner*, Gestalt, 70f.

[105] Vgl. *Siegelová*, a.a.O., 79f.

8 [Ea], der König der Weisheit, sprach unter den Göttern,...[
9 begann zu [sprech]en: "Warum vernicht[et ihr die Menschhei]t?
10 Geben sie den Göttern nicht Opfer oder räuchern sie euch ni[cht] Zedernholz?
11 [Würd]et ihr die Menschheit vernichten, würde sie die Götter nicht meh[r feiern],
12 und niemand mehr wird euch ein [Bro]t und Trankopfer spenden.
13 Es wird (noch dazu) kommen, daß der Wettergott, der mächtige König von Kummii̯a, den Pflug
14 [selb]st ergreift und es wird (noch dazu) kommen, daß Ištar und Ḫepat
15 [die Mü]hle selbst drehen.[106]

Auch das in mehrfacher Hinsicht dem Ḫedammu-Mythos nahestehende[107] Lied von Ullikummi[108], das ebenfalls zu den hurritischen Mythen um den Gott Kumarbi[109] gehört, läßt den Sonnengott des Himmels (*ištanuš*) mit einer Warnung vor dem Steinriesen[110] Ullikummi auftreten. Nach Kol. IV, 51ff. vermag auch hier der Sonnengott des Himmels keine Nahrung aufzunehmen, die ihm sein Gastgeber, der Wettergott, vorsetzt. Nach Tf. II, Kol. i, 29ff. bricht -wie im Ḫedammu-Mythos- der Wettergott in Tränen aus, nachdem der Sonnengott des Himmels von der Gefahr berichtet hat.

Nachdem er den im Meer stehenden Riesen Ullikummi entdeckt hat, macht sich der Sonnengott auf, um den Wettergott Tešub darüber in Kenntnis zu setzen (Tf. I, Kol. iv, 33ff.). Als nun Tešub und sein Wesir Tašmišu den herannahenden Sonnengott erblicken, fragt Tašmišu nach dem Sinn des Beobachteten und mutmaßt, Kol.iv, 45-48:

45 "Why does he come, the Sun-God of Heaven, the land['s king]?
46 The matter about which he comes, (that) matter is [grave], it is [not] to be cast aside!
47 Strong it is, the struggle, strong it is, the battle!
48 Heaven's uproar it is, the land's hunger and death it is."[111]

---

[106] A.a.O., 47.

[107] Vgl. *Siegelová*, a.a.O., 82ff.; zur ähnlichen Funktion *Ištars* vgl. *Wegner*, a.a.O., 71f.

[108] CTH 345; Text und Bearbeitung bei *Güterbock*, JCS 5, 135ff; JCS 6,8ff.; vgl. auch *Haas*, Berggötter, 149ff.; *Güterbock*, Hethitische Literatur, 237ff.

[109] Vgl. *E.vSchuler*, Art. *Ullikummi*-Lied, WdM 2, 204-206.

[110] S. *Haas*, a.a.O., 147ff.

[111] *Güterbock*, JCS 5, 159; s. auch *Janowski*, Rettungsgewißheit, 114 Anm.476.

Das Herannahen des Sonnengottes, das zugleich bedeutet, daß er seine Ekliptik verlassen hat, wird von Tašmišu als Indiz einer todbringenden Notzeit verstanden.[112]

### 3.2 -in den Telepinu-Mythen

Die in der Nähe von Boghazkoy in Yozgat gefundene sog. Yozgat-Tafel[113] ist nach Ausweis ihres Kolophons[114] für eine Evokation an den Sonnengott und Telepinu bestimmt. LAROCHE[115] nennt den Inhalt, der aus Mythos und Ritual besteht, "Disparition du Soleil". Da bislang keine Bearbeitung vorliegt, sei der Inhalt kurz zusammengefaßt:[116]

Während das mit dem Mythos verbundene Ritual dazu dient, den Sonnengott und Telepinu wieder zurückzuholen, schildert der Mythos eine durch den Dämon Ḫaḫḫima verursachte Notzeit.[117] Die im Himmel befindliche Meerestochter ruft ihren Vater, das Meer, zur Hilfe, der sich daraufhin des Sonnengottes

---

[112]Als reales Geschehen könnte der Vorstellung einer veränderten Ekliptik allenfalls Verzögerungen im Sonnenlauf zugrundeliegen, die bei der Verwendung mondgestützter Kalender bisweilen auftreten (frdl. Hinweis Prof.Dr. Grewing, Astronomisches Institut, Tübingen).

[113] CTH 323;publiziert bei *Goetze*, VBoT 58; s. *E.vSchuler*, Art. Yuzgat-Tafel, WdM 2, 214-215; *Goetze*, Kleinasien, 138 mit Anm.5.

[114]Der Kolophon lautet: "(Tafel) des Bittgebetes (*mugaṵar*, Verbalnomen zu *mugai-* "beten, bitten") zum Sonnengott und zu Telepinu. Beendet." s. *vSchuler*, ebd. S. auch *Gurney*, Hittites, 188f. Verwendung findet terminologisch das Verbum *mugai-* "(einen Gott) bewegen, s. bewegen machen; nominal: *mugawar* "Bittgebet, um einen verschwundenen Gott herbeizubewegen", s. auch *mugeššar* "Bitten und Riten, die man dazu benutzt", vgl. *Lebrun*, HPH, 431ff., ders., Mythes Anatoliens, 117. S. jetzt auch *G.Kellermann*, The Telepinu-Myth Reconsidered, in: *Kaniššuwar*, FS H.G.Güterbock, hg. v. H.A.Hoffner, G.M. Beckman, AS 23, Chicago 1986, 115-123, bes. 121 mit Anm. 21 zu *mugawar* als speziellem Gebetsterminus für Notlagen, die durch verschwundene Götter verursacht sind.

[115]RHA 76, 81.

[116]Transkription bei *Laroche*, RHA 77, 81-88; Übersetzung bei *Gaster*, Thespis, 270ff., s. aber *Goetze*, JCS 6, 101. Hier nach *vSchuler*, a.a.O., 214f.

[117]Vgl. *Gurney*, a.a.O., 187ff.

bemächtigt. In der Folge läßt der Dämon der Starre oder Trockenheit[118], Ḫaḫḫima, die Erde vertrocknen. Auch der vom Wettergott ausgesandte Wind vermag der Erde keine Linderung zu bringen, so daß eine allgemeine Suchaktion nach dem Sonnengott beginnt. Das Ende des Mythos ist unsicher.

Zu den Mythen vom "verschwundenen" Telepinu zählen neben dem Haupttext KUB XVII 10[119] die fragmentarische Fassung des Wettergott-Mythos[120] sowie die zahlreichen Überlieferungsfragmente um Telepinu.[121] Notzeitschilderungen begegnen in jeder von ihnen. Im Wettergott-Mythos, Kol. I, 7-19:[122]

7 "[Der Wettergott] ist über Ašmunikal erzürnt [
8 ]sein x vor [
9 den rechten] Schuh [zog er sich] links [an
10 er wandte sich und [ging?] hinaus
11 Die [Fens]ter ergriff die 'Wolke', die Balken [ergriff
12 der Altar? [wurde] niedergedrückt, [die Gottheit]
13 wurde niedergedrückt.
14 Nun [ ]x sie leiteten. Der? Herd [
15 [wurde] niedergedrückt, darauf [wurden] die Scheite
16 [niedergedrückt.] In der Hürde [wurden] die Schafe
17 [bedrückt,] im Rinderstall [wurden] die Rinder
18 [bedrückt.] Sie fressen, [werden] aber nicht
19 [satt,] sie saufen [und] löschen nicht ihren Durst."

Da die dritte Kolumne der Fassung D[123] König und Königin, sowie eine ungenannte Person erwähnt, denen sich der Wettergott wieder zuwenden soll, liegt keine rein mythische Erzählung vor, sondern die mythische Verankerung

---

[118]Vgl. *vSchuler*, ebd.; *Gurney*, a.a.O., 187; *Lebrun*, Mythes Anatoliens, 121f., 129 Anm. 27 *Ḫaḫḫima* = "la torpeur".

[119]CTH 324; Transkription bei *Laroche*, RHA 77 (1966), 89-110; hier nach *Goetze*, Telepinu, 126f.; s.a. ders., Kleinasien, 143ff.; ders., JCS 6 (1952), 101ff.; auch bei *Kühne*, RGTB, 182ff.

[120]CTH 325 "Disparition du Dieu de l'orage", Transkription bei *Laroche*, a.a.O., 111-134, hier Fassung D bei *Otten*, Überlieferungen, 56f.; vgl. auch *Haas*, Magie, 82ff.

[121]*Otten*, a.a.O., pass; s. auch o. zu CTH 324. Von einer neuzeitlichen Variante des Telepinu-Rituals bei den Swanen in NW-Georgien berichtet *Chr. Girbal*, Weiterleben des Telepinu-Mythus bei einem südkaukasischen Volk, in: SMEA 22 (1980), 69-70.

[122]S.o. A. 120.

[123]Vgl. *Otten*, a.a.O., 59, Z.11f.; 66.

des Evokationsrituals zur Zitierung und Besänftigung des Wettergottes.[124] Zum Telepinu-Mythos gehört die folgende Notbeschreibung und -deutung der Fassung B:[125]

2 "[Rinder, Schafe und] Menschen [begatten sich nicht mehr],
3 [und selbst die tr]ächtig [sind, können nicht gebären.
4 Im [Lande entstand] eine Hungersnot. [Der große Sonnengott veranstaltete]
5 [ein Fest] und [lud] die großen [und die kleinen Göt]ter [ein; sie aßen,]
6 wurden [aber nicht satt,] sie tranken [und löschten nicht ihren Durst.]
7 Da sprach der [Wettergott] zu den Göttern: ['Telepinu ist nicht mehr hier (?).]
8 Er ist erzürnt und [hat alles Gute mit sich genommen (?).]
9 Nun ist im Lande eine [Hungersnot entstanden'. Die großen]
10 und die kleinen Götter [begannen] Telepinu [zu suchen und [fanden] ihn nicht."

Die dritte Notzeitschilderung bietet der Haupttext:[126]

"(i) Telepinus [flew into a rage and shouted:] 'There must be no inter[ference!' In his agitation] he tried to put [his right shoe] on his left foot and his left [shoe on his right foot]...[...]
(5) Mist seized the windows, smoke seized the house. In the fireplace the logs were stifled, at the altars the gods were stifled, in the fold the sheep were stifled, in the stable the cattle were stifled. The sheep neglected its lamb, the cow neglected its calf.
(10) Telepinus walked away and took grain, (fertile) breeze,...,... and satiation to the country, the meadow the steppes. Telepinus went and lost himself in the steppe; fatigue overcame him. So grain (and) spelt thrive no longer. So cattle, sheep and man no longer (15) breed. And even those with young cannot bring them forth.
The vegetation dried up; the trees dried up and would bring forth no fresh shoots. The pastures dried up, the springs dried up. In the land famine arose so that man and gods perished from hunger. The great Sun-god arranged for a feast and invited the thousand gods. They ate, (20) but they did not satify their hunger; they drank, but they did not quench their thurst."

---

[124] Ebd. Siehe auch *Goetze*, Kleinasien, 143 Anm.2; zur Analogie zwischen kosmischer Notzeit und der Krankheit eines Menschen in KUB VII 1 und KBo III 8 s. *Haas*, Magie, 84.

[125] Nach *Otten*, a.a.O., 16f.

[126] KUB XVII, 10; CTH 324; Transkription bei *Laroche*, RHA 77, 89ff.; Übersetzung hier nach *Goetze*, Telepinu, 126; s.a. ders., Kleinasien, 143f.; *Haas*, Magie, 43ff.

Aus den Notzeitschilderungen lassen sich zwei Kernvorstellungen entnehmen: -die Notzeit wird ausgelöst durch das Verschwinden eines (zürnenden) Gottes, und -die Notzeiten sind dadurch charakterisiert, daß vitale Lebensprozesse, wie z.B. Essen, Trinken und Fortpflanzung, zwar stattfinden, aber wirkungslos bleiben, wovon Menschen wie Götter gleichermaßen betroffen sind.[127]

Die erfolglose Suche der Götter nach Telepinu kommt erst mit der von Ḫannaḫanna[128] ausgesandten Biene[129] zu einem vorläufigen Abschluß (B I, 17ff; C II, 1-6). Die Biene findet Telepinu schlafend[130] auf einer Wiese und weckt ihn auf. Telepinu wird noch zorniger und die Götter wissen keinen Rat mehr. Haupttext wie Fragmente (B III, IV; D III)[131] bezeugen an dieser Stelle, wie die Götter unter Mithilfe der Menschen ein Ritual ausführen, um Telepinu zur Rückkehr zu bewegen und ihn von seinem Zorn zu reinigen[132]. Der Mythos schließt mit der Erzählung von seiner Rückkehr, die antithetisch zu der Notzeitschilderung gestaltet ist.[133]

---

[127]Mit den Anfangszeilen dieses letzten Textes ist besonders KUB XXXIII, 67 ii 5-10 zu vergleichen. Die Notzeitschilderung begegnet hier innerhalb eines Geburtsrituals und als verschwundener Gott erscheinen die mit Hebammen-Funktion [(sal.)*ḫaš(ša)nupella* / sal.šà.zu, i, 24] ausgestatteten weiblichen Gottheiten *Anzili* und *Zukki*. Nach iv, 7ff. geht die Not (der Gebärenden ?) damit zuende, daß *Anzili* und *Zukki* den Raum betreten. Das Mythologem vom verschwundenen Gott findet damit auch im individuellen Bereich Verwendung, weil Fruchtbarkeit von Menschen, Vegetation und Vieh sachlich nicht voneinander getrennt werden, vgl. *G.M.Beckman*, Hittite Birth Rituals, 2nd rev. Ed., StBoT 29, Wiesbaden 1983, 72ff., 1ff.

[128]Die hethitische Geburts- und Muttergöttin. Aufgrund dieser Charakteristika scheint sie eine besondere Affinität zu Fruchtbarkeit einschränkenden Notzeiten zu besitzen, vgl. *E.vSchuler*, Art. Ḫannaḫanna, WdM2, 170-171.

[129]Die Biene ist hier als Botin Ḫannaḫannas vorgestellt. Zur Verbindung der Biene mit der chthonisch-agrarischen Gottheit Demeter vgl. *Fauth*, Demeter, 1459ff.; *Haas*, Magie, 88f.

[130]Hier Ptz. von *šeš*- "ruhen, schlafen"; zum Gottesschlaf s.o. 31f.

[131]Vgl. *Goetze*, Telepinu, 127f.; *Otten*, Überlieferungen, 23ff., 58ff.

[132]Vgl. *Haas*, a.a.O., 90ff.

[133]Vgl. ebd., 106f.; *Otten*, a.a.O., 37ff.

Innerhalb des kanaanäischen[134] Mythenfragmentes von ***Ašertu*** und ihrem Gemahl ***Elkuniša***[135], dem sog. **Ašertu**-Mythos[136], läßt sich eine Notzeit nur indirekt erschließen.

Der Mythos erzählt, wie **Elkuniršas** Gemahlin, **Ašertu**, danach trachtet, den Wettergott ($^{d}$U) zu verführen. Da er sich jedoch weigert, bedroht sie ihn, so daß er schließlich **Elkunirša** von den Absichten seiner Gemahlin berichtet (Z.8-18). Er empfiehlt dem Wettergott, sich zum Schein und um sie zu demütigen (Z.19-21) auf **Ašertu** einzulassen. Der Wettergott entspricht diesem Vorschlag und erzählt ihr, daß er all ihre Kinder getötet habe (Z.22-24), dann fährt der Mythos fort:[137]

24 "...**Ašertu**
25 hörte [diese] Kränkung und es ergrimm[te] ihr der Sinn.
26 [ ] ...stellte sie und [begann] sieben Jahre zu klagen.
27 [Die Götter] schmausen, sie zechen,
28 [werden aber nicht satt, löschen nicht ihren Durst]."

Ausgelöst durch **Ašertu** siebenjährige Klage beginnt eine Notzeit, deren Charakteristikum darin besteht, daß alle Nahrung die sättigende Kraft verloren hat.

---

[134] S. *Otten*, MDOG 85, 31ff.; ders., MIO 1,135f.; *E.vSchuler*, Art. Ašertu, WdM 2, 159; *Wegner*, Gestalt, 74f.

[135] Dem hethitischen Götterpaar *Elkunirša-Ašertu* korrespondiert das ugaritische Paar *El-Aṯirat*, vgl. *Pope*, Aṯirat, 246ff.; *Wegner*, a.a.O.,75. Zu dem Gottesnamen *Elkunirša* ‹ *El* + Epitheton *kunirša* vgl. das El-Epitheton der Karatepe-Inschrift (III,18): *ʾl qn ʾrṣ* "El, Schöpfer der Erde", sowie in Gen 14,19: *ʾl ʿlywn qnh šmym wʾrṣ* "El Älyon, Schöpfer von Himmel und Erde". Vgl. *Otten*, MDOG 85, 32; ders., MIO 1, 135f.; *Bron*, Recherches, 186f.; *Cross*, ThWAT I, 271ff.

[136] CTH 342. Transkription bei *Laroche*, RHA 82 (1968), 25ff.; Bearbeitung bei *Otten*, MIO 1, 125ff.; ders., MDOG 85, 27ff.; *Hoffner*, RHA 76, 5ff.; ders., Hittite mythological Texts, 141f.

[137] Nach *Otten*, MIO 1, 127. Rekonstruktion der letzten zwei Zeilen nach den Telepinu-Texten.

### 3.3 Das Notzeit-Mythologem im Telepinu-Erlaß

Der Verfassungsentwurf des Telepinu[138] vom Ende des 16.Jh.s v.Chr. verfolgt mit seinem einleitenden Rückblick auf vergangene Königsgeschichte einen doppelten Zweck. Einerseits dient die Darstellung der älteren Geschichte als Mahnung zur Einigkeit in Reich und Königshaus, andererseits als Legitimation des Entwurfes selbst.[139] Die geschichtlich abschreckenden Ereignisse werden in §§ 18-20 geschildert:[140]

§18 63 "Und als Ḫantili ein alt[er] Mann [geworden wa]r und dabei war, Go[tt]
64 zu werden, da tötete Zidanta [Pišeni], den Sohn des Ḫantili, mit seinen Söhnen;
65 und die vornehm[sten] seiner Diener tötete er.
§19 66 Und Zidanta wa[r] König. Da forderten die Götter (Vergeltung für) das Blut des [P]išeni.
67 Ihm machten die Götter Ammuna, den Sohn, zu seinem Feinde,
$6 68 und er tötete Zidanta, seinen Vater.
§20 69 Und Ammuna war König. Da forderten die Götter (Vergeltung für) seines Vaters Zidanta Blut. Ihn (und) in seiner Hand das Getreide,
71 Weinstöcke, Rinder (und) Schafe [schützten sie[?] ] nich[t. Sie verkamen (o.ä.) ihm] in der Hand."

Nach § 20 versagen die Götter infolge der geschehenen Bluttaten dem verantwortlichen König ihren Beistand. Diesen Entzug konkretisiert das Notzeit-Mythologem: Tierische wie pflanzliche Fruchtbarkeit kommen unter Ammuna's Herrschaft zum Erliegen.[141]

---

[138]CTH 19, Text und Bearbeitung jetzt bei *Hoffmann*, Erlaß, 11f.; s. auch *Eisele*, Telepinu-Erlaß; vgl. *vSchuler*, Kaškäer, 24. Kritisch zu *Hoffmann* neuerdings *F.Starke*, Der Erlaß Telepinus. Zur Beurteilung der Sprache des Textes anläßlich eines kürzlich erschienenen Buches, WdO 16 (1986), 100-113.

[139]Vgl. *Cancik*, Grundzüge, 38f.; 64f.; *vSchuler*, FS Friedrich, 1959, 442ff.

[140]Hier nach *Hoffmann*, a.a.O., 25.

[141]S.a. 78ff.

### 3.4. -in Evokationsritualen

Beschreibungen des rituellen Geschehens zur Zitierung und Rückholung verschwundener Gottheiten finden sich in den Telepinu-Mythen (s.o.), dem Beschwörungsritual an den Wettergott von Nerik[142] und vor allem in den Evokationsritualen aus Kizzuwatna.[143] Aufgrund der kulturell spezifischen Ausgestaltung dieser Rituale, sei hier nur auf zwei wesentliche Elemente hingewiesen.

Neben den konstanten Elementen des Bereitens von Wegen und der Evokationsformel sind besonders Opfer und Beschwörungsgebete, aber auch rituelle Gaben magisch wirksamer Früchte und Getränke[144] bezeugt.[145]

Zur Herbeiziehung der Götter, deren Präsenz man sich wünscht, werden Wege oder Bahnen aus Opfermaterie oder aus Stoff hergestellt. Darauf stellt man Speise- oder Trankopfer, um so den Gott anzulocken.[146]

> "See, O Telepinus! I have now sprinkled thy ways with fine oil. So walk thou, Telepinus, over these ways that are sprinkled with fine oil...".[147]

Es folgt die Evokationsformel:

> "O Telepinus, give up thy rage, [give up] thine anger, (25) give up thy fury!"[148],

---

[142]KUB XXXVI (CTH 671), bei *Haas*, Kult, 142ff.

[143]Vgl. *Haas-Wilhelm*, Riten, 7ff.

[144]Vgl. die Opfer in KUB XXXVI 89 vs. 3ff., *Haas*, a.a.O., 143, die in eine Höhle hinabgeschlachtet werden; zur Beschwörung in diesem Ritual s. vs. 11ff., a.a.O., 145; im Telepinu-Ritual s. *Goetze*, Telepinu, 127. Als bereitgestellte Getränke finden die häufigste Verwendung der *parḫuena*-Trank und die *galaktar*-Speise, s. *Haas-Wilhelm*, a.a.O., 14 mit Anm.2.

[145]Ebd., 8f.; zur römischen *evocatio*, sowie deren sprachlicher Entlehnung für diese Ritualbezeichnung vgl. *H.Stiegler*, Art. Evocatio, KP 2, München 1979, 472f.; *Haas-Wilhelm*, a.a.O., 7 mit Anm.1.

[146]A.a.O., 9, 16f.

[147]*Goetze*, Telepinu, 127; *Haas-Wilhelm*, a.a.O., 8f.

[148]*Goetze*, a.a.O., 128; *Haas-Wilhelm*, a.a.O., 30f.

die im Grunde nichts anderes als eine Bitte um Zurücknahme des göttlichen Zornes darstellt.

## 4 Zusammenfassung und Zwischenergebnis

Die vielfach aus anderen Kulturen beeinflußten Texte der Hethiter führen als Hungersnöte, bzw. als wirkungsloses Leben dargestellte Notzeiten auf den Zorn einer Gottheit und sein daraus resultierendes Verschwinden zurück.[149] Zentrale Vorstellung des Notzeit-Mythologems ist, daß die für tierisches wie menschliches Leben konstitutiven Vorgänge der Ernährung und Fortpflanzung zwar weiterhin stattfinden, doch keine Wirkung zeigen, also im Vollzug ohne Effekt verharren.[150]

Als auffälligstes Element begegnet die mythische Ableitung und Legitimation des Rituals, insofern die Götter die Menschen um Mithilfe bitten und so das rituelle Handeln der Menschen[151] ermöglichen.

Ohne eine gemeinorientalische Konzeption sterbender und auferstehender Götter[152] postulieren zu müssen, ist es möglich, Trauer um Gottheiten nicht mit deren Tod zu assoziieren, sondern mit verschiedenen Formen ihres Wahrnehmungsverlustes zu begründen.[153]

---

[149]S.o. 56.

[150]Zieht man Parallelen zu den o. behandelten Jenseitsvorstellungen, so werden formal die Verminderung des Lebens um die positiven Elemente im Jenseits und die Wirkungslosigkeit vitaler Lebensprozesse vergleichbar.

[151]Vgl. zu den Geschichtsrückblicken o. 25f.

[152]Vgl. *Weippert*, BDBAT 3 (1984), 81: Eine solche Konzeption ist im wesentlichen auf *einen* kan.-syr. Gott reduzierbar. Baal ist der einzige Gott (Ištar muß ein Substitut stellen), der scheinbar ohne Gegenleistung wieder zu vollem Leben gelangt.

[153]Damit verlieren die Thesen von einem jahreszeitlich bedingten Tod einer Vegetationsgottheit, vgl. z.B. *Kinet*, Ugarit, 80ff., die strenggenommen weder Baal, noch Inanna/Ištar, noch Dumuzi ist, an Wahrscheinlichkeit. Vielmehr zeigen zwei *eršemma*-Klagen der *Inanna* um ihre zerstörte Stadt (Nr. 32 Uruk, Nr. 79 ?), daß Zerstörungen von Stadt und Tempel auf *Inannas* zeitweiligen Aufenthalt in der Unterwelt (Nr. 79 Z.38 "My clever one, the princess Ningirgilu, come out from the netherworld", Nr. 32 Z.9 u.ö. "I am the lady who roams the netherworld") zurückgeführt wurden, vgl. *M.E.Cohen*, Sumerian Hymnology: The Eršemma, HUCAS 2, Cincinnati 1981, 63ff.

Weder der Tod einer Gottheit steht im Zentrum der mythischen Unterweltsfahrten noch werden Vegetationsperioden reflektiert, sondern die Aspekte von Fruchtbarkeit und Vegetation stehen als Paradigma des Lebens, das gefährdet ist.

Innerhalb der skizzierten Vorstellungen wird man jedoch sumerische, akkadische und kan.-syrische Verhältnisse je für sich beurteilen müssen. So reflektieren die sumerischen Städteklagen und in deren Gefolge die *eršemma*-Klagen Inannas die Situation der sumerischen Stadtstaaten und sind insofern zwar rituelle Klagen, werden aber zu den historiographischen Kompositionen gezählt.[154] Von daher scheinen auch die sumerische und akkadische Fassung von Inannas Gang zur Unterwelt in ihrer deutlich unterschiedenen Notgestaltung (Tempel-Ruinen vs. Fortpflanzung) kulturspezifisch zu sein. Schließlich bietet die kan.-syr. Vorstellung von einer zeitlich begrenzten Unterweltsfahrt (= Tod) Baals darum eine eigenständige Konzeption, weil Baal der einzige Gott ist, der bedingungslos wiederauflebt. Die Not, die er durch das Ausbleiben seines Regens verursacht, ist bezüglich der in Mesopotamien ausgeprägteren Wasserwirtschaft ebenfalls kulturspezifisch zu werten.[155]

Die mythische Redeweise vom unterweltlichen Tod der Gottheit bildet wie auch die Vorstellung vom Raub des Gottes-/Kultbildes oder von der aktiven Verfinsterung astraler Numina den ideengeschichtlichen Hintergrund des Motivs *Gottverlassenheit*. Anzeichen von Trauer konnten bis auf die kleinasiatischen Verhältnisse jeder beschriebenen Form von Gottverlassenheit zugeordnet werden, so daß man von einer paradigmatischen Funktion rituellen Trauerverhaltens sprechen darf. Was aber ermöglicht die Paradigmabildung von Tod und Trauer, die in der Trauer solidarische Begleitung des Toten oder präventiv geübte apotropäische Schutzmaßnahmen?

---

[154] Vgl. *J.Krecher*, Sumerische Literatur, in: W.Röllig, Handbuch, 101-150, bes. 116, 126f., 128f.; *Cohen*, a.a.O., 19 zu den *eršemma*'s der Inanna, zu deren kultischem Sitz im Leben und ihrer Weiterverwendung im 1.Jht., 40ff. Vgl. ferner *J.S.Cooper*, *W.Heimpel*, The Sumerian Sargon Legend, AOS 65 (1984), 67-82, bes. 73f.

[155] Von daher verbietet sich eine rein jahreszeitlich ausgerichtete Interpretation des Baal-Zyklus, womit natürlich nicht bestritten werden soll, daß das Interesse einer auf Regen angewiesenen Ackerbaukultur auf die Sicherung von Vegetation und Ernte konzentriert ist, vgl. *Kinet*, a.a.O., 80f.

### 4.1 Historische Phänomenologie

Die vorgestellten Texte aus Israels kleinasiatischer, syrischer und mesopotamischer Umwelt gehören nicht nur jeweils verschiedenen kulturellen Räumen an, sondern sind auch geographisch, zeitlich (alt- bis neubabylonisch) und sprachlich (sumerisch, assyrisch, babylonisch, hethitisch und ugaritisch) weit gestreut. Da ein terminologischer Bezug zum *ṣôm*-Ritual wie auch ein eigentlicher Terminus für "Fasten" fehlt, waren literarisch überlieferte, z.T. als Topoi begegnende Phänomene zu vergleichen: Trauer, Gottverlassenheit und Notzeit. Wenngleich auch Hinweise auf rituelles Geschehen in literarischer Überlieferung einen Rückschluß auf reale Praxis zulassen, war eine explizit rituelle Verankerung nur in drei Texten[156] nachzuweisen. Sie betrifft einerseits die durch entsprechende Ritualtexte gut bezeugte kleinasiatische Praxis, verschwundene Gottheiten zu evozieren[157], andererseits Ritualvorschriften gegen Eklipsen.[158] Demgegenüber sind die verschiedenen Trauerriten und Jenseitsvorstellungen formal oder mindestens in ihrer literarischen Gestaltung nahezu identisch.[159]

Da Mythen und Rituale im Alten Testament z.T. sehr fragmentarisch, Wort- und Handlungselemente nur voneinander getrennt überliefert werden[160], erweist sich ihre Rekonstruktion und Interpretation schwieriger als in den ausführlicheren Texten und Ritualen der Umwelt. Daraus resultiert ein methodischer Umweg, dessen Ziel es ist, analoge Phänomene in ihrem jeweiligen Kontext zu untersuchen und in ihrer Intention darzustellen[161].

---

[156]Die mythologische Verankerung des Evokationsrituals für Telepinu, das nB Ritual gegen Eklipsen und möglicherweise das jB Gebet an einen verfinsterten Gott (Z.22f. Hinweise auf Sänger, Pauke und *kalû*).

[157]S.o. 59f.

[158]S.o. 45ff., zum *ūmu ša tādirtu* s.o. 47 A. 79.

[159]S.o. 35ff.

[160]S.o. 17f.

[161]Entgegen der klassisch phänomenologischen Fragestellung etwa bei *G.v.d.Leeuw*, Phänomenologie der Religion, 2. u. erw. Aufl.,Tübingen 1956, zum Tod etwa S.233ff. und *F.Heiler*, Das Gebet. Eine religionsgeschichtliche und religionspsychologische Untersuchung, München 1921. Dem im Aufriß dieses Werkes zugrundeliegenden ethnozentristischen Entwicklungsschema wird man heute jedoch kaum noch folgen können.

Historisch übergreifend ist dann nach einem möglicherweise klimatisch, geographisch oder politisch bedingten[162] gemeinsamen Erfahrungsschatz verschiedener Kulturen und Ethnien oder nach Assimilation und Rezeption zu fragen.

In der alttestamentlichen exegetischen Methodik wird diese Frage nach "geistes-, theologie- oder religionsgeschichtliche[n] Zusammenhänge[n]"[163] und ihren Traditionswegen in der Traditionsgeschichte behandelt. Für den hier dargestellten und weiter zu verfolgenden Zusammenhang von *Gottverlassenheit* und *kollektiver Not* stellt sich über den phänomenologischen Nachweis seiner Existenz hinaus die Aufgabe, Rezeptionsmöglichkeiten und -wege zu erhellen.

## 4.2 Traditionen und Tradenten

Der eigentliche Schauplatz der israelitischen Geschichte, Palästina zwischen "Dan und Beerscheba" und seine unmittelbaren Nachbarn ist -wenn nicht schon seit dem 3.Jt.v.Chr.[164]- spätestens seit dem 2.Jt.v.Chr. in Texten aus Ägypten, Syrien und Mesopotamien in Form von Orts- und Personennamen greifbar. Die Archive aus Ebla[165], Amarna und Alalach bezeugen einen regen militärischen und diplomatischen Verkehr, der Palästina mit Ägypten wie mit Syrien und Mesopotamien verbindet.[166] Schon in aB-Zeit führen Handelswege über den Euphrat nach Mari, Der ez-Zor und Emar und von dort entweder duch die syrische Wüste nach Palmyra und Damaskus oder nach Aleppo und

---

[162]So beispielsweise die Abhängigkeit von Regenzeiten, die Konfrontation mit der Gewalt von Meer und Wasser oder die Erfahrung von Deportation und militärischer Fremdherrschaft.

[163]*Barth,H.- Steck,O.H.,* Exegese des Alten Testaments, Neukirchen 1980⁹, 78.

[164]Möglicherweise anhand in Palästina zu lokalisierender Ortsnamen des Archivs aus Ebla in Nordsyrien, vgl. *Klengel*, Handel, 62ff.

[165]Die angeblichen Belege für Gaza, Megiddo und Samaria in Texten aus Ebla beruhen z.T. auf idealisierten, keineswegs sicheren Lesungen, *vgl.* A.Archi, Notes on Eblaite Geography, SEb II/1 (1980), 1-16, 5ff.

[166]Übersicht bei *Donner*, Geschichte, 18ff.

Qatna.[167] In westlicher Richtung können die Außenbeziehungen Maris bis nach Hazor und Kreta verfolgt werden,[168] in südlicher Richtung bis zur arabischen Halbinsel.[169]

Die Verbreitung der babylonischen Keilschrift als internationale Verkehrssprache[170] bezeugt im 15./14. Jh.v.Chr. das Archiv von Tell el-Amarna. Annähernd 36, Keilschrift verwendende Korrespondenten können in Syrien-Palästina differenziert werden. Die Liste reicht

> von Gaza im Süden über Lachisch, Askelon, Qe'ila (Qiltu), Jerusalem, Gezer, Ajalon, Yafo, Sichem, Gittipadalla, Gan(?), Khirbet Fahil, Beth-Schean, Thaanak, Megiddo, Aschtarot, Akko, Hazor, Tyrus, Sidon, Kumidi, Beirut, Byblos bis hin nach Qatna im Norden.[171]

In den auf die Amarna-Zeit folgenden sechs Jahrhunderten, d.h. bis zur assyrischen Oberhoheit in Palästina, vollzieht sich eine grundlegende politische und kulturelle Veränderung im vorderen Orient. Vermutlich unter dem Einfluß der Seevölkerbewegung (12.Jh.) brechen das Hethitische Großreich und die ägyptische Hegemonie in Syrien-Palästina zusammen. Während an der südlichen Mittelmeerküste Palästinas die Philister materiale Innovationen[172] nach Palä-

---

[167]Vgl. *Klengel*, a.a.O., 78ff.

[168]Vgl. *Klengel*, a.a.O., 76; zu Mari *A.Lemaire*, Mari, the Bible and the Northwest Semitic World, BA 47 (1984), 101-108.

[169]Erwähnung von Tema (*te-ma-ju*) in Mari, vgl. RGTC 3, 235.

[170]Vgl. *C.Kühne*, Chronologie, 5.

[171]S.die Liste bei *W.L.Moran*, Les Lettres d'el-Amarna, Paris 1987, 569. Zerstörungsschichten aus dem 12. und 10.Jh.v.Chr. z.B. in Thaanach und Megiddo bilden den terminus ad quem kanaanäischer Präsenz in Palästina, während die Stratigraphie von Beth-Schean kontinuierlich bis in die E I-Zeit hinüberreicht, vgl. $BRL^2$ s.v. Reflexe dieser Vormachtstellung kanaanäischer Städte in der ausgehenden späten Bronzezeit bietet beispielsweise Ri 5, s. *Donner*, a.a.O., 160ff.

[172]Vgl. *Young*, Background, 127ff.; *Dothan*, Philistines, pass. Als Assimilationsprozess kann dabei die zunehmende Angleichung "philistäischer" Keramik an die Keramiktypen des Inlandes verstanden werden.

stina bringen, entstehen in Ostanatolien und Syrien die späthethitischen Kleinfürstentümer und Aramäerstaaten[173].

Trotz aller von Seiten der Assyrer unternommenen Versuche, die Ausbreitung der Aramäer einzudämmen, etablieren sie sich zwischen dem 12. und 8.Jh. sowohl in der Gegend des obermesopotamischen Euphratknicks, als auch am unteren Tigris und kontrollieren die Handelswege entlang beider Flüsse.[174] Unter Übernahme und Verwendung der von den Phöniziern entwickelten Alphabetschrift scheinen besonders die westlichen Aramäergruppen Syriens und Assyriens die Verbreitung der aramäischen Sprache gefördert zu haben.[175] Zu dieser Verbreitung, an deren Endpunkt die Erhebung des Aramäischen zur internationalen Kanzleisprache durch die Achaemeniden steht[176], hat die assyrische Deporatations- und Umsiedlungspraxis nicht unwesentlich beigetragen.[177]

Unter dem Einfluß hethitisch-luwischer, assyrischer und phönizischer Kultur[178] bilden die westlichen Aramäerstaaten ein wichtiges Bindeglied zwischen Syrien-Palästina und Mesopotamien. Das Aufkommen des Kamels als Transportmittel (11.Jh.v.Chr.) und die abgeschlossene Entwicklung der Alphabetschrift (10.Jh.) begünstigen den interkulturellen Austausch.[179]

Kulturkontakte und mögliche Traditionswege nennt schließlich das Alte Testament selbst. Die nordmesopotamisch-aramäische Herkunft einiger israelitischer Stämme wurde nicht nur in liturgischen Texten (Dtn 26,5) verankert oder als Vorstellung vom Großreich zwischen Ägypten und Euphrat idealisiert (Gen 15,8), sondern auch die Patriarchenerzählungen weisen auf die Gegend des oberen Balih (Harran, Serug, Til Turahi, Til Nahiri) und reflektieren die so

---

[173]Im letzten Viertel des 10.Jh.s.v.Chr., vgl. *Sader*, Les Etats, 290ff; s.a. *J.C.Greenfield*, Babylonian-Aramaic Relationship, in: J.Renger, H.-J.Nissen, Mesopotamien und seine Nachbarn II, Berlin 1982, 471-482.

[174]Vgl. *Brinkman*, PHPKB, 267ff., 268; s.a. *P.Garelli, V.Nikiprowetzky*, Le proche Orient asiatique, Paris 1974, 54ff.

[175]*W.Röllig*, Über die Anfänge unseres Alphabets, Das Altertum 31 (1985), 43-91; vgl. KAI Nr.231f., Nr. 202ff.

[176]Vgl. *Segert*, Grammatik, 33-46; das früheste Zeugnis des Reichsaramäischen stammt aus dem 6.Jh.v.Chr.

[177]Vgl. *B.Oded*, Mass Deportations and Deportees in the Neo-Assyrian Empire, Wiesbaden 1979, 15f.

[178]Vgl. *Sader*, ebd.

[179]Übersicht und Verteilungskarte bei *Röllig*, a.a.O., 85.

von Israel selbst empfundene Verwandtschaft mit den Kulturen im Norden und Osten.[180]

Die Entstehung eines dynastischen Herrscherhauses als traditionsgeschichtlichem Haftpunkt königsideologischer Vorstellungen und die Übernahme des kanaanäischen Jerusalem sind in der dtr Geschichtsdarstellung der Grund für Verbreitung und Ausufern fremder, d.h. kanaanäischer und mesopotamischer Religion(en).[181] Seit Salomo (10.Jh.v.Chr.) sind die Beziehungen zwischen Israel und Phönizien wirtschaftlicher und unter Omri (9.Jh.v.Chr.) heirats- und religionspolitischer Natur.[182]

Zentren und Träger philistäischer und phönizisch-kanaanäischer Kultur sind noch zur Zeit Sanheribs (704-681 v.Chr.) Sidon, Askalon, Ekron, Asdod und Gaza als selbständige Königtümer[183]. Nach den Feldzugsberichten Tiglathpilesers III. (ab 734 v.Chr.) werden in Gaza und Askalon die lokalen Gottheiten durch assyrische Götterbilder ersetzt.[184] Über Samaria berichtet IIKön 17 wenn auch nicht wertfrei (V.24) u.a. über Leute aus Babylon, Kuta, Hamat und Sippar, die dort angesiedelt worden seien. Umgekehrt wurden die deportierten Einwohner Samarias nach Assyrien verbracht, in die Gegend des Habur und von Ninive (V.6).[185] Schließlich enthält V.30ff. eine Liste fremder Gottheiten, die die neuen Siedler in der Provinz Samaria hergestellt und verehrt hätten. Identifizierbar sind allerdings nur der babylonische Nergal und der syro-phönizische (?) Aschima.[186]

Spuren keilschriftlicher Literatur in Palästina werden ferner in aufgefundenen Schriftdokumenten greifbar. Keilschriftliche Texte aus dem 2.Jt.v.Chr. in Beth-Schean, Gezer, Hazor, Jericho (u. Umgegend), Megiddo, Sichem, Tell el-He-

---

[180]Vgl. *Donner*, a.a.O., 56f.; *Lemaire*, a.a.O., 107.

[181]Auf einen kulturellen Bruch zwischen SB- und E-Zeit scheinen auch die Funde von weiblichen Statuetten hinzudeuten. In der Terminologie *M.Roses's* findet sich der Astarte-Typ vom 17.-12.Jh., der Ascherah-Typ vom 8.-5.Jh., vgl. Der Ausschließlichkeitsanspruch Jahwes, BWANT 106, Stuttgart 1975, 182ff.

[182]Vgl. *Timm*, Omri, 288ff.

[183]Vgl. *H.Sauren*, Sennachérib, les Arabes, les déportés Juifs, WO 16 (1985), 80-99, bes. 84ff.

[184]Vgl. etwa TGI, 58f.

[185]Zur Deportationspraxis vgl. *B.Oded*, a.a.O., 27f.

[186]Vgl. *Donner*, a.a.O., 315f.

si, Taᶜanak. Aus dieser Gruppe hervorzuheben sind besonders das Fragment der 7.Tafel des Gilgameschepos aus Megiddo[187] und ein Fragment der sumerisch-akkadischen Serie HAR.ra = *hubullu* aus Hazor.[188] Beschriftete wie unbeschriftete Tonlebermodelle bieten zudem Hinweise auf rituelle Praktiken.[189]

Aus der Zeit der assyrischen Suprematie in Palästina stammen Inschriftenfragmente Sargons II. in Asdod, Samaria und Jerusalem[190], sowie ein nA Verwaltungstext aus Tell Kaysan südlich von Akko.[191] Aus achaemenidischer Zeit stammen zwei nB Keilschrifttafeln aus Tawilan[192], nordöstlich von Petra, und vom Tell Mikhmoret (Emeq Hefer).[193] Texte in keilalphabetischer Schrift sind in Beth-Schemesch, auf dem Thabor und in Taanak nachgewiesen[194]

Als Vermittler altkanaanäischer und phönizischer Vorstellungen darf darüberhinaus das epigraphische Material aus Palästina gelten. So ist beispielsweise das El-Epitheton "Schöpfer der Erde" nicht nur Gen 14,19, sondern auch

---

[187]Text und Übersetzung bei *J.H.Tigay*, The Evolution of the Gilgamesh Epic, Philadelphia 1982, 285f., 124f. Der Text bricht ab, wo in der parallelen Version aus Ur die Unterweltsbeschreibung einsetzt, vgl. a.a.O.,125ff.

[188]Übersicht in TGI, 13f.; s. auch *D.O.Edzard*, Amarna und die Archive seiner Korrespondenten zwischen Ugarit und Gaza, in: Biblical Archaeology Today, Jerusalem 1985, 248-259.

[189]Vgl. *Edzard*, a.a.O., 250f.; s. auch *Loretz*, O., UBL 3, 9. Ausführlich behandelt sind alle bislang gefundenen Tonlebermodelle von *J.W.Meyer*, Untersuchungen zu den Tonlebermodellen aus dem Alten Orient, AOAT 39, Neukirchen-Vluyn 1987, pass.

[190]Vgl. TGI, 61.

[191]Vgl. *Edzard*, a.a.O., 259 A.80.

[192]Ein Vertragstext zwischen Aramäern aus Harran und einem Edomiter, (PN enthalten das theophore Element *Qaus*) vgl. zuletzt, *B.André-Leicknam* in: Der Königsweg. 9000 Jahre Kunst und Kultur in Palästina, Mainz 1987, 178; *M.W.-Stolper*, The neo-babylonian text from the Persepolis fortification, JNES 43 (1984), 299-310, 309 A.36.

[193]Unpubliziert. Vgl.*S.M.Paley*, The Emeq Hefer Archaeological Research Project in Israel, AJA 89 (1985), 344-345; sowie Excavations and Surveys in Israel 3 (1984), 77-78; -Neben den nB-achaemenidischen Tafeln aus Persepolis, Tyrus und Neirab sind nunmehr auch zwei palästinische Fundorte von "extraterritorial documents", vgl. *Stolper*, a.a.O., 309, bezeugt, die möglicherweise auf babylonische Enklaven innerhalb des persischen Reiches schließen lassen.

[194]Vgl. TGI, 14; *Kinet*, Ugarit, 50.

im 7.Jh.v.Chr. epigraphisch in Jerusalem bezeugt,[195] als kanaanäische Entlehnung jedoch schon im hethitischen *Ašertu*-Mythos.[196] Religionshistorisch und traditionsgeschichtlich nicht bedeutungslos ist ebenfalls die Übernahme syrischer Tempelbauarchitektur.[197]

Die Existenz keilschriftlicher Archive, gelehrter Schreiber und Schreibertraditionen in Palästina erweist dieser Befund allerdings nicht. Doch wird man davon ausgehen dürfen, daß in Palästina selbst Götter fremder Kulturen verehrt[198] und daß die wichtigsten Mythen und Epen, in denen diese Götter agierten, mindestens mündlich tradiert wurden.[199] Neben mündlicher und schriftlicher Überlieferung bilden vor allem Siegeldarstellungen einen materialen Traditionsträger.[200] Der archäologische Befund weist für dieses

---

[195]S. *E.Otto*, Jerusalem - die Geschichte der Heiligen Stadt, Stuttgart 1980, 78.

[196]S.o. 57.

[197]Zum Vergleich der Antentempeltypen aus Ebla, Tell Munbaqat, Tell Chueira und Tell Tainat s. *Otto*, a.a.O., 52f.

[198]Dies setzen die altjerusalemer Traditionen für El, das DtrG in hohem Maße für Baal, Aschirat, Astarte, Molek und Dagan (philistäisch: Dagon) voraus, sowie Inschriften aus Hirbet el-Qom und Kuntillet Agrud, die neben *yhwh* die Göttin *'šrt* erwähnen, vgl. *U.Winter*, Frau und Göttin, OBO 53, Fribourg-Göttingen 1983, 486ff. Die Notizen über Tammuz (Dumuzi) Ez 8,14 und den Sturz Hellels in Jes 14,12ff. verweisen auf weitere mythische Kontexte; vgl. *Schmidt*, Glaube, 133ff.

[199]Zur mündlichen Tradierung und relativ späten schriftlichen Fixierung akkadischer Beschwörungsserien vgl. *Groneberg*, Synrax, Bd.1, 11ff. S. auch *W.G.Lambert*, Interchange of Ideas between Southern Mesopotamia and Syria-Palestine as seen in literature, in: J.Renger, H.-J.Nissen, Mesopotamien und seine Nachbarn I, Berlin 1982, 311-316. Zur Entwicklung der Schule zwischen vorköniglicher und hellenistischer Zeit vgl. *R.Riesner*, Jesus als Lehrer, WUNT 7, Tübingen 1981, 153-182; *M.Hengel*, Judentum und Hellenismus, WUNT 10, Tübingen 1973², 143ff; jetzt auch *E.Puech*, Les écoles dans l'Israël préexilique: données épigraphiques, VTS 40, Leiden 1988, 189-203.

[200]Vgl. *W.Burkert*, Die orientalisierende Epoche in der griechischen Religion und Literatur, Heidelberg 1984, 114f., zur Rezeption orientalisch ikonographischer Darstellungen in Griechenland und ihrer anschließenden Re-Mythisierung.

darstellende Medium allerdings nach Syrien,[201] vereinzelt auch nach Samaria.[202]

Über Inhalt und Funktion des bislang einzigen archäologisch nachweisbaren Archivs aus Jerusalem der späten Königszeit ist nichts bekannt. Der Umfang von weit über zweihundert gesiegelter Tonbullen mit fast ebensovielen genannten Personennamen deutet aber an, daß Archivierung bekannt war und praktiziert wurde.[203] Die Reduktion des Grapheminventars im phöniz.-kan. Alphabet bietet gegenüber der syllabischen Keilschrift die Vorteile von vereinfachter Erlernbarkeit und Praktikabilität. Wie die Gesamtmenge der in Palästina aufgefundenen beschrifteten Siegel, Stempel und Bullen zeigt, darf im Unterschied zu Mesopotamien mit einer großen Verbreitung von Schreib- und Lesekunst gerechnet werden.[204]

Insbesonders seit dem 8.Jh.v.Chr. ist durch die Verbreitung der Schrift und die Ausweitung der Handelskontakte mit intensiven kulturellen Begegnungen im syrisch-palästinischen Raum zu rechnen, die über das Mittelmeer bis nach Griechenland reichten und die Entstehung eines mediterranen "Kulturkontinuums"[205] förderten. Eine massive Präsenz kanaanäischer und mesopotamischer Traditionen[206] in Palästina kann so aus den vorliegenden Daten

---

[201]Vgl. Das Rollsiegel in Syrien, bearb. v. *H.Kühne*, Tübingen 1980. Die interessante Siegelzusammenstellung der *Elie Borowski Collection*, Nr.28,33,41, 66,106,107, vgl. Treasures of the Bible Lands, ed. by *R.Merhav*, Tel Aviv 1987, unterscheidet leider nicht zwischen Herkunfts- und Fundort, kann hier also nicht interpretiert werden.

[202]Vgl. *Avigad*, Hebrew Bullae from the Time of Jeremiah, Jerusalem 1986, 14ff. Dennoch zeigen Bibel und Archäologie vielfältige Möglichkeiten zur ikonographischen Realisierung bestimmter Themen und Motive, vgl. insgesamt *S.Schroer*, In Israel gab es Bilder, OBO 74, Fribourg-Göttingen 1987, pass., bes. 260ff.; siehe aber die Hinweise bei *Sh.Geva*, A Neo-Assyrian Cylinder Seal from Beth-Shan, JANES 12 (1980), 45-49.

[203]Vgl. *N.Avigad*, a.a.O.; *ders.*, Hebrew seals and sealings and their significance for biblical research, VTS 40, Leiden 1988, 7-16.

[204]S. *Avigad*, a.a.O., 8.

[205]*W.Burkert*, a.a.O., 114.

[206]Anhand archäologischer Kleinfunde wie Statuetten und Siegel, sowie anhand der vielfach auch regional unterscheidbaren Keramiktypen könnte die Liste internationaler Wechselbeziehungen beliebig verlängert werden.

und unter Annahme einer weitaus umfangreicheren *oral tradition* extrapoliert werden.[207]

Die in weiten Teilen des Alten Testaments zur Sprache kommende Götzenpolemik setzt dabei selbst einen hohen Bekanntheitsgrad der Baal-Mythologie voraus. Notizen über *Astarte* und *Tammuz*[208] verweisen auf mythische Traditionen um *Ištar* und *Dumuzi*, während das Totenkultverbot[209] engste Verbindungen mit mesopotamischen und ugaritischen Jenseitsvorstellungen erkennen läßt.

### 4.3 Rezeption und Adaption

Die aufgewiesenen Traditonswege und -träger bilden die historische Voraussetzung für die Aneignung und Übertragung ursprünglich kulturfremder Praktiken und Vorstellungen. Im Vorgriff auf die Untersuchung der atl. *ṣôm*-Fasten-Texte wird die Aufnahme und Integration der thematischen Verbindung *kollektive Not - verborgener Gott* in die eigene Aussageintention z.B. daran deutlich, daß die Verborgenheit Jahwes nie exklusiv als Regenmangel, Dürre oder Tempelzerstörung begegnet. Obwohl die Notbeschreibungen formal diese Typen der Gottverlassenheit voraussetzen, wird die Abwesenheit Jahwes inhaltlich mit geschichtlichen oder eschatologischen Kategorien interpretiert.[210]

Die prophylaktische Form der Trauer begegnet hier ebenfalls in Situationen, wo der Tod möglich erscheint, wird aber mit der Bitte um Jahwes Beistand verbunden. Als rituelle Todesabwehr wird sie damit aus dem Bereich des Dämonischen und Numinosen in die universale Zuständigkeit Jahwes verlegt.[211]

---

[207]Wobei die frappante Ähnlichkeit der königlichen Trauerszenen, s.o. fast literarische Abhängigkeit oder *interpretatio assyriaca* vermuten läßt. Vgl. auch *C.Bonnet*, Echos d'un rituel de type adonidien dans l'oracle contre Moab d'Isaie, SEL 4 (1987), 101-119, bes.Anm. 23; *V.Afanasieva*, Mündlich überlieferte Dichtung ("Oral Poetry") und schriftliche Literatur in Mesopotamien, in: *J.Harmatta, G.Komoróczy*, Wirtschaft und Gesellschaft im Alten Vorderasien, Budapest 1976, 121-135.

[208]Vgl. o. A. 198.

[209]S.u. 86ff.

[210]S.u. 132; 156ff.; 212f.; 219ff.

[211]S.u. 177ff.

Die zusammenfassende Bezeichnung *ṣôm* für eine kollektive Trauer um den verborgenen Gott oder zur Todesabwehr markiert terminologisch und inhaltlich als "Enthaltung" das mit der Übernahme der Trauerriten gewonnene neue Verständnis. Minimalisierung und Reduzierung vitaler Lebensprozesse werden ihrer jenseitsmythologischen Konnotationen entkleidet und damit frei für eine ethische Interpretation, die an die Stelle des Ritus Gesinnung und Sozialverhalten setzt.[212] Die "Entmythologisierung" altorientalischen Trauer- und Klageverhaltens erweist sich damit als grundlegendes Stadium in der Entwicklung des klassischen Bußbegriffs.[213] Mit der Rückführung bestehender oder bevorstehender kollektiver Notzeiten auf den menschlichen Ungehorsam gegenüber der göttlichen Ordnung tritt schließlich der Mensch selbst als Auslöser an die Stelle der die Gemeinschaft bedrohenden Gefahr. Die *ṣôm*-Texte fordern somit keine rituelle Vorausdarstellung des Todes, etwa als beklagenswerten *was-wäre-wenn-Zustand*, sondern das -auch aktuell relevante- aktive Unterlassen gemeinschaftswidrigen Verhaltens.

---

[212] S.u. 214ff.

[213] Vgl. 234f.; 275f.

## DRITTES KAPITEL: TRAUER UND TOD

### 1. Die Trauerriten

Neben den genannten[1] Trauerriten, weiterhin TR, begegnen im Alten Testament: das Ablegen vom Turban[2], Abstreifen der Sandalen[3], Hängen lassen der Haare[4], Abscheren der Haare[5], Machen einer Randglatze[6] oder Stirnglatze[7], Stutzen des Kinnbartes[8], Verhüllen des Lippenbartes[9] und des Hauptes[10], sich

---

1 S.o. 13f.

2 *lʾ ʿśh pʾr* Ez 24,17.

3 *hlk yḥp; nʿl śym + brgl;* abstreifen v. Sandalen Ez 24,17; IISam 15,30; Jdt 10,4.

4 *prʿ rʾš* (KBL$^3$ 912f.); s.a. Lev 10,6; 21,10; Jdt 10,3.

5 *qrḥ; gzz rʾš; qrḥ qrḥh brʾš* Lev 21,5; Hi 1,20; Jer 16,6; Ez 7,18.

6 *nqp* Hi. *pʾt rʾš* Lev 19,27.

7 *śym qrḥh byn ʿynym* Dtn 14,1.

8 *šḥt* Hi. *ʾt pʾt zqn; pʾt zqn + glḥ* Pi. Lev 19,27; 21,5.

9 *ʿṭh ʿl śph* Ez 24,17.

10 *lʾṭ/lwṭ ʾt pnh* IISam 19,5.

die Brust schlagen[11], sich die Lenden schlagen[12], sich Einschnitte machen[13], sich im Staub wälzen[14] und das Ablegen von Schmuck[15].

Als körpersymbolische Riten lassen sich grob *Kleiderriten*, *Selbstverstümmelungen* und *Staub-, bzw. Erdriten* differenzieren.[16] Sie zielen damit auf eine Veränderung des Äußeren der ausführenden Person[17], auf eine aktive Oberflächengestaltung bzw. Umrißveränderung des Körpers.

Ähnlich den gemeinmediterranen Vorstellungen von Tod und Jenseits teilt Israel auch die meisten dieser Riten mit seiner Umwelt.[18] Archäologisch und ikonographisch läßt sich dies beispielsweise an den Darstellungen klagender Frauen auf dem sidonischen Klagefrauensarkophag oder anhand griechischer Sepulkralkunst verdeutlichen.[19].

Als körpersymbolische[20] Riten sind sie von verbalen Äußerungen in der Trauer unterschieden. Neben dem besonders im Hitp. "trauern", "Trauerbräuche

---

[11] *ʿl šdym spd* Jes 32,12 (?).

[12] *spq ʿl yrk* Jer 31,19.

[13] *gdd* Hitp.; *śrṭ śrṭt; śrṭ ntn + bbśr* Lev 19,28; 21,5; Dtn 14,1; Jer 16,6.

[14] *plš* Hitp. *bʾpr* Jer 6,26; Ez 27,30.

[15] Jdt 10,4.

[16] Vgl. schon *Grüneisen*, Ahnenkultus, 62ff.; *Schwally*, Leben, 11ff.; *Frey*, Tod, 33ff.127ff.; *Heinisch*, Trauergebräuche, 15ff. 33ff.39ff.57ff. S. jetzt zu Bedeutung und Symbolismus altorientalischer Kleidung *Vogelzang-VanBekkum*, Meaning and Symbolism, pass.

[17] S. dazu *Krause*, Maske, 218-237.

[18] Vgl. zu dieser gemeinsamen Mythologie des Todes *Illmann*, ThWAT IV, 783; *Verf.*, UF 18 (1987), 263-269; *Schmid*, Trauerbräuche II, 1000; zu Ugarit s. *Kutsch*, ThSt 78, 27; zu Mesopotamien s. *Alster*, ASJ 5,1ff; in Griechenland s. *Burkert*, Religion, 293ff; ethnologisches Material bei *Meuli*, SAVK 43, 91-109; *Hartland*, ERE IV, 411-444, bes. 438ff.; *Durkheim*, Formen, 523ff.; ferner den von *Stephenson* hg. Sammelband *Leben und Tod in den Religionen*. S.u. 86-116.

[19] Vgl. *Fleischer*, Klagefrauensarkophag, 40ff.; *Neumann*, Gesten, 149ff.; *Kurtz-Boardman*, Burial Customs, 142ff. Auch weisen die für Palästina nachzuweisenden Grabformen und -typen gegenüber ihrer altorientalischen Umwelt keinerlei Besonderheiten auf, vgl. *Welten*, TRE V, 737; *Kuschke*, Grab, 122ff.; *Hrouda*, Grab II, 593ff.; *Rahmani*, BA 44, 229ff.

[20] Zu diesen Formen nicht-verbaler Kommunikation vgl. *Gruber*, Nonverbal Communication I, 347ff.; II, 401ff.

beobachten" vorliegenden Verbum *'bl* und seinen Nominalformen[21] (IISam 1,19ff.; 3,33f.; Jer 22,18), begegnet vornehmlich der Terminus *qynh* und das entsprechende Verbum *qyn*.[22] Das Ptz. Pilp. *hmqwnnwt* (Jer 9,16) bezeichnet die -wohl institutionalisierten- Klagefrauen. Verwandt ist das neben "Weinen", (*bkh*) belegte *spd* "die Totenklage anstimmen".[23] Subjekt der Totenklage können Eheleute (Gen 23,2; IISam 11,26), Freunde (IISam 1,12) oder bei einem verstorbenen König das ganze Volk sein (ISam 25,1; 28,3 u.ö.).

Bezüglich der Beschreibung und Bedeutung der TR herrscht bis heute Unsicherheit.[24] Die unterschiedlichen Deutungsansätze werden sichtbar, wenn teils auf profane Parallelverwendung (zur Bestimmung eines tertium comparationis), teils auf psychologistische oder dämonologische Erklärungen abgehoben wird. So reicht das Spektrum der Erläuterungen vom Totenkult (als Sitz im Leben), über Unreinheit indizierende und der Dämonenabwehr dienende Riten bis hin zu einer plakativen Deutung als Minderungsriten.[25]

Die grundsätzlichen Schwierigkeiten einer Deutungsbestimmung liegen darin, daß das Alte Testament selbst keinerlei Hinweise, wie etwa die Literatur

---

[21] *'bl* I: Ex 33,4; Num 14,39; ISam 6,19; IISam 14,2; Ez 7,12.27; Dan 10,2; Neh 1,4; 8,9; IChr 7,22; Gen 37,34; IISam 13,27; 14,2; 19,2; Jes 66,10; Esr 10,6; IIChr 35,24; ISam 15,35; 16,1. Vgl. *Baumann*, ThWAT I, 46ff.

[22] Vgl. *Jahnow*, Leichenlied, 172; *Hardtmeier*, Texttheorie, 336f.; *Welten*, TRE V, 736. *qyn* verbal: Ez 27,32; IIChr 35,25; IISam 3,33; 1,17; Ez 32,16; Jer 9,16; nominal: Ez 19,14; Am 8,10; Jer 7,29; 9,9; Ez 19,1; 26,17; 27,2.32; 28,12; 32,2; Am 5,1; IISam 1,17; Ez 32,16; Jer 9,16.

[23] *spd*, akk. *sapādu*, ist schon im Akkadischen eigentlicher Trauer- und Klageterminus "to mourn, to beat the breast", CAD S, 150f. und im Ugaritischen *mšspdt* "Klagefrauen" in KTU 1.19 IV, 10; s. *dOlmo-Lete*, Mitos, 585; RSP I, 143.

[24] Vgl. *Welten*, TRE V, 736 mit Lit.; s. auch *Morgenstern*, Rites, 117ff.

[25] Vgl. *Heinisch*, Trauergebräuche, 3f.; *Kutsch*, ThSt 78, 32f.; 41f.; Welten, TRE V, 736. *Schwally*, Leben, 10ff.12ff; *Frey*, Tod, 39f.44: Riten der Unterwerfung unter Jahwe als Ursächer des Todes; *Bertholet*, Vorstellungen, 8ff., geht von einer Entwicklungsreihe: Totenkult-Ahnenverehrung-Totenbeschwörung aus; *Grüneisen*, Ahnenkultus, 90ff., interpretiert aufgrund der Opposition "heilig-unrein"; *Ehlhorst*, Trauerriten, 122ff., scheint in den TR symbolische Abbildungen des Seins im Totenreich zu sehen; *Heinisch*, a.a.O., 14ff., stellt Dämonenfurcht in den Vordergrund, während *Gese*, Tod, 38f., die TR als den Toten imitierende Riten versteht.

der Umwelt, zum Verständnis der TR gibt[26], wobei jedoch ein Bezug zwischen Totentrauer und "Gottesverehrung"[27] als ausgeschlossen gilt.

**Anläßlich der jüngsten** Deutung der TR als *Minderungsriten* durch KUTSCH hat WELTEN den "bedrohenden Aspekt des Todes" wieder hervorgehoben[28] und damit eine strenger an den Vorstellungen von Tod und Toten orientierte Interpretation angeregt.

Traditionell gewählter Ausgangspunkt aller Deutungen der TR ist der Tote selbst, bzw. die in ihm präsente Todesmacht, und damit ein weitgehend "animistisch" orientiertes Modell. Daß eher ein primärer Bezug der TR auf die *Hinterbliebenen* und damit eine soziologische Ebene anzunehmen sei, hat GLADIGOW zu verdeutlichen gesucht.

> Unter Berufung auf LEVY-BRUHL, MALINOWSKI u.A. sieht GLADIGOW[29] das Ziel der TR darin, "die Solidarität der Hinterbliebenen untereinander zu sichern".[30] "Erst in 'zweiter' Linie ist ein Rahmen konzipiert, innerhalb dessen die traditionellen sozialen Verbindungsmodi zum Toten aufrechterhalten werden können: in Gespräch, Speisung, Kleidung, Behausung. Auch hier dominiert das Interesse der Hinterbliebenen, die Unterbrechung der Sozialkontakte durch den Tod des Toten nach den eigenen Maßstäben zu überwinden."[31]

Aufgrund der Differenzierung Toter - Hinterbliebene ist zwischen den Riten, die die Hinterbliebenen an sich selbst (Trauerriten) und am Toten (Bestattungsriten) ausführen[32], zu unterscheiden.

---

[26] So schon *Heinisch*, a.a.O., 5; s.o. A. 25.

[27] *Welten*, TRE V, 737.

[28] A.a.O., 736. S. *Kutsch*, ThSt 78, 34f.37.

[29] Vgl. *Gladigow*, Konstruktion, 119ff. 119 Anm.2.

[30] A.a.O., 119.

[31] A.a.O., 120.

[32] Bestattungsriten sind etwa das Verschließen der Augen des Toten (Gen 46,4), Bekleidung des Toten, Grablegung und Deponierung von Grabbeigaben (vgl. z.B. Ez 32,27). S. *deVaux*, Lebensordnungen I, 99f.; *Welten*, TRE V, 734f.; *Strommenger*, Grabbeigaben, 605ff.; *Wächter*, Tod, 183ff.; *Schmid*, Begräbnis II, 962.

Die traditionelle Frage nach Ursprung und Bedeutung der Trauerriten in ihrem primären Bezug auf den Tod/ten verschiebt sich damit in Richtung einer *funktionalen Deutung und Beschreibung.*

Unter Beachtung der phasenhaften Strukturierung des Trauerverhaltens in zeitliche und räumliche Abschnitte, läßt sich das Trauerritual als Übergangsritual mit einer Dreiteilung von: Separations-, Marginalitäts- und Aggregationsriten beschreiben.[33] Der zu vollziehende Übergang besteht im Todesfall darin, daß der unbestattete Tote zu einem bestatteten Toten wird, daß er von seinem im Diesseits unbestimmbaren Todsein in eine im Jenseits bestimmte Totenexistenz überführt wird.[34] Die durch den Tod bewirkte Auslösung des Toten aus dem Kreis der Lebenden wird von den Trauernden als Separationsritus solidarisch mit- und nachvollzogen, indem sie ihr eigenes Leben rituell unterbrechen.[35] Die Phase der Separation dient dabei den Trauernden zur Anzeige des momentanen, ambivalenten status. Die Ambivalenz des Weder-noch oder des Sowohl-als-auch gilt für sie und den Toten gleichermaßen, denn der Tote gehört in sozialer, lokaler und zeitlicher Dimension nicht *mehr* zur diesseitigen Familie und *noch nicht* zur Ahnenfamilie, die im Vätergrab[36] versammelt ist.

Die Aufhebung dieser indifferenten Existenzweise erfolgt durch die eigentliche Bestattung (Marginalitätsritus) als dem Ermöglichungsgrund für die jenseitige Existenz[37] des Toten als Mitglied der *Jenseitsfamilie.* Die dritte Phase (Aggregation) markiert den *vollzogenen* Übergang. Der Tote ist bestattet, hat den Ort und die Ahnenfamilie seiner Jenseitsexistenz erreicht. Rituell wird dieser Sachverhalt im Leichenmahl (z.B. Jer 16,7) angezeigt.[38]

---

[33]Vgl. *vanGenepp,* Les Rites, 209ff., in Bezug auf die *cérémonies funéraires;* s. auch *Leach,* Kultur, 98ff.

[34]Zur Weiterexistenz nach dem Tod s.u. 86ff.

[35]Auch die Vorbereitung zur Grablegung (vgl. den ägyptisches Brauchtum spiegelnden Text Gen 50,1ff.) scheint mit in die Ablösungsphase zu gehören.

[36]Vgl. *Wächter,* Tod, 69f.; *Gese,* Tod, 33f.

[37]Vgl. *Wächter,* a.a.O., 181ff.; *Gese,* a.a.O., 34; *Schmid,* Tod, 912; Das Nichtbestattetsein zählt als die schlimmste Todesform, vgl. IKön 14,7ff.; Jer 22,18f.

[38]In früherer Zeit (Chalkolithisch und bronzezeitlich) scheinen in den Gräbern selbst regelrechte Symposien durchgeführt worden zu sein, vgl. *Hrouda,* Grabbeigaben, 609.

In der Trauer durchlaufen die Hinterbliebenen wie der Tote die Phasen der Existenzstörung, der Überwindung und Neuordnung. Das durch den Verlust eines Einzelnen gestörte soziale Beziehungsgeflecht kann damit in der Trauer zugunsten einer neuen Beziehungs- und Rangstruktur überwunden werden.

Eine Überprüfung dieser zunächst theoretisch gewonnenen Funktionsbestimmung kann anhand funktionaler Deutungen der (Umwelt-)Texte und an den Aussagen der Texte über Funktion und Stellung der Toten vorgenommen werden.

## 2. Trauer als Spiegel jenseitiger Ordnung

Am Anfang des Mythos "Inannas Gang zur Unterwelt"[39] wird erzählt, daß Inanna vor ihrer Fahrt in die Unterwelt all ihre me's, d.h. ihre Herrschaftsinsignien[40], die der EN-Priesterschaft, die der Königswürde und die Symbole der Erotik, anlegt (Z.17ff.).

Als sie so in der Unterwelt erscheint, erhält deren Pförtner den Auftrag, die sieben Unterweltstore zu verschließen und, wenn Inanna sie passiert, jeweils eine der me's einzufordern (Z.117ff.). Damit tritt Inanna schließlich nackt[41] vor Ereškigal. Zur Begründung für Inannas Entkleidung, die identisch ist mit der Einforderung der me's, wird auf die me's der Unterwelt und

---

[39] S.o. 35f.

[40] Die Gegenstände, die Inanna hier anlegt, müssen wohl mit den sieben me's identifiziert werden (Z.14-16 vgl. mit Z.17-25), vgl. *Sladek*, a.a.O., 85. Version E zufolge legt Inanna neun Gegenstände an, gibt aber an den sieben Toren der Unterwelt nur sieben von ihnen ab. Darf sie demnach das ḪI.LI "Steppenkrone" (s. *Farber-Flügge*, Mythos, 237) und ihr ŠIMBI (ŠIMxSIG$_7$) "Augenmakeup aus Antimonpaste" (Z.130-163) behalten oder werden diese beiden nicht zu den me's gezählt?

[41] So nach Text K, s. *Sladek*, a.a.O., 75. Der Schluß, daß die Toten nackt bestattet wurden bei *Hutter*, a.a.O., 123, widerspricht jedoch sowohl dem archäologischen, als auch dem literarischen Befund, nach dem die Toten in Matten oder Kleider gehüllt bestattet, bzw. wie Vögel, bekleidet mit einem Federkleid vorgestellt wurden.

die die dort geltende *Kultordnung* (garza.kur.ra.ke$_4$)[42] hingewiesen, welche erfüllt werden müßten und nicht gestört werden dürften (Z.132ff.).

Zum Teil wird diese Unterweltsordnung anhand der Dämonen, die von Inanna ein Substitut fordern[43], kenntlich:

Z.296 Those who accompanied Inanna
Z.297 Know no food; know no drink
Z.298 Eat no grain offering
Z.299 Drink no libation
Z.300 Accept no nice gifts
Z.301 Never enjoy the pleasure of sexual intercourse
Z.302 Never have any sweet children to kiss
Z.303 But tear the wife away from her husband during intercourse
Z.304 Carry off children from their father's knees
Z.305 And remove the bride from her marriage chamber.

Konstitutive Lebensvollzüge, Ernährung sowie emotionales und sexuelles Miteinander sind den Dämonen unbekannt, und sie versuchen, es zu verhindern (Z.303-305). Diesseitige Lebensverhältnisse sind damit in ihr Gegenteil verkehrt[44], wie auch dem diesseitigen Anlegen der me's ihr Ablegen in der Unterwelt korrespondiert. Begreift man diese differenzierten Ordnungen von Dies- und Jenseits als qualitativen Unterschied zwischen Leben und Tod, so erscheint die Todesexistenz als ein um vitale Lebensvollzüge verminderter[45] Existenzmodus.

[42] Zu GARZA, einem akk. Lehnwort aus dem sum. *parṣu* vgl. *Farber-Flügge*, Mythos, 167. Während GARZA auf den kultischen Bereich beschränkt sind, meint der Begriff me den Lebensbereich als Ganzen, vgl. a.a.O., 168.

[43] S.o. 37.

[44] Diese Verkehrung scheint aber nicht im vollen Sinne dem zu entsprechen, was man unter dem Phänomen der "verkehrten Welt", vgl. gleichnamiger Titel der Arbeit von *H.Kenner*, versteht. Anspielungen auf die verkehrte Welt haben demgegenüber oft die Realität korrigierende und karikierende Funktion.

[45] S.a.u. zu Gilg. XII, 81f.

Auf mythischer Ebene überliefert auch die Erzählung von Dumuzis Traum[46] eine der Klage Ninšuburs verwandte Szene, die Trauer Geštinannas[47] um ihren Bruder Dumuzi[48].

Im Laufe der Erzählung deutet Geštinanna einen Traum (Z.44-69) Dumuzis als Omen für dessen bevorstehenden Tod. Dumuzi bittet seine Schwester, von einem Berg aus Ausschau nach den todbringenden Dämonen zu halten, so daß er sich rechtzeitig vor ihnen an einem anonymen Ort verstecken kann (Z.70-151). Dumuzi gelingt es zwar mit Hilfe des Sonnengottes $^{d}$UTU, der ihn in eine Gazelle verwandelt, dreimal zu entfliehen, wird jedoch jedesmal von den Dämonen ergriffen (Z.152-239). Angesichts eines letzten und jetzt wohl endgültig tödlichen Zugriffs der Dämonen (Z.246-261, bes. Z. 261 $ug_5$ = *mâtu* "sterben") betet Geštinanna und trauert:

> Z.240 "Geštinanna cried toward heaven, cried toward earth. Z.241 (Her) cries covered the horizon completely like a cloth and were spread out like linen. Z.242 She scratched the eyes, she scratched the face, Z.243 She scratched the ears, the 'public' place, Z.244 She scratched the buttocks, the 'secret' place. Z.245 'My brother! I will [walk around] in the streets [for you]!'."[49]

Ähnlich wie Ninšubur trauernd und klagend zu den Göttern läuft, übt auch Geštinanna laute Klage und führt Selbstmutilationen aus. Im Unterschied zu o.g. Mythos befindet sich Dumuzi jedoch noch nicht in der Unterwelt, ist auch nicht gestorben. Geštinanna erweckt so bei den Dämonen den Ein-

---

[46]Bearbeitung bei *Alster*, Dumuzi's Dream, 52-83; neuere Texte dazu bei dems., RA 59 (1975), 97-108; *Kramer*, The Death of Dumuzi: A New Sumerian Version, AnSt 30 (1980), 5-13. Zur literarischen Form s. *Alster*, Dumuzi's Dream, 15ff. sowie die Rezensionen dazu von *V.K.Afanasieva*, AfO 25 (1974/77), 186-189, und *G.Farber-Flügge*, WdO 7 (1973), 278-284.

[47]Vgl. z.B. *D.O.Edzard*, Art. Geštinanna, WdM 2, 67-68.

[48]Dumuzi "rechter Sohn", vgl. aus der Fülle der Lit. hier ders., Art. Dumuzi, WdM 2, 51-53.

[49]*Alster*, Dumuzi's Dream, 81. Vgl. besonders die Trauer Ninšuburs um Inanna o. 36f., *Kramer*, AnSt 30, 9 Z.17-19 in dem neuen Text BM 100046. Zum Verhältnis zwischen Dumuzis Traum und Inannas Gang zur Unterwelt vgl. *Wilcke*, Politische Opposition, 59-62.

druck, daß Dumuzi schon tot sei, nimmt seinen Tod rituell vorweg, um ihn vor dem Zugriff des Todes zu bewahren.[50]

Diese Schutzfunktion ritueller Todesdarstellung zeigt ebenfalls die 12. Tafel des Gilgamesch-Epos[51], die die ursprünglichen elf Tafeln um die Geschichte von *pukku* und *mekkû*[52] erweitert und innerhalb des Mythos "Gilgamesch, Enkidu und die Unterwelt" (GEN)[53] erhalten ist. In Gilg. XII,9ff./GEN 180ff. erbietet sich Enkidu[54], die dem Gilgamesch in die Unterwelt gefallenen Gegenstände, *pukku* und *mekkû*, heraufzuholen. Für dieses Unternehmen erhält er von Gilgamesch eine Reihe von Verhaltensregeln (XII 12-28/GEN 182-199), die er unbedingt einhalten soll.[55] Z.182-199:[56]

> Z.182 "If you would [descend] to the netherworld, Z.183 [Be sure to heed] my counsel. Z.185 [Do not put on] a clean garment, Z.186 They would ma[rk you] as an alien. Z.187 Do nut rub yourself with fine unguent oil. Z.188 At its fragrance, they would gather about you. Z.189 Do not hurl a throw-stick into the netherworld. Z.190 Those who were struck down by a throw-stick would surround you. Z.191 Do not carry a staff in your hands. Z.192 The ghosts would become unsettled because of you. Z.193 Do not put sandals on your feet. Z.194 Do not make a sound (resounding) in(to) the netherworld. Z.195 Do not kiss your wife whom you loved, Z.196 Do not strike your wife whom you rejected, Z.197 Do not kiss your son whom you loved, Z.198 Do not strike your son whom you rejected, Z.199 The outcry of the netherworld will seize you."

---

[50]"One almost gets the impression that she (sc. Gestinanna) seeks to avert the impending evil by spontaneously pretending that he (sc. Dumuzi) is already dead", *Alster*, The Mythology of Mourning, ASJ 5 (1983), 10.

[51]Textzusammenstellung bei *Wilcke*, ASAW 65/4, 19ff.; s. auch *Hecker*, Untersuchungen, 26ff.; neuere Texte bei *Wiseman*, Iraq 37, 157ff.; *vWeiher*, BaM 11, 90ff.; 106ff.; ders., UVB 29/30, 96:9; 102:190; neuere Übersetzungen bei *Matouš*, ArOr 44, 63ff.

[52]*Schott-vSoden*, Gilgamesch-Epos, 106; zu *pukku* und *mekkû* "ball and stick" vgl. *A.Kilmer*, A Note on an Overlooked Word-Play in the Akkadian Gilgamesh, 128-132; *A.Koefoed*, Gilgamesh, Enkidu and the Nether World, ASJ 5 (1983), 17-23. Vgl. *B.Groneberg*, RA 81 (1987), 115-124 + RA 82 (1988), 71-73.

[53]*Shaffer*, Gilgamesh, 45-121, hier 106ff. mit Z.172ff.

[54]Vgl.B.*Alster*, The Paradigmatic Character of Mesopotamian Heroes, RA 68 (1974), 49-60 zu Gilg. XII 55ff.

[55]*S.N.Kramer*, Death and Nether-World According to the Sumerian Literary Texts, Iraq 22 (1960), 59-68, 63f. nennt sie "certain tabus".

[56]Hier nach *Shaffer*, a.a.O., 108f.

Der Text formuliert in vier parallelen Zeilen jeweils vier Verbote mit jeweiliger Tatfolgebestimmung (Z.185f.,187f.,189f., 191f.). Der letzten Bestimmung (Z.199) gehen sechs reine Verbotsformulierungen (Z.193-198) voran.

Die hier geschilderten Regeln für einen Aufenthalt in der Unterwelt erinnern deutlich und entsprechen z.T. denjenigen Riten, die im Zusammenhang kollektiver Notlagen bezeugt sind. Das "saubere Gewand" (*ṣubat zakâ* Z.185, Gilg. XII, 13) dessen Tragen hier verboten wird, begegnet auch in $H_1B$ Z.23f. Enthaltung von Körperpflege, Verzicht auf Kopfbedeckung und Schuhwerk, sowie Lautlosigkeit (Z.194, Gilg. XII 22: *rigma ana* ki$^{ti}$ *lā tašakkan*) sind anderwärts als Trauerritus bezeugt[57]. Die Unterdrückung emotionaler Äußerungen gegenüber Frau und Kind (Z.195ff., Gilg. XII, 23ff.) begegnet in "Inannas Gang zur Unterwelt"[58]. Z.189 verbietet das Werfen eines "throw-stick"[59], um zu vermeiden, daß die durch diese Gegenstände Getöteten Rache nähmen. Der Verhaltenskatalog bietet somit nicht eine Liste von Trauerriten im speziellen Sinne, sondern von Verhaltensweisen, die als Kennzeichen des Lebens gelten.

Verhielte sich Enkidu wie ein Lebender, so würde er als ein Ortsfremder (*ubāru*) erkannt, vom Klageschrei (*tazzimtu*) der Unterwelt gepackt (*ṣabātu*).[60] Ähnlich der Dämonenbeschreibung in Inannas Gang zur Unterwelt werden auch hier Ordnungsstrukturen der Unterwelt formuliert, denen die Toten unterworfen sind.

Aufgrund der mehrfachen Übereinstimmung dieser Unterweltsregeln mit konkreten Trauerriten bestätigt sich, daß in der Trauer die Ordnungen und Verhältnisse der Unterwelt rituell nachvollzogen werden.

---

[57]S.o. 39f.

[58]S.o. 79.

[59]GIŠ.RU meint vielleicht einen Bogen s. *Groneberg*, s.o. A. 52.

[60]Diese Stelle bleibt unsicher, vg. *Shaffer*, a.a.O., 35.

Exkurs 1: Trauer als Statusverlust:

In zwei neuassyrischen Gottesbriefen[61] werden Trauerreaktionen eines militärisch Unterlegenen gegenüber dem Sieger bezeugt, die eine auffallende Parallele zu IKön 20,26-34 bieten:

Anläßlich der Belagerung Apheks durch den Aramäerkönig Benhadad von Aram wird die Niederlage der Aramäer und ihre Flucht in die zuvor belagerte Stadt geschildert[62], wobei das folgende Gespräch zwischen Benhadad und seinen Dienern überliefert wird:

> V.31 "...Siehe, wir haben gehört, daß die Könige des Hauses Israel gnädige Könige seien. So wollen wir Saq-Gewänder (*śqym*) um unsere Hüften und Stricke um unsere Häupter[63] legen, und so wollen wir zum König von Israel gehen. Vielleicht läßt er dich am Leben (*yḥyh ʾt npšk*)."

Dienen die um die Köpfe gelegten Stricke oder Seile (*ḥblym*) zur Darstellung der Kriegsfangenschaft[64], so kann dies nicht ohne weiteres auch für das Anlegen des Saq-Gewandes behauptet werden. Die ganze Aktion wird vielmehr darauf bezogen, daß das Leben (*npš*) des Besiegten angesichts tödlicher Bedrohung erhalten bleibt.

Asarhaddon v. Assyrien[65] berichtet in seinem Brief an Assur über einen Konflikt mit dem namentlich ungenannten König von Šubria. Anlaß der Auseinandersetzung ist die Flucht von "Räubern und Dieben", vielleicht assyrischer Beamter, nach Šubria (I Z.2-4), deren Auslieferung der König v. Šubria verweigert hat (Z.4ff.). Er erregt damit den Zorn Asarhaddons (Z.13ff.) und stört die "grimmigen Waffen Aššurs... von ihrem Ruheplatz" auf (II, i, Z.32). Zweimal erwähnt der Text die Ausführung von Trauer: angesichts der Kriegsdrohung (II, i, 3ff.) und angesichts der Belagerung der Stadt Uppume/Upumu[66] (II, ii, 18ff.).

---

[61] Zur Gattung "Gottesbrief" vgl. *Borger*, Gottesbrief, 575f.; *Grayson*, OrNS 49 (1980), 157-159; ders., Literary letters from Deities and Diviners. More Fragments, in: AOS 65 (1984), 143-148.

[62] Zur historischen Situation vgl. *Herrmann*, Geschichte, 268ff.; *Sader*, Les Etats, 270ff.

[63] L c mlt Mss, G, S, V.

[64] Ikonographisch vgl. ANEP Nr.1, 7-9, 326, 447; zur Fesselung Kriegsgefangener s. *Mittmann*, "Handschelle", 327ff.; *Fabry*, ThWAT II, 702.

[65] Bearbeitet bei *Borger*, AfO B 9, 102-107, folgende Zitate ebd.

[66] Zu den geographischen Verhältnissen vgl. *Kessler*, Untersuchungen, 106ff.

a) Z.3 "Sein königliches Gewand[67] zog er aus und bekleidete seinen Leib mit einem Sack, dem Kleide eines Büßers[68]:
Z.4 sein Äusseres verunstaltete[69] er, wurde zum Sklaven[70] und gesellte sich zu seinen Knechten.
Z.5 Mit Flehen, Bitten und Demütigung[71] kniete er auf der Mauer[72] seiner Stadt,
Z.6 indem er gepresst Wehschreie ausstieß und mit geöffneten Händen[73] meine Herrschaft anflehte.
Z.7 Immer wieder kündete er die Stärke meines Herrn ᵈAššur und das Lob meiner Tapferkeit und rief: Gnade[74]."

Die Trauerriten und die Aussage der Zugehörigkeit zu Sklaven und Knechten markieren hier den Wechsel des königlichen Status vom Herrn zum Knecht (Z.3f.), wobei das Moment der Verkehrung und dadurch bewirkter sozialer Gleichordnung deutlich hervortritt.[75]

b) II, ii, 18-23:
Z.18 "liess er ein Bild[76] [...] machen und hüllte es in ein Büßergewand[77];
Z.19 Fes[seln?...] legte er ihm an, das Kennzeichen der Sklaverei[78],
Z.20 liess es an einer Handmühle...Platz nehmen, um die Müllerei zu betreiben[79],

---

67 *lu-b[u]l-ti šárru-ti-šu*, vgl. o. das Zerreißen des Mantels.

68 *ba-šá-mu ṣu-bat bēl ar-ni*, zu *bašāmu* "Sack, Büßergewand" vgl. *š/-saqqu* AHw 1027b; s. ferner *Schrank*, Sühnriten, 36f.

69 "Seine Gesichtszüge wurden bekümmert", s. AHw s.v. *lemēnu* D.

70 Zu *rēšiš emêma* vgl. BWL 88,294.

71 *i-na te-me-qí ṣu-ul-le-e la-ban ap-pi*, vgl. H₁B Z.18 *ina su-pi?-e u la-ban ap-pi* "in Gebet und Nasestreichen".

72 Vgl. IIKön 6,26ff.; *Keel*, VT XXV (1975), 413-469, bes. 442ff.

73 *pe-ta-a up-na-a-šú*, zu Gebets- und Bittgesten vgl. *Keel*, AOBSPs, 290f.

74 *a-hu-lap*, vgl. o. 85; ferner *Schrank*, a.a.O., 50ff.; *Mayer*, UFBG, 226.

75 Vgl. *Borger*, a.a.O., 105.

76 *ṣa-lam*, hier wohl eine Königsstatue?

77 *ba-šá-mu*, s.o. 68.

78 *bi-r[e-ti]*, zur rituellen Fesselung vgl. IKön 20,31.

79 Vgl. *Kellermann*, BRL², 232f.

Z.21 wie eine Haut...zog er die Haut (?) von rotglänzendem Golde aus[80]

Z.22 und legte es in die Hände von Šer... und ...gi-Tešub, seinen Söhnen[81].

Z.23 Um Mi[tleid] zu erwecken [und] sein Leben[82] zu retten, brachten sie es zu [mir] heraus."

Auch hier steht die Erniedrigung des Königs zum Sklaven im Mittelpunkt, vielleicht sogar (Z.21-23) seine rituelle Auslieferung in die Hände Asarhaddons, sofern die Söhne einen repräsentativen Gegenstand königlicher Macht überbringen.

Trauerriten spiegeln nach Auskunft der behandelten Belege die Lebensverhältnisse im Jenseits wider, konkret die *Differenz* zwischen diesseitigem und jenseitigem Lebensvollzug. Diese Abbildungsfunktion kann rituell zu Schutz- und Abwehrzwecken nutzbar gemacht werden, um die angreifenden Todesmächte über den tatsächlichen Existenzmodus des Gefährdeten zu täuschen. Diese mythisch-operative Komponente des Trauerverhaltens findet ihr Gegenstück innerhalb zwischenmenschlicher Relationen, wie sie der Gottesbrief Asarhaddons zum Ausdruck bringt. Der die Riten vollziehende König gibt nicht seinen Status als Lebender auf, sondern wird mit Sklaven und Knechten statusgleich, verliert seine königliche Würde, Macht und Verantwortung in der Hoffnung, am Leben zu bleiben. Die Schutz- und Minderungsfunktion der Trauerriten läßt sich damit auf mythischer und historisch-literarischer Ebene erkennen. Als Kommunikationsmedium zwischen den Lebenden und Toten, bzw. den Todesmächten selbst, sind die Trauerriten allerdings in die Vorstellungen über den Tod und die Toten selbst eingebunden.

---

[80]Die Zeile *tam-šil ma-šak [...] ma(?)-šak hurāṣi ruššî* (ḪUŠ!.A) *iš-hu-uṭ-ma(?)* ist zu fragmentarisch, um erkennen zu können, was gemeint ist.

[81]In IKön 20,31 übernehmen die Diener Benhadads diese Funktion der Fürbitte für ihren König.

[82]*napištušu* steht hier deutlich parallel zu *npšk* in IKön 20,31.

## 3. Stellung und Funktion der Toten in Israel, Ugarit und Mesopotamien

Sind Trauer- und Bestattungsriten nicht primär auf den Toten zu beziehen, sondern erfüllen vor allem eine soziale Funktion im Leben der Hinterbliebenen[83], so fordert die hier angestrebte funktionale Beschreibung der Riten die Bestimmung ihres Kontextes[84].

Trauer- und Bestattungsriten gehören zum kulturellen Brauchtum der Menschen und lassen auf ihr Verständnis des Toten und seine Funktion rückschließen. Als ihr Kontext gelten damit die Bereiche der Totenpflege, der Totenverehrung, der Totenbeschwörung und die Vorstellungen von der jenseitigen Existenz des Toten.

### 3.1. Die Toten in Israel

Das Alte Testament polemisiert scharf gegen jeden rituellen Umgang mit den Toten, den man als Ahnenverehrung oder Totenkult bezeichnen könnte.[85] Den Bestimmungen des Deuternomium für Israels Aufenthalt im verheißenen Land läßt sich entnehmen, daß ein kultisches Befragen oder Sich-Wenden (*š'l*, *drš*) an Tote (*mtym*) oder aber nekromantische Einrichtungen (*'wb* und *yd*$^{c}$*nym*[86]) als Greuel (*tw*$^{c}$*bh*) der kanaanäischen Bevölkerung gelten und darum eine *tw*$^{c}$*bh* für Jahwe seien.

---

[83] *Gladigow*, Konstruktion, 119ff. bezeichnet pointiert den Umgang mit den Toten als soziale "Konstruktion des Todes", womit keineswegs die existentielle Komponente des Phänomens Tod geleugnet wird. Vielmehr macht er deutlich, daß um den Tod eines Menschen herum eine Vielzahl von Verhaltensweisen geknüpft sind, die unreflektierten usus darstellen, gesellschaftlich konditioniert sind und damit dem biologisch-physischen Tod ein Gebäude von Vorstellungen zueignen, das dazu dient, mit dem Tod leben zu können.

[84] Das zu verstehende Symbolsystem der Trauer ist nicht nur eingebettet in den jeweiligen kulturell-ethnischen Horizont, sondern in diesem nochmals in den größeren Zusammenhang der Vorstellungen von Tod und Jenseits.

[85] Zu den verschiedenen Interpretationen dieser Polemik vgl. *Loretz*, JARG 3, 151ff.; s. auch *Müller*, WO 8, 75f.

[86] S.u. 103ff.

Die Ausgrenzung fremdartigen Brauchtums aus der eigenen Kultur zeigt sowohl das Bestreben, eigene "Homogenität und Funktionsfähigkeit"[87] zu sichern, als auch den bereits erlangten Einfluß der fremden Elemente selbst an. Die strikte Ablehnung des rituellen Umgangs mit den Toten läßt vermuten, daß diese Praxis in einem solchen Ausmaß geübt wurde, daß schließlich ein Einschreiten von Seiten theologiebildender und -wahrender Kreise geboten war. Volksreligion und Lehrmeinung treten hier einander gegenüber.[88] Ursache der reflektierten Auseinandersetzung ist, wie LORETZ deutlich macht, die unauflösliche Verbindung zwischen den Toten und dem kanaanäisch-syrischen Gott Baal. Aufgrund der Opposition Baal-Jahwe war es nur natürlich, alle baalistischen Konnotationen aus dem Umgang mit den Toten zu entfernen.[89] Inwieweit das AT jedoch noch gerade den kanaanäisch geprägten Umgang mit den Toten erkennen läßt, zeigen nicht nur alttestamentliche Todes- und Jenseitsvorstellungen, sondern auch Hinweise auf rituell-kultische Praktiken.

### 3.1.1 Der Tote im Familienverband

Es galt dem alttestamentlichen Menschen als selbstverständlich, nach seinem Tod in der Heimat begraben zu werden. Das stellt die Überführung des Jakob aus Ägypten nach Israel und seine dortige Bestattung am Ende der Josephsgeschichte eindrücklich dar.

Zahlreiche Grabbeigaben[90] und die Gestaltung der Gräber bezeugen von archäologischer Seite, daß das Grab als pars-pro-toto Begriff für die Unterwelt

---

[87] *Gerstenberger*, THAT II, 1053f.

[88] Daß solche religionsgeschichtlichen "Atavismen", *Müller*, a.a.O., 65, immer nur Rückfälle seien, läßt sich schon dann nicht mehr behaupten, wenn ein Religionssystem gezwungen wird, "pagane" Gepflogenheiten (in seiner Sicht) zu adaptieren.

[89] Zur Sache s. *Loretz*, a.a.O., 149-204, bes. 172: "In seiner Verbindung mit der für die Fruchtbarkeit der Kulturen und Felder verantwortlichen Gottheit Baal war die Totenverehrung...von selbst unter den gegebenen Umständen eine gegen Jahwe und seinen Ausschließlichkeitsanspruch gerichtete Angelegenheit."

[90] S.u. 97f.

(Ps 88,6) und als jenseitiger Existenzort der Toten verstanden wurde.[91] Als solcher ist das Grab allerdings nicht ein einsamer und verlassener Ort in den außerhalb der Ortschaften gelegenen Nekropolen, sondern als Familiengrab der Sitz der Ahnenfamilie.[92]

Daß der Tote im Grab innerhalb seiner Familie weiterexistierte, zeigen die hebräischen Termini und Wendungen: *qbr NN bqbr NN ʾbyw/ʾbtyw* "NN wurde begraben im Grab des NN seines Vaters/seiner Väter"[93]; von Königen: *škb NN ᶜm ʾbtyw* "NN legte sich zu seinen Vätern"[94], die das Grab als Existenzort der Väter ausweisen. Über die Vorstellung vom Vätergrab hinaus weisen Formulierungen wie *ʾsp* Ni. *NN ʾl ᶜmyw* "versammelt werden zu seinen Stammesgenossen[95]", bzw. *ʾsp* Ni. *NN ᶜl ʾbtyw ᶜl qbrtyw* "versammelt werden zu seinen Vätern, zu seinen Gräbern" (IIKön 22,20). Selbst Zweitbestattungen in Ossuaren (ab dem 1.Jh. v.Chr.) lassen die familiäre Exklusivität[96] dieses Ortes erkennen.

Erst als Existenzort der Jenseitsfamilie erlangen Grab und Begräbnis ihre soziale Bedeutung.[97] So schließt sich mit dem Begräbnis die familiäre Lücke, denn der Tote ist nun in den jenseitigen Familienverband aufgenommen, so daß

---

[91] Entsprechend hat *Galling*, BRL, 237ff. den Charakter des Grabes als Haus oder Wohnraum des Toten angesprochen, s. auch *Wächter*, Tod, 183f.; zum Verständnis in die Erde gearbeiteter Vertiefungen als Zugänge zur Unterwelt vgl. *Keel*, Bildsymbolik, 53ff.

[92] Vgl. *Welten*, TRE V, 734f. Die Verwendung des Begriffes Ahn/Ahnen wird hier zunächst in dem Sinne gebraucht, daß darunter die verstorbenen Familien- oder Stammesmitglieder zu verstehen sind. Demgegenüber bezeichnet in ethnologischer Sicht der Ahn "eine im Jenseits lebende Person der eigenen Verwandtschaftsgruppe, die bereits zu ihren Lebzeiten einen hohen sozialen status innehatte, der durch den rite de passage des Todes aber noch wesentlich erhöht wurde", *Thiel*, Religionsethnologie, 138f. In diesem Sinne jedoch ist die Verwendung von Ahn und Ahnenverehrung im Blick auf die göttlichen status besitzenden Rephaim, s.u. 96f., zu verstehen.

[93] IISam 2, 32; 17,23; 21,14; 19,38; Ri 8,32; 16,31; IKön 13,22; Neh 2,3.5; IIChr 35,24.

[94] IKön 22,40; Gen 47,30; IISam 7,12; IKön 2,10; 11,43; 14,20.31; 15,18.28; s. bereits *Schwally*, Leben, 54ff.

[95] "Verwandtschaft", "Sippe" ist die primäre Bedeutung des entsprechenden Nomens *ᶜm*, vgl. KBL[3] 792f. Vgl. Gen 25,8; 35,29; 49,29.33; Num 27,13; 20,26; Dtn 33,50; Ri 2,10.

[96] Vgl. *Hachlili-Killebrew*, PEQ 115, 119.

[97] Vgl. *Welten*, TRE V, 735f.; *Gese*, Tod, 33; *Wächter*, Tod, 72f.

dies- und jenseitige Familie in einem komplementären Verhältnis zueinander[98] stehen.

Mit der Bestattung endet die familiäre Sorge allerdings nicht, sondern ihr obliegt es, den Namen des Toten im Diesseits wach und bei den Lebenden in Erinnerung zu halten. In Mesopotamien bezeichnet ***zikir šumi*** "Gedenken des Namens" diesen Sachverhalt innerhalb der Totenpflege[99], und eine altbabylonische Grabinschrift wünscht dem Toten:

> "Oben möge sein Name wohl sein, unten möge sein Totengeist reines Wasser trinken"[100].

Exkurs 2: *Maṣṣeben* und Namensgedächtnis

Während terminologisch neuerdings zwischen einer Stele, als aufgerichtetem, bild- und inschriftentragendem Stein, und **Maṣṣebe**, als bild- und inschriftlosem Stein unterschieden wird[101], herrschen konträre Auffassungen bezüglich ihrer Funktion. Erst kürzlich wurde für die Stelenreihe des Heiligtums von Hazor ein Bezug zum Totenkult explizit betont[102] wie auch strikt abgelehnt.[103]

Das Alte Testament selbst erwähnt an drei Stellen das Errichten eines Steinmals im Kontext von Bestattung und Totenpflege:

> "Und Jakob errichtete eine **Maṣṣebe** auf ihrem Grab. Dies ist die **Maṣṣebe** des Rahelgrabes bis auf diesen Tag" (Gen 35,20),

> "Und Absalom hatte schon zu seiner Lebenszeit eine **Maṣṣebe** genommen und für sich im Königstal aufgerichtet, denn er sagte sich: 'ich habe keinen Sohn, um meinen Namen in Erinnerung zu halten'" (IISam 18,18a),

---

[98] S. *Ratschow*, Magie, 52f.

[99] Vgl. *Tsukimoto*, Totenpflege,153.230.

[100] Text und Übersetzung bei *Tsukimoto*, a.a.O., 154.

[101] *Reichert*, BRL², 206, im Anschluß an *Graesser*, BA 35, 34ff.

[102] *Mayer-Opificius*, UF 13, 288f. im Anschluß an *Galling*, ZDPV 75, 1ff.

[103] So *Schroer*, UF 15, 196 in Reaktion auf *Mittmann*'s Deutung der Grabinschrift von *Ḫirbet el-Kôm* in ZDPV 97 (1981), 139-152; s. ferner *Canby*, Iraq 38, 127 zu den Stelenreihen in Assur "There is, in short, no concrete evidence that the *Stelenreihen* were a funerary installation."

und Jes 56,5 verheißt den Beschnittenen, die selbst keine Nachkommen haben können und Jahwes Bund bewahren:

> "denen gebe ich in meinem Haus und in meinen Mauern eine Säule und einen Namen, (was) besser (ist) als Söhne und Töchter, einen ewigen Namen gebe ich <ihnen>[104], der nie ausgetilgt wird".

Das Aufrichten eines Steinmals steht damit im Zusammenhang posthumer Namenserinnerung (IISam 18,18; Jes 56,5) und erfolgt 1. auf dem Grab (Grab-, Bestattungsritus in Gen 35,20), 2. außerhalb besiedelten Gebietes (IISam 18,18)[105] und 3. im (Tempel-)Heiligtum (Jes 56,5).

Stelen- oder *Maṣṣeben*reihen finden sich vor allem in Nordmesopotamien-Syrien[106] (Tell Chuera, Tell Halaf[107], Byblos (Assur[108])) und in Palästina[109] (Hazor, Gezer, Timna, Bab ed-Dhra, Ader, Lejjun). Die Anlagen stimmen darin überein, daß sie kultische Einrichtungen, wie Depositvorrichtungen, Libationsmulden oder Altäre aufweisen oder auf sie zentriert sind[110], während sie

---

[104]Lies mit Q *lhm* "ihnen".

[105]Wenn *Mittmann*, a.a.O., 151, das Königstal als Bestattungsort der jerusalemer Könige reklamiert, so setzt er einen Bezug der Absalom-*Maṣṣebe* zum Grabkult voraus, was bislang jedoch keineswegs bewiesen und eher auszuschließen ist.

[106]S. *Stocton*, Stones, 64; *Miglus*, ZA 74, 133ff.; *Canby*, Iraq 38, 113ff.

[107]Zu diesen Orthostaten des Kapara-Tempels vom Tell Halaf, welche offenbar eine Sekundär-Verwendung gefunden hatten, s. *Canby*, a.a.O., 114-121.

[108]Assur bildet insofern eine Ausnahme, als innerhalb Assyriens nur hier solche Stelen bekannt geworden sind. Wie dieser Sonderfall entwicklungsgeschichtlich zu bewerten ist, entzieht sich immer noch einer befriedigenden Klärung.

[109]Siehe jeweils im Einzelnen bei *Stocton*, a.a.O., 62f; 67ff; *Canby*, a.a.O., 117ff.; 120f.

[110]Vgl. *Stocton*, a.a.O., 61ff.

eher zufällig[111] mit Gräbern - nur in Gezer[112] und im urartäischen Altintepe[113]- in Verbindung stehen.

Jes 56,5 und IISam 18,18a setzen nun aber nicht nur den Tod des durch den Stein Repräsentierten voraus, sondern belegen überdies, daß die Steine im Zusammenhang der Namenserinnerung als vornehmster Kinderpflicht ihre Funktion haben.[114] Den Versuch einer differenzierten Betrachtung des Aufstellungsortes und der kultischen Verrichtungen am Grab oder an einer ikonischen Präsentation des Verstorbenen hat R.MAYER-OPIFICIUS unternommen.[115] Sie weist darauf hin, daß Beterstatuetten aus dem *Ninni-zaza-* und *Ištarat-*Tempel von Mari, aus dem archaischen *Ištar-*Tempel in Assur (Tempel H, frühdynastisch) und aus dem Tempel vom Tell Chuera wohl auf Bänken positioniert waren, die Vorrichtungen zur Aufnahme von Flüssigkeiten und von Gaben aufweisen. Die Statuetten tragen bisweilen eine Inschrift, die die Namen des Weihenden und der Gottheit, der sie geweiht sind, enthält. Sie standen stellvertretend für ihre Spender im Tempel vor der Gottheit und waren z.T. als Votivgaben gedacht, um Dank für empfangene göttliche Hilfe oder die Bitte um Gesundheit und langes Leben sinnfällig auszudrücken.[116] Schon zu Lebzeiten des Spenders wurden sie aufgestellt und erhielten nach seinem Tod selbst Gaben.[117] Wie die Inschriften der Statuetten, aber auch der Assur-Stelen zeigen, gehören die repräsentierten Persönlichkeiten nicht zu den einfachen Bevölkerungsteilen, sondern es sind Könige, Fürsten und offizielle Funktionsträger.[118] Nach MAYER-OPIFICIUS hätten die nordmesopotamisch-

---

[111]Vgl. *Canby*, a.a.O., 126f. Dieser Sachverhalt bedeutet nicht nur, wie Canby ebd. vermutet, daß hier Zufallsfunde vorliegen, sondern erlaubt mindestens zwei andere Schlußfolgerungen. Einerseits hat *Börker-Klähn*, Bildstelen, 79, darauf hingewiesen, daß ältere Grabungen nicht ohne weiteres auf Zusammenhänge zwischen Stele und Grab geachtet hätten, wie auch *Maṣṣeben* als Baumaterial verwendet wurden und sich so einer Einordnung entziehen. Andererseits kann nicht von vornherein ausgeschlossen werden, daß die Verwendung von *Maṣṣeben* und Stelen am Grab oder in kultischen Einrichtungen nicht doch auf einen ihnen gemeinsamen Vorstellungskreis zurückgeht.

[112]S. bei *Stocton*, a.a.O., 62.

[113]Beachtenswert an dieser urartäischen Anlage ist nicht nur der vor den vier Stelen stehende Rundaltar, sondern daß alle Stelen angesichts der jüngsten Bestattung aufgestellt wurden, was ein Verständnis der Stelen als Grabmarken ausschließt, s. *Börker-Klähn*, a.a.O., 78 Anm. 267, 79f.

[114]Vgl. *Loretz*, BN 8, 14-17; *ders.*, JARG 3, 149ff.

[115]UF 13, 289.

[116]A.a.O., 287f.

[117]Vgl. *Bauer*, ZDMGS I, 111; *E.Strommenger*, Das Menschenbild in der altmesopotamischen Rundplastik von Mesilim bis Hammurapi, BaM 1 (1960),1-103, bes. 9 mit Anm.56 zu OIP 58,293, Nr.4 "x...dem *ṣalam* hat als eine Gabe dargebracht".

[118]S. a.a.O., 289; *Börker-Klähn*, a.a.O., 78, zu den mit Fürstenbildern ausgestatteten Stelen Syriens; *Miglus*, a.a.O., 135, zu den "stelea of officials" in Assur; zu den Beter-Statuetten der Tempel und deren

syrischen *Stelen* eine ähnliche Funktion zu erfüllen wie die sumerisch-südmesopotamischen *Beterstatuetten.*[119]

Die Maṣṣeben von IISam 18,18a (und Jes 56,5 ?) und Stelen wären demnach als Repräsentationen von Königen und königlichen Offiziellen zu verstehen, denen mithilfe der kultischen Einrichtungen nach dem Tod der entsprechenden Person Gaben dargebracht wurden. Gaben für Verstorbene sind vor allem als Grabbeigaben[120] und als regelmäßig am Grab dargebrachte Totenpflege[121] bekannt. Da Maṣṣeben und Stelen allerdings kaum mit Gräbern in Verbindung stehen, scheint auch eine Verbindung zur Totenpflege ausgeschlossen zu sein.

Aus dem ugaritischen Ritualtext "Anweisung für das Statuen-Opfer" (*spr.dbḥ.ṣlm*) KTU 1.161 geht hervor, daß an einer Stele (*ṣlm*) oder Statue geopfert wird und hier die Rephaim zusammentreffen, um Segen für die königliche Dynastie Ugarits zu spenden.[122] Unter den herbeigerufenen Rephaim werden namentlich die verstorbenen Könige Ugarits, Niqmadu und Amištamru, sowie die "Versammlung Didanus", ein königliches Ahnengeschlecht der Vorzeit, erwähnt. Daß diese Rephaim einen quasi-göttlichen status innehatten, geht aus ihrer Bezeichnung die "Göttlichen" (*ilnym*) in KTU 1.21 II, 3-4 hervor.[123] Darf man Maṣṣeben und Stelen in diesen Zusammenhang stellen, so bekommen die mit ihnen verbundenen kultischen Einrichtungen nicht eine Funktion in der Totenpflege, sondern im *Ahnenkult.*[124]

Bereits die Maṣṣeben und Stelen Syrien-Palästinas setzen einen heiligtumsähnlichen, vom eigentlichen Tempel unterschiedenen kultischen Bezirk voraus. Auch die Statue des Idrimi v. Alalaḫ fand sich in einem dem Tempel benachbarten, aber funktional wohl eigenständigen Gebäude. Ähnliche Funktion hat vielleicht auch der eigenständige Raum im Gipar von Ur, wo die Statue des Amar-Suena und zahlreiche Opferreste gefunden wurden.[125] Das sog. Heiligtum B2 aus Ebla kann ebenfalls hier genannt werden. Obwohl es Depositbänke und Opfervorrichtungen aufweist, ist es keiner Gottheit geweiht und in unmittelbarer Nähe des königlichen Friedhofes[126] angelegt.

---

Inschriften s. *Moortgat*, BaM 4 (1968), 221-231, hier 227f.; vgl. ferner *Braun-Holzinger*, Beterstatuetten, 18ff.

[119] A.a.O., 287.

[120] S.u. 97f.

[121] In Mesopotamien als *kispu*, d.h. als Wasser-Schütten und Brot-Brechen am Grab, vgl. *Tsukimoto*, Totenpflege, 109; 115; s.u. 113f.

[122] Zum Text s.u. 109f.

[123] Vgl. *Healey*, OrNS 53, 246ff.; *ders.*, UF 10, 89f.; *Xella*, UF 15, 286; s. auch u. 108.

[124] Im Unterschied zur Totenpflege oder zum Totenkult ist die Ahnenverehrung auf Ahnen im strengen Sinne beschränkt und hat für die Lebenden zum Ziel, sich des Beistandes und des Wohlwollens dieser Ahnen zu versichern. Entsprechend differenziert auch *Tsukimoto*, a.a.O., 237, zwischen kispu "Totenpflege" am Grab und in der *Totenverehrung* vor Statuen.

[125] Vgl. *Mayer-Opificius*, a.a.O., 285f., 288.

[126] Vgl. *Matthiae*, UF 11, 566f.; *ders.*, BA 47, 29f.

Literarische Anzeichen für eine besondere Örtlichkeit der Ahnenverehrung wären das é.ki.si.ga é *qūltišu* é $^{d}$Dagan, das Šamši-Adad I. in Terqa erbauen ließ, das "Haus der Ruhe, Haus seiner Stille, Haus Dagans"[127]. Dagan ist sowohl in Mari als auch in Ugarit mit einem *pagrā'u/pgr* genannten Opfer verbunden, das auf Tote bezogen ist.[128] Der Mari-Text ARM X, 63 erwähnt in Z.15ff. nebeneinander *$^{d!}$Da-gan be-el pa-ag-re-e ú $^{d}$I-túr-Me-er šar Ma-ri$^{ki}$* "Dagan, Herr des *pagru*, und Itūr-Mēr, Herrscher (Patronatsgott[129]) von Mari" die die Feinde in König Zimrilims Hände liefern mögen.[130]

Auf ein Bauwerk der Ahnenverehrung könnte ferner der sog. "Katalog der Sohnespflichten" in KTU 1.17 I 25ff. hinweisen, dessen Anfang Z.25-27 ein Heiligtum (*qdš*) im Kontext von *ilibh* und *$^{c}$m* erwähnt.[131]

Das Heiligtum ist nach Z.31f. sowohl vom Baal-Tempel (*bt.b$^{c}$l*), als auch vom El-Tempel (*bt.il*) unterschieden und mit einem Dach versehen, für dessen Instandhaltung der Sohn verantwortlich zeichnet. Entsprechend hält es POPE für einen Grabbau oder für den Ort, an dem ein "funeral feast" stattfand.[132]

Archäologische wie literarische Daten lassen mit Wahrscheinlichkeit annehmen, daß *Maṣṣeben* und Stelen kultische Verwendung innerhalb einer vom Grabkult streng zu unterscheidenden Ahnenverehrung gefunden haben. Als vergöttlichte Ahnen wurden hier verstorbene Könige und königliche Funktionsträger mit der Bitte evoziert, für Segen und Fruchtbarkeit von Dynastie und Land einzutreten.[133]

---

[127] Zur Parallelität von é.ki.si.ga (mit si statt si) und é *qūltišu* s. *Tsukimoto*, a.a.O., 70f. Gehört hierher auch das in Mari 12803 I, 7 bezeugte é$^{giš}$gu.za "Haus der Throne", in dem ein vom Grabkult deutlich unterschiedenes *kispu* dargebracht wird?, vgl. a.a.O., 73-78.

[128] Zu den Theorien über *pgr* als Totenopfer und zur Trennung von *kispu* "Totenpflege" s. *Tsukimoto*, a.a.O., 71f. In ARM X, 63,15 heißt Dagan *bēl pagrē*; in Ugarit werden KTU 6.13 Opfer an *dgn.pgr* im Zusammenhang einer Stele (*skn*) erwähnt, *Xella*, TRU I, 297.

[129] Dazu, sowie zu ARM X, 63 s. zuletzt *W.G.Lambert*, The Pantheon of Mari, in: Mari Annales De Recherches Interdisciplinaires 4, Paris 1985, 525-539, bes. 533ff.

[130] S. auch *Dossin*, ARM X, 7 und 265 zu Nr. 63. Vielleicht darf man auch das ugaritische *bt.ikl* KTU 1.22 I, 24 als Räumlichkeit, wo die Rephaim zum Mahl anlangen, in diesen Kontext stellen, vgl. *Healey*, Death, 264.

[131] Zuletzt so gegliedert und abgegrenzt von *Loretz*, ZAW 98, 256; s. auch u. 109f.

[132] *Pope*, Cult of the Dead, 160 Anm. 6.

[133] Inwieweit die alttestamentlichen Kulthöhen (*bmwt*) in ähnliche Zusammenhänge gehören, kann hier nicht weiter untersucht werden.

Die IISam 18,18a und Jes 56,5 erwähnten Stelen und *Maṣṣeben* scheinen somit ursprünglich ihre Funktion innerhalb der Namenserinnerung im Ahnenkult zu besitzen, wobei jedoch Trjes eher an die Dauerhaftigkeit der Säule denkt, als an einen (noch) kultischen Vorgang. Mit ähnlich differenzierten Vorstellungen wird für das archäologisch erst spät bezeugte (2./1.Jh.v.Chr.) Aufstellen von Grabmalen (*npš*), das der Namenserinnerung (nicht am Grab)[134], der Kennzeichnung des Grabes und der Materialisierung der Totenseele diente, zu rechnen sein.[135]

### 3.1.2 Die Existenzform des Toten

Nicht bestattet zu werden, gilt als Gegenteil der Bergung des Verstorbenen im Familiengrab, als ein schlimmer Tod, der als Strafe aufgefaßt werden konnte.[136]

Wird der Tote grablos draußen vor die Stadt geworfen (IKön 13,22; 16,4), so gleicht seine Behandlung der eines Tieres, ist eine *qbrwt ḥmwr* ein "Eselsbegräbnis" (Jer 22,19).[137] Der Tote dient als Fraß der Tiere und Dünger der Erde (Jer 16,4). Er ist der "Hitze des Tages und der Kälte der Nacht" (Jer 36,30/Bar 2,25) ausgeliefert. Die Vereinigung mit der Jenseitsfamilie im Grab wird für den Nichtbestatteten unmöglich,[138] und damit auch die Möglichkeit für die Hinterbliebenen, mit ihm in Kontakt zu treten.

Drastisch formuliert die 12.Tafel des Gilgameschepos in Z.152-154 über den unbestatteten und ungepflegten Toten:

---

[134] Vgl. *Zayadine*, Felsarchitektur, 220ff. Zu *npš* vgl. *Jastrow*, Dictionary, 926f.; *Pope*, a.a.O., 160f.; DISO s.v. 4) zu *np/bš* (griech. mnämion) "monument funeraire"; s. auch KAI 230; 128,3 (136,1).

[135] Vgl. *Hachlili*, PEQ 113, 33-38 (mit Lit.); *Hachlili-Killebrew*, PEQ 115, 114f.

[136] Vgl. z.B. IKön 13,22; 16,4; Jes 14,18ff.; 34,3; Jer 36,30; 22,19; 16,4; s. auch *Wächter*, Tod, 171ff.

[137] Vgl. auch *Rudolph*, HAT I/12, z.St.

[138] So besonders nach Jes 14,19f., wo es über die Nicht-Bestatteten heißt *l' tḥd 'tm bqbwrh* "es gibt keine Vereinigung für sie im Grab", s. z. Text *Wildberger*, Bk X/2, 535f., 543.

"Sein Geist ist ruhelos auf der Erde. Dessen Geist keinen Pfleger hat, sahst du den? Ja, ich sah: Ausgewischtes aus dem Topf, auf die Straße geworfene Bissen muß er essen."[139]

Die besondere Wertschätzung des Grabes als Existenzort des Toten, wie auch die makabren Vorstellungen vom Herumirren des Unbestatteten im Diesseits setzen nicht nur bloße Anwesenheit, sondern seine Weiterexistenz in einem besonderen Modus voraus.

Unspezifisch bezeichnet das Alte Testament die Verstorbenen zunächst als *mtym*[140] "Tote", spezifischer als *npš mt*[141] "tote *npš*" und als *rp'ym* "Heiler, Schlaffe"[142].

Als tote *npš* existiert der Verstorbene im Jenseits[143]. Die ihn als *npš ḥyh* "lebende *npš*"[144] auszeichnende *nšmt ḥyym* "Lebensodem" (Gen 2,7) hat er verloren. Lebensodem ist nach dem jahwistischen Schöpfungsbericht[145] die *differentia specifica* zwischen Mensch und Tier, das ebenfalls als *npš ḥyh* "lebendige *npš*" bezeichnet werden kann (Gen 2,19). Der Theologie des Psalm 150,6 zufolge ist die *nšmt ḥyym* dasjenige Organ des Menschen, dem die Aufgabe zufällt, Jahwe zu loben.[146]

Wer Jahwe nicht mehr loben kann, also außerhalb der religiösen Gemeinschaft steht, wird im Alten Testament als *tot* bezeichnet. Der Tod ist darum

---

139 *Schott - vSoden*, Gilgamesch-Epos, 112.

140 Vgl. KBL³ 532f.; *Illmann*, ThWAT IV, 782f.; *Wolff*, Anthropologie, 150ff.

141 Lev 21,11; Num 6,6; vgl. *Elliger*, HAT I/4, 278ff.; *Wolff*, a.a.O., 44; *Grüneisen*, Ahnenkultus, 45f.

142 Zum Bedeutungswandel der Rephaim und der Herleitung des Plurals *rp'ym* von *rp'* "heilen" sowie von *rph* "schlaff sein" vgl. *deMoor*, ZAW 88, 340f. mit Anm. 104-107; s.ferner grundsätzlich zu den Rephaim *Caquot*, DBS X/55, 344-357.

143 Zur Ausgestaltung des Jenseits, der *š'wl*, und den mit ihr verbundenen Vorstellungen vgl. *Verf.*, BN 43, 80f.

144 Zu Gen 2,7 vgl. *Westermann*, Bk I/1, z.St.; *vRad*, ATD 2/4, 50ff.; *Wolff*, a.a.O., 141ff.

145 Vgl. aber *Lamberti-Zielinski*, ThWAT V, 671.

146 Jedes *menschliche* Wesen soll Jahwe loben und nicht allgemein jede "Kreatur", wie *Kraus*, Bk XV/2, 1150, interpretiert.

nicht nur eine biologische, sondern eine sozial-kultische Kategorie. Die Existenz des Toten ist bezüglich ihres Verhältnisses zur Gottheit *relationslos.*[147]

Darum kann sozial-kultische Relationslosigkeit auch dem lebenden Menschen, z.B. durch Krankheit, zum Verhängnis werden, so daß der Kranke seinen Zustand in spezifischer Unterweltsterminologie schildert.[148]

Ein die Toten funktional näher bezeichnendes Verständnis liegt der Bezeichnung *rp'ym* "Rephaim" zugrunde. Jes 14,9; 26,14.19; Ps 88,11 nennen die *rp'ym* parallel zu den *mtym* "Toten", oder siedeln sie in der Unterwelt (*š'wl*: Jes 14,9) an.[149]

Als "Heilende"[150], "Ärzte", abgeleitet von *rp'*, wurden die *rp'ym* in Jes 26,14 und Ps 88,11 von LXX verstanden. Sonst transliteriert LXX[151] oder bedient sich antik mythologischer Äquivalente wie Giganten[152] oder Erdgeborene[153], die schon innergriechisch miteinander verbunden sind.[154] Schon JIRKU[155] vermutete, daß der in Frage stehende Begriff ursprünglich Totengeister bezeichnete und dann sekundär auf ein "Riesenvolk der Vorzeit" übertragen worden sei. Die Deutungen im Sinne der kanaanäischen Urbevölkerung[156]

---

[147]Vgl. *Jüngel*, Tod, 99; *Wolff*, a.a.O., 160ff.; *Gese*, Tod, 35. Besonders Ps 88,11 "Tust du an den Toten Wunder, oder stehen die Schatten auf, dich zu preisen?", vgl. *Kraus*, Bk XV/2, 776; s. auch *Barth*, Errettung, 54ff.

[148]Vgl. *Barth*, Errettung, 91ff.; *Keel*, Bildsymbolik, 53ff.; *Verf.*, BN 43 (1988), 73f.

[149]Vgl. Prv 2,18; 9,18; 21,16; Hi 26,5; s. *Loretz-Dietrich-Sanmartín*, UF 8, 45-52; *Pope*, Cult of the Dead, 169.

[150]Vgl. *Astour*, CRRAI 26, 233, 238 Anm. 74; *deMoor*, ZAW 88, 337ff., 340ff; *Pope*, a.a.O., 169ff.; *Loretz-Dietrich-Sanmartín*, a.a.O., 45ff.; *L'Heureux*, Rank, 111ff. S. aber skeptisch *Stoebe*, THAT II, 804. Ferner s. *Loretz*, JARG 3, 168f.; DISO 282; KAI 13,8; 14,8; 117,1; vgl. auch *Röllig*, NESE 1, 5f.

[151]In Dtn 2,11.20; 3,11.13; Gen 15,20 als Parallele zur kanaanäischen Urbevölkerung.

[152]Für die Urbevölkerung in Gen 14,5 und IChr 20,4; für Verstorbene in Jes 14,9; Prv 21,16 und Hi 26,5.

[153]Für die Verstorbenen in Prv 2,18; 9,18. Die von *deMoor*, a.a.O., 340 Anm. 105, für eine Wiedergabe von *rp'ym* durch *titanes* in Anspruch genommene Stelle IISam 18,22 vermag ich nicht zu verifizieren.

[154]Vgl. *vGeisau*, KP 2, 797f.; *ders.*, KP 2, 715f.; *Burkert*, Religion, 203.

[155]*Jirku*, Dämonen, 1-14, hier: 14.

[156]Dtn 2,11.20; 3,11.13; Gen 14,5; 15,20; Jos 12,4; 13,12; 17,15; IChr 20,4.

und im Sinne besonders qualifizierter Toter[157] schließen sich allerdings nicht aus, wenn man unter Rephaim die *Totengeister der kanaanäischen Ahnen* versteht[158]. Funktionale Beschreibungen, wie sie etwa die ugaritischen Rephaim-Texte[159] geben, bietet das Alte Testament jedoch nicht.

Tote wie Rephaim-Ahnen[160] werden als Wesen angesehen, deren Lebensweise gegenüber dem Diesseits deutlich gemindert ist und deren Kraft numinose Qualität annehmen kann.

Daß der weiterexistierende, mit Kräften begabte Tote spezieller Nahrungsversorgung bedarf, machen besonders mesopotamische Texte[161] deutlich, während die Vorstellung im Alten Testament nur indirekt erkennbar ist.[162]

Dtn 26,13ff. formuliert innerhalb der Bestimmungen über die Zehntabgabe, daß die rechtmäßige Durchführung vor Jahwe mittels folgender Versicherung bekräftigt werden soll:

"Nichts habe ich davon (sc. vom Zehnten) für einen Toten (*lmt*) gegeben" (V.14aβ), ebenfalls geht Tob 4,17 "schütte deine Brote auf das Grab der Gerechten und gib sie nicht den Sündern" über eine Anspielung nicht hinaus, während Sir 30,18 den Unsinn der Totenspeisung im Auge hat: "Leckerbissen, hingegeben einem verschlossenen Mund, gleichen einer Speise, die hingestellt ist auf ein Grab.[163]

Archäologisch läßt sich dieses Bild aber ergänzen. So reicht die Kontinuität der Grabbeigaben von der FB-Zeit bis hin zur griech.-röm. Epoche. Während in der Verwendung von Ossuaren ein deutlicher Bruch in der Eisen-Zeit stattfindet -sie werden erst wieder im 2.Jh.v.Chr. gebräuchlich- lassen sich Grabbeigaben durchgängig verfolgen. Exemplarisch wird dies anhand zweier eisenzeitlicher Friedhöfe, dem des Tell el-Mazar (3 km nnw von Deir 'Alla) und des Tell Kamid el-Loz (Kumidi) deutlich. Die Beigaben lassen sich grob in die

---

[157] Jes 14,9; 26,14.19; Ps 88,11; Prv 2,18; 9,18; 21,16; Hi 26,5.

[158] S. *Pope*, a.a.O., 173f.

[159] S.u. 106ff.

[160] Zu den Ahnen als sozial hochgestellten Persönlichkeiten vgl. 108f.; 111ff. Gemeint sind die Fürsten und Könige vergangener Zeiten.

[161] S.u. 113f.

[162] Vgl. schon *Frey*, Tod, 87ff.; *Grüneisen*, Ahnenkultus, 118f.; *Heinisch*, Trauergebräuche, 75ff.; *Schwally*, Leben, 21ff.

[163] Vgl. *Schwally*, a.a.O., 23.

folgenden Kategorien fassen: Gefäße: (Bronze, Keramik, Glas, Steingut): Schalen, Becher, Flaschen, Krüge (juglet, jug, jar), Karaffen.[164] Daneben finden sich Lampen, Siebe und Räucherständer; Waffen: Speer- und Pfeilspitzen, sowie verschiedene Messerarten;[165] Schmuck: Finger- und Ohrringe, Fußgelenk- und Armreifen, seltener Schminkutensilien.[166] Als weitere Kleinfunde wären Stempel- und Zylinder-Siegel, Skarabäen, Münzen und Perlen zu verzeichnen.[167] Perlen bilden zusammen mit Steck-, Gewandnadeln und Fibeln insofern einen Sonderfall, als sie sowohl abseits des Bestatteten, als auch auf seinem Brustkorb *in situ* gefunden wurden, was ihre Verwendung als Beigabe und als Kleidungsbestandteil wahrscheinlich macht.[168]

Überreste organischer Bestandteile in den gefundenen Gefäßen erlauben den Schluß, daß dem Bestatteten Nahrungsmittel (fest und flüssig) nebst entsprechendem Geschirr mitgegeben wurde.[169] In welchem Umfang Speere und Pfeile als persönlicher Besitz des Toten oder zum Gebrauch vorgesehen waren, bleibt eine offene Frage.

Gerade die Gabe von Nahrung und Essgeschirr läßt es nun keineswegs "phantastisch" erscheinen, daß hier an eine physische Nahrungsbedürftigkeit des Toten gedacht ist.[170]

Ob und inwieweit eine von der Grabbeigabe unterschiedene regelmäßige Nahrungsspende geübt wurde, hängt entscheidend von der Interpretation von Jer 16,7 und 1Sam 20,6 ab.

---

[164] Vgl. *Yassine*, Tell el Mazar, 65-84; *Poppa*, Kamid el-Loz, 28f.

[165] *Vgl. Yassine*, a.a.O., 85-92; *Poppa*, a.a.O., 29f.

[166] Vgl. *Yassine*, a.a.O., 93ff.; *Poppa*, a.a.O., 30f., 33-35.

[167] Vgl. *Yassine*, a.a.O., 103ff.

[168] Vgl. *Poppa*, a.a.O., 37f., 35.

[169] Vgl. ebd., 27f.

[170] Gegen *Gese*, Tod, 39; s. auch *Spronk*, Afterlife, 241. Weiteres Material, das auf Benutzung der Grabbeigaben hindeutet, bei *Welten*, TRE V, 734f.; *Spronk*, a.a.O., 238ff.; *vStritzky*, RAC XII, 438-441. Vgl. auch *Hrouda*, RlA 3, 608-609; *Strommenger*, RlA 3, 605-608.

### 3.1.3 Jährliches Totengedenken

Innerhalb des Abschnitts Jer 16,1-9 lassen sich drei Sinneinheiten festmachen. V.1-4 Jeremia soll keine Familie gründen, V.5-7 Jeremia soll an keinen Trauerfeierlichkeiten teilnehmen, und V.8-9 Jeremia soll sich der Teilnahme an Festen enthalten.[171] Der hier wesentliche Abschnitt V.5-7 lautet:

> 5 "Denn so spricht Jahwe: Betritt kein *mrzḥ*[172]-Haus und gehe nicht zum Trauern (*lspd*), bezeuge ihnen kein Beileid (*w'l tnwd lhm*[173]), denn ich habe meinen Frieden diesem Volk entzogen, Spruch Jahwes, die Güte und mein Erbarmen.6 So sollen sterben Groß und Klein in diesem Land. Sie werden nicht begraben werden (*qbr* Ni.), und man wird nicht für/um sie trauern (*w'l yspdw* Ni. *lhm*), man[174] macht sich keine Hauteinritzungen und schert sich keine Glatze für sie (*lhm*)."

Innerhalb des folgenden V.7 erscheint die Bestimmung der Objekte problematisch.[175] Nach V.5f. ist als Subjekt der Trauerriten ein kollektives "man" zu verstehen. Als Objekt werden die verstorbenen "Großen" und "Kleinen" (V.6) durch das rückbezügliche *lhm* ausgewiesen. Die Aufnahme der 3.Person Pl. erfolgt in V.7 (MT) zweimal "man bricht ihnen (*lhm*; LXX: *lḥm "Brot"*) nicht.. man gibt ihnen (*'tm*) den Trostbecher nicht zu trinken (LXX: *auton*)". Neben den pluralischen Suffixen werden in *lnḥmw* "um ihn zu trösten" (LXX: *eis parakleisin*) und in *ᶜl 'byw wᶜl 'mw* "wegen seines Vaters und seiner Mutter" singularische Suffixe der 3.Person verwendet, die kein vorgängiges Bezugswort aufweisen.[176] Während nun LXX die singularische Lesung bezeugt, buchen Vulgata für *ᶜl 'bl* "wegen der Trauer" *'ābēl* "einem Trauernden" und

---

[171] Vgl. auch *Rudolph*, HAT I/12, z.St., s. ferner *Frey*, Tod, 91ff.; *Grüneisen*, Ahnenkultus, 130f.; *Heinisch*, Trauergebräuche, 85ff.

[172] Angesichts der Schwierigkeiten einer semantischen Bestimmung bleibt *mrzḥ* hier unübersetzt. Vgl. *Kinet*, Ugarit, 92ff.; *L'Heureux*, Rank, 206ff.; *Fabry*, ThWAT V, 11-16. Das *byt mrzḥ* scheint aber in jedem Fall mit Riten in Verbindung zu stehen, die zum Grab- , Bestattungs- oder Ahnenkult gehören.

[173] Zur Bedeutung "Beileid bekunden" vgl. KBL³ 640.

[174] Kollektives "man" hier ausgedrückt durch das Suffix der 3.Sg.m.

[175] Vgl. zuletzt *Loretz*, Kultmahl, 88ff.

[176] So schon *Schwally*, Leben, 22.

LXX *en penthei autwn* "in Trauer um sie". Die unausgeglichene Numerussetzung besteht damit in MT, in LXX und deren hebr. Vorlage.

Das Problem hat RUDOLPH dadurch zu lösen versucht, indem er statt *lhm* "ihnen" mit LXX *lḥm* "Brot", mit V "einem Trauernden" und wiederum mit LXX *ʾtw* (Sg.) statt MT *ʾtm* "ihnen" liest.[177] Die singularische Vulgatalesart ermöglicht so die Beibehaltung der auf "einen Trauernden" zurückzubeziehenden Suffixe der 3.Sg.m. und die Änderung von *ʾtm* > *ʾtw* - jedoch gegen MT und LXX. Wahrscheinlicher ist, da LXX durch *en penthei autwn* "in Trauer um sie" ein hbr. *lhm* neben *artous*, hbr. *lḥm* "Brote", voraussetzt, daß *lḥm* neben *lhm* ausgefallen ist:

"Man bricht ihnen kein Brot <wegen der Trauer, um ihn zu trösten wegen eines Verstorbenen>, und man gibt ihnen den Trostbecher nicht zu trinken <wegen seines Vaters und seiner Mutter>".

In diesem Fall wären die singularischen Partien <...> interpretierende Zusätze, welche die pluralische Totenspeisung als *Hinterbliebenenspeisung* uminterpretieren.[178]

In der Erzählung von Jonathans Fluchthilfe für David in ISam 20 begründet David sein Fernbleiben von der königlichen Tafel folgendermaßen:

> (5) "Und David sprach zu Jonathan: Siehe morgen ist Neumond (*ḥdš*), da sollte ich mit dem König zusammensitzen, um zu essen. Aber laß mich gehen, daß ich mich auf dem Felde verberge bis zum Abend[179].
> (6) Wenn dein Vater mich suchen sollte, so antworte : David hat von mir die Erlaubnis erbeten, nach Bethlehem, seiner Stadt, laufen zu dürfen, weil (*ky*) dort das Jahropfer (*zbḥ hymym*) für die ganze Familie (*lkl hmšpḥh*) stattfinde".

Die in V.6 als *zbḥ hymym lkl hmšpḥh* "Jahropfer für die ganze Familie" und in V.29 als *zbḥ mšpḥh* "Familienopfer" bezeichnete Begehung ist mehrfach mit einer institutionalisierten Totenpflege in Verbindung gebracht worden.[180]

---

[177]HAT I/12, 106; *Weiser*, ATD 20, 136 übersetzt "Trauerbrot".

[178]Die Annahme wird durch das Argument *Loretz'*, a.a.O., 89, daß die von V.7 vorausgesetzte friedliche Leichenfeier nicht zu dem großen Sterben von V.5 passe, zusätzlich unterstützt.

[179]Lies mit LXX.

[180]Vgl. *Malamat*, JAOS 88, 173 Anm. 29; *Greenfield*, RB 80, 49; *Loretz*, Kultmahl, 93 Anm. 28; *Morgenstern*, Rites, 263, der an ein Passah-Fest denkt. S. ferner KAI 26 (III, 1), zum Problem *Bron*, Recherches, 99f., 189ff.

Ausschlaggebend für diese Interpretation war die Beobachtung MALAMAT's[181], daß das Familienopfer am Neumond-Tag stattfindet, also an dem Tag, an dem die mesopotamische *kispu*-Totenpflege -besonders in Mari- dargebracht wurde. Als literarischer Haftpunkt dient MALAMAT die *Genealogy of the Hammurapi Dynasty* (GHD).[182] GHD führt die Dynastie Hammurapis v. Babylon, als deren letzter Vertreter Ammiditana genannt (Z.28) wird, in Form einer Ahnentafel auf die Könige der I.Dynastie v. Babylon und darüberhinaus zurück (Z.1-19.20-28) und schließt in Z.33-43:

> (33) Und der Soldat, der sich in der Not für seinen Herrn in den Tod stürzte, (34) Prinzen, (35) Prinzessinnen, (36) alle Menschheit (37) vom Osten bis zum Westen, (38) die *keinen Betreuer und Gedenkenden* haben, (39) kommt, esset dies (40) und trinket dies. (41) Ammiṣaduqa, Sohn des Ammiditana, (42) König von Babylon, (43) sei gesegnet.[183]

GHD zufolge werden neben den unversorgten Toten (Z.33-38) auch die Ahnen Ammiṣaduqas zum Essen und Trinken (Z.39f.) geladen, zur Speisung der Toten.[184]

Diese Form der Totenpflege im Ahnenkult soll ebenfalls das *zbḥ hmšpḥh* "Familienopfer" in ISam 20,6.29 darstellen. Das missing-link zwischen beiden Texten sei das aus Mari-Texten[185] bekannte Datum für die Totenpflege, der

---

181 JAOS 88, 173 Anm.29.

182 Publiziert von *Finkelstein*, JCS 20, 95-118.

183 33 ù aga.uš ša *i-na da-an-na-at be-li-šu im-qú-tu*
34 dumu.meš lugal
35 dumu.mi.meš lugal
36 *a-wi-lu-tum ka-li-ši-in*
37 *iš-tu* ᵈutu.è.a *a-du!* ᵈutu.šú.a
38 ⌜*ša*⌝ *pa-qí-dam ù sa-hi-ra-am la i-šu-ú*
39 *al-ka-nim-ma an-ni-a-am a-* ⌜*ak*⌝ *-la*
40 *an-ni-a-am* ⌜*ši-ti*⌝ *-a*
41 *a-na Am-mi-ṣa-du-qá* dumu *Am-mi-di-ta-na*
42 lugal.ká.dingir.raᵏⁱ
43 *ku-ur-ba*

Text und Übersetzung s. bei *Finkelstein*, JCS 20, 96ff.; s. *Tsukimoto*, Totenpflege, 68f. Zu Z.38 *sāhiru* vgl. *Tsukimoto*, a.a.O., 69 Anm. 272; s. auch CAD S 60b.

184 Vgl. *Finkelstein*, a.a.O., 115ff.; *Tsukimoto*, a.a.O., 68f.

185 Vgl. *Finkelstein*, a.a.O., 115; *Tsukimoto*, a.a.O., 62f.

Neumond-Tag, hbr. *ḥdš*, an dem auch nach ISam 20,5 der ***zbḥ mšpḥh*** stattfindet.

GREENFIELD hat diese These MALAMATs aufgenommen und durch den Hinweis auf KAI 214,16f. in einen größeren Kontext als "un rite religieux araméen" gestellt.[186]

Der atl. ***zbḥ hymym*** in ISam 1,21; 2,19 und 20,6 scheint nach ISam 1,21 ein einmaliges jährliches Opfer gewesen zu sein, das der Familienvorstand (Elkana am Heiligtum zu Silo) darbrachte.[187] ISam 20,5f. läßt jedoch erkennen, daß David im Kreise seiner Familie in Bethlehem am ***zbḥ hmšpḥh*** teilnehmen möchte, das offenbar als alljährliche Opferzeremonie (***zbḥ hymym***) begangen wurde. In ISam 20,5 fällt dieser Termin auf den Neumond.[188]

Einer ursprünglichen Beziehung beider Feste widerspricht, daß im Kontext des Neumondfestes nie ein *zbḥ*-Opfer[189] genannt wird. Vielmehr war das Neumondfest[190] neben wöchentlichem Sabbat[191] und den drei großen Jahresfesten[192] eine *monatliche* Einrichtung. Das Jahropfer fällt damit zufällig auf eines der Neumondfeste, oder es wird einmal jährlich an einem bestimmten Neumond begangen. Einen Bezug zur Totenpflege läßt der Text weder in diesem, noch im anderen Sinne erkennen, sondern bleibt an die altbabylonischen Belege aus Mari geknüpft, so daß nur mit äußerstem Vorbehalt das Familienopfer in diesen Kontext gehören könnte.[193]

---

[186]RB 80, 49; zu den Familienopfern s. ferner den Opfertarif von Marseille in KAI 69 Z.16.

[187]Vgl. *Rost*, Studien, 85f.; *Lang*, ThWAT II, 520, 524.

[188]Vgl. *North*, ThWAT II, 770.

[189]*ḥdš* + *ᶜlh/t*: (Brandopfer): Ez 45,17; 46,1ff.; Esr 3,5; IChr 23,31; IIChr 2,3; 8,13; 31,3; Num 29,6; 28,11ff.; + *mnḥh* und *nsk*: "Speiseopfer/-Trankopfer: Ez 45, 17; Num 29,6; 28,11ff. *ḥdš* + *mnḥh* + *qṭrt*: "Speiseopfer/Räuchern": Jes 1,13; neben dem Brandopfer erwähnt Ez 46,1ff. noch ein *šlmym*-Opfer.

[190]Neben den in voriger Anm. genannten Belege vgl. Am 8,5; Hos 2,13; Neh 10,34; IIKön 4,23; Jes 66,23; Ps 81,4.

[191]Neumond parallel zu Sabbat: IIChr 31,3; 8,13; 2,3; IChr 23,3; Esr 3,5; Hos 2,13; Jes 66,23; Ez 46,1; 45,17; IIKön 4,23

[192]Nach IIChr 8,13 das Fest der ungesäuerten Brote, Wochen- und Laubhüttenfest.

[193]*Granqvist*, Muslim Death, 176ff. berichtet in ihren Aufzeichnungen der Jahre 1925-27, 1930-31 von drei jährlichen Feiern, zu welchen die Moslems an

### 3.1.4 Nekromantische Instrumentarien

Nekromantische Praktiken, die sich vielleicht hinter dem "Hocken in Gräbern" (Jes 65,4) verbergen, lassen in besonderer Weise ISam 28,7ff. und Jes 8,19 erkennen. Als Instrument solcher Totenbefragung nennt ISam 28,7 einen *ʾwb*, während Jes 8,19 von *ʾwb wyd$^c$nym* weiß.[194]

Das von der hbr. Wurzel *yd$^c$* I "wissen, kennen, wahrnehmen" abzuleitende Nomen *yd$^c$ny*, Pl. *yd$^c$nym*, bedeutet soviel wie "Wissend(e/r)". Nicht ganz deutlich ist, ob die Afformative */ōn/* + */ī/* ein denominalisiertes Adjektiv bilden[195], diminutive Funktion haben[196] oder aber eine Zugehörigkeit ausdrücken[197].

Für den parallel zu *yd$^c$nym* belegten *ʾwb(t)* haben EBACH-RÜTERSWÖRDEN nachgewiesen, daß ein nekromantischer Gegenstand gemeint ist.[198] Hbr. *ʾwb* wäre in Analogie zu heth. *api-* (a-a-pí) zu verstehen, das eine in die Erde gegrabene Opfergrube bezeichnet.[199] Innerhalb eines heth. Reinigungsri-

---

den Gräbern ihrer Toten zusammenkommen und für das Wohl der Toten sowohl diesen selbst, als auch sich untereinander zubereitete Speisen reichen. Ebenso archaische Vorstellungen berichtet sie über die Totenverpflegung am 40.Tag nach der Bestattung. Man glaubt, daß der unversorgte Tote seinen Hinterbliebenen im Traum erscheine und ihn zur Verantwortung ziehe "Why hast thou not prepared my Supper", 100; vgl. auch *Rost*, Studien, 86 Anm.8. Innerhalb der katholischen Religion ist es noch heute üblich, sechs Wochen und ein Jahr nach dem Todestag der Toten im Seelenamt zu gedenken.

[194] *ʾwb(t)*: Lev 19,31; 20,6.27; Dtn 18,11; ISam 28,3.7.8.9; IIKön 21,6; 23, 24; Jes 8,19; 19,3; 29,4; IChr 10,13; IIChr 33,6; Hi 32,19. Zu *ʾwb* vgl. zuletzt *Ebach-Rüterswörden*, UF 9, 57-70; UF 12, 205-220. *yd$^c$ny(m)* immer parallel zu *ʾwb(t)*: Lev 19,31; 20,6; Jes 8,19; 19,3; Dtn 18,11; ISam 28,3.9; IIKön 21,6//IIChr 33,6; IKön 23,24; Lev 20,27. Vgl. *Ebach-Rüterswörden*, UF 12, 219. S. ferner *Hoffner*, ThWAT I, 141-145.

[195] So Ges.-K. § 86f.

[196] So *Ebach-Rüterswörden*, UF 12, 219; vgl. auch Ges.-K. § 85u, 86g; *Meyer*, HG II, 37.

[197] So *Meyer*, a.a.O., 38.

[198] UF 9, 57ff.; UF 12, 205ff.; so schon *Jirku*, Dämonen, 9f.

[199] *Ebach-Rüterswörden*, UF 12, 207ff.; s. *Kammenhuber-Friedrich*, HW Lfg. 3, 181. Gegen Ebach-Rüterswörden muß aber festgehalten werden, daß heth. *api-* innerhalb von Nekromantie gerade *keine* Verwendung findet, ebensowenig wie

tuals[200] dient die Grube einer Beschwörung der "uralten Götter". Diese werden aus der Unterwelt evoziert, um die durch eine Untat entstandene Verunreinigung eines Hauses zu sich in die Unterwelt herabzuziehen und dort zu bannen.[201]

Ein dem *'wb* analoges und instrumentelles Verständnis läßt sich auch für die hbr. *ydᶜnym* wahrscheinlich machen. Die sytnaktisch-semantische Zuordnung der Belege ergibt, daß *ydᶜny(m)* immer parallel zu *'wb(t)* gebraucht wird, sowie:

1. als Objekt von Verben des "s.wendens an, befragen":
   -*pnh 'l y*. Lev 19,31; 20,6 "s. wenden an"
   -*drš 'l y*. Jes 8,19; 19,3 "s. fragend wenden an":
   -*š'l* Ptz. Dtn 18,11 "er-/befragen".
2. als Objekt von Verben des "Anfertigens, Fortschaffens, Verbrennens, Seins und Wahrnehmens":
   -*swr* Hi. ISam 28,3 "weg-, fortschaffen"
   -*krt* Hi. ISam 28,9 "ausrotten, vernichten"
   -*ᶜśh* IIKön 21,6/IIChr 33,6 "machen, herstellen"
   -*bᶜr* (II.)Pi. IIKön 23,24 "verbrennen/fortschaffen?"
   -*hyh + b* Lev 20,26 "sein bei jmd."
   -*r'h* Ni. IIKön 23,24 "gesehen, wahrgenommen w."

---

das "Loch" in der Erde in GEN /Gilg. XII, 83-84 einer Totenbeschwörung dient, vgl. *J.Tropper*, WO 17 (1986), 19ff. Trotz dieser Einschränkung erhebt sich aber doch die Frage, ob ein Loch in der Erde als Ausgang für unterweltliche Wesen nicht rituelle Verwendung finden konnte, sei es als Opfergrube, als Evokationsort, als mythischer Ausgang der Unterwelt (*Tropper*) oder als Ort einer Totenbeschwörung. Auch die von *H.Donner* et al. hrg. 18. Auflage des *Gesenius* schließt sich der Ableitung von heth. -*api* an, s. dort s.v.

[200] In dem von *Otten*, ZA 54, 114-157 publizierten Ritual-Text CTH 327 + KBo X, 45. Hier Kol. III, Z.13: "Dann bricht er (sc. der Beschwörungspriester) vor den ANUNNAGE eine Opfergrube (ᵈApi) mit einem Messer auf". Die hier als ANUNNAGE bezeichneten "uralten Götter", heth. *karuileš šiuneš*, sind eine in der Vorzeit vom Wettergott in die Unterwelt verbannte Göttergruppe, vgl. *Otten*, a.a.O., 115; *Haas*, Berggötter, 32f.; *ders.*, RHA 36, 64; *Laroche*, Dénominations, 175f. Diesen heth. uralten Göttern sind wohl aus dem hurritischen Bereich die "Götter der Tiefe" *enna durenna* an die Seite zu stellen, vgl. *Haas*, OrNS 45, 207; *Laroche*, a.a.O., 180f.; zu den hurr. "Götter des Vaters des GN" = dingir.meš-*na attanni-we-na* vgl. *Wegner*, Gestalt, 44f.; im hurritischen Pantheon von Ugarit, vgl. Ug. V, 522f; *deTarragon*, Le Culte, 155f.; *Xella*, TRU I, 310 (zu KTU 1.111); 315 (zu KTU 1.110); 317 (zu KTU 1.116). Zum Zusammenhang von sum. ab, hurr. *abi*-, heth. *api*-, akk. *apu* B. und hbr. *'wb* vgl. *Ebach-Rüterswörden*, UF 12, 205ff.; *Tropper*, s.o. A. 199.

[201] Vgl. *Otten*, a.a.O., 116 Z.1f.; 121f. Kol. II, Z.1-9; vgl. auch *Haas-Wilhelm*, Riten, 52ff.

Besonders die zweite Gruppe verdeutlicht den gegenständlichen Charakter der "Wissenden", denen als Subjekte der Verben Tätigkeiten wie *ṣpp* I. Pilp. "flüstern" und *hgh* "murmeln"[202] (Jes 8,19) -akustisch wahrnehmbar- zugeschrieben werden. Als was sie konkret vorzustellen sind, könnte ebenfalls aus dem o.g. Ritual deutlich werden:[203]

Der Beschwörungspriester geht zu den Flußufern, um die uralten Götter anzurufen (I, 43ff.), wobei die Sonnengöttin der Erde[204] ihnen das Tor der Erde öffnen und sie so herauflassen soll (Z.46ff.). Nachdem die Götter um Wegnahme der Verunreinigung gebeten wurden (I, 49 - II, 12), breitet der Beschwörungspriester eine Stoffbahn[205] auf dem Boden aus:

Z.15 "[Dann] besprengt er den Ton vom Flußufer mit Öl und Honig,
Z.16 die folgenden Götter macht er: **Aduntarri**, den Seher,
Z.17 **Zulki**, die Seherin, **Irpitaga**,
Z.18 **Nara**, **Namšara**, **Minki**,
Z.19 **Amunki**, **Aapi**. Er macht sie als Schwerter,
Z.20 breitet sie auf dem Boden aus und setzt diese Götter (so) hin."[206]

Diesen hergestellten Göttern eignen sowohl gegenständliche, als auch mantische Qualitäten. Verwendung findet das Sumerogramm dù, akk. *epēšu* "machen, herstellen, anfertigen", in dem Paralleltext 206/b + 2083/c, Vs. Z.12 das korrespondierende heth. Verbum *i̯a-* "machen".[207] Aus den vornehmlich auf Aduntarri und Zulki bezogenen Epitheta $^{lú}$azu und $^{sal}$ensi, vgl. akk. *bā-*

---

[202]Vgl. *Ebach-Rüterswörden*, UF 9, 64ff.; aus dem Zusammenhang ergibt sich deutlich, daß in Jes 8,19 die Toten (*mtym*) befragt werden, wobei *'wb*, *yd$^{c}$nym*, *mtym*, *'lhym* in Parallele stehen, s. *Wildberger*, Bk X/1, 349ff.

[203]Vgl. *Ebach-Rüterswörden*, UF 12, 219. Zum folgenden s. *Otten*, a.a.O., 116ff.

[204]Zur Sonnengöttin der Erde *taknaš* $^{d}$utu-*uš* vgl. *vSchuler*, WdM 2, 199ff.; *Janowski*, Rettungsgewißheit, 73f., 193 Anm. 459ff.; *Fauth*, UF 11, 256. Sie ist weitgehend identisch mit der Sonnengottheit von Arinna, vgl. *Fauth*, a.a.O., 238f.

[205]Zur Verwendung von Bahnen aus Opfermaterie oder aus einem Tuch $^{túg}$kureššar in Evokationsritualen vgl. *Haas-Wilhelm*, Riten, 9ff.

[206]Text und Übersetzung *Otten*, a.a.O., 123.

[207]Vgl. CAD und AHw s.v. *epēšu*; *Friedrich*, HWb, 80; *Otten*, a.a.O., 148f.

*rû* "Seher, Wahrsager", bzw. "Seherin"[208], geht deutlich ihre mantische Qualifikation hervor. Die hier in Schwertform instrumentalisierten Götter bilden aber nicht mehr als eine funktionale Parallele zu *'wb* und *yd$^{c}$nym*. Jes 8,19:

> "Und wenn sie zu euch sagen: befragt (*dršw*) die *'bwt* und *yd$^{c}$nym*, die flüstern und murmeln. -Darf nicht ein Volk seine Götter (*'lhym*) befragen (*drš*), zugunsten der Lebenden (*b$^{c}$d hḥyym*) die Toten (*hmtym*)?-."[209]

nennt die fraglichen Gegenstände parallel zu den Toten und vergöttlichten Ahnen. Ähnlich wird in ISam 28,13 der aufsteigende Geist Samuels *'lhym* "Gott" genannt -ein Epitheton, das nicht einem beliebigen Toten beigelegt wurde, sondern nur verstorbenen gesellschaftlichen Funktionsträgern.[210] Die numinose Qaulität ist demnach an die mantische Funktion des Ahnen gebunden. Daß *'wb* und *yd$^{c}$nym* mit diesen verstorbenen Ahnen nicht identisch sind, geht ferner aus ISam 28,7ff. hervor, wenn dort eine *b$^{c}$lt 'wb* "Herrin eines *'wb*" den Samuel mittels eines *'wb* (*b'wb*) evoziert. *'wb* und *yd$^{c}$nym* sind demnach *nekromantische Instrumentarien*, die weder mit den Ahnen zu identifizieren, noch mit mantischen Kräften begabt sind, sondern ausschließlich zur Evokation der *Ahnen* verwendet wurden.

### 3.2 Funktion und Stellung der Toten in Ugarit

Ähnlich differenzierte Vorstellungen über die Toten bezeugt auch Ugarit. Die in Ugarit freigelegten Hausbestattungen machen wahrscheinlich, daß nur sozial hochgestellte Persönlichkeiten in dieser Form bestattet wurden.[211] Ob

---

[208] Vgl. *Friedrich*, HWb 266, 271. Zu den weiteren genannten Gottheiten s. *Wilhelm*, Grundzüge, 79f.; *Otten*, a.a.O., 145 Anm. 290.

[209] Zum Text s. *Wildberger*, Bk X/1, 349f.; *Müller*, WO 8, 65-76; *Ebach-Rüterswörden*, UF 9, 64ff.

[210] S. auch *Wildberger*, a.a.O., 351f.; der Ausdruck läßt kaum daran denken, daß numina depotenziert wurden, wie *Hutter*, BN 21, 35f. ausführt, sondern steht im Kontext einer kan.-mesopot. Vorstellungswelt, die ihre verstorbenen Könige und Fürsten als vergöttlichte Ahnen verstanden.

[211] Vgl. *Spronk*, Afterlife, 142ff. (mit Lit.).

freilich die mit den Hausbestattungen verbundenen Einrichtungen zur Nahrungsspende eine allgemeine Praxis voraussetzen, entzieht sich mangels archäologischer Nachweise unserer Kenntnis. Die mythisch-epischen Texte und die Ritualliteratur handeln vornehmlich von Helden und Königen und bleiben dadurch an die Palast- und Tempelstrukturen gebunden, so daß ihre Aussagen nicht auf die einfache Bevölkerung übertragbar sind.

### 3.2.1 Rephaim und Tote im Sonnenhymnus KTU 1.6 VI 42-53

Wie im Alten Testament nehmen in Ugarit die Rephaim einen besonderen status ein, in dem sie als vergöttlichte Ahnen wichtige Funktionen für die Sicherung des Wohlergehens in Ugarit übernehmen.

Der vermutlich den ugaritischen Baal-Zyklus[212] abschließende Hymnus an die Sonnengöttin[213] Šapšu[214] (KTU 1.6 VI 42-53) kennzeichnet nicht nur die Herrschaft der Sonne über die Toten[215], sondern läßt zugleich den *göttlichen status* der Rephaim erkennen.

42 l tštql 43 [l ši]r ṭry
ap l tlḥm 44 l*ḥ*m trmmt
l tšt 45 yn tġzyt
špš 46 rpim tḥtk
47 špš tḥtk ilnym
48 ᶜdk ilm
hn mtm 49 ᶜdk
kṯrm ḥbrk
50 w ḫss dᶜtk
51 b ym arš w tnn
52 kṯr w ḫss
............
yd 53 ytr kṯr w ḫss
Kolophon

---

[212]Vgl. z.B. *Gese*, Religionen,5 1ff.; *deMoor*, Seasonal Pattern, 36ff.; *Caquot-Sznycer*, TO I, 103f.; *Kinet*, Ugarit, 65ff.; *delOlmoLete*, MLC 81ff.

[213]Vgl. *Dietrich-Loretz*, UF 12, 399f.; *Caquot-Sznycer*, a.a.O., 269ff; *delOlmoLete*, a.a.O., 234f.; *deMoor*, a.a.O., 240f.; *Janowski*, Rettungsgewißheit, 78.

[214]Zu Šapšu s. *Janowski*, a.a.O., 198f. Anm. 501.

[215]Vgl. *Dietrich-Loretz*, a.a.O., 400; *Janowski*, a.a.O., 78, 199 Anm. 504; 200 Anm. 509.

Übersetzung:

"Komm, iß [vom] frischen [Flei]sch,
iß doch das Brot der Abgabe,
trinke den Wein der Geschenke!
O Sonne, du herrschest[216] über die Rephaim,
o Sonne, du herrschest über die Göttlichen!
Die Götter sind um dich herum,
siehe, die Toten sind um dich herum!
Koṯar ist dein Gefährte,
und Ḫasīs dein Genosse!
Im Meer sind Arš und Tnn
Koṯar und Ḫasīs
...
Mit(/dazu) dem (/Rest) von kṯr w ḫss
Kolophon"[217]

Von besonderer Bedeutung sind die zwei parallel formulierten Aussagen (46-47) *rpim/ilnym*, sowie (48-49) *ilm/mtm* "Rephaim/Göttliche" und "Götter/Tote".[218] Eine Darstellung soziologischer Rangstufen: allgemein Tote (*mtm*) - vergöttlichte Könige (*ilm*) - rangniedere Numina (*ilnym*) und Rephaim[219], scheint aus zweierlei Gründen unwahrscheinlich. Zum einen begegnen *ilm* und *ilnym* als Epitheta der Rephaim in den Rephaim-Texten KTU 1.20 II 6f.9 und KTU 1.22 II 20f.26[220], zum anderen werden auch die Könige Ugarits Amištamru und Niqmadu als Rephaim erwähnt (KTU 1.161 Z.11f.[221]). Wahrscheinlicher scheint, wie der synonym-parallele Aufbau der zwei Bikola (Z.46-47/48-49a) zeigt, daß die umfassende Herrschaft der Sonne über die Wesen der Unterwelt, die Gottheiten (*ilm*), die Toten (*mtm*), vergöttlichte Wesen (*ilnym*) und die Ahnen (*rpim*) beschrieben wird.

---

[216] Zu *ḫtk* "herrschen" vgl. *Dietrich-Loretz*, a.a.O., 400 Anm. 12; *Janowski*, a.a.O., 200 Anm. 508.

[217] Text und Übersetzung bei *Dietrich-Loretz*, a.a.O.

[218] Vgl. *Janowski*, Rettungsgewißheit, 78; *deMoor*, Seasonal Pattern, 240f.; *Spronk*, a.a.O., 162f.

[219] Siehe zu diesen Abstufungen *Spronk*, a.a.O., 163ff.,173.

[220] Vgl. *Healey*, OrNS 53, 249; *L'Heureux*, Rank, 129ff.; *Dietrich-Loretz*, UF 12, 174ff.; *Kitchen*, UF 9, 139f.; *Spronk*, a.a.O., 161-196.

[221] S.u. 109f.

Literarisch wie inhaltlich sind von KTU 1.6 VI 42ff. sowohl die Rephaim-Texte (KTU 1.20-22), als auch die Ritual-Texte (KTU 1.108, 1.161) zu unterscheiden. Die im Sonnenhymnus *ilm* und *ilnym* genannten Wesen müssen insofern nicht mit den ebenso genannten der Rephaim- und Ritualtexte identisch sein.[222]

Nach der Überschrift von KTU 1.161 "Anweisung für das Statuen-Opfer" (Z.1 *spr.dbḥ.ẓlm*[223]) folgt in Z.2-12 der Aufruf zur Versammlung der Rephaim. Sie werden als "Versammlung Didanus (*qbṣ.ddn*)", als "uralte Rephaim (*rpim.qdmym*)" und als "Rephaim der Erde (*rpim.arṣ*)" kollektiv[224] oder namentlich benannt: *Ulkn*, *Trmn*, *Sdn*, *Rdn*, *Ṯrᶜllmn*, *ʾmṯtmr* und *Nqmd*.[225] Unter ihnen befinden sich, durch *mlk* näher bezeichnet, die verstorbenen Könige Amištamru und Niqmadu von Ugarit (Z.11-12). Z.13-17 schildern das Beweinen des königlichen Thrones und Fußschemels[226], bevor die Sonnengöttin

---

[222]Zu *ilnym*, wohl einer Bildung von *ilānu* › **iln + -y* (Nisbe) + *-m* (Plural) = *ilnym* (in Analogie zu *aṯrym* "Assyrer", *mṣrym* "Ägypter", *ḫtyt* "Hethiter", s. *Gordon*, UT § 8.52); vgl. auch *Astour*, CRRAI 26, 233; *deMoor*, Seasonal Pattern, 241; *Friedrich-Röllig*, PPG³, 98 = die zu den Göttern gehörenden, die Göttlichen - aber eben keine Götter. S. auch die im heth. belegte Wendung "Gott werden" für den Tod eines Königs bei *Otten*, Totenrituale, 12f.; *Gurney*, Hittites, 65; *Healey*, OrNS 53, 249; *Finkel*, AfO 29, 1 Anm. 4; *Bayliss*, Iraq 35, 117 mit Anm. 19. Sind *ilm* und *ilnym* explikativ zu *rpim* in den Ritual- und Rephaimtexten gemeint, so wäre es durchaus möglich, hier Rangstufen innerhalb der Rephaim zu erkennen, d.h. vergöttlichte Könige (*ilm*) und rangniedrigere Würdenträger (*ilnym*), die aber doch von den eigentlichen Unterweltsgöttern des Sonnenhymnus zu unterscheiden wären.

[223]Zur Problematik der jetzt wieder vorgeschlagenen Ableitung von *ẓlm* als Plural von *ẓl* "Schatten" › Totengeist bei *Spronk*, a.a.O., 189, sowie zum Verständnis von *ẓlm* als *ṣlm* mit /*ẓ*/ statt /*ṣ*/ s. *Dietrich-Loretz*, UF 15,18.

[224]Vgl. die parallele Wendung *rpi.arṣ/qbṣ.dtn* in KTU 1.15 III, 14-15, wo ebenfalls unter den *rpi.arṣ* das Geschlecht Dit/danus erscheint, vgl. *Dietrich-Loretz-Sanmartín*, UF 8, 48.

[225]Text nach *Dietrich-Loretz*, UF 15, 17ff.; *Spronk*, a.a.O., 193, weist darauf hin, daß den sieben genannten Rephaim in Z.27-30 die sieben Opfer entsprechen.

[226]Vgl. dazu das *kispu* im ᵉᵍⁱˢgu.za "Haus der Throne" in dem Mari-Text 12803 I,7, s. zuletzt *Tsukimoto*, a.a.O., 73 (a.a.O., 249 versehentlich unter Anm. 427 notiert.). Eine weitere Räumlichkeit innerhalb der Ahnenverehrung scheint das *bt ilm kbkbm* in KTU 1.43, 2f. darzustellen, das *Spronk*, a.a.O., 157 als "Haus der Sterngötter" anspricht. Die Verbindung zu den Toten bestehe darin, daß -unter ägyptischem Einfluß- daran gedacht sei, daß der Tote sich mit dem morgendlich aufgehenden Re als "morning star" vereinige, 158. Nun ist Re, wie auch die Sonne nicht einfach ein "Stern", auch ist

Šapšu Z.18ff. um Mitwirkung gebeten wird. Sie soll erstrahlen und zusammen mit den herbeigerufenen Rephaim (wieder) in die Unterwelt herabsteigen (Z.22-26).[227] Nach den sieben Opfern (Z.27-30) an die namentlich genannten Rephaim schließt der Text Z.31-34 mit einem Segenswunsch (*šlm*) für Ammurapi, seine Gemahlin, die Stadt Ugarit und ihre Tore.[228]

KTU 1.161, der Genealogy of the Hammurapi Dynasty[229] in vielem verwandt, sieht die verstorbenen Könige als Teilgruppe der Rephaim-Ahnen an und bezeugt für diese Begehung[230] Weinen als Trauergestus. Der Segenswunsch (*šlm*) am Ende des Textes macht die Funktion der Ahnen für den Bestand des königlichen Hauses und dessen Herrschaft deutlich.[231]

---

der morgendliche Sonnenaufgang als Austritt des Sonnenkindes aus der Scheide der Himmelgöttin Nut vorgestellt, womit die Beziehung zwischen der Himmelsgöttin und der Sonne, d.h. der Tod als Verjüngungsprozess, ausgesagt wird. Der Tote steht somit, wie bisweilen der Sonnengott selbst, in Beziehung zur *Himmelsgöttin* und nicht zu Re (frdl. Hinweis H.Buchberger), vgl. *Assmann*, Re und Amun, 85f.; belegt ist ebenfalls die Vorstellung, daß die toten Könige ihre Jenseitsexistenz im Kreise der gerade nicht dem Wechsel von Auf- und Untergang unterworfenen *Circumpolarsterne* verbrachten, s. *Brunner*, Grundzüge, 127f. Das *bt ilm kbkbm* scheint somit nur auf die in der zweiten Texthälfte genannten astralen Gottheiten bezogen zu sein, oder es ist überhaupt nicht an Sterne gedacht, wenn *kbkb* hier nicht mit akk. *kakkabu* "Stern", sondern mit akk. *kab/pkab/pu* "strong, powerful", CAD K 184b und AHw 417b, 444a, in Verbindung gebracht werden darf = "Haus der gewaltigen Götter".

[227] *Spronk*, a.a.O., 190, sieht die Aufforderung an den Thron gerichtet, seinem Herrn in die Unterwelt zu folgen, was syntaktisch zwar möglich, aber aufgrund der dann anzunehmenden Konzentration des ganzen Rituals auf den Thron allein (!) unwahrscheinlich ist.

[228] S.a. *Spronk*, a.a.O., 191f.

[229] S.o. A. 183.

[230] Zur Diskussion steht, ob hier ein Begräbnisritual, *Spronk*, a.a.O., 191, oder eine Begehung im Rahmen der Ahnenverehrung, *Dietrich-Loretz*, UF 15, 22, vorliegt. Da im ersten Fall der Thron im Mittelpunkt des Interesses stünde, ferner der abschließende Segen das Ziel des Ganzen zu sein scheint, ist eher an den Ahnenkult zu denken. Weinen und Trauer ist überdies nicht eo ipso ein Hinweis auf Bestattung; wie *Granqvist*, Muslim Death, 178, berichtet, wird auch bei den jährlichen Begehungen am Grab geweint und geklagt.

[231] Aus KTU 1.20-22 geht ferner die Verantwortung für die Fruchtbarkeit der Felder hervor, die die Rephaim als Erdbewohner übernommen haben. S. *Dietrich-Loretz-Sanmartín*, UF 8, 49ff.; *deMoor*, ZAW 88, 330ff.; *Pope*, Cult of the Dead, 169ff.; *Loretz*, JARG 3, 170ff.; *Kinet*, Ugarit, 90-94; zuletzt weiter differenzierend *Spronk*, a.a.O., 163ff.

### 3.2.2 ilib: Der Gott des Dynastiegründers

Einen Sonderfall der ugaritischen Ahnenvorstellungen stellt das im Katalog der Sohnespflichten (KTU 1.17 I 26-33) belegte Nomen *ilib(h)* dar. Ug. *ilib*, entstanden aus: *il* "Gott/El" + *ab* "Vater" > **ilab* > *ilib* "Gott des Vaters"[232] oder "vergöttlichter Vater (Ahn)"[233], ist in seiner Bedeutung nicht eindeutig.

Probleme bereitet die zweifache Verwendungsweise von ug. *ilib* als Gottesbegriff in Ritualtexten und Listen[234], sowie als suffigierte Form *ilibh* im Aqht-Epos.[235] Nach Ritual- und Listentexten ist *ilib* mit akkadischem *il* (dingir) *a-bi* "Gott des Vaters" geglichen,[236] was durch den Charakter des Textes als Namensliste dazu führte, *ilib* als Gottesnamen zu verstehen. In den suffigierten Formen *ilibh* "sein *ilib*" liegt dagegen kaum ein Gottesname vor, da Bildungen des Typs *GN + Personalsuffix m.W. nicht belegt sind.[237] Das skizzierte Problem veranlaßte LAMBERT,[238] ug. *ilib* mit dem altakkadisch

---

[232] Vgl. *Dietrich-Loretz-Sanmartín*, UF 6, 451.

[233] Vgl. z.B. *Loretz*, BN 8,15; *deTarragon*, Le Culte, 176ff.; zuletzt *Healey*, SEL 2, 119.

[234] KTU 1.109; 1.41; 1.87; 1.148; 1.139; 1.138; 1.56; 1.74; 1.91; RIH 77/2B, sowie in den Listen RS 1929 Nr. 17 (= Ug. V, 44f), RS 24.264 + 280 (= Ug VII, 1ff. = KTU 1.118) und RS 1.17 (KTU 1.47).

[235] KTU 1.17 I 26, 44; II 16.

[236] Vgl. RS 20.24 (= Ug VII, 1) Z.1 nennt an erster Position *il*(dingir) *a-bi* vor Z.2 *il*(dingir)$^{lum}$, s. zuletzt *Healey*, a.a.O., 115-225, hier 219, wobei die Transkription dingir *a-bi*, statt *il*(dingir) *a-bi* bereits ein Vorverständnis widerspiegelt. Zu den akkadischen Belegen von *il abi* "Gott des Vaters" s. jetzt *Groneberg*, Einführungsszene, 93-108, bes. 105ff. Dort auch der Hinweis, daß das aus dem hurritischen Pantheon von Ugarit belegte *en.atn* (Ug V, 522f.) "au dieux le père", in hurritischen Texten pluralisch *enna attanniwena* (Vorfahrengötter von Menschen *und* Göttern, s. *Wegner*, Gestalt, 44f.), kulturgeschichtlich durchaus eine andere Vorstellung belegen könnte.

[237] S. *Lambert*, UF 13, 301; Ein formal identisches Problem stellt sich bei der Bestimmung des aus hbr. Inschriften belegten *ʾšrth* in Parallele zu Jahwe, gewöhnlich als *ʾšrt* + PSuff. 3.Sg.m. "seine Aschera" verstanden, was ebenfalls unmöglich ist, wenn man *ʾšrt* als Eigennamen versteht, vgl. *Angerstorfer*, BN 17, 10.

[238] UF 13, 299f.; aus der Spitzenposition von ug. *ilib* in der Götterliste folgert *Lambert*, ebd., daß *ilib* eine Hauptgottheit im ugaritischen Pantheon

bezeugten Gott dingir.a.mal (*il-a-ba₄*), der als *persönlicher Gott* Sargons und Naram-Sins von Akkad, sowie als Gemahl der *Ištar-Annunitum* bekannt ist[239], zu identifizieren. Als Traditionsträger macht LAMBERT die Ḫanäer, die um 1600 v.Chr. am mittleren Euphrat heimisch waren und besonders Dagan und Ilaba verehrten, namhaft.[240] Ug. *ilib* = aAkk. *Ilaba* wäre damit als Gottesname von den suffigierten Formen *ilibh* zu trennen, die dann in Analogie zu *il*(dingir) *a-bi*, *ili abija* "Gott des/meines Vaters" (d.h. als *Familiengott*) aufzufassen wären.

Zentral für das Verständnis von *ilib(h)* ist die Beschreibung der ersten Aufgabe des Nachkommens im *Katalog der Sohnespflichten*[241] (KTU 1.17 I 24-27a):

25 wykn.bnh.bbt.
šrš.bqrb 26 hklh.
nṣb.skn.ilibh.
bqdš 27 ztr.ᶜmh.

Übersetzung:
Er wird haben seinen Sohn im Hause,
einen Nachkommen inmitten seines Palastes,
der aufrichtet eine Stele für den Gott seines Vaters,
im Heiligtum die Votiv-/Sonnen-Scheibe[242] für seine Stamm(es-Ahnen).

In Fortsetzung der kultischen Familientradition errichtet der Sohn eine Statue für den Gott seines Vaters und für seine Stamm(esahnen) eine Sonnen- oder Votivscheibe, die das Licht symbolisiert, das die Sonnengottheit bei ihrer

---

gewesen sei; ähnlich *deTarragon*, a.a.O., 176. Auffallend ist jedoch, daß diese Hauptgottheit in der mythisch-epischen Literatur Ugarits dann keine Rolle spielt.

239 Vgl. *Lambert*, ebd.; *Roberts*, Pantheon, 34, 148f., 161 Anm. 51.

240 *Lambert*, a.a.O., 300f.

241 S. zuletzt *Loretz*, ZAW 98, 256.

242 Zu *ztr* als heth. Lehnwort im ug. von heth. *šitarru* "Sonnen-/Votiv-Scheibe" (sum. aš.me, aber sekundär geglichen mit akk. *šamšatu* "Flügelsonne", s. *Sommer*, ZA 46, 36f.) s. zuletzt *Avishur*, UF 17 (1985), 51. Die von *deMoor*, UF 17 (1985), 407-409 vorgeschlagene Ableitung von *ztr* aus *z(ᶜ)tr* "Majoran" widerstrebt dem parallelen Aufbau des Textes, besonders als Parallele zu *skn*.

nächtlichen Unterweltsfahrt den Toten bringt. Der "Gott seines Vaters" kann hier als der *Familien- oder Dynastiegott* (auch als persönlicher Gott?[243]) verstanden werden. Analog bedeutet ug. *ilib* in den Ritual- (und Listen-) Texten "Gott des Vaters", da es sich um Königsrituale handelt.[244] Die Interpretation von ug. *ilib* als Funktionsbezeichnung im Sinne "Gott des Dynastiegründers" vermag beide Verwendungsweisen aufzuhellen. Als namentlich nicht näher zu bezeichnender Gott des Dynastiegründers ist *ilib* Empfänger von Opfern und in die Pantheonliste einbezogen, in Bezug auf einen konkreten dynastisch gebundenen König ist *ilibh* der "Gott seines Vaters".

### 3.3 Mesopotamische Totenpflege im Überblick

Aufschlußreich im Blick auf mögliche Funktionen der Toten, aber auch hinsichtlich ihrer Abhängigkeit von der familiären Pflege ist die mesopotamische Totenpflege *kispu(m)*, die A.TSUKIMOTO eingehend untersucht hat.[245]

Totenpflege, akk. *kispu(m)*, läßt sich von den sumerischen Quellen bis zur neuassyrischen Zeit verfolgen. Sie besteht im wesentlichen aus drei Vorgängen: Darbringung von Speise (*kispa(m) kasāpu*), Spenden von Wasser (*mê nāqû*) und dem Gedenken des Namens (*šuma(m) zakāru(m)*).[246] Ihre Verwendung ist in drei verschiedenen Kontexten bezeugt: im Rahmen einer Bestattung, in regelmäßigen Abständen nach der Bestattung[247] und in Beschwörungen.[248]

---

[243] S. *Vorländer*, Mein Gott, 12ff.; s. auch *Groneberg*, a.a.O., 106f. Nach *Vorländer*, a.a.O., 14, ist der Gott des Vaters der persönliche Gott eines Einzelnen, den er von seinem "Vater" (leiblich, adoptiv oder dynastisch) übernommen habe. In diesem Sinne zuletzt *Avishur*, UF 17, 51 "*ilibh* = 'God of his father' i.e. the apellation of the family deity".

[244] Von den o. A. 234 genannten Belegstellen erwähnen mit Ausnahme von KTU 1.148 und den fragmentarischen Texten KTU 1.138, 1.139 alle den König *mlk*. S. ferner die Belege für die *ilū*$^{meš}$ *ša a-bi* "Götter des Vaters" in der Inventarliste II aus Qatna, *Bottéro*, RA 43, 178 Z.43-44.

[245] *Tsukimoto*, Totenpflege, pass. Im folgenden seien die wesentlichen Ergebnisse seiner Arbeit referiert.

[246] A.a.O. 230; vgl. auch die Beschwörungsserie *utukkū lemnūtu* Kol. V., 9-14.

[247] S. *Tsukimoto*, a.a.O., 107.

Den Verwendungsbereichen liegt die zentrale Vorstellung zugrunde, daß ein *unversorgter* Toter als Totengeist *eṭemmu* auf der Erde herumirren muß, um sich Nahrung zu verschaffen.[249] Bei der Bestattung soll der Tote die ihm beigelegten Gaben mit in die Unterwelt nehmen, einerseits für sich selbst, andererseits als eine Art "Begrüßungsgaben" für die Götter der Unterwelt und die Totengeister der Familie.[250] Von diesem Zweck der Totenpflege ist die apotropäische Verwendung in Beschwörungen zu unterscheiden. Hier kann ein umherirrender Totengeist mithilfe des *kispu* in die Unterwelt zurückgeschickt werden[251], oder es wird zur Besänftigung der Familientotengeister[252] dargebracht. Letztere sollen die bedrohlichen Mächte der Unterwelt von der diesseitigen Familie fernhalten.

Als Mitglied der Jenseitsfamilie erfüllt der Tote die Funktion des *Bindegliedes* zwischen Diesseits und Jenseits. Er kann zugunsten der Lebenden *interzessorisch* bei den Numina der Unterwelt eintreten.[253]

## 4. Trauer als funktionale Kategorie

Die terminologischen Unterschiede in den Bezeichnungen für die Toten führen an dieser Stelle zu einer differenzierten Betrachtung von Stellung und Funktion der Toten. Der allgemeine Umgang mit ihnen äußert sich in Trauer- und Bestattungsriten, wie in Gedächtnisfeiern, die auf den Toten im Grab bezogen sind und unabhängig von seiner sozialen Stellung beobachtet werden. Weder Ahnen- noch Totenverehrung, sondern Nekromantie und eine der Grab-

---

[248] A.a.O., 125ff.

[249] A.a.O., 115, 146ff.

[250] A.a.O., 107f.

[251] A.a.O., 125ff., 146ff.

[252] A.a.O., 159ff. Ebenfalls kann das *kispu* zur Besänftigung oder Beistandsversicherung der Unterweltsgötter dargebracht werden, 184ff.

[253] S. hierzu jetzt auch *Bottéro*, ZA 73, 153-203 (mit Lit.).

pflege analoge Totenpflege, die auf die jenseitige Existenz des Toten gerichtet ist,[254] werden durch die atl. Aussagen wahrscheinlich.

Wie in Mesopotamien und Ugarit weiß man auch in Israel von den schädlichen und nutzbringenden Eigenschaften der Toten. Die Unterscheidung zwischen Totenkult und Ahnenverehrung ist allen drei Kulturen gemeinsam, wenngleich die israelitische Religion beides als gegen Jahwe gerichtetes Brauchtum verbietet. Die aus Ugarit und Mesopotamien bekannten bestandswahrenden und lebenschützenden Funktionen werden im AT auf Jahwe übertragen und die Toten depotenziert. Wie besonders das archäologische Material[255] zeigt, stimmen Anspruch (Depotenzierung) und Wirklichkeit in diesem Bereich nicht immer überein.

Das scheinbar israelitische Spezifikum, welches die Toten allgemein aus der Religion ausklammert, findet damit für den Bereich der Volksreligion keine Bestätigung. Mit seiner Umwelt teilt das alte Israel die grundlegende Vorstellung von einer lebensfördernden Qualität der Toten und deren Weiterexistenz im Jenseits. Von daher erklärt sich nicht nur die Furcht vor den Toten, sondern auch ein möglichst korrekter und pfleglicher Umgang mit ihnen. Positive wie negative Handlungsfähigkeit der Toten erscheint abhängig vom rituellen Umgang, den die Lebenden mit ihnen pflegen und wie er in *Trauer- und Bestattungsriten* greifbar wird.

Die soziale Komponente gemeinschaftlicher Trauer zielt damit sowohl auf eine Neuordnung der Familienstruktur, bleibt aber -wie GLADIGOW[256] auch bemerkt- auf den Toten selbst gerichtet. Als soziales Phänomen vermag Trauer, Statusdifferenzen aufzulösen, um auf diesem Wege eine solidarische Handlungsgemeinschaft, eine *communitas*[257], zu bilden. Neben dieser horizontalen, diesseitigen Ebene erscheint Trauer in vertikaler Richtung als das dem Toten gegenüber angemessene und gebotene Sozialverhalten. Es dient sowohl dem Erhalt des Toten für die familiären Strukturen und Beziehungen, als auch apotropäischen Schutzerfordernissen.

Tod und Trauer werden damit zu einem Präzedenzfall individuellen wie kollektiven Lebens, so daß sie eine paradigmatische Funktion erhalten, die ihre

---

[254]S.o. 113f.; zum Begriff *Totenpflege* s. *Tsukimoto*, a.a.O., 20f.

[255]S.o. 97f.

[256]S.o. 76.

[257]Vgl. *V.Turner*, The Ritual Process, London 1969, 94ff.

Ritualisierung ermöglicht und sie damit für Anwendungen außerhalb konkreter Todesfälle zur Verfügung stehen läßt.

Für die weitere Untersuchung des *ṣôm*-Fastenrituals bedeutet die formale Analogie zur Totentrauer, daß eine Störung der Existenzweise Jahwes und des Kollektivs aufgehoben und beseitigt werden soll. Diese These wird durch Beobachtungen an Gebetstexten[258] unterstützt, deren Gottesverständnis darauf schließen läßt, daß nicht nur die Anwesenheit, sondern die Existenz Jahwes selbst zur Diskussion steht.

---

[258] S.u. 242ff.

## VIERTES KAPITEL: KOLLEKTIVES FASTEN IM ALTEN TESTAMENT

Die folgende Analyse und Interpretation der atl. kollektiven Fastentexte geht von den erarbeiteten Sachverhalten und Fragestellungen zu den Themen *Gottverlassenheit* und *kollektiver Trauer als Krisenritual* aus. Zur Diskussion stehen die verschiedenen Anlässe kollektiven Fastens unter Berücksichtigung der jeweiligen Gestalt, in der sich mögliche und faktische Gottverlassenheit äußert. Zugleich wird die prophylaktische Form des Fastens, um göttlichen Zorn oder Gefahr vom Kollektiv fernzuhalten, herausgestellt und diejenigen Fasten-Texte behandelt, die die Bitte um göttlichen Beistand, die Rückkehr Jahwes oder seine Anwesenheit äußern. Als jährlich wiederkehrendes Ritual ist das kollektive Fasten schließlich in einer weiteren Funktion vorzustellen.

### 1. Ṣôm-Fasten im Umfeld des Alten Testaments

Im Zeitraum der eigentlichen Entstehung der atl. Schriften begegnet die Wurzel *ṣôm* in Elephantine (pCow 33) und in der Bileam-Inschrift vom Tell Dair Alla. In einer den alttestamentlichen Belegen verwandten Form findet sie dort Aufnahme und spezifische Verwendung. Der einzige Beleg aus Ugarit (RIH 78/20,7) bleibt aufgrund seiner Orthographie und semantischer Schwierigkeiten innerhalb des parallelismus unsicher und damit unberücksichtigt.[1]

---

[1] RIH 78/20,7

| | |
|---|---|
| 5b tḫṭa l gbk | Sie verüben Böses gegen deinen Körper |
| 6 w tršc l tmntk | und sie freveln gegen deine Gestalt. |
| tlḥm lḥm 7 ẓm | Esset das Brot des ?, |
| tšt ḫlṣ bl ṣml | trinket in der Festung Getränke aus Feigen |

Im Aramäischen findet sich der Terminus *ṣôm* in nachexilischer Zeit und kollektivem Kontext nur einmal[2], innerhalb des Bittschreibens der Juden von Elephantine an den Statthalter von Juda, Bagoas, pCow 30 aus dem Jahr 407 v.Chr.[3]

Anlaß des Briefes der jüdischen Gemeinde, die Jahwe unter dem Namen *yhw* "Jahu" (hier Z.6) und als *'lwhy hšmym* "Gott des Himmels" (hier Z.2) verehrten[4], ist die Zerstörung des Jahu-Tempels durch eine Gruppe ägyptischer Chnum-Priester.[5] In Reaktion darauf erwähnt pCow 30 zweimal das Fasten der jüdischen Kolonialisten, in Z.15 und 20:

15 *wkzy kznh ʿbyd 'nḥnh ᶜm nšyn wbnyn śqqn lbšn hwyn*
*wṣymyn wmṣlyn ljhw mr' šmy'*

---

| | |
|---|---|
| b mrmt 8 b miyt | auf den Höhen, am Wasserplatz, |
| b ẓlm b qdš | im Finstern, im Heiligtum. |

Text und Übersetzung bei *Loretz-Xella*, a.a.O., 37. Der Parallelismus ließe jedoch eine materiale Bestimmung des in Frage stehenden Brotes erwarten, so daß ug. *ẓm* nicht ohne weiteres mit hebr. *ṣôm* übereinstimmt.

[2] Vgl. DISO, 244; *K.Beyer*, Die aramäischen Texte vom Toten Meer, Göttingen 1984, 675; einen einzigen Beleg bietet die Fastenrolle megTaan 34, s. *Beyer*, a.a.O.,358, neben dem sonst üblichen *ᶜnh* II; schließlich ist aus dem 4.Jh. n.Chr. noch der Männername *ṣwmy* "am Fasttag geboren" in einer Synagogeninschrift aus Rehov nachzuweisen, s. Beyer, a.a.O., 382, 675.

[3] Text und Übersetzungen in Auswahl: *Cowley*, Aramaic Papyri, Nr. 30 (=pCow); *Ungnad*, Aramäische Papyrus aus Elephantine, Nr.2; *Segert*, Altaramäische Grammatik, Nr. 23; Jews of Elephantine and Arameans of Syene. Fifty Aramaic Texts with Hebrew and English Translations, ed. and transl. by. *B.Porten*, Jerusalem 1974, 90ff; *Galling*, TGI³, Nr. 51; Documents Araméen d'Egypte, Introduction, traduction, présentation de *P.Grelot*, Paris 1972, No. 102; *H.L.Ginsberg*, in: ANET³, 491f.

[4] Zur Jahu Verehrung auf Elephantine sowie zum Trigrammaton *yhw* vgl. z.B. *Grelot*, a.a.O., 345ff; *Kraeling*, Papyri, 83ff; *Porten*, Archives, 105ff. Zu aram. *'lh šmy'* (hebr. *'lhy hšmym*) nicht als Gottes*anrede*, sondern als jüdische Gottes*bezeichnung* s. zuletzt *R.Rendtorff*, ZAW 96 (1984), 170. S. auch *B.Porten*, Baalshamem and the Date of the Book of Jonah, in: De la Tôrah au Messie (FS H.Cazelles), hg. v. M.Carrez, J.Doré, P.Grelot, Paris 1979, 237-244, hier 240f.

[5] Zum ägyptischen Elephantine, dessen Stadtgott Chnum war, vgl. z.B. *W.Helck*, Elephantine, in: KP 2, 242f; *L.Habachi*, Elephantine, in: LÄ I, 1217-1225.

Und als dies (an uns) geschehen war, (da) legten wir samt unseren Frauen und Kindern Saq-Gewänder an, fasteten und beteten zu Jahu, dem Herrn des Himmels.

Unter Wiederaufnahme von *lbwšn śqqn* und *wṣymym* expliziert dazu Z. 20b-22a:

*nšy' zyln k'rmlh ʿbydyn mšḥ l' mšḥyn* 21 *wḥmr l' štyn*
*'p mn zky wʿd ywm šnt* \//////⁊ *dryhws mlk' mnḥh wlbw[n]h*
*wʿlwh* 22 *l' ʿbdw b'gwr'* ...

Und unsere Frauen wurden *wie eine Witwe*; mit Öl salbten wir uns nicht 21 und Wein tranken wir nicht; auch sind seit damals bis zum Tag des 17.Jahres des Königs Darius weder Speiseopfer, noch Weihrauch, noch Brandopfer 22 in diesem Tempel dargebracht worden.

Beide Passagen sind weder für eine Interpretation der Wurzel *ṣôm*, noch in den Arbeiten zur Volksklage(feier)[6] berücksichtigt worden. PCow 30,15.20b-22a zeigen jedoch, daß auch die jüdische Gemeinde außerhalb Israels mit Fasten und Trauer (Z.15.20f) auf die Zerstörung eines Tempels reagierte. Größtes Gewicht liegt auf der Aussage, daß die Frauen *k'rmlh "wie eine Witwe"* wurden, womit entweder bildhaft Trauer oder der faktische Verlust ihres Gottes in Folge der Tempelzerstörung gemeint ist. Das Bild der trauernden Witwe, die ihren Gatten verloren hat, setzt explizit ein dtjes. Heilsorakel über Jerusalem mit Bezug auf Jahwe voraus Jes 54,4-5:

"Fürchte dich nicht, denn du wirst nicht zuschanden; schäme dich nicht, denn du brauchst nicht zu erröten, denn die Schmach deiner Jugendzeit wirst du vergessen, und der Schande deiner Witwenschaft (*'lmnwtk*[7]) wirst du nicht mehr gedenken. 5 Denn dein Gemahl (Besitzer *bʿlyk*) ist dein Schöpfer, Jahwe Zebaoth ist sein Name".[8]

---

[6] Vgl. o. 23ff.; 73ff.

[7] S. App. BHS z.St.

[8] Vgl. *Hoffner*, ThWAT I, 313; Hoffners Hinweis auf Jes 47,8 verfängt schon deshalb nicht, weil hier nicht von Israel, sondern von Babylon, weil auch nicht von Gottverlassenheit, sondern vom Untergang der "Tochter der Chaldäer" (V.4) die Rede ist.

Jahwe der Schöpfer erscheint hier als der Gemahl Jerusalems, wodurch das Verhältnis zwischen der Stadt und Jahwe schöpfungstheologisch bestimmt wird. Jerusalem wird nicht weiter als Witwe, d.h. ohne die seit dem Exil bestehende Gottverlassenheit, existieren. Hoffnung und Trost spendet in dieser Situation der Bezug auf den Schöpfergott Jahwe, indem das Eheverhältnis als Schöpfungsakt dargestellt und garantiert wird. Den trauernden Frauen in Elephantine entspricht in Jes 54 die Vorstellung vom personifizierten Jerusalem, so daß ein Vergleich der Texte gerechtfertigt ist. Mit der Aussage über die Witwenschaft setzen sie die Vorstellung voraus, daß Jahwe/Jahu als Gemahl seiner Verehrer angesehen werden kann, und daß die Zerstörung seines Heiligtums als Aufhebung dieser "ehelichen" Beziehung gilt.[9]

Der neben I.Kön 21,8ff. vermutlich älteste Beleg für *Ṣôm*-Fasten findet sich in der 1967 entdeckten Inschrift vom Tell Dair Alla im Jordantal. Die Inschrift läßt sich aufgrund paläographischer und archäologischer Kriterien in einen Zeitraum zwischen 800 v.Chr. bis 600 v.Chr. datieren, nach HACKETT grob in das Jahr 700 v.Chr.[10] In ihrer am Original gewonnenen Autographie lautet die entsprechende Zeile 4:

> *h.ybkh.wyᶜl.ᶜmh.ʾlwh.[wymrʾw.l]h[.]blᶜm.brbᶜr.lm.tṣm.wt*
> *bkh.wyʾ*[11]

> "weinte er, und sein Volk zog zu ihm hinauf [und sprach zu] ihm []
> 'Bileam, Sohn des Beor, warum fastest du und weinst du', da sagte.."

---

[9]Der negative Aspekt dieses Eheverhältnisses äußert sich in der polemischen Aussage von der gegenüber Jahwe betriebenen Hurerei Israels etwa in Hos 1,2, wo das Land Israel personifiziert erscheint, vgl. auch Hos 2,23; inwieweit diesem Ehebild kanaanäische Vorstellungen vom Land als weiblicher Geliebten des Himmelsgottes zugrundeliegen, s. *Wolff*, Bk XIV/1, 15f., bedarf noch einer eingehenden Untersuchung.

[10]Vgl. *J.A.Hackett*, Some Observations on the Balaam Tradition at Deir ᶜAlla, BA 49 (1986), 216-222, 216.

[11]Ebd., 220; Lit. jetzt bei *A.Lemaire*, in: Der Königsweg. 9000 Jahre Kunst und Kultur in Jordanien und Palästina, Mainz 1987, 150-152.

Dem Kontext von Z.4 läßt sich entnehmen, daß Bileam weint und fastet, weil die Šaddayin "Schaddai-Gottheiten" den Himmel verschlossen und verdunkelt haben, was als Anzeichen einer kollektiven Not zu verstehen ist.[12]

Das hier als individueller Ritus bezeugte Fasten weicht somit weder in der Verbindung mit dem Weinen (*bky*) noch hinsichtlich der Notsituation von den atl. Zusammenhängen ab.

## 2. Fasten und Gottverlassenheit

### 2.1 Gottverlassenheit als Regenmangel: Jer 14,1–15,4a

In Jer 14,12a begegnet *ṣôm* innerhalb des großen Abschnitts Jer 14,1–15,4a in einem kontrovers beurteilten Textzusammenhang.[13] Durch zwei streng parallel formulierte Sätze wird in V.12a die rituelle Bedeutung der Vorgänge deutlich:

> *ky yṣwmw ʾynny šmᶜ ʾl rntm // wky yᶜlw ᶜlh wmnḥh ʾynny rṣm*

> "Wenn sie auch fasten, so höre ich nicht auf ihr Flehen // und wenn sie Brand- und Speiseopfer darbringen, habe ich keinen Gefallen daran".

V.11–12a verbinden als sekundäres kultisch-rituelles Summarium die Gesamtkomposition Jer 14,1–15,4a mit dem Fastenritual[14], das hier zudem als Opferritual angesprochen wird. Die Form der vorausgesetzten Gottverlassenheit läßt sich anhand der Notbeschreibungen und der Klageelemente bestimmen.

---

[12]Ebd., 217.

[13]Zur älteren Forschungsgeschichte vgl. die Übersicht bei *Thiel*, Redaktion, 178f. mit Anm. 2ff.; *Meyer*, Jeremia, 47ff.

[14]Zur näheren Begründung dieser nachträglichen Bestimmung sowie zur Entstehung des Textzusammenhangs, wie auch zur Verbindung von Opfer und Fürbitte, s.u. 170ff. Die folgenden Textzitate nach der dort gegebenen kolometrischen Einteilung.

#### 2.1.1 Jahwepräsenz als Regen

In vier Strophen beschreiben V.2-6 eine Dürre, die das Land Juda, die Stadt Jerusalem sowie Bauern und Tiere insgesamt getroffen hat. Auf einer *existentiellen* und *rituellen* Ebene wird die Auswirkung des Wassermangels existentiell greifbar: 14.2.2, 14.3.1-4, 14.5.1 - 14.6.4 und rituell: 14.2.1, 14.2.3-4, 14.4.3.

Wenn es in 2.2 heißt "die Tore (Judas) verschmachten (*'ml* Pu.)", so steht "Tor" (*šᶜr*) nicht nur als pars-pro-toto-Begriff für "Stadt", sondern meint die Beeinträchtigung und das Ende aller ans "Tor" gebundenen städtischen Aktivitäten, besonders Markt und Rechtsprechung.[15] Selbst die vornehme Oberschicht "Fürsten oder Adlige"[16] (*'d[y]rym* 3.1) vermag ihren vermeintlichen Vorteil, Knechte zu den wohl weiter entfernt gelegenen Wassergruben[17] schicken zu können, nicht zu nutzen (3.1-3). Auf dem Land sind die Bauern (*'krym*) betroffen, deren Ackerland[18] ausgetrocknet ist und seine Fruchtbarkeit verloren hat. Ursache ist eine (3.2-4) allgemeine Regenlosigkeit.[19]

Auch den Tieren stehen Gras (*dš'*) und Kräuter (*ᶜśb*) als natürliches Futter nicht mehr zur Verfügung (5.3, 6.4). Das Wesen der Tiere verkehrt sich ins Gegenteil[20]: die Hirschkuh läßt ihr Junges im Stich (*ᶜzb*)[21], und die sonst den Wüstenrand[22] bewohnenden Wildesel, stehen auf den durch mangelnden Wasserguß (Jes 41,13) nun "kahlen Hügeln". Das genügsame Tier gleicht einem

---

[15] Vgl. *Müller*, Tor, 347f.; *Weippert*, Stadtanlage, 313ff.; *Weber*, Wirtschaft, 727ff.

[16] Vgl. *Ahlström*, ThWAT I, 80.

[17] Vgl. *Rudolph*, Jeremia, 91; zu *gbym* s. *deGeus*, PEQ 107 (1975), 65-74, bes. 72f.: "stowage tank", 74.

[18] *'dmh* hier im Sinne von Ackerland, vgl. *Plöger*, ThWAT I, 97f. (mit Lit.).

[19] *gšm* hier allgemein "Regen" vgl. *Zobel*, ThWAT IV s.v. *mṭr*, 831f.

[20] Vgl. o. zur Bestimmung der Trauerriten die Hinweise auf die Verkehrungen von Normalverhalten, 78ff.

[21] Vgl. *Rudolph*, a.a.O., 91: die "zärtlichste Tiermutter, die Hirschkuh, läßt ihr Kälbchen im Stich".

[22] Vgl. *Galling*, Jagd, 150.

nach Futter gierenden (vgl. Jer 2,24) Schakal (*tn* 6.1-2)); seine "verschmachtenden, schwachen (*klh*) Augen" kündigen den baldigen Tod (6.3-4) an.[23]

Rituell findet die Not in der Trauer Judas Ausdruck (*'bl* 2.1). Weder Totentrauer, noch Trauer im "Umkreis der Gerichtsverkündigung"[24] kann hier gemeint sein, denn ein Gerichtsbeschluß Jahwes wird noch nicht angedeutet. Im synonymen P.m. bezieht 2.3 (*qdr*)[25] "(sich)verdunkeln, schwarz sein" auf die Trauer Judas.[26] Parallel zu weiteren Trauerriten begegnet *qdr* noch in Ps 35,14. Neben "fasten (*ṣûm*)" und "Anlegen des Saq-Gewandes" bezeichnet es das Trauerverhalten des Beters zugunsten seiner kranken Feinde.[27] Nach Ps 42,10 und 43,2 reagiert der Beter mit *qdr* darauf, daß Jahwe ihn "vergessen" (*škḥ*) oder "verstoßen" (*znḥ*) habe und drückt rituell die erfahrene *Gottverlassenheit* aus.[28] Ebenfalls meint *ṣwḥh* in 2.4 das verbale Not- und Klagegeschrei (vgl. Jes 24,11; Jer 46,12).[29] Der rituellen Not-Trauer Judas und dem "aufsteigenden" Klagegebet Jerusalems (2.4) entspricht die Reaktion der Bauern in 4.3. Sie "schämen sich, zeigen die Schande"[30], "statt mit ihrer Ernte hochgeehrt zu werden"[31]. Darum "verhüllen sie ihr Haupt (*ḥpw r'šm*)". Wie

---

[23]Von Lev 26,16 her ist die Wendung *klh* + *ᶜyn* als Begleiterscheinung ausgehenden Lebens (*npš*) zu verstehen.

[24]So *Baumann*, ThWAT I, 48.

[25]Als Aussage der Verfinsterung von Gestirnen in Jo 2,10; 5,15; Jer 4,8. 2. 3-4 drücken eine zur Erde (*l'rṣ*) und zum Himmel (*ᶜlth*) gerichtete Trauer aus.

[26]Die nähere Objektbestimmung *l'rṣ* gibt die Richtung der Handlung an. Sie steht im Gegensatz zum hoffnungsvollen Aufblicken der Bauern in KTU 1.16 III 12f., vgl. *E.Schwab*, Das Dürremotiv in I Regum 17,8-16, ZAW 99 (1987),329-339, 335f.

[27]Z.St. s.u. 233. Vgl. *Kraus*, Psalmen I, 429, interpretiert im Sinne zeichenhafter Solidarität mit den Kranken; vgl. auch *Seybold*, Gebet, 60.

[28]S.u. 231ff.

[29]Das Wortpaar *nś'* -*ṣwḥ* (Jes 42,11), bzw. ug. *nša-ṣḥ* in KTU 1.16 VI 11f. Keret "erhob seine Stimme und rief" deutet den Gebetscharakter an; vgl. *Fisher*, RSP II, i 43.

[30]Zu *bwš* als Ausdruck des Blamablen s. *Seebaß*, ThWAT I, 572f.

[31]Ders., a.a.O., 575.

der barfüßige und weinende David in IISam 15,30 vollziehen sie damit ebenfalls einen Trauerritus.[32]

Rituelle wie existentielle Notbeschreibung stehen gleichberechtigt nebeneinander. Daß das rituelle Element nicht nur stilistische Ausgestaltung sein soll, zeigt die Nachinterpretation (V.12a). Sie reklamiert eine kollektive Fastenfeier als rituellen Hintergrund von V.2-10.[33]

V.7-9 bieten den Wortlaut einer Klage, der möglicherweise auf das "Geschrei" von 2.4 zurückbezogen werden kann. Der Aufbau:

7.1 Konzessives Sündenbekenntnis, 7.2 Anrede + Einleitungsbitte, 7.3-4 Sündenbekenntnis, 8.1-2 partizipiale Anrede (ohne Namen!), 8.3-9.2 vergleichende Du-Klage, 9.3-4 Vertrauensbekenntnis und 9.5 negative Schlußbitte,

zeigt nur bedingt Übereinstimmung mit der Grundform der KV in Pss.[34] Vielmehr bedient sich der Prophet einzelner KV- Elemente und entwirft die Klage von V.2-6 her.

In 7.1-4 überwiegt der Hinweis auf eigene Schuld, Übertretung und Sünde, trotz (*ʾm*) derer Jahwe in allgemeinster Weise gebeten wird zu "handeln" (*ᶜśh* 7.2).[35] An wem, oder wie sagt der Text nicht. Ebenso verfährt die Schlußbitte 9.5, die eher einen Ausruf als eine Bitte darstellt: "laß uns nicht fahren", und bei einer Grundbedeutung von *nwḥ* B. Hi. "(hin)legen, liegen-, übrig-, zurücklassen" als "verlaß uns nicht"[36] verstanden werden will. Die motivierende Formel in 7.2: *lmᶜn šmk* "um deines Namens willen" begegnet weiterhin in V. 21 und in Ps 25,11; 31,4; (79,9); 109,21; 143,11, wobei nur Ps 79,9 kollektiven Sinn trägt. Sie ist als Appell an Jahwes Selbstverpflichtung, d.h. an ein Handeln um seiner selbst willen[37] in der individuellen Gebetssprache zu Hause.

---

[32] So schon *Jahnow*, Leichenlied, 21f.

[33] V.12a orientiert sich damit nicht nur am Ablauf, sondern auch inhaltlich am Vorhergehenden.

[34] Vgl. *Westermann*, Lob, 40ff. So ist die in ein Sündenbekenntnis gekleidete Anrede + Eingangsbitte atypisch für die KV, es fehlen Wir- und Feindklage, die Not ist nur von V.2-6 her verständlich, die Bitte steht ganz im Hintergrund, während die Du-Klage dominiert.

[35] Vgl. auch *Vollmer*, THAT II, 366f.

[36] Vgl. *Preuß*, ThWAT V, 297ff.303.

[37] Außerhalb der Israel-Jahwe-Beziehung stehende Faktoren werden hier also nicht einbezogen, im Grunde nicht einmal Israel selbst. Vgl. auch *Köberle*, Motive, 6,24; *vdWoude*, THAT II, 959; *vRad*, Theologie I, 198.

Indem so das Motiv von Israel und seinem Ergehen ganz weglenkt, wird allein an die göttliche Entscheidungsgewalt appelliert. Erst das Vertrauensbekenntnis in 9.3-4 bringt das Israel-Jahwe-Verhältnis zur Sprache. Jahwes Präsenz in Israel (*bqrbnw*) wird als "Ausgerufen-Sein" des Jahwenamens "über"[38] dem Volk Israel präzisiert, womit Jahwe als *Eigentümer* und *Hoheitsherr* des Volkes[39] angesprochen wird. Im Namen Jahwes scheint die Geschichte Israels mit seinem Gott nicht nur begründet, sondern geradezu aufgehoben zu sein.[40] Damit erwartet die Eingangsbitte die heilvolle Fortsetzung dieser Geschichte in der einmal begonnenen Art und Weise. Die Vertrauensäußerung wird fortgeführt in den partizipial-hymnischen Prädikationen Jahwes in 8.1-2: "Hoffnung Israels" und "sein Retter zur Notzeit".

Während das im AT fünfmal, davon dreimal in Jer, belegte Nomen *mqwh*[41] Jahwe als personifizierte Hoffnung anruft, greift der "heilsgeschichtliche" Terminus *mwšyᶜ*[42] auf die zurückliegenden Heilstaten Jahwes zurück. Zusammengenommen verweisen die Epitheta auf die in der *Geschichte* wurzelnde Hoffnung auf Rettung. Gleichzeitig wird terminologisch greifbar, was besonders in Kleinasien als Notzeit gilt: *ᶜt ṣrh*[43], in der Jahwe "Schutz" (*mᶜwz* Ps 37,39) bietet und das "Flehen" (*zᶜq* Neh 9,27) seines Volkes "erhört" (*šmᶜ*). In einer solchen Notzeit tritt Jeremia fürbittend[44] für seine Feinde ein (Jer 15, 11)[45] und nach dem Verständnis des dtr Bearbeiters[46] auch hier angesichts kollektiver Not. Bitte und Vertrauensbekenntnis stehen damit unter der geschichtlichen Heilserfahrung, die sowohl Jahwes

[38] *qr'* Ni. *šm* NN *ᶜl* NN mit *šmk*: IKön 8,43; Jes 4,1; 63,19; Jer 15,16; Dan 9,18f.; IIChr 6,33; mit *šmy*: Jer 7,10.11.14.30; 32,34; 34,15 u.ö.

[39] S. zur Eigentumsdeklaration *vdWoude*, THAT II, 957ff.; *Labuschagne*, THAT II, 671 (Lit.).

[40] Vgl. *Köberle*, a.a.O., 6f.; *Zimmerli*, Theologie, 12ff.; 138f.

[41] Jer 14,8; 17,13; 50,7; Esr 10,2; IChr 29,15.

[42] Vgl. *Sawyer*, ThWAT III, 1044f.

[43] Vgl. Jes 33,2; Jer 15,11; 30,7; Ps 37,39; Dan 12,1; Ri 10,14; Neh 9,27.

[44] Zur Fürbitte s.u. 170ff.; zum Problem des "Liturgischen", s.u. 266.

[45] Terminus ist *pgᶜ* Hi. + mit *b* eingeleitetem präp.Objekt [Jahwe] + mit *'t* eingeleitetem direktem Objekt des Begünstigten [Feinde], vgl. Jer 7,16; 15, 11; 27,18; Jes 47,3; 53,12, ursprüngliche Bedeutung "bei jmd. anstoßen", vgl. zur Sache bereits *Hesse*, Fürbitte, 92.

[46] S.u. 136f.

erneutes Handeln, als auch Israels Bitte motiviert. Wie aber wird das gegenwärtige Israel-Jahwe-Verhältnis bestimmt?

Vier, paarweise je einer Warum-Frage (*lmh* 8.3, 9.1) zugeordnete Vergleiche beschreiben in 8.3-9.2 Jahwes gegenwärtiges Verhalten. Er ist wie ein "Fremder im Land", der allenfalls dort nächtigt. Als Held (*gbwr*), unfähig zu helfen (*lʾ ywkl lhwšyᶜ*) steht er in direktem Gegensatz zur Vertrauensaussage (*mwšyᶜ*)[47] in 8.2. Als *gr* "Fremd-/Schutzbürger" ist er auf die Gastfreundschaft seiner Umgebung angewiesen.[48] Unterstrichen wird diese Form der Fremdlingsschaft Jahwes in seinem eigenen Land[49] durch das Bild vom Wanderer *ʾrḥ*, der als Gast einkehrt und nicht als Seßhafter. Der ausgedrückte *gr-Status* Jahwes steht so in scharfem Kontrast zur Aussage von 9.3, daß Jahwe "in unserer Mitte" sei. Jahwes geschichtlich begründete Präsenz in Israel wird in der Not als Fremdlingsschaft erfahren und expliziert. In 9.1 findet die anthropomorphe Vergleichsreihe offenbar auch eine psychische Kategorie, um Jahwes ausbleibende Hilfe (9.2) auszusagen. Das Ziel der so formulierten Warum-Fragen[50] ist damit zwar auch ein auskunftgebender Gottesbescheid, doch primär verleihen sie der aktuellen, an der früheren Geschichte aufbrechenden Sinn-Frage Ausdruck.

Versteht man die sprachlich geäußerte Klage zugleich als *theologische* Interpretation der Regenlosigkeit (V.2-6), so gelangt man zu zwei parallelen Aussagen: *Es war kein Regen im Land - Jahwe ist wie ein Fremder im Land*, wobei der Verfasser vor der letzten Konsequenz, daß Jahwe überhaupt nicht mehr da sei, scheut. Die Abfolge von V.2-6 und V.7-9 interpretiert somit den ausbleibenden Regen als *Gottverlassenheit*.[51] Es liegt nun nahe, die rituelle Trauer auf den der Gemeinschaft entzogenen Gott, Jahwe selbst, zu beziehen.

---

[47]Durch Verwendung von *yšᶜ* Hi. wird der Kontrast explizit.

[48]Vgl. *Kellermann*, ThWAT I, 979ff.; speziell zu Jer 14,8, 990, wobei *ʾrṣ mgwrym* "Land der Schutzbürgerschaft", z.B. Gen 17,8, vor allem bei P und Ez an Bedeutung gewinnt.

[49]Nach P (Gen 17,8) ist es das Land der Fremdlingsschaft Abrahams, das Jahwe dem Abraham und seinen Nachkommen versprochen hatte.

[50]S.u. 131.

[51]S.u. 129f.

Das im Duktus der Komposition erforderliche Orakel bietet V.10. Zwei Aussagen gruppieren sich um die Mißfallensäußerung[52] in V.10bα: das Sündenbekenntnis von V.7 ist erfolglos geblieben; Jahwe handelt nicht (7.2) trotz ihrer Sünden, sondern er gedenkt (*zkr*) ihrer.[53] Als Begründung der gegenwärtigen Not und versagten Hilfe ist V.10a zu verstehen. *nw*^c "schwanken" als Ausdruck von Unstetigkeit und Untreue[54] und das "Nicht-schonen der Füße" als Ausdruck mangelnder Zurückhaltung und bewußtem Verzicht auf bestimmte Handlungen[55] verdeutlichen, daß der eigentliche Grund Israels ambivalente Beziehungen zu Jahwe und Baal sind.

Aus Zorn und Mißfallen über die Sünden seines Volkes entzieht Jahwe seine Präsenz und Machterweise, die hier konkret als Regengabe vorgestellt sind.

### 2.1.2 Jahwes Präsenz in seinen Heilserweisen

V.17-22 bieten den analog zu V.2-9 gestalteten zweiten Klagedurchgang, wobei Notbeschreibung und Klage zueinander in Beziehung gesetzt werden.

In 17.1 wird Jeremia aufgetragen, eine als Ich-Rede stilisierte Klage (17.2-18.6) dem Volk auszurichten. Mittels der metaphorischen Wendung von den "vor Tränen überströmenden Augen"[56] und deren "nicht zur Ruhe kommen"[57] setzen 17.2-3 ein ununterbrochenes Weinen Jeremias voraus. Als

---

[52] *rṣh* "Gefallen haben" qualifiziert das zuvor genannte Tun des Volkes und ist kein Hinweis auf "Anrechnungstheologie", vgl. *Gerleman*, THAT II, 812.

[53] Dieser negative Sinn von *zkr* und *pqd* ist nur vom Kontext her zu erschließen, an sich sind beide Begriffe neutral, vgl. *Eising*, ThWAT II, 579f.

[54] Siehe *Clements*, ThWAT III, 240.

[55] So interpretiert *Duhm*, Jeremia, 129: "Das eine Mal halten sie sich an ihre Ba^cale, dann wieder gehen sie zu Jahwe, laufen unermüdlich vom einen zum anderen", vgl. Jer 2,23; 9,13 sie "laufen den Baalen hinterher"; s. ebenfalls Am 8,11-12 *nw*^c als Suche nach Nahrung statt nach Jahwe.

[56] *yrd + dm*^c*h* noch in Jer 9,17; 13,17; Thr 2,18.

[57] *dmh* II "s. beruhigen" mit Bezug auf weinende Augen sonst nur noch Thr 3,49.

Begründung dienen 17.4-6, wobei 17.4+6 *šbr* mit *mkh* und *gdwl* mit *nḥlh m'd* parallelisiert wird. Beides wird in 17.5 mit *šbr* Ni. auf die "Tochter meines Volkes" (*bt ᶜmy*), Jerusalem[58], bezogen. Die Termini *šbr gdwl*, *šbr* Ni. und *mkh nḥlh* explizieren eine kriegerische Auseinandersetzung[59], welche in 18.1-4 präzisiert wird: Hungerleiden in der Stadt und vom Schwert Niedergestreckte auf dem (Schlacht-)Feld. Neben diesen unmittelbaren Kriegsfolgen scheint 18.5-6 eher eine mittelbare Erscheinung zu sein, wenn auch Prophet und Priester betroffen sind. Als kultische Funktionsträger, wie sie Jeremia hier und in 6,13b(=8,10b)[60] im Auge hat, geben sie keine Bescheide und Askünfte, wie *l' ydᶜw*[61] andeutet.

Wie eine Parallele zu V.17-18 lesen sich Jer 8,18-23, insofern ebenfalls über den "Zusammenbruch" (*šbr*) Jerusalems (*bt ᶜmy*) geklagt wird. Hier zitiert Jer 8,19aβ einen "Hilfeschrei" (*qwl šwᶜt*)[62] Jerusalems: "Ist Jahwe nicht mehr in Zion - ist sein König nicht in ihm" und versteht die Not (V.20 Dürre!) als Gottverlassenheit[63].

Wiederum ganz untypisch[64] setzt die folgende Klage mit einer als Frage formulierten Du-Klage ein (19.1-3 *h-* interr., *mdwᶜ*), welche in 19.4-5 mit dem Zitat aus Jer 8,15 ausgestaltet ist. Es folgt in 20.1-2 ein Sündenbekenntnis,

---

[58] *bt ᶜmy* ist häufig bei Jer belegt (4,11; 6,26; 8,11.19.21.22.23; 9,6) und meint nach 4,11 das personifizierte Jerusalem. Bei *Haag*, ThWAT I, 869, ist zu Jer 4,11 *ᶜmy* statt *'*(sic.)*my* zu lesen.

[59] So ist *šbr gdwl* Parallelbegriff zu *rᶜh mṣpwn* in Jer 4,6; 6,1; zu *mlḥmh* in Jer 50,22; *šbr* Ni. noch in Jer 22,20; 48,4; 51,8 in Bezug auf das Volk. *mkh + nḥlh* noch in Jer 10,19; 30,12; vgl. auch *Conrad*, ThWAT V, 451ff.

[60] Als Paar begegnen Prophet und Priester hier als Orakelgeber und negativ als Subjekte von *ᶜśh šqr* "Lüge üben".

[61] Prophetisches und priesterliches Nicht-Wissen kann somit durchaus auf ein Ausbleiben göttlicher Offenbarungen verstanden werden, da diese mit *ydᶜ* Hi. formuliert werden können, vgl. *Botterweck*, ThWAT III, 500f.

[62] *šwᶜh* "Hilfeschrei" ist wohl ein Terminus der Psalmensprache vgl. Ps 18,7; 34,16; 39,13; 40,2; 102,2; 145,19.

[63] *hyhwh 'yn bṣywn/'m mlkh 'yn bh*: Ort der Jahwepräsenz ist demnach der Zion.

[64] S.o. 124.

das gegenüber V.7 um die Schuld der Väter[65] erweitert ist. Erst ab 22.1-2 wird das bislang "pauschal und unkonkret"[66] gehaltene "Gebet" präzise. Mit dem Hinweis auf den "Regenspender" greift der Text nicht nur auf die Dürre-Thematik von V.2-6 zurück, sondern qualifiziert auch die Du-Klage als Regenklage. Ein Vertrauensbekenntnis (22.3-5) bildet den Abschluß.

22.1-2 fragt hypothetisch und vorwurfsvoll, ob denn die "Nichtse"[67] der Völker, oder die "Himmel"[68] selbst, d.h. andere Götter oder die Natur allein, Regen spendeten (Ptz. Hi. Pl.m. *gšm/ ntn + rbbym*)[69]. Auf diese Alternative -Götterwelt oder Naturgesetz[70]- antwortet 22.3-5 mit einem Bekenntnis zu Jahwe und setzt eine funktionale Relation zwischen ihm, der Götterwelt und der Natur. Zugleich erwächst aus diesem Gegensatz die "Hoffnung" (*qwh*)[71] des Volkes (22.4). Eingeleitet mit *ky* begründet 22.5 die Hoffnung des Volkes und Jahwes Priorität über Götter und Natur. Nach WEIPPERT[72] referiert *kl 'lh*

---

[65]S. *Scharbert, Hintergrund,* 306f., zur Unterscheidung eigene Sünde/Vätersünde.

[66]*Wagner*, ThWAT IV, 630. Er konstatiert damit ebenfalls den nur lockeren Zusammenhang zwischen V.17f. und V.19ff.

[67]*hbly hgwym* "Nichtse der Völker" ist bereits diffamierende Herabsetzung der polytheistischen Umweltreligionen, vgl. *Weippert*, Schöpfer, 25f.; zu *hbl* als Nichtigkeitsaussage und als Terminus religiöser Polemik vgl. *Seybold*, ThWAT II, 339ff.

[68]Diese rein naturgesetzliche Vorstellung findet sich erst in Qoh 11,3; vgl. *Gese*, Krisis, 179; s.a. *Weippert*, a.a.O., 26.

[69]Ptz. Hi. von *gšm* ist hp.l. im AT. *rbybym* ist noch Jer 3,3 belegt, wobei das Ausbleiben des Regens auf das Buhlen Israels mit der Umwelt zurückgeführt wird; zu *rbybym* als "Tauregen" vgl. *Hartmann*, THAT II, 722f.

[70]Regen wird in Israels Umwelt vornehmlich auf Vegetationsgottheiten zurückgeführt, besonders auf Baal (vgl. z.B. KTU 1.16 III 5-6; 1.4 V 6-9). So berichtet KTU 1.5-6 nicht nur von Baals Tod, sondern auch, daß Baal "seine Regengüsse" (*mṭr*) mit sich genommen habe (KTU 1.5 V 6-8). Jer 14,22 spitzt den Gegensatz damit auf die Alternative Jahwe vs. Baal zu. Ausbleibender Regen wurde in Ugarit mit dem Absterben der Vegetation und dem Tod Baals in Verbindung gebracht. Versteht Jer 14,2-9 den ausbleibenden Regen als Gottverlassenheit, so zeigt sich, wie das Denkmuster in Israel rezipiert wurde. Vgl. auch *Zobel*, ThWAT IV, 836ff.; *Kinet*, Ugarit, 76f.

[71]S.o. 124.

[72]A.a.O., 24, mit Hinweisen auf Gen 2,5.

auf die in 21.1-3 genannte Trias: Name, Thron und Bund.[73] Formal als Vetitiv gestaltet, fordern die Bitten *Jahwe* auf, den Bund nicht zu brechen (*prr* Hi.)[74], den Thron seiner Herrlichkeit (*ks' kbwd*) nicht "verächtlich zu machen" (*nbl*)[75] und ihn um seines Namens willen (*lm$^c$n šm*) nicht zu "verwerfen" (*n'ṣ*)[76]. Vielmehr möge er seines Bundes "gedenken" (*zkr*)[77].

Die Parallelisierung dieses Klageabschnitts mit der Regenlosigkeit von Jer 14,2-9 stellt so den mangelnden Regen als *Gefährdung der Israel-Jahwe-Geschichte* dar, wobei in der Gabe des Regens Jahwes geschichtliche Heilssetzungen ihre Fortsetzung fänden. Naturgesetzliche Phänomene werden als geschichtliche Ereignisse qualifiziert.

> Das der Bitte vorangestellte, mit *yd$^c$* "wissen"[78] formulierte Sündenbekenntnis greift über Jer 14,7 insofern hinaus, als die "Sünden der Väter" parenthetisch eingeschoben werden. Das Sündenbekenntnis[79] steht damit exponiert zwischen Klage und Bitte und führt die Not auf die eigene Verfehlung zurück. Was in der Bitte (s.o) thematisiert wurde, beherrscht auch die Du-Klage V.19. Sie schreitet vom Großen, Juda, über Zion bis zum Kleinen (uns) voran. Die Verwerfungsaussage über Juda wird mittels der figura ethymologica *m's*

---

[73]Neben der kolometrischen Auffälligkeit von 22.5 stellt sich weiter die Frage, ob hier tatsächlich an "Schöpfung" gedacht ist. Schon die Vorstellung daß *šm*, *ks' kbwd* und *bryt* als effizierte Objekte göttlichen "Machens" dargestellt werden, läßt die Ursprünglichkeit von 22.5 bezweifeln; eher ist ein Nachtrag anzunehmen, der Jahwes kreatives Handeln in allgemeinster Form als Grund der Hoffnung anhängt.

[74]*prr* Hi. + *bryt* mit der Zusage des Gedenkens (*zkr*) nur noch in Lev 26, 44f., wobei dort die Heilsankündigung an die Exilierten nicht als Vorlage für Jeremia gedient haben kann.

[75]*ks' kbwd* als Bezeichnung für Jerusalem vgl. Jer 17,12; vgl. auch *Fabry*, ThWAT IV, 268f. mit Hinweis auf das Motiv vom Heiligen Berg als Thronsitz des Weltherrschers. *nbl* noch in Jer 3,16f., vgl. *Marböck*, ThWAT V, 182f.

[76]Zu *lm$^c$n šmk* s.o.; *n'ṣ* "verwerfen" ist hier synonym zu *m's* (19.1) gebraucht, vgl. *Ruppert*, ThWAT V, 132f.

[77]D.h. er möge bundesgemäß handeln, s. *Eising*, ThWAT II, 579.

[78]Das Sündenbekenntnis ist hier keineswegs "ehrerbietiger", wie *Rudolph*, a.a.O., 94, V.19-22 qualifiziert, wenn man die zurückhaltende Formulierung von V.7 ("wenn unsere Schuld auch gegen uns spricht...") vergleicht. Allgemein wird die Bekanntheit eigener und der Väter Sünden konstatiert. Die 1.Pl.Perf. *ḥt'* begegnet nur noch Num 21,7; ISam 7,6 (12,10) und Jer 14,7 jeweils im Kontext von Fürbitte! Zur Einbeziehung der Vätersünden vgl. Jer 2,5; 7,26; 9,12f.; 11,10 u.ö.

[79]Vgl. u. zu Fürbitte 136f.; 170ff.

*m'st* formuliert (19.1), wobei die Fragepartikel *h-* anzeigt, daß das Erfragte als irreal empfunden wird. "Verwerfen" (*m's*) mit göttlichem Subjekt wird in der dtr- und priesterlichen Theologie als Folge dessen verstanden, daß Israel die Rechtssatzungen Jahwes "verworfen" habe.[80] *m's* indiziert damit, daß nun Jahwe seiner Selbstverpflichtung nicht nachkommt, 21.3: "brich nicht deinen Bund mit uns". Als mehr affektives Element läßt sich *g^c^l + npšk* (19.2) verstehen, doch auch hier können dieselben Konnotationen wie bei *m's* vorliegen (Lev 26 neben *bryt*).[81] Der Bezug auf Juda und den Zion in 19. 1-2 macht das sich-selbst-widersprechende Handeln besonders deutlich, denn Jahwe hat nicht nur Juda zu seinem Wohnsitz (Ps 78,68) erwählt, sondern vor allem den Zion (*bhr*)[82]. Dem Widerspruch wird die Frageform der Klage gerecht. Klage und Bitten halten Jahwe sein vergangenes und gegenwärtiges Handeln wie einen Spiegel vor. Eigentliches Motiv des göttlichen Eingreifens ist nicht die Not des Volkes, sondern die Not und Bedrohung der göttlichen Heilsinstitutionen. Die Klage schließt mit der vorwurfsvollen Frage, "warum"[83] Jahwe sein Volk unheilbar (*'yn lnw mrp'*) "geschlagen" (*nkh* Hi.) habe.[84] *nkh* Hi.[85] in profanem Sinn bezeichnet den "tödlichen" Schlag, meint hier aber in Verbindung mit *mrp'* eine "Verwundung", die nicht weiter bestimmt wird. 19.4-5 dagegen betonen die zeitliche Erstreckung (*wl^c^t mrp'*) der Not als ein hoffnungsloses Warten auf *šlwm*[86] und Heilung, denn es kommt nichts Gutes (*ṭwb*), sondern "Entsetzen" (*b^c^th*). Die drängenden Fragen an Jahwe finden in dem sekundären Stück Jer 15,1-4a schließlich ihre Antwort. Das Gebet wird abgewiesen und das Volk der Vernichtung preisgegeben.

---

[80] Vgl. Hos 4,6; Lev 26,14ff.44f.; Jes 30,8ff. besonders in dtr Zusammenhang IIKön 17,15-20; s. *Wagner*, ThWAT IV, 622ff.

[81] *g^c^l + npš* "als schmutzig erachten, empfinden" = "beschmutzen", vgl. *Fuhs*, ThWAT II, 49. Vgl. auch Lev 26,43, wo *m's* und *g^c^l* ebenfalls in den Kontext der Bundestheologie gehören.

[82] Vgl. Jes 8,18; Ps 74,2; 135,21; 9,12; 132,13; 146,10; 76,3; 78,68; mit *ḥmd* Ps 68,17; vgl. auch *Seebaß*, ThWAT I, 599ff.

[83] *mdw^c^* "was ist der Grund" neben Jes 5,4 nur noch in Jer 2,14.31; 8,5.19; 12,1; 13,22; 22,28; 26,9; 30, 6; 32,3; 36,29; 46,5.15; 49,1 in vorexilischer Prophetie.

[84] Es bildet zugleich den Anknüpfungspunkt für die Ergänzung um das Zitat aus Jer 8,15 in 19.4-5. *mrp'* noch in Jer 33,6; sonst: Mal 3,20; IIChr 2,18; 36, 16; Prv 4,22; 12,18; 13,17; 16,24; 21,9. Als Heilsverheißung von "Heilung und Frieden" begegnet das Thema in Jer 33,6.

[85] Sonst meint *nkh* Hi. mit Subjekt Gott (Ez 7,9; Mi 6,13f.; Lev 26,24; Jer 21,4ff.; Dtn 28,22ff. u.ö.), daß Jahwe sich bestimmter Instrumente (Krieg, Seuche, Dürre u.ä.) bedient, vgl. *Conrad*, ThWAT V, 451f.

[86] Die Diskussion, ob *šlwm* hier mit "Frieden" oder "Genugtuung" zu übersetzen sei, vgl. *Weippert*, a.a.O., 23 Anm.19, bleibt hier angesichts der Parallele "Zeit der Heilung" unwesentlich.

### 2.1.3 Jahwes anikonische Präsenz in der Geschichte

Jer 14,2–15,4a lehnt sich formal an den Ablauf einer Fastenfeier an, hat aber, wie die nachträgliche[87] Bestimmung des Geschehens als *Ṣôm* und die fragmentarische Form der Klagegebete verdeutlichen, ihren Sitz im Leben nicht dort. Jeremia und seine Schule[88] machen sich vielmehr Formelemente der kollektiven Klage zu eigen, um Jahwes Gerichtsbeschluß (V.10) zu profilieren.

Für die spätvorexilische Zeit ist damit die Existenz von einzelnen Elementen der KV belegt. Ferner zeigt die Klage in manueller (Trauer) und sprachlicher (Klagegebet) Form (V.2–6.7–9), daß beide Ebenen nicht voneinander getrennt werden können. Inhaltlich konnte der mangelnde Regen als distinkte Form von Gottverlassenheit bestimmt werden, wobei die Einordnung natürlicher Phänomene (Regen) in den Ablauf der Geschichte diese selbst als den Erfahrungsraum göttlichen Handelns definiert. Mit dem Entzug des Regens entzieht Jahwe sich selbst und damit die an und in Israel gesetzten Heilsinstitutionen. Nach Jer 14,2–10.17–22 bedeutet die Wiederherstellung der konkret gefährdeten Natur und der menschlichen Existenz zwar auch eine Neuordnung kosmischer Prozesse, mehr aber die Neuordnung des Israel-Jahwe-Verhältnisses auf der Basis gegenseitiger Verpflichtung (Bund).

Indem in den Klagen Jahwe für die Not verantwortlich gemacht wird, seine Fremdlingsschaft beklagt und ihm der Entzug seines geschichtlichen Handelns vorgeworfen wird, zeigt sich zugleich ein bestimmtes Gottesverständnis. Jahwes Anwesenheit in Israel wird nicht anhand einer *bildhaften* Gottespräsentation -wie in der Umwelt- erfahren, sondern im Fortbestand seiner geschichtlich begründeten Heilsinstitutionen. Gottverlassenheit bedeutet darum nicht Raub oder Zerstörung eines Kultbildes, sondern die Stagnation der geschichtlichen Heilserweise. Der Rückblick auf Jahwes früheres Heilshandeln erzeugt nicht nur einen Kontrast zur gegenwärtigen Not, sondern muß als Medium göttlicher Erfahrung verstanden werden. Rituelles wie sprachliches Handeln, Trauer und Klage, erweisen sich darin als kongruent, daß sie *rituell* das Leben als Unleben und *sprachlich* die Gefährdung der Heilsinstitutionen beklagen.

---

[87] S.u. 136ff.

[88] S.u. 139.

## Exkurs 3: Entstehung, Aufbau und Kolometrie von Jer 14,1-15,4a

Einheitlichkeit des Textes wie seine Kontextbindung werden mit z.T. identischen Argumenten bestritten[89] und betont.[90] Nach THIEL und MEYER deutet die Trias Hunger-Schwert-Pest oder die Pseudoprophetenthematik auf redaktionelle Tätigkeit[91], während die Wortgruppenstatistik H.WEIPPERT typisch jeremianischen Wortgebrauch konstatieren läßt.[92] In ihrer Untersuchung zu den Prosareden kommt sie ferner zu dem Ergebnis, daß der Wechsel zwischen Poesie und Prosa (Jer 14,2-9.17-22 und 14,10-16; 15,1-4a) kein Kriterium für Uneinheitlichkeit darstelle[93], sondern in den Prosaschichten selbst noch dtr Bearbeitungen zu differenzieren wären.[94]

Für V.12a liegen sich ausschließende Quellenzuweisungen vor. THIEL plädiert für Echtheit[95], während WEIPPERT in Anlehnung an HYATT V.11-13 "ausklammer[t]".[96] Aufgrund dieser Problematik empfiehlt sich zunächst eine getrennte Behandlung prosaischer und poetischer Textelemente im Blick auf die Entstehung des Gesamttextes.

Jer 14,1 ist dem Sammler und Kompilator des Jeremiabuches zuzuschreiben[97], wobei *ᶜl dbry hbṣrwt* als Überschrift auf die ehemals literarische Eigenständigkeit des folgenden hinweist. Mit dem parallel zu V.11 formulierten Fürbitteverbot schließt der Text in Jer 15,4a; die Schuldzuweisung an Manasse (V.4b) ist dtr Zusatz.[98] Themen und Sprecherrollen gliedern den Abschnitt Jer 14,2-15,4a:

---

[89] Vgl. *Thiel*, a.a.O., 178ff.; *Nicholson*, Preaching, 100f.; *Meyer*, a.a.O., 47ff.; *Kaiser*, Einleitung, 255f.

[90] S. etwa die Kommentare von *Rudolph* und *Weiser*, z.St.; *Fohrer*, Klage, 77f.; *Weippert*, Schöpfer, 22f.; dies., Prosareden, 80.

[91] *Thiel*, a.a.O., 184ff.; *Meyer*, a.a.O., 47ff.

[92] Prosareden, 149ff.

[93] A.a.O., 228f.

[94] Vgl. *Welten*, ZThK 74, 131; *Weippert*, a.a.O., 233f.

[95] *Thiel*, a.a.O., 182.

[96] *Weippert*, a.a.O., 79 Anm. 230.

[97] Auch inhaltlich ließe der Eingang eine nun folgende Jahwerede erwarten, die aber fehlt, vgl. *Fohrer*, Klage, 78; *Rudolph*, Jeremia, 91; *Weiser*, Jeremia, 121.

[98] Vgl. *Rudolph*, a.a.O., 95; *Fohrer*, a.a.O., 86 Anm.1, 18.

V.2-6 Perfektisch geschilderte Not: Dürre
V.7-9 Kollektive Klage
V.10 Unheilsorakel Jahwes
V.11-12 Abweisung von Fasten und Fürbitte
V.13-16 Dialog über Pseudopropheten
V.17-18 Notbeschreibung: Krieg und Hunger
V.19-22 Kollektive Klage
15,1-4a Abweisung von Fürbitte und Gerichtsankündigung.

Der parallele Aufbau[99] von V.2-16 und V.17-22;15,1-4a besteht nur zwischen den Notbeschreibungen V.2-6 par. V.17-18, den Klagegebeten V.7-9 par. V.19-22 und den Fürbitteverboten V.11-12 par. 15,1ff. Weder das Unheilsorakel (V.10), noch der Dialog in V.13-16 über die Pseudopropheten haben echte Parallelen.[100] Den thematisch eigenständigsten Eindruck hinterläßt V.2-10. Typisch jeremianischer[101] Sprachgebrauch und die Abfolge: Notbeschreibung-Volksklagegebet-(Unheils)orakel [vgl. Joel 1-2; IIChr 20[102]] verdeutlichen dies. V.13-16 setzen unter dem Stichwort "Pseudopropheten" einen neuen Akzent, wobei die Trias "Hunger-Schwert-Pest" (V.12b) und die verkürzte Trias "Hunger-Schwert" (V.13ff.) das Bindeglied bilden.[103] Entsprechend beklagen V.17-18 Hunger und Kriegsqualen, wodurch V.13-18 als ein thematischer Block gekennzeichnet ist: Gericht mittels Hunger und Schwert wegen der Gutgläubigkeit des Volkes gegenüber den Falschpropheten.

---

[99] Vgl. *Weiser*, a.a.O., 121; *Volz*, Jeremia, 162ff.

[100] Vgl. *Thiel*, Redaktion, 180. Auch thematisch herrscht keine Einheitlichkeit: V.2-9 Dürre infolge Wassermangels, V.10 Unstetigkeit (*nw*$^{c}$) des Volkes, V.11-12 Kult, V.13-16 Pseudopropheten, V.17-18 Kriegs- und Hungersnot, V.19-22 Klage über allgemeine Not, 15,1-4a Fürbitte und Todesankündigung, s. a.a.O., 179f.

[101] Sprachliche Auswertung:

*ʾml* Pu.: Jer 14,2; 15,9; sonst: ISam 2,5; Jes 19,8; 24,4b; Hos 4,3; Thr 2, 8; Jes 16,8; 24,4a; 33,9; Jl 1,12.10; Nah 1,4. *qdr* G: Jer 14,2; 8,21; 4,28; sonst: Jo 2,10; 4,15; Mi 3,6; Ps 35,14; 38,7; 42,10; 43,2; Hi 5,11; 30,28. *ṣwḥh*: Jer 14,2; 46,12; sonst: Jes 24,11; Ps 144,14. *ṣ*$^{c}$*wr*: Jer 14,3; K: 48, 4; *ḥph*: Jer 14,3.4; *dšʾ*: Jer 14,5; *špy*: Jer 14,6; 3,21; 12,12; 4,11; 3,2; 7,29; sonst: Jes 41,18; 49,9; Num 23,3; *sʾp*: Jer 14,6; 2;24 (+ *rwḥ*); *tn*: Jer 14,6; 9,10; 10,22; 49,33; 51,37; sonst: Hi 30,29; Mal 1,3; Ps 44,20; Jes 13,22; 34,13; 35,7; 43,20; $^{c}$*šb*: Jer 14,6; 12,4; sonst: unspezifisch.

V.7-9: *mšwbh*: Jer 14,7; 8,5; 2,19; 3,22; 5,6; 3,6.8.11.12; sonst: Prv 1,32; Hos 14,5; 11,7; *mqwh*: Jer 14,8; 17,13; 50,7; Esr 10,2; IChr 29,15; *ʾḥh*: Jer 14,8; 9,1; sonst: Ps 139,3; Ri 19,17; Hi 34,8; IISam 12,4; Hi 31,32; *dhm*: hapax im AT.

[102] S.u. 199f.

[103] Zur zweigliedrigen Trias vgl. *H.Weippert*, Prosareden, 158ff. Vgl. Jer 5,12; 14,13.15a; 42,16; 44,18; 11,22.27.

a) V.13-18 - V.17-18

Die mit V.13 einsetzende Entschuldigung Jeremias wird in V.14-16 mit einer Absage an die Pseudo-Propheten (V.14) und je einem Gerichtswort gegen Propheten (V.15) und Volk (V.16) fortgesetzt. Da die verkürzte Trias "Hunger-Schwert" öfter in Jer[104] belegt ist und unter Aufnahme jeremianischer Begriffe und Wendungen formuliert wird, lassen sich nur schwerlich Anzeichen dtr Autorschaft dieses Abschnitts nachweisen.[105]

Die Notschilderung V.17-18 ist durch den unvermittelten Redebefehl V.17aα ungelenk und unmotiviert mit dem Kontext verbunden.[106] Aufgrund der bewußt gestalteten Parallelität zu V.2-6, sowie dem Neueinsatz in V.17aα sind V.17-18 hier funktionslos. Der Abschnitt wurde vielmehr durch Stichwortanknüpfung (Hunger-Schwert) an V.13-16 angehängt, so daß V.17f. das in V.15f. angekündigte Gericht als eingetreten antizipieren.[107]

b) V.19-22

Parallel zu V.7-9 bieten V.19-22 eine zweite Volksklage, die sich als jeremianisch beeinflußt erweist. So ist V.19b ein mit Jer 8,15 wörtlich übereinstimmendes Zitat. Auch die tragenden Begriffe sind sonst in Jer gut belegt.[108] Dagegen begegnet das parallele Wortpaar *gᶜl/m's* (V.19) und die Wendung *prr* Hi. *bryt* "den Bund brechen" (V.21) nur noch gemeinsam in Lev 26,44, wo durch *b'rṣ 'ybym* "im Lande ihrer Feinde" das Exil vorausgesetzt wird und

---

[104]S.o. A. 103.

[105]Gegen *Thiel*, a.a.O., 184f. Dasselbe gilt für das häufige Vorkommen von "Lüge" (*šqr*) [Jer 6,13; 8,8.10; 9,2.4; 10,14; 14,14; 16,19; 23,25.32; 27, 10.14.16; 28,15; 29,21.23.31; 37,14; 40,16; 43,2 vgl. *Weippert*, Prosareden, 110ff.] "Nicht-schicken (*l' šlḥ*)/-entbieten (*l' ṣwh*), vgl. a.a.O., 119. Einziger Hinweis auf dtr Einfluß könnte *l' ṣwytym* "ich habe sie nicht entboten" (V.14) sein, da es noch Dtn 18,20 bezeugt ist, doch ist eine "literarische Abhängigkeit" Jeremias vom dtr "Prophetengesetz keinesfalls sicher", *Weippert*, a.a.O., 117 gegen *Thiel*, a.a.O., 185f. Gleichfalls stellt sich die Frage, wie der prosaische Charakter von V.13-16 zu beurteilen ist. *Weippert*, a.a.O.,80, konstatiert zwischen V.14-16 und Jer 21,4-7 formale "Übereinstimmung", wobei die Prosaabschnitte aus metrisch gebundenem Kontext "heraus(wachsen)". Gegen diese "Wachstum-Theorie" spricht vor allem die thematische Uneinheitlichkeit zwischen V.2-12 und V.13ff., so daß sich V.13-16 als spätere, die Katastrophe bereits voraussetzende Bildung unter Rückgriff auf Jeremias Verkündigung am ehesten verständlich machen läßt. So rechnet auch *Welten*, ZThK 74, 131 mit einer Entstehung in der Mitte des 6.Jh.s. v.Chr.

[106]S. *Thiel*, a.a.O., 179f.; *Weiser*, Jeremia, 126. Selbst THIEL rechnet den Abschnitt Jeremia zu; a.a.O., 181, aber unter Annahme dtr Redaktion; vgl. auch *Hyatt-Hopper*, Jeremia, 929.

[107]Die Notschilderung in V.18 entspricht genauer derjenigen in V.16 als der mit der dreigliedrigen Trias formulierten in V.12, vgl. *Rudolph*, a.a.O., 93 Anm.2.

[108]*m's* mit Subjekt "Gott": Jer 14,19; 7,29; 33,24.26; sonst: Jer 6,30; 31, 37; *ks' kbd*: Jer 14,21; 17,12; *gᶜl*: nur in Jer 14,19; sonst: Lev 26,11. 30.44; Ez 16,43 mit Subjekt "Gott"; *n'ṣ* v. Gott: Jer 14,21; 33,24; sonst: Dtn 32,19; Thr 2,6; *nbl* Pi.: Neben Jer 14,21 noch in Mi 7,6; Nah 3,6; *prr* Hi. *bryt*: Jer 14,21; 11,10; 31,32; 33,20.

damit die Levitikusstelle als von Jeremia abhängig erweist.[109] Aus dem Hinweis auf den "Regenspender" (Ptz.Hi.Pl. *gšm/rbybym* V.22) wird deutlich, daß V.19-22 das Thema der Dürre (V.2-6) wiederaufgreifen. Dagegen wird die Kriegs- und Hungerthematik von V.17-18 explizit nicht vorausgesetzt[110], sondern allgemein eine Not "Judas", des "Zion", des "Volkes" und "Jerusalems" (metaphorisch: Thron deiner Herrlichkeit[111]) beklagt. Diese Not wird in V.22 auf den mangelnden Regen zurückgeführt.[112]

Als jeremianische Anteile in Jer 14,2-15,4a ergeben sich somit V.2-10.17-18, als an jeremianischen Sprachgebrauch angelehnte Teile V.13-16 und V.19-22. Dabei zeigen der thematische Sprung Dürre (V.2-6)-Falschpropheten (V.13-16)-Dürre (V.19-22), sowie der Neueinsatz V.17aα, daß in Analogie zu V.2-10 ein zweiter Klagedurchgang sekundär kompiliert und V.19-22 als Gegenstück zu V.7-9 formuliert wurde.[113]

c) V.11-12 und 15,1-4a

Nachdem die erste Klage abgewiesen wurde (V.10), steht die Funktion von V.11-12 zur Diskussion. V.12a ist als Abweisung der *kultischen* Aktion: Flehen, Opfer, Fasten[114] verständlich, wobei der Ablauf einer Volksklagefeier[115] in V.2-10 vorausgesetzt wird. In V.11 verbietet Jahwe dem Jeremia die Fürbitte (*pll* Hitp.) für das Volk. "Flehen" (*rnh* V.12a) in klagendem Sinn begegnet in Jer nur im sog. Fürbitteverbot (Jer 7,16; 11,14; 14,12)[116] und bezeichnet das Gebet als solches.[117] Im Vergleich mit den genannten Stellen zeigt sich jedoch, daß *Jeremia* für das Volk (*bᶜdm rnh* 7,16; 11,14) "fleht" und "Fürbitte leistet", nicht jedoch das Volk selbst "fleht", wie V.12 *rntm* voraussetzt. V.11-12a scheinen damit in Anlehnung an Jer 7,16; 11,14 und *in Bezug* auf V.7-9 verfaßt zu sein, freilich mit der Konsequenz, daß der Wortlaut

[109] Vgl. *Thiel*, a.a.O., 192, s. auch *Elliger*, Leviticus, 378f. Warum Thiel jedoch die Termini getrennt voneinander behandelt, nachdem er vorher ihre Parallelität besonders betont, weiterhin seine Wortstatistik nur außerhalb des Jeremia-Buches, statt in ihm, führt, bleibt unverständlich.

[110] So wirkt auch *Rudolphs* Verhältnisbestimmung der beiden Volksklagen künstlich, wenn er, a.a.O. 94, die erste Klage als erfolglos, die zweite als "ehrerbietiger" bestimmt, wobei wegen der neuen Not nicht zu bitten gewagt werde. Implizit stellt er damit doch nur fest, daß zwischen V.13-18 und V.19-22 eigentlich keine Beziehung herrscht.

[111] Vgl. *Fabry*, ThWAT IV, 256.

[112] Vgl. *Weippert*, Schöpfer, 22ff.

[113] Für ursprüngliche Selbständigkeit der Stücke plädiert ebenfalls *Weiser*, a.a.O., 121.

[114] S.o. 121.

[115] Die Abfolge Klage-Orakelantwort weist zumindest darauf hin.

[116] *Thiel*, a.a.O., 182, schreibt diese Stellen insgesamt D zu.

[117] In Jer 14,12; 7,16; 11,14 sowie in Ps 17,1; 61,2; 88,3; 106,44; 119, 169; 142,7; IKön 8,28; IIChr 6,19 bezeichnet *rnh* jeweils das klagende Gebet, dessen Inhalt nicht erkennbar ist.

der Fürbitte nirgends mehr greifbar wird. V.13ff. als diese Fürbitte verstehen zu wollen, wirkt nach dem gerade ergangenen Verbot künstlich[118], verbietet sich wegen der sekundären Kontextgestaltung, und bereitet deswegen Probleme, weil typische Fürbittegebete niemals Elemente der Volksklage aufnehmen.[119] "In ihrem Wortlaut angeführte Fürbitten wie Jer 10,24; 14,7-9.19-22 sind nun streng genommen gar keine Fürbittgebete. Ihre 'Wir'-Form, die den Betenden mit einschließt, weist sie formell als Bittgebete aus."[120] Faßt man die strenge Formulierung *pll* Hitp. + *b^cd* + begünstigtes Objekt als eigentlichen Fürbitterminus auf, so wird der Zusammenhang von Fürbitte + Volksklage (pluralisch) nur in Dtn 9,26ff.; Neh 1,4.6ff.; Dan 9,4ff.20; IIKön 19,15ff. par. Jes 37,15ff bezeugt. Vergleichbar sind weder die späten Nehemia und Daniel-Texte, noch die dtr Mose-Retrospektive (Dtn 9,26ff.)[121], noch das erst spät (DtrP) eingeschaltete Hiskia-Gebet.[122] Erscheint damit die Kombination Fürbitte/Volksklagegebet vornehmlich seit exilischer Zeit in dtr Zusammenhang, so wäre für Jer 14,11 mit einer nachträglichen Interpretation von V.7-9 zu rechnen.[123] Sie verfolgt den Zweck, das angekündigte Unheil (V.10) auch auf die Abweisung des Kultus durch Jahwe zurückzuführen. Anders ließe sich die unmittelbar anschließende Gerichtsankündigung V.12b: "Sondern durch Schwert, Hunger und Pest mache ich ein Ende (*klh* Pi.) mit ihnen" nicht verstehen. V. 12b enthält somit ein zweites Gerichtswort, das die Dürre um die Ankündigung kriegerischer Auseinandersetzung überbietet.[124]

Die Verbindung der dreigliedrigen Trias "Hunger-Schwert-Pest" mit dem Verb *klh* Pi. ist nur noch in Ez 6,12[125] (in zerdehnter Form) belegt, so daß

[118] So versteht *Weiser*, a.a.O., 125, V.13 als Fürbitte, während *Fohrer*, Klage, 82, die Fürbitte auf V.7-9 bezieht und V.13ff. als Umgehung des Verbots interpretiert; ebenfalls auf V.7-9 beziehen *Rudolph*, a.a.O., 93; *Thiel*, a.a.O., 182 und *Jeremias*, Kultprophetie, 145f., die Fürbitte.

[119] *Jeremias*, a.a.O., 182, nimmt noch weitergehend an, daß die prophetische Fürbitte in der Fastenfeier ihren (ursprünglichen) Ort habe. Von den von ihm zitierten Texten teilen jedoch Num 21,7; ISam 12,19; Ex 14,15; ISam 7,5ff.; Jer 21,1ff.; 27,18; 37,3ff.; 42,1ff. die Gebetstexte nicht mit, sind also ungeeignet für einen Vergleich; Jer 15,11 setzt Fürbitte für einen Einzelnen voraus, Dtn 9,18 individuelles Fasten und Ex 32,11bff. schließlich benennt das Volk in der 3.Person und hat kein typisches Pluralmorphem der 1.Person.

[120] *Hesse*, Fürbitte, 51.

[121] Vgl. etwa *Smend*, Entstehung, 72.

[122] Vgl. z.B. *Smend*, a.a.O., 137; *Kaiser*, Einleitung, 170; *Veijola*, Klagegebet, 289 Anm.13.

[123] Den dtr Zusammenhang erweisen besonders die späten Stellen Neh 1,4ff. und Dan 9,4ff. vgl. *Steck*, Israel, 110ff.

[124] "Hunger" und "Pest" gelten gemeinhin als Folgen des Krieges, als dessen Instrument hier das "Schwert" fungiert. Zu modifizierten Belegen der Trias in mesopotamischer Literatur vgl. *Weippert*, Prosareden, 179 Anm. 324; zur jeremianischen Herkunft der Trias, a.a.O., 180ff.

[125] Vgl. a.a.O., 172f.; *Zimmerli*, Bk XIII, z.St.

V.12b hier Vorrang hat[126]. Gegen THIEL[127] ist anzunehmen, daß die dtr Redaktion den Komplex V.2–10.13–22 unter Verwendung des jeremianischen Spruches V.12b um V.11–12 erweitert hat. Mittels *rṣh* "Gefallen" greift V.12a explizit auf V.10 zurück, während die Trias V.12b den Anknüpfungspunkt für die ab V.13 vorliegende verkürzte Trias bildet. V.11–12 verklammern[128] damit zwei thematisch eigenständige Blöcke V.2–10 und V.13ff.

In unmittelbarem Anschluß an die zweite Volksklage V.19–22 ergeht in Jer 15,1–4a eine erneute Abweisung der Fürbitte und ein Gerichtswort an Israel:

Gegenüber dem ersten Fürbittverbot V.11–12 nimmt 15,1–4a eine ähnliche Funktion wahr. Der Fürbitte-Terminus ist *ᶜmd lpny*, als Subjekte erscheinen Mose und Samuel. *ᶜmd lpny* + GN ist nur noch in Jer 18,20 belegt und bezeichnet dort Jeremias Eintreten zugunsten seiner Feinde.[129] Samuel hingegen spielt in der prophetischen Literatur keine, Mose[130] nur eine sehr bescheidene Rolle. Die Nennung von Mose und Samuel[131] als paradigmatische Fürbitter setzt besonders für Samuel dtr geprägte Texte (ISam 7,5ff.; 12,19.23) voraus. Weiterhin verweist V.1b auf die dtr "Katastrophen-Formel"[132] in IKön 9,7.

Auch der Übergang zwischen V.1 und V.2, die theoretische Abhandlung über das Verhalten des Volkes, zeigt, daß nicht an ein reales kultisches Geschehen gedacht ist; sie gehört zu Überleitungen "die nur am Schreibtisch gelingen".[133] V.2bβΓ–4a liegt wieder jeremianische Sprache vor. V.2bβΓ bietet die viergliedrige, um *šby* "Gefangenschaft" erweiterte Trias, wobei *mwt* "Tod" als poetischer Wechselbegriff *dbr* "Pest" ersetzt.[134] V.3 handelt von der Entbietung von viererlei Strafwerkzeug: Schwert, Hunde und die Tiere des Himmels

---

[126]S. *Weippert*, a.a.O., 173, 178; *Thiel*, Redaktion, 182f. weist die Trias insgesamt D zu, was dann aber auch Konsequenzen für die Ez-Belege nach sich zieht. Demgegenüber hat die Arbeit von *Weippert* jedoch gezeigt, daß die "dreigliedrige Nominalreihe von Jeremia unter Anlehnung und Übernahme bekannter Motive aus der Tradition geprägt wurde", a.a.O.,179f.

[127]Für *Thiel*, a.a.O., 182, gehören V.11-12 zwar auch zu D, doch hält er V.12a für jeremianisch.

[128]So auch *Thiel*, ebd.

[129]Zum Terminus (akk. *izuzzu ina pāni*) vgl. *Weippert*, a.a.O., 28 Anm.8; 163 Anm. 246; *Amsler*, THAT II, 331.

[130]Mi 6,4; Mal 3,22; Jes 63,11.12. Vgl. auch *Thiel*, a.a.O., 189f.

[131]Zu Samuel als Fürbitter s. ebd.; *Veijola*, Verheißung, 201f.; ders., Königtum, 33f.

[132]Schon *Thiel*, a.a.O., 189f.; s.a. *Veijola*, Königtum, 88 Anm. 27, DtrN!

[133]*Duhm*, Jeremia, 132; zugrundeliegt ein dtr geprägtes Frage-und-Antwort-Schema, vgl. *Long*, JBL 90 (1971), 129-139, bes. 136ff.

[134]Vgl. *Weippert*, a.a.O., 163. Parallel zu V.2 vgl. Jer 43,10-11; *šby* als Unheilsankündigung noch in Jer 20,6; 22,22; 43,11 gegen Israel(iten); Jer 48,46 gegen Moab.

und der Erde. Das Wort vom "Wegschleifen" und "Fressen" der Toten gestaltet Jer 14,16 aus und konkretisiert die Grablosigkeit des Toten[135].

Jer 15,1-4a ist als Gegenstück zu Jer 14,11-12 unter Aufnahme jeremianischen Materials (V.2bβΓ-4a) von einer dtr Redaktion gestaltet, die in dem theoretisierenden Dialog V.2a.bα, in der Katastrophen-Formel (V.1b) und -besonders auffallend- in der Vorstellung von Mose und Samuel als Fürbitter (V.1a) greifbar wird.

Der Abschnitt Jer 14,1-15,4a erweist sich damit in seinem Grundbestand als jeremianisch (14,2-10.12b.[13-16].17-18.[19-22.] 15,2bβΓ-4a). Analog der prophetischen Liturgie V.2-10 wurde von jeremianisch(-dtr) Kreisen[136] eine zweite Liturgie angefügt, die das vorgegebene Thema der Dürre um die Pseudopropheten- und Kriegsthematik erweitert haben. Implizit laufen beide Themen in der zweiten Klage V.19-22 zusammen. Das liturgische Element des Textes wurde erst von der dtr-Redaktion V.11-12a; 15,1 als *Fürbitte innerhalb einer kultischen Fastenfeier* nachgetragen.

Selbst Fürbitte und Opfer vermögen an der Katastrophe nichts mehr zu ändern. Dtr projiziert mit der Verbindung *Fastenfeier + Fürbitte* eine exilisch-nachexilische Vorstellung in vorexilische Zeit zurück, wobei die Abfolge in V.2-10 sachlich richtig als Fastenfeier beschrieben und die beiden Volksklagen (V.7-9.19-22) als *prophetische Fürbitten* interpretiert werden. Er stellt damit Jeremia in eine Linie mit Samuel und Mose, zu denen sich in noch späterer Zeit Nehemia und Daniel gesellen werden.

Text und Kolometrie von Jer 14,1-10.17-22

| | | |
|---|---|---|
| 14.1.1 | [ʾšr hyh dbr yhwh ʾl yrmyhw] | [21] |
| 14.1.2 | $^{c}$l dbry hbṣrwt | 12 |
| 14.2.1 | ʾblh yhwdh | 9 |
| 14.2.2 | wš$^{c}$ryh ʾmllw | 11 |
| 14.2.3 | qdrw lʾrṣ | 8 |
| 14.2.4 | wṣwḥt [yrwšlm] $^{c}$lth | 9 [15] |
| 14.3.1 | [wʾdryhm šlḥw ṣ$^{c}$wryhm lmym] | [21] |
| 14.3.2 | bʾw $^{c}$l gbym | 9 |
| 14.3.3 | lʾ mṣʾw mym | 9 |
| 14.3.4 | šbw klyhm ryqm | 12 |
| 14.3.5 | <bšw whklmw wḥpw rʾšm> | <17> |
| 14.4.1 | b$^{c}$bwr hʾdmh <h>ḥ<r>h | 14 |
| 14.4.2 | ky lʾ hyh gšm bʾrṣ | 14 |
| 14.4.3 | bšw ʾkrym ḥpw rʾšm | 15 |

[135]Eine Abhängigkeit von Dtn 28,25f., *Thiel*, a.a.O., 189, ist nach *Weippert*, a.a.O., 151f. kaum wahrscheinlich. Auch der folgende V.4a bietet keine Anzeichen dtr Autorschaft, vgl. Jer 24,9; 29,18; 34,17. *zw$^{c}$h* "Entsetzen", sonst nur noch IIChr 29,8.

[136]Um von solchen Kreisen im Sinne einer Schule wie der des Amos z.B. sprechen zu können, müßte im Grunde ein im ganzen Jer-Buch angelegter Nachweis geführt werden. Doch scheint *Thiel*, a.a.O., pass., diesen Nachweis indirekt dadurch erbracht zu haben, daß Rückgriffe auf jeremianischen Sprachgebrauch und Wiederholungen von Begriffen und Wendungen eben nicht auf dtr Kreise zurückgehen müssen, da typisch dtr Ideen hier fehlen und "Redaktion" allein kein Anzeichen für dtr/Dtr darstellt.

| | | |
|---|---|---|
| 14.5.1 | [ky] gm ʾylt bśdh | 12[14] |
| 14.5.2 | yldh w$^{c}$zwb | 9 |
| 14.5.3 | ky lʾ hyh dšʾ | 10 |
| 14.6.1 | wprʾym [$^{c}$mdw] $^{c}$l špym | 12 [16] |
| 14.6.2 | šʾpw rwḥ ktnym | 12 |
| 14.6.3 | klw $^{c}$ynyhm | 9 |
| 14.6.4 | ky ʾyn $^{c}$śb | 8 |
| 14.7.1 | ʾm $^{c}$wnynw $^{c}$nw bnw | 14 |
| 14.7.2 | yhwh $^{c}$śh lm$^{c}$n šmk | 14 |
| 14.7.3 | ky rbw mšwbtynw | 13 |
| 14.7.4 | [lk ḥʾṭnw] | [7] |
| 14.8.1 | mqwh yśrʾl | 9 |
| 14.8.2 | mwšy$^{c}$w b$^{c}$t ṣrh | 12 |
| 14.8.3 | lmh thyh kgr bʾrṣ | 14 |
| 14.8.4 | wkʾrḥ nth llwn | 12 |
| 14.9.1 | lmh thyh kʾyš ndhm | 15 |
| 14.9.2 | kgbwr lʾ ywkl lhwšy$^{c}$ | 17 |
| 14.9.3 | w'th bqrbnw yhwh | 14 |
| 14.9.4 | wšmk $^{c}$lynw nqrʾ | 13 |
| 14.9.5 | [ʾl tnḥnw] | [7] |

| | | |
|---|---|---|
| 14.17.1 | [wʾmrt ʾlyhm ʾt hdbr hzh] | [19] |
| 14.17.2 | trdnh $^{c}$yny dm$^{c}$h | 13 |
| 14.17.3 | [lylh wywmm wʾl tdmynh] | [18] |
| 14.17.4 | ky šbr gdwl | 9 |
| 14.17.5 | nšbrh <btwlt> bt $^{c}$my | 10 <15> |
| 14.17.6 | mkh nḥlh mʾd | 10 |
| 14.18.1 | ʾm yṣʾty hśdh | 11 |
| 14.18.2 | whnh ḥlly ḥrb | 11 |
| 14.18.3 | wʾm bʾty h$^{c}$yr | 11 |
| 14.18.4 | whnh tḥlwʾy r$^{c}$b | 13 |
| 14.18.5 | ky gm nbʾy ky gm khn | 15 |
| 14.18.6 | ṣhrw ʾt ʾrṣ wlʾ yd$^{c}$w | 16 |
| 14.19.1 | hmʾs mʾst ʾt yhwdh | 15 |
| 14.19.2 | ʾm bṣywn g$^{c}$lh npšk | 15 |
| 14.19.3 | [mdw$^{c}$ hkytnw wʾyn lnw mrpʾ] | [21] |
| 14.19.4 | qwh lšlwm wʾyn ṭwb | 15 |
| 14.19.5 | wl$^{c}$t mrpʾ whnh b$^{c}$th | 16 |
| 14.20.1 | yd$^{c}$nw yhwh rš$^{c}$nw | 14 |
| 14.20.2 | [$^{c}$wn ʾbwtynw ky ḥṭʾnw lk] | 9 [19] |
| 14.21.1 | ʾl tnʾṣ lm$^{c}$n šmk | 13 |
| 14.21.2 | ʾl tnbl ksh kbwdk | 14 |
| 14.21.3 | zkr ʾl tpr brytk ʾtnw | 17 |
| 14.22.1 | [hyš bhbly hgwym mgšmym] | [19] |
| 14.22.2 | [wʾm hšmym ytnw rbbym] | [17] |
| 14.22.3 | hlʾ ʾth hwʾ yhwh | 13 |
| 14.22.4 | ʾlhynw <w>nqwh lk | 12<13> |
| 14.22.5 | [ky ʾth $^{c}$śyt ʾt kl ʾlh] | [16] |

Übersetzung:

14.1.1 [Was als Wort Jahwes erging an Jeremia]
14.1.2 Über die Dürren:
14.2.1 Juda ist in Trauer,
14.2.2 und seine Tore verkümmern.
14.2.3 Man trauert zur Erde (gebeugt),
14.2.4 und das Geschrei [Jerusalems] steigt auf.
14.3.1 [Ihre Vornehmen schicken ihre Knechte zum Wasser]
14.3.2 Man kommt zu den Zisternen,
14.3.3 man findet kein Wasser,
14.3.4 man kehrt mit leeren Krügen zurück.
14.3.5 <sie schämen sich, sind gekränkt und verhüllen ihr Haupt.>
14.4.1 Wegen des ausgedörrten Bodens,
14.4.2 denn es war kein Regen im Land,
14.4.3 schämen sich die Bauern, verhüllen ihr Haupt.
14.5.1 [Denn] auch die Hirschkuh auf dem Feld
14.5.2 gebiert und läßt im Stich,
14.5.3 denn es gibt kein frisches Gras.
14.6.1 Und die Wildesel [stehen] auf kahlen Hügeln,
14.6.2 schnappen nach Luft wie Schakale.
14.6.3 Ihre Augen sind schwach,
14.6.4 denn es gibt keine Kräuter.
14.7.1 Wenn unsere Schuld gegen uns spricht,
14.7.2 Jahwe, handle um deines Namens willen.
14.7.3 Gewiß, groß sind unsere Übertretungen.
14.7.4 [Gegen dich haben wir gesündigt.]
14.8.1 Hoffnung Israels,
14.8.2 sein Helfer zur Notzeit,
14.8.3 warum bist wie ein Fremder im Lande,
14.8.4 wie ein Wanderer, abbiegend zum Nächtigen?
14.9.1 Warum bist du wie ein verwirrter Mann,
14.9.2 wie ein Held, der nicht vermag zu helfen?
14.9.3 Du bist in unserer Mitte, Jahwe,
14.9.4 und dein Name ist über uns ausgerufen.
14.9.5 [laß uns nicht fahren.]

14.17.1 [Daß du zu ihnen dies Wort sagest]
14.17.2 Es strömen meine Augen über vor Tränen,
14.17.3 [nachts und tags kommen sie nicht zur Ruhe.]
14.17.4 Gewiß, groß ist der Bruch,
14.17.5 Zusammengebrochen ist <Jungfrau> die Tochter meines Volkes,
14.17.6 der Schlag ist sehr schlimm.
14.18.1 Wenn ich aufs Feld hinausgehe,
14.18.2 siehe da: Schwertdurchbohrte.
14.18.3 Wenn ich in die Stadt komme,
14.18.4 siehe da: Hungerleiden.
14.18.5 Ja, sowohl Prophet wie Priester
14.18.6 irren im Land umher und wissen nichts.
14.19.1 Hast du Juda völlig verworfen,
14.19.2 oder ist des Zion überdrüssig deine Seele?
14.19.3 [Warum schlägst du uns, ohne Heilung für uns?]
14.19.4 Warten auf Frieden, ohne Gutes,
14.19.5 und auf Zeit der Heilung, siehe: Schrecken.

14.20.1 Wir kennen, Jahwe, unsere Boshaftigkeit,
14.20.2 [die Schuld unserer Väter, denn gegen dich haben wir gesündigt.]
14.21.1 Verwirf nicht um deines Namens willen,
14.21.2 schände nicht den Thron deiner Herrlichkeit.
14.21.3 Gedenke, brich nicht deinen Bund mit uns.
14.22.1 [Gibt es unter den Götzen der Völker Regenspender,]
14.22.2 [oder spenden die Himmel Regen?]
14.22.3 Bist du das nicht, Jahwe,
14.22.4 unser Gott, <und> wir harren deiner.
14.22.5 [Denn du hast all dies geschaffen.]

Kommentar und Auswertung:

14.1.1 Gehört mit seiner Überlänge und ohne paralleles Glied zur Redaktion.

14.1.2 Läßt sich gut als Überschrift der folgenden Notschilderung verstehen und könnte auf ein hier verwendetes Formular deuten.

14.2.4 *yrwšlm* und 14.3.1 konkretisieren die Not von ganz Juda im Blick auf die Einwohner Jerusalems, wodurch Kolalängen von 15 und 21 neben 8-12 entstehen.

14.3.5 fehlt in LXX und erklärt sich als Glosse aufgrund von 14.4.3, wahrscheinlich Dittographie.

14.4.1 Statt *ḥth* "entsetzt" lies <h>*ḥ*<r>h "ausgedörrt", vgl. Jer 17,6. Im Anschluß an *h'dmh* ist /*h*/ wohl durch Haplologie ausgefallen, /*r*/ wurde zu /*t*/ verschrieben.

14.4.1-3 ist ein die Trauer begründendes -fehlender Regen-, aufgrund der längeren Kola aber kein urspüngliches, sondern eingeschobenes Element.

14.5.1 Der Anschluß mittels *ky* vor *gm* scheint an 14.18.5 orientiert und hier sekundär.

14.6.1 Strenger p.v. zu 14.5.1 forderte auch hier eine rein nominale Ortsbestimmung.

14.17.1 Gehört als Redebefehl zur verknüpfenden, redaktionellen Hand.

14.17.3 sprengt den parallelen Aufbau von 14.17.2, 14.17.4 und 14.17.5-6.

14.17.5 *btwlt* fehlt in LXX und ist vom Vergleich mit Jer 8,21 her zu streichen, vgl. *Rudolph*, Jeremia, z.St.

14.19.3 fällt durch seine Länge aus dem hier üblichen Rahmen. Eine mögliche Aufsplittung in zwei Kola hätte jedoch die kurzen Formulierungen von 14.19.4-5 gegen sich.

14.20.2 Weitet das Sündenbekenntnis auf die Schuld der Väter aus und formuliert in seiner zweiten Hälfte analog zu 14.7.4.

14.22.1-2 sind im Kontext von 14.21.1-2 und 14.22.3-4 zu lang und schlagen die thematische Brücke zu der Dürre-Beschreibung in 14.2-6.

14.22.5 Die schöpfungstheologische Schlußnotiz stellt eine nachträgliche, die Hoffnung begründende Ergänzung dar, wobei das referendum von *kl 'lh* kaum zu bestimmen ist.

Aufgrund der Darstellung der poetischen Texte mithilfe kolometrischer Methode[137], d.h. der Anordnung nach parallelen Kola unter Notierung der Ko-

[137] Zur methodischen Grundlegung, Ausführung und Erprobung anhand des Ps 89 vgl. *O.Loretz*, UF 3 (1971), 101-115; ders., UF 7 (1975), 265-269; ders., Psalmen II, AOAT 207/2, Neukirchen-Vluyn 1979, pass.; ders., ZAW 98 (1986), 249-266; *Veijola*, Verheißung, 22ff. Dabei markieren eckige Klammern entweder den p.m. durchbrechende Elemente, oder Kola, die aufgrund von Über-/ Unter-

lalängen (Konsonantenzahl), ergeben sich eine Reihe weiterer Beobachtungen zur Entstehung der poetischen Partien in Jer 14,1-15,1-4a. Es lassen sich drei, hinsichtlich ihrer Parallelismus-Bildung und ihrer Kolon-Länge unterscheidbare Textstücke bestimmen:

1. Verse mit einer Länge zwischen 8 und 13 Konsonanten:
Dazu zählen 14.1.2 Überschrift, 14.2-4 Trauer, 14.3.2-4 Leere Wasserspeicher, 14.5.1-14.6.4 Not der Tiere, 14.8.1-2 Jahwe-Epitheta, 14.17.2 + 14.17.4, 14.17.5-6 Hungers- und Kriegsnot, 14.22.3-4 Vertrauensbekenntnis.
2. Verse mit einer Länge zwischen 13 und 17 Konsonanten:
Hierzu zählen 14.4.1-3 Trockenheit des Landes, 14.7.1-3 Sündenhinweis, 14.8.3-14.9.2 Du-Klage, 14.9.3-4 Vertrauensbekenntnis, 14.18.5-6 Prophet und Priester, 14.19.1-2, 14.19.4-5 (Du-)Klage, 14.20.1 Sündenhinweis, 14.21.1-3 Bitte.
3. Verse ohne paralleles Glied, bzw. aus der üblichen Länge herausfallend:
14.1.1 Redaktionelle Einleitung, 14.3.1 Steigerung der Notbeschreibung durch Hinweis auf die Vornehmen, 14.7.4 *ḥṭ'*-Sünde, 14.9.5 Bitte, 14.17.1 redaktioneller Redebefehl, 14.17.3 Steigerung durch Zeitbestimmung, 14.19.3., 14.20.2 *ḥṭ'*- und Väter-Sünde, 14.22.1-2 Regenspender (Brücke zu V.4), 14.22.5 Nachträgliche Begründung des Vertrauensbekenntnisses.

Das kolometrische Ergebnis bestätigt die bisherigen Erläuterungen zur Entstehung des Gesamttextes, führt jedoch noch etwas weiter: Da 14.19.4-5 ein wörtliches Zitat aus Jer 8,15 darstellt, ließe sich die so repräsentierte Textgruppe 2 (13-17 Konsonanten) Jeremia zuweisen. Textgruppe 1 hingegen wäre eine ältere, wohl aus einem Dürre-Formular (vgl. 14.1.2) stammende Dichtung, die Jeremia in seiner Verkündigung benutzt hat. In Textgruppe 3 wären die Kreise greifbar, welche 1. Jer 14,1-15,4a redigiert haben (Textzusammenstellung), und 2. thematische Ergänzungen vorgenommen haben. Aufgrund der besonders an der *ḥṭ'*- und Väter-Sünde interessierten Thematik könnten hier jene Kreise greifbar werden, denen auch die Fasten- und Fürbitte-Einträge zuzuordnen sind.

länge keinen p.m. bilden. Die Verwendung von spitzen Klammern bezieht sich hier auf textkritische Phänomene, im Einzelnen vgl. Kommentar.

### 2.2 Regenfasten und Umkehr (šûb) im Joelbuch

Das frühestens im vierten Jahrhundert[1] entstandene Joel-Buch[2] erwähnt in 1,14ff. und 2,12ff. prophetische Aufrufe[3] zur Durchführung des *ṣôm*-Rituals. Angesichts der festen Einbindung der Fasten-Thematik in den Gesamtduktus des Joelbuches, sei zunächst der Kontext des Fastens erläutert.

---

[1]Die Datierungen von Joel schwanken zwischen dem 9. und 2. Jh. v.Chr., vgl. die neuesten Übersichten bei *Loretz,* UBL 5, 162, *Kaiser*, Einleitung, 292, und *Prinsloo*, Joel, 5-9. Zuletzt genannter Autor, 9, gelangt zu dem Fazit, daß eigentlich nur Intention und Botschaft des Joel-Buches Hinweise zur Datierung liefern könnten. Demgegenüber bleibt unbestreitbar, daß Joel aus vorexilischen wie exilischen Propheten *zitiert*, vgl. *Jepsen*, ZAW 56 (1938), 85ff.; *Kaiser*, a.a.O., 291; *Wolff*, Bk XIV/2, 10, und damit mindestens die Zeit Ezechiels voraussetzt. Meist übersehen wird jedoch, daß Jo 2,14a mit Jon 3,9a identisch ist und an die Umkehr Jahwes die Umkehr seines Volkes als Voraussetzung bindet. Diese, nur in Jo und Jon begegnende Verbindung von Umkehr und Fasten scheint ein entscheidendes Argument dafür zu liefern, daß beide Bücher miteinander verwandt sind, vgl. *Jeremias*, Reue Gottes, 87-109.

[2]Daß die Datierung des Joelbuches nicht von der Frage der Einheitlichkeit getrennt werden kann, hat zuletzt *Kaiser*, a.a.O., 292, deutlich gemacht und eine umfassende Untersuchung gefordert. Angesichts der hier spezifischen Fastenthematik kann dies jedoch nur ansatzweise erfolgen. Zur Diskussion steht nach wie vor die von *Duhm*, Theologie, 275ff.; ders., ZAW 31 (1911), 184ff., entwickelte Theorie, daß Jo 1-2 auf den Propheten, Jo 3-4 auf apokalyptische Kreise zurückgingen, sowie die zuletzt von *Wolff*, a.a.O., 5ff., vertretene "nahezu vollendete Symmetrie" (a.a.O., 6) des Buches; vgl. zuletzt *Prinsloo*, a.a.O., 2ff. Die Hauptargumente gegen die Einheitlichkeit des Buches, wechselnde Thematik (Heuschrecken-Dürre), sowie Diskrepanz zwischen konkreter (Jo 1-2) und eschatologischer Redeweise (Jo 3-4) scheinen aus zwei Gründen jedoch nicht stichhaltig zu sein. Einerseits können Heuschreckenfraß und Dürre im Ergebnis durchaus identisch sein, andererseits erfordert die Interpretation der Not als Vorbote des *ywm yhwh* in 1,15 gerade dessen thematische Entfaltung in Kap. 3-4.

[3]Zu diesen Aufrufen "zur Volksklage" s. Exkurs 4, 160ff.

Ausgehend von dem in Jer 14,2-15,4a zugrundegelegten Dreischritt: Notbeschreibung-Volksklage-Orakelantwort[4] legt sich für Jo 1,4-4,1-3.9-17[5] folgender Aufbau nahe:

> In Bezug auf eine wohl aktuelle Notsituation verkündet der Prophet **unter Aneignung der Redegattung "Traueraufruf"[6] in 1,4-13 die** totale Vernichtung der Vegetation.[7] Einbezogen in diesen Traueraufruf wird die Anweisung an die Priester, ein Fasten-Ritual anzusetzen und zu klagen (1,14-18[8]), wobei V.15 die gegenwärtige Not als Nähe des *ywm yhwh*[9] interpretiert. Als Antwort ergeht in 2,18-27 die Verheißung neuer Fruchtbarkeit als Restitution der in 1,4-13 geschilderten Verwüstung. Diesem ersten Durchgang ist ein zweiter unter der *ywm-yhwh*-Thematik zugeordnet und mit ihm so verschränkt, daß Heuschrecken- und *ywm-yhwh*-Not ebenso parallel zu verlaufen scheinen, wie die jeweils ergehenden Heilszusagen. Jo 2,1-11 schildert in negativen Bildern unter Voranstellung eines Alarmrufes (2,1)[10] die heranrückenden Heerscharen, die Jahwe selbst (V.11) anführt. Auch hier fordert der Prophet ein Fasten- und Klageritual (2,15-17), stellt jedoch eine als Jahwewort stilisierte Umkehrforderung voran (2,12-14). Entsprechend der Feindschilderung (2,1-11) formuliert 4, 1-3.9-17 nun positiv, wie Jahwe über die Israel bedrängenden Völker Gericht hält und sie der Vernichtung preisgibt. Auch dieser Zusage ist mit Jo 3,1-5 eine spezifisch Israel betreffende Verheißung vorangestellt: die Geistausgießung.

Die theologische Aussage dieses Abschnitts läßt sich demnach so formulieren: Wenn Jahwe selbst zum universalen Gericht erscheint (2,1-11; 4,1-17) ist zur Rettung Israels (3,1-5) nicht nur kultische Klage wie bei einer natür-

---

[4] S.o. 134.

[5] Die prophetische Verkündigung setzt mit V.4 ein nach Überschrift (V.1) und Lehreröffnungsruf (V.2-3). Daß V.4 in die Notbeschreibung miteinzubeziehen ist, zeigt die entsprechende Ersatz-Zusage in 2,25-26. Zum literarisch sekundären Charakter von Jo 4,4-8.18-21 vgl. *Wolff*, a.a.O., 89ff.; *Jeremias*, a.a.O., 90; *Kaiser*, a.a.O., 291.

[6] S.u. 160ff.

[7] S.u. 140f.

[8] In V.19-20 wird die Klage des Propheten selbst laut.

[9] S.u. 156ff.

[10] Vgl. *Wolff*, a.a.O., 45f.

lichen Not (1,4-20; 2,18-27) erforderlich, sondern kultische Klage + Umkehr zu Jahwe (2,12-14).[11]

Ist das Fasten eng in die theologische Intention des Joelbuches eingebunden, so wird man zwischen dem Fasten als kultischem Ritual (1,14-18) und dem Fasten als von Joel idealisiertem Ritual (2,12-17) zu unterscheiden haben.[12]

### 2.2.1 Heuschrecken- und Dürre-Not

Programmatisch stellt Jo 1,4 dem folgenden Traueraufruf (V.5-13) die Bemerkung voran, daß ein gewaltiger Kahlfraß durch Heuschrecken[13] stattgefunden habe. Die sich für die Bevölkerung daraus ergebenden Konsequenzen werden deutlich in den Begründungen der einzelnen Trauer-Aufrufe: V.5b "wegen des Mosts, denn er ist abgeschnitten von eurem Mund"; V.9a "abgeschnitten sind Speise- und Trankopfer vom Haus Jahwes" (vgl. V.13b); V.10aα "verwüstet ist das Feld (10b) ja, vernichtet ist das Korn, vertrocknet der Most, versiegt das frische Öl"; V.11aβ "wegen des Weizens und der Gerste, (11b) denn die Ernte des Feldes ist dahin". Gegenüber diesen landwirtschaftlichen Feststellungen beziehen V.7.12 die Bäume und Sträucher mit ein: Weinstock, Dattelpalme, Feigen- und (Granat-)Apfelbaum liefern keine Frucht.

Während V.4 deutlich vom "Fressen" (*ʾkl*) der Insekten spricht und V.7 dies durch das Bild vom "Volk mit Löwenzähnen" veranschaulicht, setzen V. 10ff. mit *ybš* Hi. "vertrocknen" eine Dürre voraus.[14]

---

[11] Vgl. auch *Jeremias*, a.a.O., 87ff.

[12] Damit erübrigt sich ebenfalls die Annahme, daß -ähnlich Jer 14,2-15,4a- dem Joelbuch ein kultischer Sitz im Leben zugrundeliege, vgl. etwa die ältere Literatur: *Kapelrud*, Joel Studies, 13f.; *Biç*, Joel, 7f.; *Eissfeldt*, Einleitung, 532, rechnet sogar mit einer aktiven Beteiligung des Propheten an dem Fastenritual. Zur näheren Begründung und zur Verschiebung des Sitzes im Leben der Trauerriten innerhalb der Bereiche *Totentrauer, Fasten* und deren *prophetischer Aneignung* s.u. Exkurs 4, 160ff.

[13] *ʾrbh, gzm, ylq, ḥsyl* bezeichnen hier die verschiedenen Entwicklungsphasen des Insekts vor dem Adultstadium, vgl. *Wolff*, Bk XIV/2, 30f.

[14] *ybš* Hi. in V.10.12.17 vgl. *Preuß*, ThWAT III, 402ff.

Heuschreckenfraß und Dürre dürfen jedoch nicht im Sinne eines entweder-oder[15] verstanden werden, sondern als sich gegenseitig bedingende[16] Phänomene. Einerseits bildet eine langanhaltende Dürre die biologische Voraussetzung dafür, daß sich ursprünglich solitäre Heuschrecken zusammenrotten und über die Brutphasen hinweg -hormonell bedingt- zu einer Art Wanderheuschrecke (*locusta migratoria*) mutieren. In diesem Fall zieht der Heuschreckenschwarm in vegetationsreiche Gebiete. Andererseits kann man phänomenologisch kaum zwischen kahlgefressener und abgestorbener Vegetation unterscheiden. Beide Phänomene, Heuschreckenfraß und Dürre, konvergieren damit in der beiden gemeinsamen Vernichtung der Vegetation.

In dieser Situation ergeht an die in V.13aα genannten Priester (*hkhnym*) -*mšrty mzbḥ* "Diener des Altars"[17] weist auf kultische Funktion- in V.14 der Aufruf des Propheten bezüglich des Fastens.

Joel 1,14:[18]

| | | |
|---|---|---|
| 14.1 | qdšw ṣwm | 7 |
| 14.2 | qr'w ᶜṣrh | 8 |
| [14.3 | ʾspw zqnym kl yšby hʾrṣ | 19] |
| [14.4 | byt yhwh ʾlhykm | 13] |
| 14.5 | wzᶜqw ʾl yhwh | 11 |

Übersetzung:

14.1 Heiligt ein Fasten,
14.2 ruft einen Feiertag aus!
14.3 versammelt die Ältesten, alle Landesbewohner,
14.4 zum Tempel Jahwes, eures Gottes,
14.5 und schreit zu Jahwe.

Die nur in Jo 1,14; 2,15 begegnende Wendung *qdš* Pi. + *ṣwm* muß aufgrund des Parallelismus mit 14.2 als Heiligung einer bestimmten Zeit verstanden werden. *qdš* Pi., *ᶜṣrh* und *qrʾ* finden zumindest in IIKön 10,20 diese

[15] In diesem Sinne dient die Beobachtung dann als literarkritisches Argument gegen die Einheitlichkeit des Textes, vgl. *Kaiser*, Einleitung, 291.

[16] Die folgenden Hinweise auf die biologischen Zusammenhänge verdanke ich Herrn Dr.rer.nat. W.Rähle, Lehrbereich Zoologie I, Universität Tübingen, mdl. am 5.3.1986.

[17] *šrt* Pi. bezeichnet vor allem in P, vgl. Ex 30,20, den kultischen Dienst im oder am Heiligtum, vgl. *Westermann*, THAT II, 1021.

[18] Zur Kolometrie vgl. *Loretz*, UBL 5, 24.

Verwendung: "...heiligt einen Feier-/Festtag für Baal und ruft ihn aus". Beide Texte bestätigen, daß der öffentlichen Proklamation (*qr'*) eine bestimmte Form der Festsetzung (*qdš* Pi.) vorangeht.[19] Über die Art und Weise der vielleicht als Weihe[20] vorzustellenden Festsetzung werden keine weiteren Angaben gemacht. Danach soll die Versammlung (*'sp*) der Ältesten[21] und aller Landesbewohner zum Jerusalemer Tempel[22] erfolgen.

Von den drei konstituierenden Handlungen, formuliert als asyndetische Imperativkette (14.1-3), hebt sich der vierte, syndetische Imperativ ***wz$^{c}$qw*** in 14.5 ab. Die Anweisung bekommt so eine deutliche Struktur: 14.1-4 Festsetzung, Proklamation und Versammlung als Vorbereitung; 14.5 Geschrei zu Jahwe als Ziel.[23] Die Priester sind damit sowohl für die Konstituierung der Fastengemeinde verantwortlich, als auch für den Klagevortrag (V.15-20)[24]:

| | | |
|---|---|---|
| 15.1 | 'hh lywm | 7 |
| [15.2 | ky qrwb ywm yhwh | 13] |
| [15.3 | wkšd mšdy ybw' | 12] |
| [16.1 | hlw' ngd $^{c}$ynynw 'kl nkrt | 20] |
| [16.2 | mbyt 'lhynw śmḥh wgyl | 18] |
| 17.1 | $^{c}$bšw prdwt | 9 |
| 17.2 | tḥt mgrptyhm | 11 |
| 17.3 | nšmw 'ṣrwt | 9 |
| 17.4 | nhrsw mmgrwt | 11 |
| 17.5 | ky hbyš dgn | 9 |
| 18.1 | mh n'nḥh bhmh | 11 |
| 18.2 | nbkw $^{c}$dry bqr | 11 |
| [18.3 | ky 'yn mr$^{c}$h lhm | 12] |
| [18.4 | gm $^{c}$dry hṣ'n n'šmw | 15] |
| [19.1 | 'lyk yhwh 'qr' | 12] |
| [19.2 | ky 'š 'klh n'wt mdbr | 16] |
| 19.3 | wlhbh lhṭh | 9 |
| 19.4 | kl $^{c}$ṣy hśdh | 9 |
| 20.1 | gm bhmwt śdh | 10 |
| 20.2 | t$^{c}$rwg 'lyk | 9 |

---

19 Vgl. o. 13 A. 49.

20 Vgl. die Beispiele zur rituellen mit *qdš* Pi. formulierten Weihe bei *Jenni*, Pi$^{c}$el, 59ff.

21 Anders als in IKön 21,8ff. haben die Ältesten hier keine Mitwirkungsrechte mehr, was wahrscheinlich ein Indiz für eine nun priesterlich orientierte Gesellschaftsstruktur darstellt.

22 Zu *byt* + GN als Tempelbezeichnung vgl. *Hoffner*, ThWAT I, 634f.

23 Vgl. o. zu ISam 7,9, 168f.

24 Zur Kolometrie s. *Loretz*, UBL 5, 25.

[20.3 ky ybšw ᵓpyqy mym 14]
[20.4 wᵓš ᵓklh nᵓwt hmdbr 16]

Übersetzung:

15.1 Was für ein Tag![25]
[15.2 Denn nahe ist der Tag Jahwes,]
[15.3 und wie Verwüstung kommt er vom Verwüster.[26]]
[16.1 Ist nicht vor unseren Augen Nahrung abgeschnitten;]
[16.2 vom Haus unseres Gottes Freude und Jauchzen?]
17.1 Eingetrocknet sind die Saatkörner
17.2 unter ihren Hacken.[27]
17.3 Verwüstet[28] sind die Vorräte,
17.4 in Trümmer gelegt die Vorratskammern,[29]
17.5 denn das Korn ist vertrocknet.
18.1 Wie seufzt das Vieh,
18.2 sind verwirrt die Rinderherden,
[18.3 denn für sie gibt es keine Weide;]
[18.4 auch die Kleinviehherden gehn zugrunde.]
[19.1 Zu dir, Jahwe, rufe ich,]
[19.2 denn Feuer frißt die Oasen der Wüste.]
[19.3 Und die Flamme versengt alle Bäume des Feldes]
20.1 Auch die Tiere des Feldes
20.2 lechzen[30] nach dir,
[20.3 denn ausgetrocknet sind die Wasserbäche,]
[20.4 und Feuer frißt die Oasen der Wüste.]

In formaler Hinsicht besteht V.15-20 aus drei verschiedenen Teilen: dem einleitenden Schreckensruf V.15,[31] einer in der 3.Sg./Pl.Perf. formulierten

---

[25]Besonders aufgrund des vorangehenden Ausrufs *ᵓhh* ist das */l/* wohl emphatisch, vokativisch zu verstehen.

[26]*kšd mšdy* ist ein Wortspiel "wie Verwüstung von *Šadai*", vgl. *Wolff*, Bk XIV/2, 40; *Keller*, Joel, 116 mit Anm. 1 "la dévastation...du 'Dévastateur'". Vgl. bes. Jes 13,6.

[27]*mgrpt* bezeichnet die Hacken zum Öffnen der Bewässerungsrinnen, KBL³ s.v.; *Kapelrud*, Joel-Studies, 65. Angesichts von *prdwt* "Saatkörner" vgl. *Keller*, a.a.O., 117, macht der Sinn von 17.1-2 keine Probleme.

[28]3.Pl.c.Perf. *šmm* Ni.

[29]L c App. BHS *mgrwt*.

[30]*ᶜrg* scheint hier kaum bloße Metapher, KBL³ s.v., zu sein, vgl. u. 156.

[31] *ᵓhh* leitet hier keinen Gebetsruf ein, der immer *ᵓhh ᵓdny yhwh* lautet, vgl. Ri 6,22; Jos 7,7; Jer 1,6; 4,10; 14,13; 32,17; Ez 4,14; 9,8; 11,13; 21, 5, sondern konstatiert 1. Schrecken über ein 2. genanntes Unheil, vgl. Ri 11,35; IIKön 3,10; 6,5.15.

Notbeschreibung[32] (V.16–18) und dem durch die Anrede (Jahwe + 1.Sg.c.Impf.) gekennzeichneten individuellen Klageabschnitt V.19–20.[33] Die Zusammenstellung der verschiedenen Elemente weist darauf hin, daß das Interesse des Verfassers nicht in einer ablaufgetreuen Wiedergabe des *ṣôm*-Rituals liegt,[34] sondern in einer möglichst umfassenden Darstellung der Notsituation. Ferner macht der vorangegangene Schreckensruf (V.15) deutlich, wie die Notlage verstanden werden soll: als Ankündigung des *ywm yhwh*.[35]

Die Notbeschreibung konstatiert zunächst das Fehlen von Nahrung (*ʾkl*) und den Verlust der Fröhlichkeit[36] für den Tempel (V.16). Ursache der Not ist der Verlust sämtlicher agrarischer Produkte (V.17).[37] Schließlich formuliert V.18 auch die Not des Viehs.[38]

Der individuelle (*ʾqrʾ*) Klageabschnitt V.19–20 ist durch die fast vollständige Identität von 19.2–3 mit 20.5–6 schon formal in sich geschlossen. *ʾlyk* "zu dir" in 19.1 und 20.2 "nach dir" bringen beiderseits die Orientierung des hier selbst das Wort ergreifenden[39] Propheten und der verdurstenden Tiere an Jahwe zum Ausdruck.[40] In 19.2, 20.3 gibt *ky* die Begründung: Feuer und

---

[32]Vgl. Jer 14,2-6; s.o. 122ff.

[33]Erst ab dieser Stelle kann man von einem "Gebet" sprechen, doch auch hier fehlt die Bitte ganz.

[34]Zum fragmentarischen Charakter dieser kollektiven und individuellen Klagestücke vgl. *Wolff*, a.a.O., 24f. Zur stilistischen Analyse von V.15-20 s. *Prinsloo*, Theology, 28ff.

[35]Dem Verf. des Joelbuches geht es damit bereits ab V.15 um die Thematik des *ywm yhwh*, wie die betonte Voranstellung von V.15 vor V.16-20 zeigt. Zur Sache vgl. zuletzt *Barstad*, Polemics, 89-110, bes. 94ff.

[36]Ob 16.3-4 "Freude und Jauchzen" pars pro toto für den Tempelkult im allgemeinen gilt, *Wolff*, a.a.O., 40, ist zumindest bei der Vorgeschichte des Wortpaares *śmḥh/gyl* fraglich, s.u. 154ff.

[37]Vgl. die auf Vegetation und Ackerbau bezogene Not in Jer 14,4.

[38]Vgl. Jer 14,5.6.

[39]Damit ist keineswegs schon die Vermutung bewiesen, Joel habe selbst im Ritual mitgewirkt.

[40]Vgl. *Kapelrud*, a.a.O., 68ff.

Flamme, Indiz sommerlicher Hitze[41], vernichten Oasen und Bäume, legen Wasserbäche trocken, ohne daß der Mensch überhaupt erwähnt würde!

Formal wie inhaltlich kann V.15-20 weder als KV, noch als Gebet verstanden werden, wenn V.16-18.19-20 reine Notbeschreibungen darstellen. Aufgrund der Anweisung V.14.5 zu Jahwe zu "schreien"[42] scheint besonders V. 16ff. nur den Rahmen dessen zu umreißen, was ein wirkliches Gebet beklagen und erbitten sollte. Der ganz im Dienst der Verkündigung Joels stehende Abschnitt V.15-20 und sein literarischer Charakter[43] zeigen, daß Joel nicht eine Liturgie nachahmt, sondern recht freizügig rituelle (V.14) und sprachliche (V.15ff.) Elemente zusammenstellt. Kultgeschichtlich bemerkenswert bleibt jedoch, daß Joel angesichts der vernichtenden Sommerhitze das Fasten als entsprechendes Krisen-Ritual darstellt.

Aufgrund des parallelen Aufbaus von Jo 1-4 folgt das Gegenstück der Klage, der Erhörungszuspruch, erst in Jo 2,19-27.[44] Auch hier findet sich kein durchgehend formuliertes Heilsorakel[45], sondern eine Zusammenstellung von Jahwe-Rede (19-20.25.27) und Rede über Jahwe (21-24.26), wobei aber *hnny* in 19.2 und *ʾl tyrʾy* in 21.1,22.1 spezifische Erhörungsterminologie[46] auf-

---

[41]Anders als in Jo 2,1ff. sind Feuer und Flamme hier allein auf die Vegetation bezogen. Als tertium comparationis ermöglichen die Termini sowohl einen Bezug zur Sommerhitze wie auch zur Kriegsnot des *ywm yhwh*, vgl. auch *Kapelrud*, a.a.O., 68f.

[42]S.u. 172ff.

[43]Vgl. *Prinsloo*, a.a.O., 28-38, wonach V.15-20 eine "Steigerung", 34, des vorhergehenden Abschnitts V.4-14 darstellten. Zur Kommentierung des Abschnitts in den überlangen Kola [..], s. *Loretz*, UBL 5, z.St.

[44]Die Abgrenzung erfolgt aufgrund der betonten Einleitung und dem V.18 und 19.1 gemeinsamen Tempus Impf.cons.: "Und Jahwe eiferte für sein Land und empfand Mitleid mit seinem Volk 19 und Jahwe antwortete seinem Volk". Schon allein wegen dieser Tempuswahl gehört 18-19.1 weder zum vorherigen, noch zum folgenden Abschnitt, sondern ist eine erzählerische Überleitung, vgl. *Wolff*, a.a.O., 67f.; *Kapelrud*, a.a.O., 88f.

[45]Die für das priesterliche HO kennzeichnende Formel *ʾl tyrʾ* begegnet nur in 21.2 und 21.4; zur Heilszusage feminini generis vgl. u. 154ff.

[46]*hnny* so schon in Jes 58,9, vgl. *Wolff*, a.a.O., 68; zur *ʾl tyrʾ* Formel vgl. *Vincent*, Studien, 165-168; zu ihrem assyrischen Pendant (*la tapallaḫ*) vgl. *Weippert*, Prophetien, 78f.

weisen. Worte des göttlichen Selbsterweises bilden in V.27 und in Jo 4,17 jeweils den Abschluß.[47]

Der Erhörungszuspruch verkündet in der Jahwerede (V.19-20.25.27) die Gabe von Korn, Most und Öl (V.19a) und stellt damit den Rückbezug zu Jo 1,10 her.[48] V.19b-20 hingegen beziehen sich (Völker- und Feindthematik) auf die *ywm-yhwh*-Klage in Jo 2,1.17 zurück[49] und verbinden ähnlich Jo 1,15 Dürre und Jahwetag-Not miteinander. Schließlich verheißt V.25 die Restitution (*šlm* Pi.) der durch die Heuschrecken verursachten Zertsörung. Das abschließende Erweiswort V.27 bestimmt das Ziel: Israel möge erkennen, daß Jahwe *inmitten Israels* (*bqrb yśr'l*) präsent[50] und der einzige Gott (*w'ny yhwh 'lhykm w'yn $^{c}$wd*)[51] sei. Während sich hier die Jahwerede deutlich auf den Traueraufruf Jo 1,4ff. zurückbezieht, weist Jo 2,21-24 einen Bezug zu den Klagestücken Jo 1,16-20 auf und formuliert analog zu V.27 in V.26 das Ziel der Verheißung.[52]

| | | |
|---|---|---|
| 21.1 | 'l tyr'y 'dmh | 11 |
| 21.2 | gyly wśmḥy | 9 |
| [21.3 | ky hygdyl yhwh l$^{c}$śwt | 17] |
| 22.1 | 'l tyr'y bhmwt śdy | 15 |
| 22.2 | ky dš'w n'wt mdbr | 14 |
| 22.3 | ky $^{c}$ṣ nś' pryw | 11 |
| 22.4 | t'nh [wgpn] ntnw ḥylm | [16]12 |
| 23.1 | wbny ṣywn gylw | 12 |
| 23.2 | wśmḥw byhwh ['lhykm] | [16]10 |
| 23.3 | ky ntn lkm <gšm> | 11 |
| | ['t hmwrh lṣdqh wywrd lkm | 20] |
| 23.4 | ywrh [wmlqwš] kr'šwn | [16]10 |

---

[47] Vgl. *Zimmerli*, ThB 19, 120-132; s.u. 160.

[48] Indem nur auf 1,10 zurückgegriffen wird, Speise- und Trankopfer aus 1,9 aber unberücksichtigt bleiben, zeigt sich der literarische Charakter, der auf exakte Korrespondenz keinen Wert legt, vgl. *Wolff*, a.a.O., 73.

[49] Vgl. *gwym* Jo 2,17b und *bgwym* 2,19b; ferner scheint die Vertreibung des *hṣpwny* "des Nördlichen" sich auf das Volk ($^{c}$*m*) auf den Bergen (*hhrym*) in Jo 2,2 zurückzubeziehen, vgl. auch *Wolff*, a.a.O., 73f.

[50] Die Wendung *bqrb yśr'l 'ny* als Aussage über Jahwe ist hier singulär. *Wolff*'s Hinweise, a.a.O., 77, auf Dtn 17,20; Jos 13,13 haben Jahwe nicht zum Subjekt und Zeph 3,15.17; Hos 11,9; Mi 3,11 sind mit *bqrbk*, bzw. mit *bqrbnw* formuliert.

[51] Damit nimmt Jo 2,27 explizit Jes 45,5a wieder auf. Vgl. *Elliger*, Bk XI/1, 497.

[52] Zur Kolometrie im folgenden s. *Loretz*, UBL 5, 33f.

24.1 wml'w hgrnwt br 13
24.2 whšyqw hyqbym tyrwš [wyṣhr] [22]17

Übersetzung:

21.1 Fürchte dich nicht, Ackerland!
21.2 Juble und freue dich,
21.3 denn Jahwe hat Großes getan.
22.1 Fürchte dich nicht, Getier des Feldes,
22.2 denn grün werden die Oasen der Wüste.
22.3 Ja, der Baum trägt seine Frucht,
22.4 'der' Feigenbaum [und Weinstock] bringt (seinen) Ertrag.
23.1 Und ihr Kinder Zions, jubelt
23.2 und freuet euch an Jahwe, [eurem Gott].
23.3 Denn er gibt euch <Sturzregen>[53]
[den Regen gemäß der Ordnung[54] läßt er euch fallen]
23.4 Frühregen[55] [und Spätregen] wie früher.[56]
24.1 So füllen sich die Tennen mit Getreide,
24.2 und die Becken der Kelter laufen über von Most [und Öl].

Aufgebaut ist die an Acker/Vieh und Menschen ergehende Verheißung nach dem dreiteiligen Schema: I. Aufruf zur Freude (21.2, 23.1-2) + II. Begründung durch Jahwes Handeln (21.3, 23.3-4) + III. Folgebestimmung (22.2-4, 24.1-2). Diese Struktur wird in 21.1 und 22.1 durch die Aufnahme der Formel[57] *'l tyr'* (Heilsorakel) überlagert. Jo 2,21-24 knüpft damit an vorgegebene Orakelformen an, verbindet diese jedoch mit dem Aufruf zur Freude[58], den CRÜSEMANN[59] im Vergleich mit Jes 12,4-6; 54,1; 66,10; Jer 50,11; Zeph 3,14; Sach 2, 14; 9,9; Thr 4,21 und Hos 9,1 als ein ursprünglich an Frauen ergehendes Fruchtbarkeitsorakel bestimmt hat.

---

[53]Das Bikolon 23.3-4 ist rekonstruiert. *'t hmwrh lṣdqh wywrd lkm* scheint ein eingeschobener Satz zu sein, der *hmrwh lṣdqh* als Objekt + Umstandsbestimmung zu *ntn* einfügt und dann mit dem gegenüber dem sonstigen Perfekt auffälligen Impf.cons. *wywrd + lkm* das auf *gšm* zu beziehende Verb + indirektes Objekt ergänzt. Wie in 23.4 *ywrh wmlqwš* zeigen, ergibt das so rekonstruierte Bikolon mit seiner Abfolge *gšm, ywrh, mlqwš* einen guten Sinn.

[54]Vgl. *Rudolph*, KAT XIII/2, 68; *Wolff*, a.a.O., 74ff.

[55]S. BHS z.St.

[56]Mit LXX, s.a. *Loretz*, UBL 5, 33f.;54.

[57]Vgl. o. 151.

[58]Zum Begriff vgl. *Crüsemann*, Studien, 55f.

[59]A.a.O., 55-65.

### 2.2.2 Jo 2,21-24: Ein Fruchtbarkeitsorakel?

Jo 2,23 nennt in vorliegendem Text drei Regenarten: *gšm, ywrh* und *mlqwš*[60]. Gemeint ist die Regenzeit in ihrer äußersten zeitlichen Erstreckung, von Oktober bis April/Mai. Dieser Zeitraum steht ebenfalls in mTaan I,1-2 als Spanne zwischen Laubhütttenfest und Pesach zur Diskussion.

Daß hier an konkrete Praktiken der Regenmagie gedacht sei, wie auch mTaan das Fasten vornehmlich als Regenfasten bestimmt, hat LORETZ kürzlich betont.[61] In eben diese Richtung deutet auch CRÜSEMANN's Bemerkung, daß Jo 2,21-24 seiner Struktur nach ein Fruchtbarkeitsorakel darstelle.[62] Die Struktur lasse sich daran erkennen, daß vornehmlich im Imperativ 2.Sg.fem. zur Freude aufgefordert werde. Die dabei verwendeten Verben *rnn, ṣhl, rwᶜ* Hi., *śmḥ, gyl, ᶜlz, śwś* und *pṣḥ* seien nicht nur atypisch für den Hymnus,[63] sondern stammten aus dem "kanaanäischen Kult, den Erntefesten und dionysischen Fruchtbarkeitsfeiern".[64] CRÜSEMANN postuliert einen "Heilszuspruch im Bereich des Sexuallebens"[65], der von den israelitischen Propheten rezipiert und auf Zion und Israel übertragen worden sei.

Dagegen spricht vor allem, daß die Verwendung des femininen Genus primär durch die vom Subjekt erforderte Genuskongruenz veranlaßt ist.[66] Da eine ausführliche Analyse der von CRÜSEMANN genannten Verben hier schon aus Raumgründen nicht erfolgen kann, seien wenigstens statistische Überlegungen gestattet.

Die im Aufruf zur Freude belegten Verben[67] bezeichnen in theologischem Kontext die Freude über ein heilvolles Handeln Jahwes, wobei aber zwei besondere Verwendungsbereiche auffallen, die im folgenden durch das Wortfeld

---

[60]Vgl. Gen 8,13; Ex 12,18; Num 9,5; Ez 29,17; 30,20; 45,18.21; s. *Wolff*, a.a.O., 76.

[61]UBL 5, 74ff.

[62]Studien, 59, 65.

[63]A.a.O., 55.

[64]A.a.O., 64, unter Berufung auf *P.Humbert*, 'Laetari et exultare'dans le vocabulaire religieux de l'Ancien Testament, RHPhR 22 (1942), 185-214, bes. 197ff. Schon an dieser Stelle sei die Frage gestattet, wo man *den* kanaanäischen Kult literarisch fassen kann, ganz abgesehen von den dionysischen Fruchtbarkeitsriten, in denen o.g. hebr. Verben gebucht sein sollen.

[65]A.a.O., 65.

[66]Zum Genus von Städten, Ländern und Begriffen für "Erdboden" vgl. *Michel*, Syntax I, 76f.

[67]Vgl. *Crüsemann*, a.a.O., 58; kritisch ihm gegenüber *Barth*, ThWAT I, 1016; *Ruprecht*, THAT II, 834 spricht von einer "phantastischen Konstruktion".

angedeutet werden: a) Jahwes Anwesenheit in Israel, bzw. Jahwes Königtum, und b) Fruchtbarkeit, Vegetation und Sexualität.

a) *ṣhl*: Jes 12,6; *ᶜlz*: Zeph 3,14; *pṣḥ*: Zeph 3,17; *śmḥ/gyl*: IChr 16,31; Ps 97,1; 149,2; *rwᶜ* Hi.: ISam 10,24 (v. Saul); Sach 9,9; Ps 95,1f.; 98,4ff.

b) *ṣhl*: Jer 5,8; 13,27; 50,11; 54,1; Jes 24,14 (Ernte); *ᶜlz*: IISam 1,20; Ps 149,5(?); Jes 23,12 (?); Jer 50,11; *pṣḥ*: Jes 54,1; *śwś*: Jes 35,1; 66,14; 62,5; 61,10; 66,10; Ps 19,6; Thr 4,21; Dtn 30,9; Jer 32,41; *śśwn wśmḥh*: in Bezug auf Bräutigam und Braut: Jer 7,34; 16,9; 25,10; 33,11; *rnn*: Jer 35,6; 31,12[68]; *rwᶜ* Hi.: Mi 4,9.

Beide Bereiche finden durch die ugaritischen Äquivalente: *šmḫ* (KTU 1.10 III 37; 1.4 V, 97f.; 1.17 II 9); *gl* (KTU 1.16 I 15); *ᶜlṣ* (KTU 1.2 I 12); *šmḫ/ṣhl* (KTU 1.17 II 9); *gwl/ššy* (vgl. RSP III 52); *šmḫ/ṣḥ* (KTU 1.4 II 28f.; V 97f.; 1.5 II 20-21) und *ṣḥ* (KTU 1.161, 19) jedoch weder implizit, noch explizit eine Bestätigung.[69]

Läßt sich der von CRÜSEMANN und HUMBERT postulierte Zusammenhang somit nicht verifizieren, dann stellt sich die Frage, ob nicht vielmehr das besonders bei Hosea ausgeführte Ehebild (Gott-Volk als Mann-Frau) den Hintergrund dieser Redeweise bildet.[70] Trotz dieser inneralttestamentlichen Erklärung bleibt nach dem Verhältnis zwischen Dürre und verheißenem Regen zu fragen. KAPELRUD[71] und PREUSS haben Beziehungen zum ugaritischen Baal-Epos unter Hinweis auf KTU 1.3 V 17ff; 1.19 I 30 und 1.16 III 12ff. sehen wollen. "Nirgendwo hat im AT eine Dürre etwas zu tun mit dem (oder einem) 'Tod' JHWHs".[72] Mögliche Verbindungen scheinen vor allem wegen der atl. Trias Korn-Most-Öl (*dgn/tyrwš/yṣhr*) in Jo 1,10; 2,19 und deren ugaritischer Variante Brot-Wein-Öl (*lḥm/yn/šmn*) in KTU 1.16 III 14ff. zu bestehen.

In KTU 1.16 III 1-10 geht der ugaritischen Dürrebeschreibung ein kurzer Hymnus auf den Regenspender Baal (Z.5-10) und vielleicht ein Öl-Schüttritus (Z.1ff.) voran.[73] Mittels zweier Schritte wird so im Keret-Epos die Dürre auf den ausbleibenden Regen Baals, dies aber auf die Krankheit König Kerets zurückgeführt.[74] Der Tenor liegt damit nicht auf dem Tod Baals, sondern auf der durch den kranken König gefährdeten (Welt)Ordnung.[75]

Der hier auf der mythisch-epischen Ebene geschilderte Konnex zwischen irdischer (König) und kosmischer (Regen) Ordnung ist im AT jedoch auf eine sozialethische Ebene verlagert.[76] In Jer 14,19-15,4a steht der Regenmangel in

---

[68]Ebenfalls kritisch *Ficker*, THAT II, 785.

[69]Vgl. *Barth*, ThWAT I, 1017; *Ruprecht*, a.a.O., 834; grundsätzlich bestritten hat *Barstad*, Polemics, 22f., die Existenz von Sexualriten und Kultprostitution im AT.

[70]Vgl. z.B. *Bratsiotis*, ThWAT I, 246-248.

[71]Joel-Studies, 30f.

[72]ThWAT III, 404.

[73]Vgl. *Dietrich-Loretz*, UF 13 (1981), 83f.; *Kinet*, Ugarit, 114f.

[74]Vgl. *Kinet*, a.a.O., 115.

[75]Vgl. z.B. *Gese*, Religionen, 86f.

[76]S.u. zu Jes 58,1-12.

Beziehung zur Sünde des Volkes. Ebenso erwartet Dtn 11,14 (Korn-Most-Öl) Gehorsam als Voraussetzung fruchtbaren Regens.[77] Diese ethische Dimension aber fehlt in Jo 1,4-20; 2,19-27.

Für das spezifische Verständnis im Joel-Buch ist nun Jo 1,19-20 aufschlußreich. Der sprachlichen Hinwendung zu Jahwe (19.1) korrespondiert die in 20.1-2 mit *ᶜrg* formulierte Hinwendung der Tiere, wozu Ps 42,2f. eine Analogie bildet:

> "2 Wie (*k*) die Hirschkuh verlangt (*tᶜrg*) über Wasserrinnen, so (*kn*) verlangt (*tᶜrg*) meine Seele nach dir (*'lyk*), Gott. 3 Meine Seele dürstet (*ṣm'h*) nach Gott, dem lebendigen Gott (*l'l ḥy*), wann darf ich kommen und sehen das Angesicht Gottes?"[78]

Die in Ps 42,2 mittels *k-kn* aufgestellte Vergleichsebene ist in Jo 1,19f. deutlich verlassen, und als Objekt des Verlangens der Tiere ist *'lyk* direkt auf Jahwe zu beziehen, was in 20.3-4 durch den Hinweis auf den fehlenden Regen präzisiert wird. Darüberhinaus scheint aber Jo 1,20 sagen zu wollen, daß *Jahwe als Regenspender* abwesend sei. Der korrespondierende Erhörungszuspruch Jo 2,21-24 verheißt dem Getier des Feldes das Grünen (*dš'*) und Fruchttragen (*nś' pry*) der Vegetation (V.21-22), den Bewohnern Jerusalems (V.23-24) die Gabe neuen Regens.

Jo 2,21-24 läßt sich damit nicht als Fruchtbarkeitsorakel in Anlehnung an kanaanäischen Fruchtbarkeitskult verstehen, sondern formuliert die Restitution der Vegetation durch die Wiederherstellung des natürlichen Regenzyklus durch Jahwe. Auf eine bestimmte Form der Abwesenheit Jahwes selbst deutet dabei nicht die *Form* des Orakels in Jo 2,21-24, sondern die in Jo 1,20 vollzogene Gleichsetzung Jahwes mit seiner Regengabe.[79]

### 2.2.3 Der Tag Jahwes

Angesichts der eschatologischen *ywm-yhwh*-Not stellt das Fasten nun eine völlig veränderte Kategorie dar. Nicht die Naturkatastrophe, sondern das

---

[77] Vgl. auch *Barstad*, Polemics, 72ff.

[78] Vgl. z.B. *Kraus*, Bk XV/1, 474f.

[79] Die Verheißung als Rede über Jahwe führt in V.26 zum Jubel über die Restitution und damit in V.27 als Jahwerede zur Erkenntnis des in Israel präsenten Gottes.

Gerichtshandeln Jahwes gilt es zu überleben. Der einleitende Alarmruf (2,1)[80] zur *ywm-yhwh*-Notbeschreibung (Jo 2,1-11) legt dabei klar, daß diese Not nicht nur "nahe" ist, sondern "kommt". Mittels traditioneller Topoi[81] des *ywm yhwh* beschreibt Jo 2,2-11 die kriegerischen und kosmischen Dimensionen dieses Geschehens, in dem Jahwe selbst die feindlichen Heere heranführt (2,11a). Die Antwort auf die angesichts solcher Not skeptisch gestellte Frage "und wer vermag ihn (den Jahwetag) auszuhalten"[82] (V.2,11b) vermitteln die Abschnitte Jo 2,12-14.15-17 (Ritualanweisung + Ausführungsbestimmung) und Jo 3,1-5; 4, 1-3.9-17 (Entfaltung des göttlichen Handelns an Israel und den Völkern).

Die in V.12-14 vorliegende Ritualanweisung verbindet durch *wgm* $^{c}$*th* "auch jetzt" die Regenlosigkeit mit der *ywm-yhwh*-Not und transformiert gleichzeitig den Anlaß eines kollektiven Fastens:[83]

| | | |
|---|---|---|
| 12.1 | wgm $^{c}$th n'm yhwh | 13 |
| 12.2 | šbw $^{c}$dy bkl lbbkm | 14 |
| 12.3 | wbṣwm wbbky wbmspd | 16 |
| 13.1 | wqr$^{c}$w lbbkm w'l bgdykm | 19 |
| 13.2 | wšwbw 'l yhwh 'lhykm | 17 |
| [13.3 | ky ḥnwn wrḥm hw' | 14] |
| [13.4 | 'rk 'pym wrb ḥsd | 13] |
| [13.5 | wnḥm $^{c}$l hr$^{c}$h | 10] |
| 14.1 | my ywd$^{c}$ yšwb wnḥm | 14 |
| 14.2 | whš'yr 'ḥryw brkh | 15 |
| [14.3 | mnḥh wnsk lyhwh 'lhykm | 19] |

Übersetzung:

12.1 Auch jetzt -Spruch Jahwes:
12.2 kehrt euch zu mir mit eurem ganzen Herzen,
12.3 mit Fasten, mit Weinen und mit Trauer.
13.1 Zerreißt eure Herzen und nicht eure Kleider,
13.2 und kehrt euch zu Jahwe, eurem Gott.
[13.3 Denn er ist gnädig und barmherzig,]
[13.4 langmütig und reich an Güte]

[80] Das Hornblasen in Jo 2,1 dient hier als Alarmsignal, vgl. Am 3,6; Hos 5,8; Ez 33,3.6 u.ö. und nicht, wie in Jo 2,15 als Versammlungssignal, vgl. auch *Wolff*, a.a.O., 45f.

[81] D.h. das Anstürmen feindlicher Heere und die Verfinsterung des Himmels, vgl. Jo 2,2.10; 3,4.15; mit Jo 2,3-6; s.a. Jes 13,6.9; Ez 13,5; Am 5,18ff.; Ob 15; Zeph 1,7.14; Mal 3,23; vgl. *Barstad*, Polemics, 93ff.

[82] Zur mitgedachten Unfaßbarkeit Gottes vgl. *Baumann*, ThWAT IV, 94.

[83] Zur Kolometrie s. *Loretz*, UBL 5, 29f.

[13.5 und läßt sich das Böse leid sein.]
14.1 Vielleicht gereut es ihn wieder[84],
14.2 und er läßt Segen hinter sich zurück.
[14.3 Speise- und Trankopfer für Jahwe, euren Gott.]

Hauptelement ist die Aufforderung zur *Umkehr*[85] zu Jahwe (12.2), die rituell als Fasten, Weinen und Trauer (12.3), ethisch als Zerreißen der Herzen statt der Kleider (13.1)[86] bestimmt wird. Der Umkehrforderung (12.2–13.2) wird in 13.3–14.3 eine im göttlichen *nḥm* wurzelnde Begründung (*ky*) nachgestellt.[87] Eingebettet in die Frage "wer weiß"[88] formuliert 14.1–3 die Folge göttlicher Reue: neue Speise- und Trankopfer[89].

Der Ritualanweisung steht mit V.15–17 eine Ausführungsbestimmung gegenüber, die wiederum die Elemente Festsetzung (*qdšw ṣôm*), Versammlung (*'sp*) des ganzen Volkes (V.15–17a)[90] und ein von den Priestern "zwischen Vorhalle (*h'wlm*) und Altar (*mzbḥ*)" auszuführendes Weinen (*bkh*) und Klagen umfaßt.[91]

| | |
|---|---|
| 17.4 ḥwsh yhwh ᶜl ᶜmk | 13 |
| [17.5 w'l ttn nḥltk lḥrph | 16] |
| [17.6 lmšl bm gwym | 10] |
| [17.7 lmh y'mrw bᶜmym | 13] |
| [17.8 'yh 'lhyhm | 9] |

[84]Zum modalen Charakter von beigeordnetem *šûb* vgl. Ges.-K. § 120d.

[85]*Barstad*, a.a.O., 66, hat die interessante, hier aber nicht lösbare, Frage aufgeworfen, ob die prophetische Umkehrforderung nicht primär missionarischen Charakter habe, d.h. als Ruf zu Jahwe und weg von den ursprgl. kanaanäischen Gottheiten zu verstehen sei.

[86]Vgl. zur ethischen Qualifizierung rituellen Handelns u. zu Jes 58,5ff.

[87]Vgl. zu *nḥm* besonders *Jeremias*, Reue Gottes, pass.; zu Joel besonders 87ff.

[88]S.u. zu Jon 3,9.

[89]Vgl. Jo 1,13. Hier wird offensichtlich wiederum eine Verbindung zwischen Heuschrecken-/Dürre- und *ywm-yhwh*-Not hergestellt.

[90]Abgesehen von kleineren Abweichungen entspricht Jo 2,15f. der ersten Aufforderung Jo 1,14, wobei allenfalls die zusätzliche "Heiligung der Gemeinde" (*qdšw qhl*), vgl. aber App. BHS z.St., von Bedeutung wäre – könnte man dies genauer bestimmen.

[91]Zur Kolometrie vgl. *Loretz*, UBL 5, 31f.

Übersetzung:

17.4 Blicke, Jahwe, auf dein Volk,
[17.5 gib nicht der Schande preis dein Eigentum,[92]]
[17.6 daß über sie die Fremdvölker spotten[93].]
[17.7 Warum soll man bei den Völkern sagen:]
[17.8 Wo ist ihr Gott?]

Im Unterschied zu Jo 1,16ff. bietet Jo 2,17 nun den vollständigen Klagewortlaut. Als das motivierende Element der Gebetserhörung bildet die Frage "wo ist ihr Gott?"[94] den Höhepunkt der Klage in 17.8.

Am Geschick Israels zeigt sich der Völkerwelt, ob Jahwe in Israel anwesend ist oder nicht. Darum zielen Gebet und folgender Erhörungszuspruch (Jo 3,1-5) auf den Erweis der Gottespräsenz[95].

Mit der Zeitbestimmung *whyh ʾḥry kn* "und danach wird geschehen" bezieht Jo 3,1 das nun folgende Geschehen im Sinne einer zeitlichen Folge auf den in 2,19-27[96] ergangenen ersten Heilszuspruch. Wie die erste Not als Vorbote des *ywm yhwh* verstanden wurde, ereignet sich auch die Restitution und Rettung als zeitliches Nacheinander.[97]

Jahwe wird seine Präsenz in einem doppelseitigen Geschehen erweisen: er wird Israel durch die Ausgießung (*špk*) seines Geistes (*rwḥ*) in eine prophetische Existenz[98] verwandeln (3,1), so daß nun die Anrufung des Jahwenamens (3,5) in prophetischer Vollmacht geschieht und Rettung[99] bewirkt. Das parallel

---

[92] Vgl. *Wolff*, a.a.O., 61.

[93] Präzisieren 17.6-7 das *mšl* der Fremdvölker, so bleibt als Übersetzung nur "spotten" und nicht "herrschen", wie *Wolff*, ebd., veranschlagt.

[94] Vgl. Ex 32,12; Dtn 9,26-28; Ps 44,12ff.; 79,4.10; 115,2; vgl. u. 240f.

[95] Vgl. *Vorländer*, Mein Gott, 282; vgl. o. zu Jer 14,19ff.

[96] Vgl. *Wolff*, a.a.O., 78f.

[97] Vgl. *Jeremias*, a.a.O., 97.

[98] Vgl. *Wolff*, a.a.O., 78f.; zur prophetischen Begabung mittels der *rwḥ* Jahwes vgl. IIChr 20,14; s.u. 200; nach Ez 39,29 -ebenfalls *špk + rwḥ*- hat die Gabe des göttlichen Geistes zur Folge, daß Jahwe sein Angesicht nicht "mehr (*ʿwd*) vor ihnen verbergen will (*ʾl ʾstyr*)", d.h. die Verborgenheit Gottes aufgehoben wird.

[99] Vgl. *Ruprecht*, THAT II, 425f.

verlaufende Gericht über alle Völker, die Israel jemals bedrängt haben, (Jo 4,1-3.9-14)[100] nimmt nach Jo 4,16 seinen Ausgang vom Zion, von wo Jahwe seine Stimme erschallen läßt und der als Wohnort Jahwes nun für Israel zur Fluchtburg[101] wird. Analog zu Jo 2,27 schließt diese Ankündigung universalen Geschehens mit einem Erweiswort[102] (Jo 4,17a). Es verheißt die Erkenntnis des auf dem Zion lokalisierbaren Jahwe.

Die inhaltliche Steigerung beider Erweisworte (2,27a/4,17a) über die Stufen Präsenz, Einzigkeit[103] und Wohnort[104] (*škn bṣywn* Jo 4,17a) zielt auf die Erkenntnis einer präzise definierten und heilvollen Gottesgegenwart. Jahwe wohnt auf dem Zion als Spender des Regens (2,21ff.) *und* als Gerichts- und Schutzherr (4,15-16).

**Exkurs 4: Der sogenannte "Aufruf zur Volksklage"**

Dem Aufriß von Jo 1,5-14; 2,15-17a folgend hat H.W.WOLFF[105] hinsichtlich der Konstituierung der Volksklagefeiern zwei Elemente unterschieden: die eigentliche Versammlung des Volkes (*'sp* + Obj. *zqn/kl yšby h'rṣ*, 1,14) und die dies vorbereitenden imperativischen Aufrufe (1,5.8.11.13.14):

*hqyṣw* "erwacht", *bkw* "weint", *hyllw* "heult", *'ly* "Wehklage"[106], *ḥgrt šq* "umgürten mit dem Saqgewand", *hbyšw* "seid bestürzt", *spdw* "schlagt an die Brust", *hylylw* "heult", *lynw bśqym* "nächtigt im Saqgewand", bevor das Fasten und die Versammlung ausgerufen wird (*qdšw ṣôm/qr' ᶜṣrh*). Ähnliches bietet Jo 2,15-17a: "stoßt ins Horn" (*tqᶜw šwpr*), "heiligt ein Fasten" (*qdšw ṣôm*), "ruft die Versammlung aus" (*qr'w ᶜṣrh*). Erst in V.16 folgt die eigentliche Versammlungsaussage mit *'sp* Imp.Pl. Aus dieser Zweiteilung, Aufruf und Versammlung, hat WOLFF[107] eine Gattung "Aufruf zur Volksklage" er-

---

[100] Vgl. Ob 15; Sach 14; Zeph 1 und Jes 2,12; vgl. dazu *Barstad*, a.a.O., 97.

[101] *mḥsh* und *mᶜwz* "Bergfeste, Zufluchtsstätte" als Aussagen von Jahwe sind Bestandteil der Gebetssprache, vgl. etwa Ps 27,1; 28,8; 31,3; Jer 17,17; Ps 14,6; 46,2 u.ö.; s. ferner *Zobel*, ThWAT IV, 1022-1026.

[102] S.o. 152.

[103] Ebd.

[104] Vgl. *Janowski*, Schekina, pass.

[105] Aufruf, 392-401; ders., a.a.O., 23f.

[106] Hp.-leg. von *'lh* II "wehklagen".

[107] Aufruf, 395ff.

schlossen und aufgrund ihrer Verwendung innerhalb der prophetischen Gerichtsverkündigung folgende -schematisierte- Form bestimmt:
*Imperativ Pl. der Klage + PN + begründender ky-Satz.*[108]
Wie Jo 1,5-14 zeigen, können dabei ganze Ketten von Imperativen gebildet werden. Ihrer Semantik nach beinhalten die prophetisch rezipierten Aufrufe zur Volksklage Aufforderungen zu verbalem, emotionalem und körpersymbolischem Trauerverhalten:[109]

Verbal: heulen (*yll* Hi.)[110], schreien (*ṣ/zᶜq*)[111], weinen (*bkh*)[112], wehklagen (*ʾlh* II)[113], die Qinah anstimmen (*nśʾ qynh*)[114], trauern (*ʾbl*)[115] und verstummen, still sein (*dmm*)[116].

Emotional: erzittern (*ḥrd*)[117], bzw. unruhig sein (*rgz*)[118], ängstlich, unruhig sein (*mwg* Ni.), beschämt werden (*bwš* Hi.) und aufwachen (*qyṣ* Hi.)[119].

Körpersymbolisch: umgürten des Saqgewandes (*ḥgr śq*)[120], umgürten der Lenden (*ḥgr ᶜl ḥlṣym*)[121], nächtigen im Saqgewand (*lyn bśq*)[122], Kopf schütteln (*nwd*) als Beileidsbezeugung[123], sich bzw. sich die Hüfte schlagen (*spq ʾl yrk*)[124], sich (an) die Brust schlagen (*spd, mspd tmrwrym*)[125],

---

[108]Ebd.

[109]Das Material WOLFFs wird im folgenden diesen Kriterien entsprechend geordnet behandelt.

[110]Jes 14,31; 23,1.6.14; 13,6; Jer 25,34; 4,8; 51,8; 49,3; 48,20; Ez 30,2; 21,17; Jo 1,5.11.13; Zeph 1,11; Sach 11,2.

[111]Jes 14,31; Jer 25,34; 22,20; 49,3; 48,20; Ez 21,17; Jo 1,14.

[112]Jo 1,5; 2,27; Jer 22,10.

[113]Jo 1,8.

[114]Jer 7,29 in deutlicher Nähe zur Totenklage, vgl. auch IISam 2,14; 3,31.

[115]Jer 6,26.

[116]Jes 23,2.

[117]Jes 32,11.

[118]Jes 14,31.

[119]Jo 1,5.11.

[120]Jer 4,8; 49,3; 5,26; Jo 1,13 (absolut).

[121]Jes 32,11.

[122]Jo 1,13.

[123]Jer 22,10; vgl. die Lexika s.vv.

[124]Ez 21,17; vgl. die folgende Anm.

[125]Jer 49,3; 4,8; Jo 1,13; Jes 32,12 (lies: sᵉpōdā); Jer 6,26.

sich wälzen (im Staub) (*plš* Hitp. + *b'pr*)[126], das Haupthaar abscheren (*gzz nzr*)[127], sich ausziehen, entblößen (*pšṭ/ʿrh*)[128].

Treffend bemerkt WOLFF, daß die Abfolge der körpersymbolischen Riten noch soweit erschlossen werden könne, daß zunächst das s. Ausziehen, danach das Anlegen des Saqgewandes und infolge des nun entblößten Oberkörpers das Brustschlagen stattfand. Diese Körpersymbolik werde von verbalen Klageartikulationen begleitet, bis hin zur Versammlung an der Klagestätte.[129]

Die jeweiligen Anlässe, die zu diesen Aufrufen führten, ließen sich den den Aufruf begründenden *ky*-Sätzen entnehmen. Deutlich sind dabei die Aussagen von Verwüstung und Zerstörung. Häufigste Verwendung findet *šdd* Pu.[130] "verwüstet, verheert werden", was eine destruktive Gewaltanwendung impliziert.[131] Drastisch begegnet die Zerstörungsansage in Jer 25,34aβ.b innerhalb des Gerichtswortes an die politischen Führer der Völker. Im Bild von den "Herden und ihren Führern" wird die bevorstehende "Schlachtung" angekündigt, wobei der Inf. *ṭbḥ + l* den profanen Charakter des Schlachtens im Unterschied zur kultischen Tötung (*zbḥ*) hervorhebt.[132] Daneben finden sich Aussagen vom "Preisgeben dem Schwert" (*mgr ḥrb*)[133], vom "Vertilgt w." (*dmh* III Ni.)[134] und "Ausgerottet w." (*krt* Ni.)[135] und "Zerbrechen" (*šbr* Ni.)[136]. Zorn (*ḥrwn 'p*) und Verwerfung (*m's*)[137] als Aussagen von Jahwes Strafhandeln bilden besonders in der dtr Geschichtstheologie zentrale Begriffe, die Jahwes Reaktion auf den menschlichen Bundesbruch und Verachtung der göttlichen Weisungen bezeichnen.[138]

**Nicht weniger wirkungsvoll kommt diese Vernichtungsterminologie in der** Rede vom Tag Jahwes (*ywm yhwh*) in Jes 13,6 und Ez 30,3 zum Ausdruck, wo-

---

[126] Jer 25,34; 6,26.

[127] Jer 7,29.

[128] Jes 32,10.11.

[129] *Wolff*, Bk XIV/2, 34.

[130] Jes 23,1bα₂.14b; Jer 6,26b; 48,20bβ; Sach 11,2.

[131] Zu den Ableitungsversuchen des GN *šdy* von *šdd* und dem zerstörerischen Aspekt vgl. *Weippert*, THAT II, 875f.

[132] Zu dieser Unterscheidung von *zbḥ* und *ṭbḥ* vgl. *Hamp*, ThWAT III, 302f.; zur Vorstellung vom "Schlachttag Jahwes" bei Jeremia vgl. a.a.O., 304f.

[133] Ez 21,17b (lies muggārê).

[134] Zeph 1,11b.

[135] Ebd.; vgl. *Hasel*, ThWAT IV, 359f.

[136] Jes 22,20b.

[137] Jer 4,8b; 7,29b.

[138] Vgl. etwa *Wildberger*, Bk X/1, 196; *Wagner*, ThWAT IV, 622f.; deutlich in IIKön 17,15.20 s. dazu *Steck*, Israel, 138f. Anm. 2; *Albertz*, Frömmigkeit, 38ff.

bei hier das Gericht an den Völkern gemeint und damit ein Israel zugutekommendes Handeln ausgesagt wird.[139] Ebenfalls deuten Begriffe wie "Rauch (*ᶜšn*) vom Norden" (Jes 14,31b) oder "bewölkter Tag" (*ywm ᶜnn*) in Ez 30,3 auf ein Vernichtungshandeln Jahwes. "Rauch" (*ᶜšn*) als Anzeichen für Feuer und Brandschatzung[140], sowie die "Wolke" (*ᶜnn*) als Symbol für Jahwes Gerichtshandeln[141] bestätigen dies abschließend.

Die Begründungselemente zeigen, daß der sogenannte Aufruf zur Volksklage einen festen Platz innerhalb der prophetischen Gerichtsverkündigung, als Aufruf zur (Trauer-)Klage angesichts bevorstehender Vernichtung hat. WOLFF[142] schließt daraus, daß die Propheten sich eine vorliegende Gattung zu Nutze gemacht hätten, die aber ihren ursprünglichen Sitz im Leben bei der Einberufung einer Volksklagefeier gehabt habe.

Chr.HARDMEIER hat dieser Theorie widersprochen und sie dadurch zu entkräften versucht, daß er die Traueraufrufe primär der Totentrauer zuweist und eine Aneignung dieser Gattung in der Prophetie konstatiert.[143] Daß also eine Entlehnung aus den an das Trauergefolge ergehenden Traueraufrufen stattgefunden habe und somit keinerlei Beziehung zur kultischen "Volksklage" bestehe, begründet HARDMEIER mit der alten Unterscheidung zwischen ritueller Trauer und kultischer Klage: erstere sei profan - ohne Jahwebezug -, letztere exklusiv auf Jahwe bezogen![144]

Wie besonders die Texte aus der Umwelt Israels gezeigt haben, gibt es eine weitverbreitete Vorstellung, in deren Mittelpunkt Trauer um einen Gott steht.[145] Hintergrund dieser Vorstellung ist nicht grundsätzlich der physische Tod eines Gottes, sondern die Bewältigung kollektiver Not mithilfe des Gedankens der Gottverlassenheit, wobei Tod und Trauer Paradigmafunktion bekommen. So verwundert es nicht, wenn schon JAHNOW einen Jahwebezug atl. Trauer kategorisch verneint und HARDMEIER ihr darin folgt unter der Voraussetzung, daß sie an einen exklusiv physischen Gottesbezug denke.[146]

Daß diese Paradigmafunktion von Tod und Trauer auch dem atl. *ṣôm*-Ritual zugrundeliegt, zeigen die zum engsten semantischen Umfeld der Wurzel *ṣôm* gehörenden Begriffe. Auf der rituellen Ebene wird das Fasten parallelisiert oder explikativ gefüllt durch *nzr*[147] "s. entziehen, enthalten", *mspd*[148]

---

[139]Zur Verwendung von *ywm yhwh* in der Prophetie vgl. *Wolff*, Bk XIV/2, 38f.; *Wildberger*, Bk X/2, 506ff.; *Saebo*, ThWAT III, 584ff.; ausführlich *Barstad*, Polemics, 89ff.

[140]Vgl. *Wildberger*, a.a.O., 583f.

[141]Zur Wolke in Theophanie und Gerichtskontext vgl. *Jenni*, THAT II, 352.

[142]Aufruf, 395, 400f.

[143]Texttheorie, 342-347.

[144]A.a.O., 144. Zum angeblich unmöglichen Jahwebezug von Trauerriten s.o. 23.

[145]S.o. Kap. 2.

[146]Vgl. *Jahnow*, Leichenlied, 55f. Sie spricht jedoch nur vom "Leichenlied", in dem Jahwe nicht genannt werde (!).

[147]Sach 7,3.

"Trauerfeier, -bräuche", ***bkh*** "weinen"[149], ***ᶜnh*** II Pi. + ***npš*** "sich demütigen"[150], ***kpp r'š*** "Kopfbeugen"[151], ***yṣᶜ*** Hi. ***śq w'pr*** "hinbreiten von Saq und Asche"[152], ***lbš śqym*** "anziehen des Saqgewandes"[153], die allesamt auch in der Totentrauer bezeugt sind.[154]

Auf der sprachlichen Ebene zeigen Termini wie ***š'l, drš, bqš*** Pi.[155], ***pll*** Hitp.[156] mit Objekt ***yhwh*** oder ***'lhym***, daß rituelle Trauer den Rahmen einer sprachlichen Anrufung Jahwes bildet. Explizit bezeugt Sach 7,5 (***hṣwm ṣmtny*** "Fastet ihr das Fasten etwa mir?)[157] und die von HARDMEIER[158] unberücksichtigte Stelle Jo 2,12 "...kehrt um zu mir...unter Fasten, unter Weinen und unter Trauer (***bmspd***)", daß das Ziel der Trauer Jahwe ist, und die Volksklagefeier zwar dem Fasten (*ṣôm*) als Einzelritus ihren Namen verdankt, konkret aber ein komplexes Trauerritual[159] meint.

Für die imperativen Aufrufe zur Trauer-Klage lassen sich bislang zwei Verwendungssituationen erkennen: die von HARDMEIER dargestellte Aufforderung an das Totengefolge[160] und die prophetische Aneignung dieser Redeform innerhalb ihrer Gerichtsverkündigung.[161] Angesichts dieses Sachverhaltes kann Jo 1,5-13 nur als prophetische Adaption profaner Traueraufrufe verstanden werden, wobei die in V.13 zur Trauer aufgeforderten Priester in V.14 auch das Fasten proklamieren sollen. Diese Identität der Subjekte darf jedoch nicht dazu verführen, die ab V.14 beginnende Fastenthematik mit der Notschilderung (V.5-

---

[148]Sach 7,5; Est 4,3.

[149]Sach 7,3; Est 4,3.

[150]Jes 58,5.

[151]Ebd.

[152]Jes 58,5; Est 4,3.

[153]Jon 3,5.

[154]S.o. 211.

[155]Vgl. Ri 20,26-28; IIChr 20,1ff.; Jes 58,2.

[156]Vgl. ISam 7,5ff.; Jer 14,11-12.

[157]S.o. 73f.

[158]Argumentationsbasis Hardmeiers, a.a.O., 343ff. ist hauptsächlich Jo 1,5-13.14ff.

[159]Aufgrund der o. 76f. eingeführten Differenzierung zwischen den Riten die die Hinterbliebenen an sich selbst und am Toten ausführen, müssen auch hier Trauer- und Bestattungsritual streng unterschieden werden.

[160]A.a.O., 205ff.; 215ff.; 343.

[161]*Wolff*, Aufruf, 395ff.; *Hardmeier*, a.a.O., 345f.

13) in Eins zu setzen.[162] Ein "Aufruf zur Volksklage" wird bestenfalls da sichtbar, wo explizit ein "Fasten" (*ṣôm*) angeordnet wird, bzw. wo im Zuge solcher Anordnung auch bestimmte Riten erwähnt werden (vgl. Jon 3,5; Jo 2,12).[163]

Für den Aufruf zur Trauer-Klage wäre damit die Totentrauer als primärer Sitz im Leben,[164] das *ṣôm*-Ritual als sekundärer Sitz im Leben und seine Verwendung in der prophetischen Gerichtsverkündigung als rhetorische Aneignung dieser Redeform zu verstehen.[165]

---

[162]Die Aufrufe in Jo 1,5-13 richten sich nur an die durch die Not betroffenen Personen: Winzer, Bauern und aufgrund der ökonomischen Auswirkung auch an die Tempelpriester, die ihren Dienst nicht mehr verrichten können. Vgl. Jo 1,13b; 2,14 mit dem Hinweis, daß Speise- und Trankopfer (*mnḥh wnsk*) nicht mehr stattfinden.

[163]Vgl. u. zu Jon 3,5.

[164]Vgl. *Hardmeier*, a.a.O., 205ff.

[165]Vgl. zu solchen Formen interrituellen Austausches bestimmter Handlungselemente die verschiedenen "Situationen" des mesopotamischen *kispu(m)*, s.o. 113f.

## 2.3 Gottverlassenheit als Verlust der Lade: ISam 7

Neben Jer 14,1ff. und den einschlägigen Passagen des Joelbuches setzt ISam 7 eine präzise bestimmbare Form der Gottverlassenheit voraus: den Verlust der Lade an die Philister.[1]

Die historisch fiktive[2] und deuteronomistische[3] Erzählung von Samuels Philistersieg ISam 7,2–17 bindet auf der dtr Ergänzungsebene[4] einen Jahwekrieg an eine kollektive Fastenfeier. Sie macht damit Jahwes hilfreiches Eingreifen von einer kultischen Aktion abhängig und erweckt den Anschein, daß der kultischen Veranstaltung insgesamt der Vorrang[5] gebührt.

[1] S. auch u. 169f.

[2] ISam 7 greift fiktiv dem erst unter Saul und David errungenen Sieg über die Philister (V.11ff.) vor, vgl. ISam 13,2-14,46 (Saul), 17,14ff.; 18,6.7; 23,1-13 (David); vgl. dazu *Weiser*, Samuel, 9; *Hertzberg*, Samuelbücher, 49; zur literarischen Eigenständigkeit des Kapitels zwischen Ladeerzählung und den Berichten vom Werden des Königtums s. *Stoebe*, Samuelis, 170. Zur Bedeutung des Textes für die sog. königsfeindliche Beurteilung des Königtums vgl. *Seebaß*, ZAW 77 (1965), 286-296; *Mayes*, ZAW 90 (1978), 1-19, bes. 7ff.; *Boekker*, Beurteilung, 94ff.; *Birch*, Rise, 13ff.; *Veijola*, Königtum, 30ff.; Forschungsüberblick bei *Langlamet*, RB 77 (1970), 161-200.

[3] So bereits *Noth*, Studien, 54ff.; *Stoebe*, a.a.O., 167-175, hier 170; *Boekker*, a.a.O., 95; *Veijola*, a.a.O., 30-38 (mit älterer Lit.); *Weimar*, Bib 57, 63ff. V.3-4 stellen innerhalb der Erzählung eine zweite dtr Bearbeitung dar, welche den Erfolg der Aktion nicht nur kultisch bindet, sondern zunächst die Abschaffung der fremden Gottheiten und die Umkehr zu Jahwe fordert. Vgl. *Weimar*, a.a.O., 64; *Raitt*, ZAW 83 (1971), 30-49, verbindet das Protasis-Apodosis-Schema in V.3f. mit einem "covenant curse to prophetic threat of historical punishment", 40, in Analogie zu Dtn 28 und weist auf ein Bundeserneuerungsfest als SiL hin, was aber wohl erst spät- bzw. nachexilisch greifbar wird, vgl. *Steck*, Israel, 134; *Stoebe*, a.a.O., 172; *Birch*, a.a.O., 16.

[4] *Weimar*, a.a.O., 64ff. rechnet mit einem alten Grundbestand in V.7.8.9b.10b.11 (Jahwekrieg), einer vor-dtr. Ergänzung V.5.6aαβ.9a*.10a (kultische Einbettung) und zwei dtr Bearbeitungen in V.2aα.b.3a*.b.4.6aΓ.b. 13a.15*.16.17 und in V.2aβ.3a*[und die Astarten].9a*[ganz].12.13b.14.15*[und alle Tage seines Lebens]. Fragwürdig ist die Zuweisung der kultischen Aktion an eine vor-dtr Schicht dabei vor allem aus motivgeschichtlichen Gründen, da der Komplex Fasten + Fürbitte, bzw. Fürbitte + Brandopfer erst in dtr, bzw. späten Texten greifbar wird, vgl. *Veijola*, a.a.O., 30ff.; nur in: Jer 14,11-12a; Hi 42,7-10; Neh 1; Dan 9,4.20; s.u.

[5] Besonders deutlich kommt dies in der Analyse *Weimars*, ebd., heraus; vgl. auch *Veijola*, a.a.O., 37f.: "der Sieg wird entsprechend der Theorie des

Die Darstellung Samuels als Fürbitter, Richter und Opferherr, sein "Schreien" für Israel und die Philisterthematik kennzeichnen die kultische Bearbeitung in V.2.5–6.9a.10a, während der Jahwekrieg in V.7–8.9b.10b greifbar wird.[6] Im vorliegenden Textzusammenhang vollzieht sich zwischen V.2b "Klage hinter Jahwe her" und V.10b "Jahwes Eingreifen im Gewitter" der Übergang von *göttlicher Abwesenheit* zur *hilfreichen Gottespräsenz*. Nachdem noch in V.2 der Aufenthalt der Lade (*'rwn*) in der benjaminitischen Grenzstadt Kirjath-Jearim[7] – und damit die anikonische Präsentation Jahwes[8] – als "Wehklage hinter Jahwe her" (*nhh* I + *'ḥry yhwh*[9]) verstanden wurde, zeigt V.10b eine Epiphanie Jahwes als Wettergott[10].

Daß die kultische Versammlung dazu dient, die Gottesferne in heilvolle Gottespräsenz zu verwandeln, macht ferner die entsprechende Gegengeschichte vom Verlust der Lade in ISam 4,1–11[11] deutlich. Nach einer Niederlage gegen

---

Jahwekrieges...mit geistlichen Mitteln errungen"; vgl. auch die Ähnlichkeit mit IIChr 20, 1-30, s.u. 199ff.; *Welten*, Geschichte, 146f.

[6] So tritt Samuel in V.5 als Fürbitter (*pll* Hitp.) und Richter (*špṭ*), in V.9a.10a als Opferherr (*mᶜlh*) auf, während er in V.8.9b für Israel zu Jahwe "schreit" (*zᶜq*). Zur Differenzierung der Schichten s. *Weimar*, a.a.O., 64ff.

[7] Modern Dēr el-Azhar, vgl. *A.Kuschke*, Art. Gibeon, BRL², 97-98; *Herrmann*, Geschichte, 200.

[8] Darauf weist deutlich die parallele Stellung von Lade und Jahwe hin, welche durch die Lokalbestimmung (in Kirjath J.), sowie durch die lokale Präposition *'ḥry* als räumliche Distanz zu dem Geschehen in Mizpa qualifiziert ist. Zur Lade als Symbol göttlicher Präsenz vgl. aus der Fülle der Literatur *Zobel*, ThWAT I, 399ff.; zur Funktion mitgeführter Gottesstandarten oder -symbole im "heiligen" Krieg vgl. *M.Weippert*, ZAW 84 (1972), 476f.

[9] Ausgehend von der Parallelisierung Jahwe/Lade und der Betonung der räumlichen Distanz erklärt sich der eigentümliche Gebrauch von *nhh* I + *'ḥry* ohne Aufspaltung der Wurzel *nhh* I "wehklagen" und *nhh* II "sich halten zu" in KBL³ 638. Der Klagecharakter kommt besonders deutlich in den von *Hardmeier*, Texttheorie, 333ff., untersuchten Belegen des nomens *nhy* "Untergangslied" zum Ausdruck, das in den Kontext ritueller Untergangstrauer angesichts kollektiver Not offenbar eng hineingehört. Aber auch das Verbum *nhh* I in Ez 32,18; Mi 2,4; Ps 102,8 (cj.) gehört zum Bereich ritueller Notklage.

[10] Jahwes epiphanes Handeln "mit mächtiger Stimme" im "Donner" (*rᶜm*) läßt sowohl eine Deutung des Donners als Jahwes Stimme, als auch als seine Waffe (Jes 26,6; 30,30) zu, vgl. *Jeremias*, Theophanie, 107f. Zur Donnerstimme als Manifestation des ugaritischen Baal vgl. a.a.O., 86f.

[11] Den Charakter von ISam 7 als einer Gegengeschichte zu ISam 4 hat *Veijola*, a.a.O., 36ff. besonders deutlich herausgestellt. Zu ergänzen wären die motivischen Entsprechungen: Fehlen der Lade (7,2), Holen der Lade (4,3-6a), An-

die Philister holen die Israeliten die Lade aus dem Heiligtum in Silo in ihr Lager, "damit ($w^{e}$+Impf.) er (Jahwe) in unsere Mitte komme" (V.3bβ).

Angesichts der in ISam 7,2 beklagten Gottesferne, die von WEISER und BUBER[12] als Trauer wie um einen Toten verstanden wurde, soll sich ganz Israel (*kl yśrʾl*), d.h. der idealtypisch gedachte Zusammenschluß aller zwölf Stämme[13] in Mizpa versammeln (V.5). *lpny yhwh* (V.6a) signalisiert dabei, daß diese Versammlung zwar vor einer kultischen, aber von der Lade unterschiedenen Präsentation Jahwes stattfindet.[14] Den Zweck der Versammlung bestimmt der Finalsatz V.5b: "Damit ich (Samuel) Fürbitte leiste ($w^{e}$ + 1.Sg.Impf. *pll* Hitp.) zu euren Gunsten (*$b^{c}$dm*) bei Jahwe (*ʾl yhwh*)"[15]. Genau diese Absicht aber bleibt ohne Ausführungsbericht. Statt dessen bietet V.6 eine kollektive Handlungsfolge mit den Elementen: versammeln (*qbṣ*) - Wasser schöpfen (*šʾb*), ausgießen (*špk*) - eintägiges Fasten (*ṣôm*) - Sündenbekenntnis (*wyʾmrw ḥṭʾnw*) in V.6a.[16] Nach einer Unterbrechung in V.7-8 (Anrücken der Philister, Furcht der Israeliten und Bitte an Samuel um Fortsetzung seines Schreiens[17]) wird diese Handlungsfolge in V.9 mit den folgenden Elementen fortgesetzt:

---

kunft der Lade und Furcht der Philister (4,6b.7a)-Anrücken der Philister und Furcht Israels (7,7).

[12]Man klagt "um die verlorene Führung...wie um einen Toten", *Buber*, VT 6 (1956), 113-173, hier 118; *Weiser*, Samuel, 14, übersetzt: "sie hielten *Totenklage* (Hervorhebung nicht im Orig.) hinter Jahwe her" unter Hinweis auf ISam 4,22, wonach der Verlust der Lade wie folgt gedeutet wird V.22a: "Und sie sagte: Fort/Verschwunden ist (*glh*) der Kabôd aus Israel (*kbwd myśrʾl*)."

[13]Vgl. *Zobel*, ThWAT III, 991.

[14]Zur kultischen Bedeutung der lokalen Wendung "vor dem Angesicht Jahwes" vgl. *vdWoude*, THAT II, 457ff.

[15]*pll* Hitp. mit durch *$b^{c}$d* eingeführtem Objekt des Begünstigten in: Gen 20,7; Num 21,7; Dtn 9,18.20; ISam 7,5; 12,19(.23); IKön 13,6; Jer 7,16; 11,14; 14,11;(29,7; 37,3); 42,2.20; Ps 72,15 und Hi 42,10.

[16]V.6b bestimmt die Handlungsfolge V.5-6a als Richtertätigkeit Samuels (*špṭ*) und steht in deutlicher Spannung zu seiner interzessorischen Funktion in V.5. Es handelt sich damit also nicht um eine Kontamination von Richter- und Retter-Vorstellung, *Veijola*, a.a.O., 33.

[17]Zum "Geschrei" (*z/$ṣ^{c}$q*) als akutem Notruf im Verhältnis zum konkreten Gebetsterminus *pll* Hitp. vgl. *Hasel*, ThWAT II, 637f.; nur hier ist *$z^{c}$q* durch *$b^{c}$d* um eine Objektsangabe ergänzt, die das "Schreien" in Analogie zur Fürbitte gestaltet, vgl. *Hesse*, Fürbitte, 89.

Nehmen (*lqḥ*) der Opfermaterie[18] (*ṭlh ḥlb*) - verbrennen des ganzen[19] Tieres als Brandopfer (*ᶜlh* Hi. *ᶜwlh*) - schreien für Israel (*bᶜd*) zu Jahwe.

V.9bβ enthält die mit *ᶜnh* formulierte Erhörungsaussage[20] "da antwortete ihm Jahwe". V.6.9a.bα qualifiziert damit die Versammlung als eine eintägige Fastenfeier (*bywm hh'w*) vor einer kultischen Jahwepräsentation. In ihrem Mittelpunkt steht eine kommunikative Ritualhandlung.[21] Den rituellen Elementen: *Vorbereitungshandlung* (Wasserschöpfen, Nehmen der Opfermaterie) + *Darbringungshandlung* (Ausgießen, als Brandopfer darbringen) korrespondiert jeweils eine *sprachliche* Handlung: Sündenbekenntnis und Fürbitte. Geschrei und Sündenbekenntnis werden durch ein material gedachtes Kommunikationsmedium[22] transportiert und transformiert.[23]

Die ausdrücklich erwähnte "Aneignung" der Darbringungsmaterie (Schöpfen, Nehmen) sowie IISam 23,14-17 unterstützen diese Deutung. Nach IISam 23,14-17 schickt David drei seiner Helden aus, um im feindlichen Lager Trinkwasser zu holen. Als sie mit dem Wasser zurückkommen "spendet (*nsk*) er (David) das Wasser Jahwe"[24] mit folgender Begründung V.17a: "...dies (das Wasser) ist das Blut der Männer, die unter Einsatz ihres Lebens (*bnpšwtm*) gegangen sind."[25] Im

---

[18] *lqḥ* + Opfermaterie + *ᶜlh* Hi.: Ri 6,26; 13,19; Gen 8,20; 22,20.13; IISam 24,22; Hi 42,8.

[19] Das nachgestellte *klyl* definiert das Brandopfer nicht als Ganzopfer (*klyl*), sondern ist auf das Milchlamm bezogen, welches "ganz" dargebracht wird, vgl. *dVaux*, Sacrifice, 31.

[20] Das Wortpaar "schreien-antworten" (*z/ṣᶜq* + *ᶜnh* bzw. + *hwšyᶜ*) "um Hilfe schreien" ist belegt in: Mi 3,4; ISam 8,18; Jes 30,19; 46,7; Hi 19,7; 35,12 bzw. Ri 3,9.15; 10,12.14; Jer 11,12; Neh 9,27; IIChr 20,9; Ps 107, 13.19, vgl. *Veijola*, a.a.O., 32; *ᶜnh* + *pll* Hitp. nur in Jer 42,4.

[21] Zur kommunikativen Funktion von Ritualen vgl. o.; s. ferner *Gladigow*, Teilung, 20ff., bes. 21.

[22] Vgl. *Gladigow*, a.a.O., 21; *Burkert*, Opfertypen, 168-187, bes. 179ff.

[23] Zum Verbrennungsrauch als transformierter Opfermaterie vgl. *Gladigow*, a.a.O., 24; *Leach*, Kultur, 111f.; *Wehmeier*, THAT II, 280f.; Zum Wasserschütten als symbolischem Akt der Herzenserleichterung vgl. Thr 2,19.

[24] Anders als ISam 7,6 hier *lyhwh*. Darbringungsterminus ist *nsk*, so daß beide Texte nur bedingt vergleichbar sind.

[25] Ermöglichungsgrund des Vergleichs ist der liquide Charakter von Blut und Wasser.

Vergleich mit dem Blut[26] der Männer erscheint das Wasser als Materialisierung des lebensgefährlichen Einsatzes der Männer und wird darum nicht getrunken

In der Aneignung selbst vollzieht sich die Identifikation des Opferherrn mit der Opfermaterie, in ISam 7,6 die Materialisierung der von ihm ausgehenden sprachlichen Äußerung.[27]

**2.3.1 Fürbitte und Brandopfer**

Der Zusammenhang von kollektivem Fasten + Fürbitte (angesichts der Verschuldung des Begünstigten[28]) + Brandopfer[29] findet sich nur in Jer 14,11-12a und ISam 7,5-6.9a.[30] Der Kern Fürbitte + Brandopfer begegnet sonst nur noch in Hi 42,7-10[31]. Innerhalb dieser jüngsten redaktionellen

---

[26]Blut ist Lebensträger, vgl. *Janowski*, Sühne, 242ff.

[27]Deutungen des Wasserritus als Wiederbelebungsritus in Analogie zu ägyptischen Riten [vgl. *Blackman*, ZÄS 50 (1912), 69-75] durch *Buber*, VT 6 (1956), 118; als Trauerritus durch *Seebaß*, ZAW 77 (1965), 293 Anm.16; als Wasserlibation bei *Weiser*, Samuel, 12; *Biran*, IEJ 30 (1980), 89-98, hier 95 (archäologisches Material) treffen kaum das Richtige. *Stoebe*, a.a.O., 168, ist mit der Alternative "Buße" oder "symbolische Trennung von der Sünde" am ehesten dem Text gerecht geworden. Die Identifikation zwischen Sterbenden mit auf den Boden gegossenem (*ngr* Hi.) Wasser in IISam 14,14 deutet in noch anderen Kontext.

[28]Jer 14,11; ISam 7,5. Die jeweilige Verschuldung der Begünstigten wird an den kollektiven Sündenbekenntnissen Jer 14,7.20 und ISam 7,6a deutlich. Zur Fürbitte vgl. *Janowski*, VT 33 (1983), 237-248, hier 246 mit Anm.30.

[29]Brandopfer mit *mnḥh* als Beiopfer in Jer 14,12a; Brandopfer neben einem Wasserritus in ISam 7,6; zu diesem Zusammenhang vgl. *Hesse*, a.a.O., 99f.; im Zusammenhang der Volksklage begegnet dieser Komplex ferner in Jdt 4,14; II Makk 1,23; vgl. *Kellermann*, BN 13 (1980), 63-83, hier: 77; vgl. zu Märtyrerfürbitte und Volksklageritual auch IIMakk 7 bei *Kellermann*, a.a.O., 75f.

[30]Der Hinweis von *Kellermann*, a.a.O., 77 auf Ri 20,26 erwähnt zwar Brand- und *šᵉlamîm*-Opfer innerhalb einer kollektiven Fastenfeier, sie werden aber nicht mit einer Fürbitte, sondern mit einer Orakelbefragung verbunden.

[31]Zum Text vgl. ausführlich *Janowski*, ZNW 73 (1982), 251-280. S. auch *Seybold*, Gebet, 94f. zur kultischen Restitution des Einzelnen, s. auch *Janowski*, Sühne, 152f.

Ergänzung[32] des Hiobbuches stehen Fürbitte und Brandopfer in enger Verbindung zu der Abwendung/Besänftigung des göttlichen Zorns.[33] Nach einer Einleitung + Redeeröffnungssignal in V.7a.b$\alpha_1$[34] ergeht eine Jahwerede an Eliphas, die den göttlichen Zorn (*ḥrh ʾpy*[35]) über Eliphas und seinen Freunden konstatiert (V.7b$\alpha_2$) und als dessen Begründung (*ky*) V.7bβ angibt, daß die drei Freunde "nicht über mich die Wahrheit (*kwn* Ni.[36]) geredet haben, wie mein Knecht Hiob." Eingeleitet mit *w$^{c}$th* formuliert V.8 eine Reihe von Anweisungen[37], die der *Abwendung des göttlichen Zorns* (V.8b$\alpha_2$) von Hiobs Freunden dienen:

| | |
|---|---|
| V.8a$\alpha_1$ | Nun aber nehmt euch sieben Stiere und sieben Widder |
| V.8a$\alpha_2$ | und geht zu meinem Knecht Hiob, |
| V.8a$\alpha_3$ | daß ihr ein Brandopfer für euch darbringt. |
| V.8βΓ | Und mein Knecht Hiob soll Fürbitte für euch tun, |
| V.8b$\alpha_1$ | denn nur[38] auf ihn will ich Rücksicht nehmen, |
| V.8b$\alpha_2$ | daß ich nichts Schimpfliches an euch tue. |
| V.9aα | Und Eliphaz...und Bildad und[39] Zophar gingen hin |
| V.9aβ | und taten, wie Jahwe zu ihnen geredet hatte. |
| V.9b | Und Jahwe nahm Rücksicht auf Hiob, |
| V.10aβ | als er für seine Freunde[40] Fürbitte tat. |

---

[32]Zur gegenwärtigen Beurteilung von V.7-10 vgl. *Janowski*, ZNW 73, 255ff. Nach *Weimar*, BN 12 (1980), 62-80, bes. 63ff. wurde eine ältere Version der Hiobnovelle (Rahmenerzählung) Hi 1,1-2.3b.6-9; 2,5-13 (ohne 2,11aβ); 42, 10aα.b.16-17 um die folgende Schicht 1,3a.4-5.10-2,4; 42,11-13 ergänzt, wobei erst die Verbindung von Hiob-Novelle mit der Hiob-Dichtung die redaktionellen Zusätze in 42,7-9.10aβ und V.14-15 veranlaßt hat, a.a.O., 75f.

[33]Zum Motiv vom Abwenden göttlichen Zorns im Kontext der Volksklage vgl. *Kellermann*, a.a.O., 71; ferner *Janowski*, Sühne, 152; hier ders., ZNW 73, 257.

[34]Verseinteilung im folgenden nach *Janowski*, a.a.O., pass.

[35]*ḥrh + ʾp* "entbrennen des Zorns" von Gott ist überaus häufig im AT; vgl. *Freedman-Lundblom*, ThWAT III, 185ff.

[36]*kwn* Ni. in Bezug auf wahrhafte Rede noch in Ps 5,10.

[37]Vgl. *Janowski*, a.a.O., 257f.

[38]Vgl. a.a.O., 258 Anm.27.

[39]Vgl. App.BHK/BHS z.St.

[40]Vgl. App. BHK/BHS z.St.; *Janowski*, a.a.O., 258 Anm.31.

Der in V.9bf. konstatierte Handlungserfolg ist, wie JANOWSKI[41] deutlich macht, von der göttlichen Akzeptierung der von dem "gerechten"[42], bzw. "exemplarischen Frommen"[43] Hiob vorgetragenen Bitte in V.8bα₁ abhängig. Ebenso wie V.9b.10aβ konstatiert auch ISam 7,9b: "Und Samuel schrie (*z^cq*) zu Jahwe zugunsten Israels (*b^cd yśr'l*) und Jahwe antwortete ihm (*wy^cnhw*)" den Handlungserfolg. Jahwes Antwort auf Samuels, von V.5b und der Konstruktion von *z^cq* + *b^cd* in V.9b her zu verstehende, Fürbitte wird in V.10a.bα konkretisiert: "Und als Samuel gerade daran war, das Brandopfer darzubringen, da näherten sich die Philister zum Kampf gegen Israel, und Jahwe ließ ein gewaltiges Gewitter an diesem Tag über die Philister donnern". Indem Jahwe Samuels Fürbitte beantwortet, eilt er Israel zu Hilfe![44]
Hi 42,9b.10aβ und ISam 7,9b bestätigen, daß die Wirkung der Fürbitte an die besondere Stellung des Interzessors[45] und sein Verhältnis zu Jahwe gebunden ist. Das Brandopfer wird demnach nicht durch die Fürbitte zur Geltung gebracht,[46] sondern es begleitet sie.[47] Innerhalb der nichtpriesterlichen Belege[48] für die Verbindung *lqḥ* (Aneignungsterminus) + Brandopfermaterie ist primär an die Kategorien Verzicht und Gabe gedacht.[49] Die Beziehung zwischen Opferherr und Opfermaterie[50] erweist

---

[41]Ebd.

[42]Hiob ist bereits bei Ezechiel (14,14.20) neben Daniel und Noah einer der drei exemplarischen Figuren, die "aufgrund ihrer Gerechtigkeit (*bṣdqtm*) ihr Leben (*npšm*) retten (*nṣl*) werden".

[43]Vgl. *Janowski*, a.a.O., 261 mit Anm. 48.

[44]So rückt V.10a mit der partizipialen Aussage *wyhy...m^clh h^cwlh* offenbar das Brandopfer viel enger mit der göttlichen Antwort in V.9b zusammen.

[45]Samuel ist nach V.6 "Richter".

[46]So *Kellermann*, BN 13 (1980), 77f.

[47]SO schon *Hesse*, Fürbitte, 97.

[48]S.o. A. 18.

[49]Vgl. jetzt *Gladigow*, Teilung, 19ff.

[50]Nach Gen 8,20 nimmt Noah von den reinen Tieren, die er auf Geheiß Jahwes in Gen 7,2 mit in die Arche nehmen und so erhalten sollte. In Gen 22,13.2 soll Abraham zunächst seinen eigenen Sohn und dann als Ersatz einen Widder nehmen; IISam 24,22 bezieht sich das Nehmen der Opfermaterie auf das Vieh, welches nach V.23 Arauna dem David schenken möchte; Ri 6,25f. soll Gideon das Tier seines Vaters an der zuvor zerstörten Kultstätte darbringen; in Ri 13,19 ist die spätere Opfermaterie erst als Speise Manoachs für den Götterboten gedacht. Darüberhinaus haben alle Texte eine bestimmte Affinität zur Installation des Jahwe-Kultes: Gen 8,20; IISam 24,25f.; Ri 6,25f. + Altarbau, womit die nachsintflutliche Zeit kultisch eingeleitet wird vgl. *Koch*, ThWAT V, 444; oder ein kanaanäischer Kultplatz jahweisiert wird, vgl. *Rost*, Studien, 25ff. Ri 13,15ff. markieren nach *Rost*, a.a.O., 22f. überhaupt die Aneignung des Brandopferkultes; schließlich läge Gen 22,2ff. die bereits

sich entweder im Sinne biologischer Zugehörigkeit oder aber als Zugehörigkeit im Sinne privaten Haus-, Grund- oder Viehbesitzes. Hier besteht die *ᶜwlh* darin, in Form des Rauches[51] die Opfermaterie aus dem eigenen Besitz in den der Gottheit zu überführen.[52] In diesem Sinne des Eigentumstransfers setzen die meisten der *pll*-Hitp.+ *bᶜd* -Belege[53] immer eine besondere Aktion des Begünstigten voraus.[54] Umgekehrt kann an die Stelle des Sündenbekenntnisses[55] der Hinweis treten, daß das gegenwärtige Betreiben von Fremdkult die Fürbitte ausschließt (Jer 7,16ff.).[56] Fürbitte setzt damit eine vorher zu vollziehende Abkehr von früherem Fehlverhalten voraus.[57]

---

vollzogene Ablösung vom Menschenopfer und der Ersatz durch Tieropfer zugrunde, vgl. *Westermann*, Bk I/2, 437f.; s.a. *Rost*, Erwägungen, 177-183, bes. 182; *Janowski*, UF 12 (1980), 231-259, bes. 255ff.

[51] Im Unterschied zum reinen Verbrennen (*śrp*) des Tieres zum Zwecke der Vernichtung, vgl. *Janowski*, a.a.O., 246 Anm. 98.

[52] Das Opfer näher präzisierende Angaben, etwa im Sinne eines *ryḥ nyḥḥ* (vgl. Gen 8,20ff. oder Lev 1,9 vgl. *Janowski*, Sühne, 217 Anm. 176), oder aber als den Opfernden im Tod stellvertretendes Opfer (vgl. zum kultgeschichtlich sekundären Handaufstemmungsritus von Lev 1,4a *Janowski*, a.a.O., 220; 221: symbolische Lebenshingabe des Sünders aufgrund der Identifikation mit dem Opfertier), oder aber im Sinne eines Sühne- und Vergebung wirkenden Ritus (zum nachträglichen Sühneinterpretament in Lev 1,4b, bzw. zur Zugehörigkeit der sühnewirkenden Blutriten zu den *ḥṭʾt* und *ʾšm*-Riten und deren sekundärer Übertragung auf das Brandopfer vgl. *Janowski*, a.a.O., 205ff.; 220; 227f.) fehlen hier völlig. Auch wird das Brandopfer nicht anläßlich einer Versündigung dargebracht, sondern scheint vornehmlich, wie Hi 42,7-10 lehrt, auf die Fürbitte bezogen zu sein.

[53] S.o. A. 15.

[54] Gen 20,7 geht die Rückgabe der Frau voran; Num 21,7; ISam 12,19 bekennen die Bittsteller zunächst ihre Sünden; Dtn 9,20 folgt der Fürbitte die Zerstörung des die Verfehlung darstellenden Kalbes; Jer 29,7 fordert aktiven Einsatz für das Land; Jer 42,2.10ff.14ff.20-22 bindet die Fürbitte an die rechte Einstellung der Begünstigten.

[55] Num 21,7; ISam 7,6; 12,19; Jer 14,7.20.

[56] Entsprechend folgt auf die Abweisung der Fürbitte in Jer 14,11 in V.13ff. der Hinweis auf das Vertrauen des Volkes auf die Falschpropheten.

[57] In ähnlicher Weise bezeugen kleinasiatische Vorstellungen, daß durch Sünde entstandene Verunreinigung durch chtonische Gottheiten in die Unterwelt gezogen werden muß, s.o. 105; Auch im Ritual des großen Versöhnungstages geht der im Blutritus vollzogenen symbolischen Lebenshingabe eine Eliminierung der *materia peccans* im Sündenbockritus voran, vgl. *Janowski*, Sühne, 229f.; 219f.; 242-247.

Die Spiritualisierung der Opfer[58] z.B. in Ps 51,19 und OrAs = Dan 3[59], hier V. 39, welche Brandopfer (Ps 51,18f.; Dan 3,39[60]) durch ein "büßendes Herz" ersetzt, verdeutlicht den modalen Charakter des Opfers. *Die Gabe des Opfertieres im Modus des Rauches wird ersetzt durch die Gabe von Herz und Geist im Modus der Demut.* Ebenso gilt Einsicht in früheres Fehlverhalten und Sündenbekenntnis als Opferersatz.[61]
Im Vergleich zwischen Jer 14,11-12a, Hi 42,8-10, ISam 7,5-9 und den spiritualisierten Opfern zeigt sich zugleich eine Entwicklungsreihe, an deren Anfang *Fürbitte+Brandopfer*[62] in ISam 7; Hi 42, sodann *Fürbitte + Sündenbekenntnis + Brandopfer* (Jer 14, ISam7*) und schließlich die Auflösung der Handlungselemente in eine entsprechende Gesinnung stehen.

Angesichts der o. skizzierten Entwicklung stellt sich für ISam 7,5ff. die Frage nach der ursprünglichen Funktion des Brandopfers neben der Fürbitte. Die spätere Vorschaltung des Sündenbekenntnisses könnte dabei eine ursprünglich integrale Einzelfunktion übernommen haben.

### 2.3.2 Brandopfer und Divination

Entsprechend der Abfolge *Fürbitte-Orakelantwort* (Jer 14,11a-12+10; ISam 7,5-9a+9b) hat MACHOLZ[63] den Aspekt der Orakelbefragung für *pll* Hitp. be-

---

[58] Vgl. *Hermisson*, Sprache, 38f.; *Janowski-Lichtenberger*, JJS 34 (1983), 31-62, bes. 48ff.

[59] Vgl. *Kellermann*, BN 13 (1980), 78f.; *Janowski*, ZNW 73 (1982), 259ff. Übersetzung bei *Plöger*, JSHRZ 1/1, 72.

[60] So fährt Dan 3,39 fort: "wie mit Brandopfern von Widdern und Stieren und von zahllosen Fettschafen", *Plöger*, ebd.; vgl. auch Mi 6,6-8. Zur Ersetzung des Opfers durch Fasten und soziale Gerechtigkeit vgl. *Janowski*, Sühne, 138ff.; s.a. Thr 2,19; Ps 62,9; zur Ersetzung kultischen Fastens durch soziales Verhalten vgl. u. zu Jes 58,6ff.; zur Ersetzung der Trauerriten vgl. Jo 2,12-13a.

[61] Hierin läge zugleich der Grund für die Ermöglichung dieser Spiritualisierung.

[62] Das Sündenbekenntnis gehört einer späteren Bearbeitungsschicht an, als der Wasser- und Opferritus; s.auch Thr 2,19; *Veijola*, Königtum, 36 mit Anm. 46; *Hermisson*, Sprache, 78. Auch Hi 1,5 scheint ein Brandopfer für die Versündigung eines Dritten vorauszusetzen, vgl. *Fohrer*, Studien, 47f.

[63] Vgl. *Macholz*, Jeremia, 326ff.

sonders herausgestellt. Im Blick auf die Opfermaterie hat FOHRER[64] Hi 42,8-10 und Num 23,1-3.14f.; 24,1a miteinander verglichen.

In der Bileamerzählung[65] soll Balaq sieben Altäre bauen und darauf sieben Stiere (*prym*) und Widder (*'ylym*)[66] als Brandopfer (V.2a.3a) darbringen. Sie dienen als Vorbereitung für den Seher Bileam[67], um eine Begegnung (*qrh*)[68] mit Jahwe abzuwarten und um nach "Vorzeichen, Omina" (Num 24,1a: *nḥšym*)[69] zu schauen.

Allgemeines Charakteristikum des atl. nichtpriesterschriftlichen Brandopfers ist der "angenehme Geruch" (Gen 8,20: *ryḥ nyḥḥ*)[70]. Das Geruchselement findet sich ebenfalls im Zusammenhang mesopotamischer Divination, in den Opferschauritualen und *ikribu*-Gebeten des *bārû*.[71] In ihnen stellt das vom *bārû* oder seinem Klienten dargebrachte Opfer das divinatorische Medium dar. Parallel dazu werden jedoch Riten überliefert, die mit Zedernholz (GIŠ.ERIN), Zedernstab, oder -spänen manipulieren und eine genuine Verbindung von *bārû* und Zeder vermuten lassen.[72] Als Räuchermaterie dienen die Zederspäne als

---

[64] Studien, 47f.

[65] Auf die besonderen Probleme der Bileam Überlieferungen kann hier nicht weiter eingegangen werden. Immerhin ist bemerkenswert, daß -falls der Bileam aus Num mit dem aus den Dair-Alla-Inschriften identisch ist- die historische Existenz Moabs und Bileams vom 8./7.Jh. ins 13.Jh.v.Chr. zurückverlegt wird, vgl. *G.W. Ahlström*, Another Moses Tradition, JNES 39 (1980),65-69, hier 69 Anm.29; *Smend*, Entstehung, 84, 106.

[66] Zahl und Art der Tiere sind mit Hi 42,8 identisch.

[67] Zu den Bileam-Inschriften vom Tell Dair Alla aus dem 7.Jh.v.Chr. vgl. ausführlich *H.u.M.Weippert*, ZDPV 98 (1982), 77-103.

[68] Zu *qrh* I, einer Nebenform von *qr'* II vgl. KBL³ s.v.; als Offenbarungsterminus s. bei *Amsler*, THAT II, 684.

[69] Nur in Num 23,23; 24,1 im AT belegt; verbal *nḥš* I mit der Bedeutung "Vorzeichen suchen und geben, wahrsagen".

[70] Vgl. zuletzt mit Lit. *Koch*, ThWAT V, 442-445; *Janowski*, Sühne, 217 Anm. 176.

[71] Siehe jetzt grundlegend *I.Starr*, The Rituals of the Diviner, BiMes 12, Malibu 1983, 44ff.

[72] Vgl. *Starr*, a.a.O., 48f. mit Beispielen. Zur Beziehung des angerufenen Sonnengottes, Šamaš, zu Zeder und Zedernwald vgl. *J.Hansman*, Gilgamesh, Humbaba and the Land of the Erin-Trees, Iraq 38 (1976), 23-35, hier 26f.

Lockmittel für die Gottheiten, für den *bārû* selbst zur rituellen Reinigung, bevor er in Kontakt mit den herantretenden Göttern tritt.[73] Anschaulich wird die Verwendung zum Räuchern (*qatāru*) in BBR 75-78 Z.56-61:

> "Schamasch, Herr des Gerichts, Adad, Herr der Opferschau! Ich räuchere euch reines Zedernholz, einen Haufen von Spänen, süßen Wohlgeruch, Haufen von reinem Zedernholz, das die großen Götter lieben. Das Bild eurer großen Gottheit beräuchere ich; sättigt euch am Zedern(duft); es mögen sich am Zedern(duft) als Geschenk die großen Götter sättigen! Um mir Recht zu sprechen, setzt euch hin und sprecht mir Recht! Auf mein Wort, auf mein Händeerheben hin möge in allem, was ich tue, und in dem Spruch, den ich bete, Richtigkeit sein!".[74]

Als Lockmittel steht der duftende Rauch im Dienst der an die Götter ergehenden Einladung[75], herzuzutreten und Bescheide zu verkünden. Bevor der Kontakt mit den Göttern zustandekommt, unterzieht sich der Vorzeichen-Experte selbst einer Reinigung. Die Aussage "my lips are clean, my hands washed" hat OPPENHEIM[76] dahingehend interpretiert "that the priest had cleansed himself not only in body but in his soul as a preparation for the cultic act".

Die Elemente Reinigung, Anlockung der Götter und Divination scheinen funktional mit der Abfolge Sündenbekenntnis, Brandopfer und Fürbitte vergleichbar.[77] Die im Fasten-Kontext erwähnten Opfer sind darum nicht als integraler Bestandteil des *ṣôm-Rituals* zu verstehen, sondern der sekundär eingetragenen Fürbitte-Thematik zuzuordnen.[78]

---

[73]Vgl. *Starr*, a.a.O., 48; *A.Goetze*, An Old Babylonian Prayer of the Divination Priest, JCS 22 (1968),25-29.

[74]Übersetzung nach *Falkenstein - vSoden*, SAHG 23a, S.278.

[75]Vgl. *Starr*, a.a.O., 37 zu HSM 7494, Z.5,: "...invite the gods by means of (cedar) resin. Let resin and cedar (fragrance) bring you forth". Vgl. ferner die Einladung (akk. *qerû*) an die Götter bei *Goetze*, a.a.O., 26 Z.15ff. mit Num 23,1ff. *qrh* < *qr'*; s. *Starr*, a.a.O., 48; vgl. auch *A.L.Oppenheim*, A New Prayer to the "gods" of the Night, AnBib 12 (1959), Z.26;47.

[76]A.a.O., 287, 295.

[77]Vgl. auch Gilg. XI, 156ff.; Atr.-H. III,v, 34ff. Zur funktionalen Analogie von *qutrinnu* und *surqinnu* vgl. *Goetze*, JCS 22 (1968), 28.

[78]Zu den in Ri 20,26-28 erwähnten Opfern, s.u. 194f.

## 3. Fasten und Todesabwehr

### 3.1 Abwehr kollektiver Not: IKön 21,8-14

Im Vergleich mit allen anderen *ṣôm*-Texten[1] besticht die eine ältere Naboth-Tradition[2] ausgestaltende und DtrH bereits vorliegende[3] Naboth-Novelle[4] IKön 21,1-16[5] vor allem dadurch, daß das in V.8-14 erzählte Fasten weder einen kultischen Kontext, noch eine kollektive Not vorausszusetzen scheint.

Folgt man dem Erzählduktus, so weigert sich der Landbesitzer Naboth seinem König, Ahab v. Israel, ein Grundstück zu verkaufen, indem er sich auf die Unverkäuflichkeit seines *nḥlh*-Besitzes[6] beruft (V.1-4). Ahabs Gemahlin, die phönizische Fürstentochter Isebel[7], befragt daraufhin ihren Gatten, weshalb

---

[1] Vgl. die Belege o. 13f.

[2] Vgl. IIKön 9,26; dazu *Steck*, Überlieferung 40ff.; *Dietrich*, Prophetie, 50f.; *Bohlen*, Naboth, 279ff.; *Welten*, EvTh 33 (1973) 27ff., wobei eine Veurteilung Naboths, a.a.O., 28, dieser Tradition jedoch fremd ist. Zur semantischen Differenz der verschiedenen Begriffe für Landbesitz *nḥlh* - *ḥlq/h* vgl. *Schiffmann*, Grundeigentumsverhältnisse, 463ff.

[3] Aufgrund der Annahme zweier selbständiger Überlieferungsstränge in IIKön 9,35f. und IKön 21,17ff., sowie dem vorherrschenden Interesse an Isebel trennt *Steck*, a.a.O.,51ff. zwischen V.1-16 und V.17ff. und datiert V.1-16 in die Anfangsjahre der Jehu-Dynastie (845-817 v.Chr.), vgl. auch *Würthwein*, ZThK 75 (1978), 375ff.; *Bohlen*, a.a.O., 96ff.; *Timm*, Omri, 113ff. Anders *Welten*, a.a.O., 21ff. und *Hentschel*, Elijaerzählungen, 107f. Gegenüber Steck geht *Bohlen*, a.a.O., 319, mit der Datierung etwas herunter und setzt als terminus a quo den Untergang des Nordreiches 722 v.Chr., als terminus ad quem die Sammerlertätigkeit von DtrH 580-560 v.Chr.

[4] Zur Charakterisierung des Textes als Novelle vgl. *Welten*, a.a.O., 27; *Timm*, a.a.O., 117; *Bohlen*, a.a.O., 248ff.

[5] Die Frage nach dem Ende der Nabothnovelle, in V.16 oder in V.20bαΓ wird kontrovers beurteilt. Zuletzt dazu *Schmoldt*, Elijas Botschaft an Ahab. Überlegungen zum Werdegang von 1 Kön 21, BN 28 (1985), 39-52 (mit Darstellung der Positionen). Da zur Beurteilung von V.8-14 diese Abgrenzungsfrage nicht relevant ist, sei auf *Schmoldt* und die bei ihm gen. Lit. verwiesen.

[6] Der Begriff *nḥlh*, hier gerne als Differenz zwischen israelitischem und kanaanäischem Bodenrecht gesehen, spielt vor allem in den Dialogen eine Rolle. Es scheint für den Fortgang der Erzählung nicht unbedeutend, daß Ahab gerade die mit seinem Kaufgesuch zur Debatte stehende *nḥlh*-Thematik gegenüber Isebel verschweigt. Zu *nḥlh* und *ḥlq(h)* in IIKön 9,26 vgl. *Lipinski*, ThWAT V, 346ff.; *Tsevat*, ThWAT II, 1015ff.

[7] Zur Herkunft Isebels aus Sidon vgl. *Timm*, a.a.O., 224ff.; äußerst kritisch urteilt *Timm*, a.a.O., 295ff., jedoch über Isebels tatsächlichen Einfluß.

er so mürrisch sei. Dieser erzählt ihr von seiner Unterredung mit Naboth, stellt aber Naboths Ablehnung als ein schroffes Nein dar und unterschlägt dabei Naboths Argument, daß *nḥlh*-Besitz unverkäuflich und den König bindend sei (V.5–7). Isebel ergreift die Initiative, um Ahab den Weinberg Naboths zu verschaffen und bedient sich dabei eines kollektiven Fastens (V.8–14).

> "8 Und sie schrieb Briefe im Namen Ahabs und versiegelte sie mit seinem Siegel. Dann sandte sie die Briefe[8] an die Ältesten und Vollbürger, [die in seiner Stadt][9] die mit Naboth zusammen wohnten. 9a In den Briefen aber schrieb sie: 9b 'Ruft ein Fasten (*ṣôm*) aus und sorgt dafür, daß Naboth an der Spitze des Volkes Platz nimmt. 10[10] Sorgt ferner dafür, daß zwei unwürdige Männer ihm gegenüber Platz nehmen, damit sie gegen ihn aussagen: Du hast Gott und König gelästert. Dann soll man ihn hinausführen und steinigen, so daß er sterbe.' 11[11] Und die Männer seiner Stadt, die Ältesten und Vollbürger, die in seiner Stadt wohnten, taten, wie Isebel ihnen geboten hatte, wie in den Briefen geschrieben stand, die sie ihnen gesandt hatte. 12 Sie riefen nämlich ein Fasten (*ṣôm*) aus und ließen Naboth an der Spitze des Volkes Platz nehmen. 13 Und dann kamen die zwei unwürdigen Männer, setzten sich ihm gegenüber und zeugten wider ihn [die unwürdigen Männer den Naboth][12] vor dem Volk: 'Naboth hat

---

[8]Lies mit K *hsprym*, da ein Rückbezug auf das in V.8a noch indeterminierte Nomen *sprym* vorliegt.

[9]Der Passus fehlt in LXX und steht ohne ein Bezugswort, auf das das anaphorische ePP der 3.Sg.m. zu beziehen wäre. Außerdem entstünde bei Beibehaltung eine unsinnige Doppelung zu "die mit Naboth zusammen wohnten". Vielleicht handelt es sich um eine von V.11 beeinflußte Glosse.

[10]*Bohlen*, a.a.O., 65ff. scheidet V.10 als Glosse aus, da der Wechsel vom Kausativ zum Grundstamm des Verbs *yšb* in V.10.13 unmotiviert sei, der Wechsel vom Perf.cons. zum Impf. cons. zwischen V.12 und V.13 unverständlich bleibe, und V.13 die Zeugen als Subjekte der nach V.10 von den Ältesten auszuführenden Handlungen seien. Am wenigsten problematisch ist der Stamm- und Tempus-Wechsel des Verbs *yšb*, wenn man beachtet, daß in V.10 die Ältesten die Zeugen zur Falschaussage (Kausativ) veranlassen sollen und der Zeugenauftritt als Teil einer Folgehandlung (Perf.cons.) gedacht ist. Da in V.13 im Impf.cons. nun erzählt wird, was in V.10 als Planung dargestellt wurde, ist sowohl der Tempuswechsel (Perf.cons. Plan - Impf.cons. Ausführung), wie der Stamm-Wechsel (Kausativ: Plan - Grundstamm: Ausführung) hinreichend begründet. Schließlich dürfen nicht ohne Beachtung des Kontextes die Subjekte in V.13 bestimmt werden. Einerseits ist "die zwei..Männer" Subjekt des Zeugenauftritts, andererseits könnte der Kollektiv-Singular *ᶜm* als Subjekt der Strafhandlung syntaktisch wie inhaltlich gemeint sein.

[11]Entgegen *Bohlen*, a.a.O., 63, und *Seebaß*, VT 24 (1974), 479 mit Anm.5, ist V.11b, obwohl nicht in LXX belegt, korrekt.

[12]Der Satz ist in MT syntaktisch kaum korrekt. In LXX fehlt "die unwürdigen Männer vor dem Volk", wobei jedoch nur die Doppelung "die unwürdigen Männer"

Gott und König gelästert'. Da führte ihn die (versammelte) Gemeinde vor die Stadt, sie steinigten ihn mit Steinen und er starb. 14 Der Isebel aber meldete man: Naboth ist gesteinigt und tot."

Angeregt durch die im Mittelpunkt stehende Gerichtsverhandlung, welche nur an dieser Stelle mit *ṣôm-Fasten* verbunden erscheint, sind verschiedene Erklärungen des Fastens vorgetragen worden. So hat man einerseits an die von IKön 17 berichtete Dürre als Anlaß des Fastens gedacht[13], oder aber an einen besonderen kultischen Rahmen, den die in V.13 praktizierte Todesgerichtsbarkeit verlange.[14] Weniger gewichtig sind dagegen diejenigen Versuche, aus Naboths scheinbarer Repräsentantenfunktion (an der Spitze des Volkes) auf Elemente eines Ersatzkönigrituals[15] zu schließen. Bei einem erneuten Interpretationsversuch des Fastens in IKön 21 stellt sich die Aufgabe, sowohl die Aussagen der übrigen Fastentexte, als auch die literarische Struktur der Naboth-Novelle zu berücksichtigen.

Der in IKön 21,9bff. geschilderte Fasttag ist in mehrfacher Weise singulär. Das Fasten bildet hier den Rahmen eines fingiertes Rechtsverfahrens in dessen Anschluß ein illegales, weil erzwungenes Todesurteil vollstreckt wird. Die Anberaumung des Fastens durch die Ältesten[16] unter Mitwirkung des Königs[17] bildet formal den einzigen Vergleich zu den übrigen *ṣôm*-Texten.

---

und das nachgestellte Objekt "Naboth" Schwierigkeiten bereiten; auch ist durch das an *wyᶜdhw* vorliegende ePP der 3.Sg.m. bereits eindeutig auf Naboth referiert. Dagegen stört die doppelt gesetzte Präposition *ngd* keineswegs, sondern deutet den doppelten Richtungsbezug der Zeugenaussage (Naboth - Volk) an, gegen *Bohlen*, a.a.O., 64f.

[13]Vgl. etwa *Schulz*, Todesrecht, 116 mit Anm. 101; *Hentschel*, a.a.O., 301 mit Anm. 874.

[14]*Schulz*, a.a.O., 116 mit Anm. 102; *Seebaß*, a.a.O., 480f. denkt an eine auf das Fasten abgestimmte Anklage, die eine Verteidigung des Angeklagten nicht zulasse; auch *Baumann*, Naboths Fasttag, 39f., zieht ein Verfahren zur Schulduntersuchung in Erwägung, argumentiert jedoch mit sehr viel jüngerem Material aus der Vita des Josephus.

[15]Vgl. die ablehnende Haltung von *Kümmel*, ZAW 80 (1968), 20ff.; zum Ersatzkönigsritual vgl. ausführlich *Parpola*, LAS II, XXII-XXXII.

[16]Die Ältesten, hbr. *zqn*, akk. *šībūtu*, haben seit aB-Zeit im alten Vorderasien Mitwirkungsrechte an den die Ortsgemeinden betreffenden Rechtsverfahren. Das hier vorausgesetzte Zusammenwirken von König und Ältestengremium deutet dabei zugleich auf das Alter der Novelle, wenn hier die durch Älteste und König repräsentierten gesellschaftlichen Organisationsformen noch nicht völlig getrennt erscheinen, vgl. z.B. *Conrad*, ThWAT II, 639ff.; *Klengel*, OrNS 29 (1960), 357ff.; ders., ZA 57 (1965), 223ff.

Das intrigante Vorgehen Isebels (V.8ff.) zeigt jedoch, daß der Fasttag lediglich das Szenarium darstellt, um einen fingierten Schauprozeß zu veranstalten.[18] Der geschilderte Ablauf ist der erzählerischen Intention, die Isebels Ausnutzung gesellschaftlicher Institutionen beschreiben will, deutlich untergeordnet. Trotz des literarischen Charakters der Novelle steht zu vermuten, daß zwischen dem Anlaß des Fasttages und dem stattfindenden Verfahren ein genuiner Zusammenhang besteht.

### 3.1.1 Verschuldung kollektiver Not

Die gegenüber Naboth erhobene Beschuldigung wird in V.10.13 jeweils als Anklage (Lästerung) + als Ausführungsbestimmung formulierte Tatfolgeandrohung[19] (Aussage, Steinigung, Tod) wiedergegeben. Tatbestandsterminus ist *brk* Pi. als Euphemismus für *qll* Pi.[20] Der Tatbestand der Verächtlichmachung von Gott und König wird in Ex 22,27 als Prohibitivpaar, bezogen auf Gott in Lev 24,15 als *mt-ywmt*-Satz formuliert. Die apodiktische Bestimmung im Bundesbuch, Ex 22,27 "Gott sollst du nicht verächtlich machen (*qll* Pi.), den Fürsten in deinem Volke nicht verfluchen (*'rr*)"[21] wäre also einschlägig.[22] Steinigung

---

[17]Vgl. V.8. Die Empfänger des mit dem königlichen Siegel versehenen Briefes werden jedoch über die tatsächliche Urheberschaft getäuscht. Vgl. IIChr 20,3; Jon 3,7; zu diesem königlichen Initiativrecht s. *Bohlen*, a.a.O., 376; *Welten*, a.a.O., 23 Anm. 26 und *Baumann*, Fasttag, 41.

[18]Vgl. die Kausativform von *yšb* Hi. in V.9b und die bewußt geplante Plazierung des Naboth.

[19]Vgl. *Boecker*, Redeformen, 145; zur Form der Tatfolgebestimmung als Inf.abs. G-Stamm + Impf. N-Stamm und zum sekundären Charakter der Ausführungsbestimmungen in Rechtssätzen, 148f.

[20]Vgl. *Bohlen*, a.a.O., 369 mit Anm. 164; *Schottroff*, Fluchspruch, 165 mit Anm. 3; *Scharbert*, ThWAT I, 827f.

[21]Vgl. zu IKön 21,10.13 *Bohlen*, a.a.O., 370-375; *Hentschel*, a.a.O., 296f.; *Timm*, a.a.O., 123.

[22]Die unterschiedliche Terminologie "König"/"Fürst" macht sachlich keinen Unterschied, vgl. *Timm*, a.a.O., 123.

wird jedoch erst in der Vorlage des Heiligkeitsgesetzes als Strafe dem Tatbestand der Gotteslästerung[23] zugeordnet, Lev 24,15b-16:

> "15b Jedermann, wenn er seinem Gott flucht (*qll* Pi.) muß seine Verfehlung tragen (*nś' ḥṭ'* + Suff.3.Sg.m.). 16 Wer den Namen Jahwes (*šm yhwh*) lästert (*nqb*), wird vom Leben zum Tode gebracht. Steinigen (*rgm*) muß ihn die ganze Gemeinde (*kl h*ᶜ*dh*). Ob Schutzbürger oder Einheimischer, lästert er den Namen, so muß er sterben."[24]

Aufgrund der verschiedenen Gottesbezeichnungen (*'lhym/šm yhwh*), der verschiedenen Verben (*nqb/qll* Pi.) und der Einkleidung des *mwt*-Satzes in eine Beispielerzählung Lev 24,10-23 hat SCHULZ[25] für V.15 einen alten *mwt*-Satz nachgewiesen, dem der Prohibitiv Ex 22,27 zugrundeliegt und in dem die *mwt*-Formel durch *nś' ḥṭ'* "Verfehlung tragen" verdrängt worden sei. Im Vergleich mit IKön 21,10.13 stehen die Gemeinsamkeiten: Gotteslästerung und Steinigung als *kollektive Exekution* den Unterschieden im Sprachgebrauch gegenüber. Statt *rgm* bietet IKön 21,19 *sql*, statt *qll* Pi. steht *brk* Pi. und statt *kl h*ᶜ*dh* steht *h*ᶜ*m*. Da das Verbum *sql* "steinigen" besonders in P durch *rgm* "steinigen" abgelöst[26] wurde, Ex 22,27 noch keinen *mwt*-Satz aufweist, scheint die in in IKön 21,10.13 repräsentierte Rechtsvorstellung jünger als die des Bundesbuchs (Ex 22,27) und älter als die des Heiligkeitsgesetzes (Lev 24,15f.) zu sein.[27] Der Prozess gegen Naboth, wie auch die kollektive Exekution[28] erfolgen somit nach geltendem Recht.[29]

---

[23]Zu Lev 24,15f. vgl. *Elliger*, Leviticus, 329ff.

[24]Zum Text s. *Elliger*, a.a.O., 330ff.; *Schulz*, a.a.O., 42-46; zu *nqb* als Ni.-Nebenform zu *qbb* vgl. *Schottroff*, a.a.O., 28 mit Anm. 2.

[25]Vgl. a.a.O., 42ff.; ein jüngerer *nqb*-Satz ist demnach von einem älteren *qll* Pi.-Satz zu unterscheiden, vgl. a.a.O., 43 mit Anm. 166.

[26]Vgl. *vdWoude*, THAT II, 541; KBL³ s.v. *sql*, sowie die Konkordanzen.

[27]So könnte man auch aufgrund dieser rechtsgeschichtlichen Überlegungen die von IKön 21,10.13 vorausgesetzte Rechtspraxis mit aller Vorsicht in die mittlere Königszeit datieren.

[28]Auch Dtn 17,7 fordert speziell für Zeugenprozesse, daß die Zeugen mit der Steinigung des Verurteilten zu beginnen hätten. Diese Praxis wird in den jüngeren Partien von H (Lev 24,14) durch den Handaufstemmungsritus als sakralrechtlichem Indikationsgestus ebenfalls ersetzt, vgl. *Janowski*, Sühne, 204ff.; *Elliger*, a.a.O., 329ff.

Danach wird unter Berücksichtigung des Euphemismus *brk* Pi. dem Angeklagten Naboth eine *qll* Pi.-, bzw. *'rr*-Handlung zur Last gelegt. Entsprechend der deklarativ-ästimativen Bedeutung des D-Stammes[30] hätte Naboth Gott und König "für im Zustand des Klein-/Gerings-Seins befindlich" erklärt, sie geringgeschätzt, verachtet.[31] *Gott* (nicht *yhwh*) *und König* bilden als Wortpaar zugleich eine Abbreviatur der königsideologischen Vorstellung vom König als Sachwalter und Stellvertreter Gottes (Jahwes)[32], die damit selbst zum Ziel des Fluches[33] wird. Naboths angebliches Vergehen richtet sich also nicht gegen irgendeine Person, sondern gegen die durch die Gott-König-Beziehung repräsentierte (Welt-)Ordnung.

Seit der Tatbestandsverwirklichung steht diese Tat unter dem Verdikt der Todesstrafe (Steinigung)[34], so daß die ohnehin durch den Fluch gefährdete Ordnung zusätzlich von der auf Naboth liegenden Todesschuld belastet ist.[35]

---

[29]Vgl. *Bohlen*, a.a.O., 368ff.; *Timm*, a.a.O., 122ff.; *Brichto*, Curse, 159ff.

[30]Vgl. *Jenni*, Pi^c^el, 40ff.

[31]Es bedeutet somit nicht notwendig "verfluchen", wie *Jenni*, a.a.O., 41, angibt; vgl. *Brichto*, a.a.O., 118ff. Vgl. auch *Scharbert*, ThWAT I, 872f.; *Schottroff*, Fluchspruch, 29; *Keller*, THAT II, 644f.; *Bohlen*, a.a.O., 371ff. Es ist also weder eine magische Daseinsminderung durch Schadenzauber, vgl. bei *Schottroff*, a.a.O., 17 mit Anm.2, noch ein rein sprachlich wirksamer Fluch, vgl. *Keller*, THAT II, 643, gemeint. Ebensowenig kann die akk. Wendung *ana ilī qullulu* "to commit offense against (a) god(s)", vgl. *Brichto*, a.a.O., 218, zur Erklärung herangezogen werden, da nicht *qullulu* D-St. zu *qalālu*, sondern die entsprechende Form von *gullulu* "to commit a sin" zu lesen ist, vgl. CAD G s.v., 132a; CAD Q s.v., 58a.

[32]Vgl. *Seybold*, ThWAT IV, 942ff.; *Wildberger*, Bk X/1, 358f. zu Jes 8,21; *Steck*, Friedensvorstellungen, 19f.; *Gese*, Messias, 130.

[33]Vgl. auch Jes 8,21 und Ps 10,3f. wo inhaltlich die *brk*-D-Stamm-Handlung als Negation der Gottesxistenz ( *'yn 'lhym*) erläutert wird.

[34]Vgl. *Boecker*, Recht, 31f.; ders., Redeformen, 148ff.; *Illmann*, ThWAT IV, 781f.

[35]Vgl. besonders *Koch*, ThWAT II, 861 zur kollektiven Auswirkung individueller Unheilssphäre.

### 3.1.2 Individualschuld als kollektive Bedrohung

Daß und wie ein individuelles Vergehen das Kollektiv gefährdet, zeigen beispielhaft Jos 7 und ISam 14. Der Diebstahl von Jahwe geweihtem Banngut (*ḥrm*)[36] führt so z.B. zu einer militärischen Niederlage der Israeliten. In einem Orakel (V.10ff.) erhält der klagende Josua (Jos 7,6-9) den Bescheid, daß Jahwe deshalb nicht mehr in Israels Mitte präsent sei, weil eine individuelle Versündigung vorliege. Erst als der Schuldige durch ein Losverfahren[37] ermittelt und mit dem *Tode* bestraft ist (V.25f.), wendet sich der Zorn Gottes.[38]

In der anderen Erzählung (ISam 14,24) hatte Jonathan unwissentlich einen Fluch König Sauls übertreten (V.27). Als Folge gibt Jahwe keine weiteren Orakel,[39] und Saul selbst nimmt eine individuelle Verfehlung als Ursache des Schweigens an. Schließlich bedeutet die bloße Existenz eines Erschlagenen für Land und Leute eine "trotz deren subjektiver Unschuld"[40] fortbestehende Schuldrealität (Dtn 21,1-9).

IKön 21,8ff. stellt aufgrund des literarischen Charakters demnach keine Quelle dar, um Ablauf oder einzelne Elemente des kollektiven Fastens zu bestimmen. Als Anlaß des hier geschilderten Vorgehens darf jedoch eine mehrfache Gefährdung des Kollektivs angenommen werden. Sie besteht zunächst darin, daß durch den Fluch elementare Ordnungen gefährdet sind, dann aber in der auf Naboth liegenden Todesschuld.

Von allen Fastenbelegen bietet die Naboth-Novelle nicht nur den ältesten literarischen Beleg, sondern auch eine archaische, hier prophylaktisch zu deutende Funktion des Fastens.

---

[36] Vgl. *Lohfink*, ThWAT III, 192ff.

[37] Hier *lkd* vgl. *Groß*, ThWAT IV, 575f.

[38] *yšb mḥrwn ʾpw* "wenden von seiner Zornesglut", vgl. *Freedman-Lundblom*, ThWAT III, 183ff.

[39] Terminus ist hier *šʾl bʾlhym* "Gott befragen" und *lkd* "durch Los ermitteln", vgl. auch *Gerleman*, THAT II, 843f.; *Boecker*, Redeformen, 115f., 146 zum Ordalverfahren.

[40] *Janowski*, Sühne, 164, vgl. 163ff.

### 3.2 Todesabwehr in Jon 3

Da Jon 3,9a wörtlich mit Jo 2,14a identisch ist[1] und zugleich eine theologische Interpretation der zuvor geschilderten Fastenversammlung (V.5–8) darstellt, sei hier nur auf einiges Weniges hingewiesen. Historisch fiktiv[2] und gleichzeitig persische Verhältnisse[3] widerspiegelnd, stellt der Verfasser des Jona-Buches eine Fastenfeier in den Mittelpunkt des 3.Kapitels. Nachdem Jona auf Jahwes Geheiß in Ninive angekommen ist (3,1–4a), verkündet er dort (V.4b) den Gerichtsbeschluß:

"Noch vierzig Tage und Ninive wird zerstört werden". [4]

Die Gerichtsankündigung, mit *hpk* Ni. formuliert und an die Sodom-Gomorrha-Episode erinnernd, verstehen die Niniviten als göttliche Bedrohung, da sie "sich in Gott festmachen" (V.5: *ʾmn* Hi.), ein Fasten ausrufen (*qrʾ ṣôm*) und Groß und Klein Saqgewänder anlegen (*lbš* Pi. + *śq*).[5] Im nachholenden

---

[1] S.o. 157f.

[2] Zu den historischen Verhältnissen zur Zeit des Propheten Jona, zur Zeit der neuassyrischen Weltreichspolitik und der entsprechenden Funktion Ninives vgl. etwa *Wolff*, Bk XIV/3,53ff; *Kaiser*, Einleitung,198ff dort auch weitere Lit.; s. auch *Weimar*, BN 18 (1982), 86-109.

[3] Vgl. etwa die Art und Weise des königlichen Edikts, sowie den Bericht *Herodots* (Hd. IX, 24) darüber, daß die "Barbaren" (= Perser) anläßlich des Todes des Masistios nicht nur sich selbst, sondern auch ihren Reit- und Zugtieren aus Trauer die Haare schoren; in Jon 3,7b wird entsprechend das Fasten auf die Tiere (*bhmh*, *bqr* und *ṣʾn*) ausgedehnt. Neuerdings hat *B.Porten*, Baalshamem and the Date of the Book of Jonah, in: De la Tôrah au Messie (FS H.Cazelles), hg. v. M.Carrez, J.Doré, P.Grelot, Paris 1979, 237-244 eine vorexilische Datierung des Jona-Buches vorgetragen, welche jedoch darum nicht verfängt, weil das ganze Jona-Buch auf historisch vergangene Vorstellungen zurückgreift und die Abhängigkeit von Verhältnissen zur persischen Zeit, aber auch von Joel nicht, beachtet wird.

[4] *hpk* Ni. Auffällig ist hier, daß *hpk* (u. Derivate) der Begriff schlechthin ist für die Zerstörung von Sodom und Gomorrha (Gen 19,21.25.29) und vor allem aufgrund von Jon 1,2, da Sodom/Gomorrha und Ninive das Böse repräsentieren. *hpk* Ni. ist damit nicht nur eine formalisierte Abstraktionsbildung des Grundstamms, s. *Seybold*, ThWAT I,456, sondern zeigt auch in Jon 3 noch deutlich den Gerichtscharakter des so angekündigten Geschehens auf. Vgl. z.B. *Wolff*, Bk XIV/3, z.St.

[5] S.o. zu Herodot A. 3.

Stil[6] berichten V.6-9 über das Zustandekommen der allgemeinen Trauer. Nachdem der König den Vernichtungsbeschluß (V.6a *dbr*) durch Jona vernommen hat, erhebt er sich von seinem Thron (*qwm mks'w*), "legt sein königliches Gewand ab (*ᶜbr 'drt*)", "bedeckt sich mit dem Saq (*ks' śq*)" und "setzt sich in den Staub (*yšb 'l h'pr*)".[7] Ins Auge sticht die frappante Ähnlichkeit dieser Szene mit der Reaktion Els im ugaritischen Baal-Zyklus, mehr noch mit dem Verhalten des Königs von Šubria anläßlich der Feindbelagerung durch die Assyrer.[8] Der vollzogene Kleider- (Pracht-/Saqgewand) und Ortswechsel (Thron/Asche-Staub) illustriert die Verwandlung der königlichen Paraphernalia in kaum zu überbietender Deutlichkeit.

In der Konsequenz der Sache liegt es, wenn das nun vom König und seinen obersten Beamten ausgehende Dekret (V.7a) eine umfassende *Landestrauer*, Gebet (V.7b-8a) und Abkehr vom bösen Lebenswandel (V.8b) anordnet. Den Handlungserfolg stellt V.9 fragend in Aussicht. Das Ritual besteht aus Trauerriten und einem Gebet: Mensch und Tier[9] sollen weder (*m'wmh*)[10] essen (*tᶜm*), noch Wasser trinken (*šth*), sie sollen sich mit dem Saq bedecken (*ks'* Hitp. *śq*), und mit Macht (*bḥzqh*) zu Gott rufen (*qr' 'l 'lhym*). Parallel zu Jo 2,12f geht mit dem rituellen ein ethisches Handeln einher: V.8b "ein jeder möge umkehren (*šwb*) von seinem Weg des Bösen (*mdrkw hrᶜh*) und von dem Unrecht seiner Hände (*hḥms 'šr bkpyhm*)".[11] Die durch Jon 3,7-8 repräsentierte Abfolge *Trauerriten-Gebet-ethischer Lebenswandel* versteht anders als Jo 2,12ff Trauer nicht als Modus der Umkehr[12], sondern rituelles und ethisches Handeln als gleichgewichtige Elemente. Wie die rituelle Umkehrung der

---

[6] Vgl. hierzu z.B. *Wolff*, a.a.O., 120.

[7] Vgl. zu dieser Trauerreaktion des ninivitischen Königs diejenige des Götterkönigs El, s.o.; *'drt* "Pracht" und dann "Prachtmantel" meint hier das königliche Prachtgewand; zu ug. *adr* als Qualitätsbezeichnung für Gewebe vgl. *S.Ribichini-P.Xella*, La Terminologia dei Tessili, s.v. 27.

[8] S.o. 83f.

[9] Zuerst werden die Menschen, dann die Tiere genannt: *h'dm whbhmh hbqr whṣ'n* in V.7b; *h'dm whbhmh* in V.8a.

[10] Dies im Unterschied zu denjenigen Aussagen, vgl. Ri 20,26-28, die durch die Fastenterminierung "bis zum Abend" nur ein eingeschränktes Nahrungsverbot erlassen.

[11] S.o. 216f.

[12] S.o. 157f.

königlichen Macht[13] nahelegt, erscheint rituelle Trauer nur als äußeres Zeichen des geänderten Lebenswandels. Ritus und Ethos[14] bilden eine untrennbare Einheit, deren konkreter Sinn in V.9 vorsichtig (*'wly*) angedeutet wird:

> "Wer weiß, vielleicht beherrscht (*nḥm* Ni.) sich Gott wieder[15], daß er **abläßt von seinem Zorn (*šwb mḥrwn 'pw*)[16]** und wir nicht umkommen."

Das Hauptgewicht der Aussage liegt auf dem konsekutiven Perfekt *wšb*. Es bestimmt Gottes Selbstbeherrschung als Voraussetzung der Zornabwendung. Der Zweck der Fastenfeier läßt sich nun eindeutig angeben: Rücknahme des göttlichen Unheilsbeschlusses und Zornabwendung, so daß die bedrängten Menschen dem Unheil nicht ausgeliefert werden.[17]

Die Vorstellung von der göttlichen Selbstbeherrschung (*nšm* Ni.) als solcher[18] unterscheidet sich allerdings von den Aussagen in Jona. Nicht das menschliche Verhalten, sondern allein der göttliche Wille bewirkt dort die Rücknahme des Zornes. Dies ändert sich unter dem Eindruck des Exils, denn von "nun ab wird stets menschliches Verhalten zum auslösenden Faktor für Jahwes Eingreifen gegen sich selbst".[19]

Fasten zur Abwendung eines kollektiven Todesgeschicks bildet hier nur noch den äußeren Rahmen des vollzogenen Gesinnungswandels und zugleich

---

[13] Vgl. Jon 3,6 sowie o. 158.

[14] Zum Verhältnis von Ritus und Ethos vgl. *Hermisson,* Sprache,118; *H.Lichtenberger-B.Janowski,* Enderwartung und Reinheitsidee, pass.

[15] Zur Selbstbeherrschung Jahwes in der Sache, sowie zur semantischen Bestimmung von *nḥm* Ni. vgl. *Jeremias*, Reue Gottes, 69ff.; 109ff.;Zur vorsichtigen, fragenden Inaussichtstellung der Selbstrücknahme göttlich geplanten Unheils vgl. Ex 32,20; Am 5,15; Jo 2,14; im Einzelnen s. *Jeremias* , 73f.

[16] Sowohl zu den Termini, als auch zur Vorstellung der göttlichen Zornabwendung vgl. *Janowski*, Sühne, 150ff.

[17] Zu diesem Zusammenhang von kollektiver Not und göttlichem Zorn vgl. Nabonid-Inschrift $H_1B$ o. 39f.

[18] S.o. A. 15.

[19] *Jeremias,* a.a.O.,112, hier Jon 3,10.

eine Vorstufe für die Ersetzung der Riten durch Taten der Gemeinschaftstreue.[20]

### 3.3 Fasten als Bußritual in Jer 36

Innerhalb der sog. Baruchbiographie[1] bietet Jer 36,6.9aβ.b zwei weitere Belege für das *ṣôm*-Ritual. Entsprechend den zwei Notizen wird zu einem Fasten (*ṣôm*), bzw. Fasttag (*ywm ṣôm*) vor Jahwe (*lpny yhwh*) gerufen (*qr'*). Im Tempel (*byt yhwh*) versammelt sich das "ganze Volk (*kl hᶜm*)[2] Judas, das aus ihren Städten hergekommen ist". Am Fasttag liest Baruch[3] dem Volk die Worte der Buchrolle vor: "im Tempel, in der Zelle Gemarjahus, des Sohnes des Schreibers Schaphan, im oberen Vorhof am Eingang des neuen Tempeltores".[4]

---

[20] S.u. 214ff.

[1] Jer 19,1-20,6; 26-29; 36; 37-44; 45 und 51,59-64. Speziell mit Jer 36 verbunden ist die Frage nach der Urrolle des Jeremiabuches und deren möglicher Rekonstruktion. Skeptisch in dieser Richtung *Kaiser*, Einleitung, 252f. Nach Jer 36,9,22 will das Diktat Jeremias im fünften Jahr des Jojakim, im 9. Monat stattgefunden haben, womit das Geschehen auf den Dezember 604 v.Chr. zu datieren wäre. Gegen eine solche historische Betrachtung, und damit auch gegen eine Verbindung des dort erwähnten Fastens mit der Zerstörung Askalons durch Nebukadnezar [vgl. *Galling*, TGI, 74; *Baumann*, ZAW 80 (1968), 356ff.], spricht jedoch, daß die Entstehungszeit des Diktatberichtes kaum in die Zeit der jeremianischen Wirksamkeit fällt und daß Jer 36 eine tendenzielle literarische Bildung ist. Als Gegengeschichte zu Jer 26, vgl. zusammenfassend *Rendtorff*, Einführung, 217, verdankt sich Jer 36 damit einer Zeit, die bereits bewußt die Jeremia- und Baruch-Traditionen kompiliert, vgl. *Welten*, ZThK 74 (1977), 133ff.

[2] Auch hier wird demnach eine ideale Volksversammlung vorausgesetzt. Es scheint überdies ganz unwahrscheinlich, daß man aus dem ganzen Land Juda für einen Tag nach Jerusalem zog zu einem unvermittelt anberaumten Termin, etwa im Unterschied zu festliegenden Wallfahrtsterminen oder anderen Festen.

[3] Auf eine mögliche Historizität des Schreibers Baruch deutet ein seinen Namen tragendes Siegel, vgl. *N.Avigad*, Baruch the Scribe and Jerahmeel the King's Son, IEJ 28 (1978), 52-56; ders., Jerahmeel&Baruch, BA 42 (1979), 114-118; *Jaroš*, Inschriften, 78f. zu Nr.56.

[4] Zur Topographie des Jerusalemer Tempels vgl. z.B. *Busink*, Tempel II, 721ff.; *Galling*, Die Halle des Schreibers. Ein Beitrag zur Topographie der Akropolis von Jerusalem, PJB 27 (1931), 51-57; zuletzt *D.Kellermann*, ThWAT IV, 606-611; *Hamp*, ThWAT III, 145, wonach der Begriff "oberer Vorhof" darauf hinweise, daß bereits zur Zeit Jeremias zwei Vorhöfe existierten, ein äußerer und ein etwas erhöht liegender Innenhof.

Dieser Vorgang läßt sich kaum mit dem Klagevortrag der Priester in Jo 2,17 vergleichen, da der Standort des Schreibers[5] Baruch darauf hinweist, daß er die Versammlung im Tempel als willkommenes Auditorium maximum zur Verlesung der Rolle benutzt. Währenddessen sind im Königspalast (*byt hmlk*) in der "Halle des Schreibers" (*blškt hspr*)[6] die führenden Beamten versammelt, der König befindet sich (V.22) jedoch in seinem Winterhaus.[7]

Den getrennten Versammlungen entsprechen offensichtlich unterschiedliche Funktionszuweisungen und Kompetenzen. So sind die im Tempel versammelten religiösen Funktionsträger[8] im Tempel für das dortige Geschehen, das *Fasten*, verantwortlich, während die im Palast versammelten Politiker die nationale Krise beraten.[9]

Die Fastennotizen werden in Jer 36,3.7 mithilfe der ebenfalls in Jon 3 im Kontext des Fastens belegten Umkehr-Vorstellung interpretiert.[10]

> Während V.3 direkt an den Auftrag zur Abfassung der Buchrolle (V. 1-2) anschließt und die geplante Unheilsverkündigung (V.3a) final (*lm^cn*) bestimmt V.3b: Umkehr von seinem Weg des Bösen (*yšwbw mdrkw hr^ch*)[11] + darauf folgender göttlicher Vergebung (*wslḥty*)[12] von Schuld (*l^cwnm*) und Sünden (*wlḥṭ'tm*), ist V.7 auf den Auftrag zur Verlesung am Fasttag (V.5-6) zu beziehen. "Vielleicht fällt ihr

[5]War Baruch als Schreiber ein Priester?

[6]Eine *lškt hspr* existierte damit wahrscheinlich sowohl im Tempel, als auch im Palast, vgl. *Kellermann*, a.a.O., 608.

[7]Vgl. *Kutsch*, ThWAT III, 219.

[8]Im Gegensatz zu ISam 7; Ri 20,26ff. und besonders zu IIChr 20,1ff. Dagegen ist eine rein priesterliche Klage in Jo 1,14ff.; 2,15ff. bezeugt.

[9]Vgl. *J.Kegler*, Prophetisches Reden und politische Praxis Jeremias, in: W.Schottroff, W.Stegemann, Der Gott der kleinen Leute 1, München 1979², 67-69, hier 73ff.

[10]Dies spricht ebenfalls für eine nachexilische Entstehung vgl. z.B. *Welten*, Buße II., TRE 7 (1981), 433-439, bes. 436 zur Nachinterpretation vorexilisch prophetischer Texte; vgl. auch *Thiel*, Redaktion II, 49f.; *Nicholson*, Preaching, 44f.; *Kaiser*, Einleitung, 256; *Baumann*, ZAW 80 (1968), 352; *Koch*, Profeten II, 39; *May*, JBL 61 (1942), 154.

[11]Zu dieser Formel vgl. *May*, ebd.

[12]*slḥ* "vergeben" im Kontext von *šûb* in Jer nur hier; öfter jedoch in IKön 8,30.34.36.39.50 vgl. *Veijola*, Verheißung, 179ff.; zu *slḥ* vgl. *Stamm*, THAT II, 150ff.; ders., Erlösen und Vergeben, 42ff.; zu *slḥ* Ni. s. *Janowski*, Sühne, 250ff.

Flehen (*tḥntm*) vor Jahwe (*lpny yhwh*) nieder, und ein jeder kehrt um (***wyšbw***) von seinem Weg des Bösen (***mdrkw hr***$^{c}$***h***), denn: groß ist der Zorn (*h'p*) und der Grimm (*whḥmh*), mit dem Jahwe dieses Volk bedroht hat".

Schuld und Sünde haben den göttlichen Zorn erregt, so daß Zornbesänftigung und Vergebung der Sünden nur durch "Flehen"[13] und "Umkehr" am Fasttag zu erreichen sind. Als Umkehr-Ritual steht das Fasten in engster Beziehung zu Joel 2,12ff. und Jon 3,8.[14]

### 3.4 Säkulares Fasten in Est 4,3.16

Ein kollektives Fasten begegnet im Esterbuch in Est 4,3.16 und der darauf bezugnehmenden, höchstwahrscheinlich sekundären[1] Stelle Est 9,31b. Innerhalb des biblischen Esterbuches[2], das frühestens in der ausgehenden nachexilisch-persischen Zeit[3] entstanden ist und durch seinen Schauplatz Susa auf das östliche Diasporajudentum verweist, findet das Fasten nur im Kontext der geplanten Judenvernichtung Erwähnung.

Ausgelöst durch das eigenwillige Verhalten des Juden Mardokai[4] gegenüber dem persischen Fürstenoberen Haman (3,2ff), faßt dieser, der zugleich für die Belange des jüdischen Volkes zuständig ist (3,1.6), den Entschluß, Mardokai und das ganze jüdische Volk in den persischen Satrapien zu vernichten (3,6.7-9). Haman gelingt es, König Ahasveros für seinen Plan zu gewinnen, und von

---

[13] *tḥnh* ist ebenfalls t.t. in IKön 8,28.30.38.45.49.52.54; es scheint ein demütig ruhiges Flehen auszudrücken; vgl. *Freedman-Lundblom*, ThWAT III, 27.

[14] S.o. 185.

[1] S. *Gerleman*, Esther, 137; *Bardtke*, Esther, z.St.

[2] Die sog. Zusätze zu Ester innerhalb der LXX werden hier gesondert betrachtet. Zum Text siehe *H.Bardtke*, JSHRZ I/1, Gütersloh 1979², 15-62.

[3] Vgl. *Gerleman*, a.a.O., 37f.

[4] Mardokai ist der Adoptiv-Vater des jüdischen Mädchens Ester, die der persische König Ahasveros (Xerxes I. 486-465 v.Chr.) nach der Erzählung in Est 1-2 anstelle seiner in Ungnade gefallenen Ehefrau Vasthi zur Frau genommen hat.

ihm ein Vernichtungsdekret[5] zu erwirken, das in allen Teilen des Landes verbreitet wird (3,12-15). Nachdem Est 4,1aα erzählt, wie Mardokai das Dekret bekannt wird, schildert Est 4,1aβ-3 die Reaktion darauf:

> "Und Mardokai zerriß seine Kleider (*qr$^c$ bgd*) und hüllte sich in Saq und Staub (*śq w'pr*) und er ging mitten in die Stadt und schrie sehr laut (*z$^c$q z$^c$qh gdlh*). (2) Er kam bis vor das Tor des Königs, denn niemandem (war erlaubt), das Königstor im Saqgewand zu betreten. (3) Und in jeder einzelnen Provinz, wo das Dekret des Königs und seine Anweisung hingelangt war, (da entstand) große Trauer (*'bl*) unter den Juden und Fasten (*ṣôm*) und Weinen (*bky*) und Trauerfeierlichkeiten (*mspd*). Für viele wurden Saqgewand und Staub als Lager hingebreitet (*yṣ$^c$*)."

Est 4,1aβ-3 läßt somit auf das Vernichtungsdekret des Königs eine explizit als Trauer (*'bl/mspd*[6]) bezeichnete Reaktion folgen, zu der auch das Fasten gehört. Ein Gebet oder Jahwebezug läßt sich dem Text nicht entnehmen. Als sprachliches Element kann allenfalls Mardokais lautes Geschrei[7] vor dem Königstor (*lpny š$^c$r hmlk*) in V.2 gelten. Da es verboten (V.2b) ist, in Trauerkleidung das Tor zu betreten, kann Mardokai den inneren Bereich des Königspalastes nicht erreichen. Dieser Hinweis macht deutlich, daß das Szenarium in Analogie zu den Tempelbereichen gestaltet ist. In formaler Entsprechung zu Jo 2,17, Jer 36 und ISam 7 finden Fasten und Geschrei nicht im Heiligtum vor Jahwe, sondern im Palastbereich vor dem König statt.[8] Das Fasten richtet sich damit an diejenige Instanz, die für den Vernichtungsbeschluß und seine Rücknahme zuständig ist.[9]

Die kollektiven Fastenaussagen in Est 4,3.16 unterscheiden sich jedoch von der individuellen Reaktion Mardokais. Während V.3 eine kollektive Trauer des jüdischen Volkes in jeder einzelnen Provinz ohne Angabe von weiteren

---

[5]Der Wortlaut des Dekretes fehlt im biblischen Esterbuch, in den griechischen Zusätzen wird er aber in B 1-7 (nach *Bardtke*, JSHRZ I/1, 36-39), mitgeteilt.

[6]S.o. 73f., zu den übrigen Riten; vgl. ferner *Verf.*, Ein mediterraner Trauerritus, UF 18 (1986), 263-269.

[7]S. oben in ISam 7,9.

[8]Vgl. *lpny yhwh* in ISam 7,5ff.; Ri 20,26ff.

[9]S.o. in Jon 3 zur Rücknahme des göttlichen Vernichtungsbeschlusses.

Einzelheiten bezeugt, bestätigt V.16 die formale Analogie zum kultischen Trauerfasten vor Jahwe.

Es ist Esters Diener Hatak, der der Königin im Auftrag Mardokais eine Abschrift des Dekrets überbringen (V.4-8a) und sie auffordern soll, "zum König zu gehen, sein Erbarmen zu erflehen (*ḥnn* Hitp.) und von ihm (*mlpnyw*) zu erbitten (*bqš* Pi.) für ihr Volk (*ʿl ʿmh*)". Hier nun vertritt der König die sonst von Jahwe eingenommene Position, er ist Adressat der mit *bqš* Pi. bezeichneten Bitt- oder Fragehandlung.[10] Die Verbindung zum kollektiven Fasten stellt der weitere Verlauf der Erzählung her.

Ester versucht der Bitte zu entgehen, indem sie (V.11a) auf ein Gesetz verweist, das jedem ungebetenen Eindringling im inneren Hof (*hḥṣr hpny-myt*)[11] den Tod (*lhmyt*) androhe, es sei denn, der König zeige ihm das goldene Zepter[12], "so daß er am Leben bleibe (*wḥyh*)". *lhmyt* und *wḥyh* markieren die extreme Gefährdung, welcher sich Ester auszusetzen bereit ist (V.12-15). Um den möglichen Tod von der Königin fernzuhalten ist das V.16 überlieferte Fasten-Ritual als Prophylaxe zu verstehen:

> "Geh hin, versammle (*kns*)[13] alle Juden, die sich in Susa finden lassen und fastet meinetwegen (*wṣwmw ʿly*), und ihr sollt nichts essen und nichts trinken drei Tage lang[14], tags und nachts.[15] Auch ich und meine Dienerinnen werden so fasten (*ʾṣwm*), sodann werde ich zum König gehen, entgegen dem Gesetz. Wie ich (dann) umkomme, so komme ich (eben) um (*ʾbd*) um".

Der letzte Satz formuliert mit *ʾbd* "zugrunde gehn"[16] den Bezug des vorbereitenden Fastens zur Abwehr des drohenden Todesgeschicks und gibt zwei Formen zu erkennen: *selbstreferentielles* Fasten der bedrohten Person (Ester),

---

[10]Zu *bqš* Pi. im Kontext kollektiver Not vgl. u. 237ff.

[11]Liegt auch hier eine Analogiebildung zum Standort der Priester in Jo 2,16f und zum Standort Josaphats in IIChr 20 vor?

[12]Zu diesem Brauch vgl. die Kommentare z.St.

[13]Vgl. Jo 1,14; 2,15.

[14]Dreitägiges Fasten begegnet nur noch als die schärfste Form des Regenfastens in mTaan.

[15]Sonst ist das Fasten "bis zum Abend" begrenzt vgl. Ri 20,26f.

[16]Vgl. zu dieser Bedeutung *Otzen*, ThWAT I, 21ff.

und *fürbittendes* Fasten des Kollektivs.[17] Auch in diesem Zusammenhang fehlt jeder Hinweis auf ein Gebet oder ein Handeln Jahwes.[18]

Im biblischen Ester-Buch[19] erscheint das Fasten als literarische Analogiebildung zum kultischen Trauerfasten vor Jahwe. Trotz der profanen Situation stimmt es besonders mit dem Fasten in Jon 3 darin überein, daß eine mögliche Todesgefahr abzuwenden ist.

---

[17]Fasten und Trauer zugunsten eines dritten auch in Ps 35, 13f.; s.u. 231f.

[18]Der Gottesbezug fehlt allerdings nicht nur an diesen Stellen, sondern überhaupt im biblischen Esterbuch, vgl. *Bardtke*, JSHRZ I/1, 20. Er wird hergestellt in den griechischen Zusätzen, die auch die bislang vermißten *Gebete* in den Kontext einfügen, vgl. das Gebet Mardokais C 1-11, a.a.O., 39-41 und das Gebet der Ester C 12-30, a.a.O., 41-47.

[19]Der Jahwebezug dieser ganz und gar profanen Szenen wird erst in den Zusätzen zu Ester hergestellt und kann als Angleichung an die biblischen Fasten-Texte verstanden werden.

## 4 Fasten um göttlichen Beistand

### 4.1 Fasten als ideale Kollektivierung: Ri 20,26-28

In den -im Gefolge BUDDEs[1]- sog. Anhängen zum Richterbuch (Ri 17-18.19-21), die als "chronique scandaleuse" eine promonarchische Tendenz[2] verraten, kommt es anläßlich der "Schandtat von Gibea" (Ri 19) zu einem dreimaligen kriegerischen Zusammentreffen Israels mit Benjamin.[3] Jeder der auf drei Tage verteilten Kriegshandlungen geht eine mit *š'l* + *b*[e] + GN[4] formulierte Gottesbefragung der Israeliten voran (Ri 20,18.23.26-28), die in Bethel stattfindet. Daß diese drei Szenen aus dtr Feder stammen[5] und darüberhinaus ein bestimmtes theologisches Programm formulieren, zeigt der folgende Vergleich. Die Szenen (Ri 20,18.23.26-28) erweisen sich untereinander und im Vergleich mit der dtr Einleitungsszene Ri 1,1-2[6] als sukzessive Ausgestaltung der in Ri 1 enthaltenen Grundform:

> "Da befragten (*š'l*) die Söhne Israels Jahwe: 'Wer von uns soll als erster gegen die Kanaanäer hinaufziehen, um mit ihnen zu kämpfen?' Da sprach Jahwe: 'Juda soll hinaufziehen, siehe: Ich gebe das Land in seine Hand'." (1aβ-2).

---

[1]Vgl. *Budde*, Richter, 110f.

[2]Darauf deuten die Notizen, die betont formulieren, daß es zu jener Zeit noch keinen König in Israel gab und ein jeder tat, was ihm recht erschien, Ri 17,6; 18,1; 19,1; 21,15; vgl. *Veijola*, Königtum, 15ff.

[3]Speziell zu V.26-28 vgl. z.B. *Hertzberg*, ATD 9, 242ff.; *Boling*, Judges, 280ff.; *Martin*, Judges, 211ff.; *Moore*, Judges, 433f; *Budde*, Richter, 135f.; *Fraine*, Rechters, 121f.; *Dus*, OrAn 3 (1964), 227-243, bes. 229ff.; *Besters*, ALBO IV/18, pass.; *Liverani*, StStorR 2 (1978), 303-341; *Gracia-Treto*, TUSR 9 (1967/69), 19-30 zu übergreifenden Zusammenhängen; besonders s. *Veijola*, Königtum, 15-29; *ders.*, Verheißung, 186-190; *Kaiser*, Einleitung, 152.

[4]Zu *š'l* als Terminus der Gottes- und Orakelbefragung vgl. *Westermann*, KuD 6 (1960), 2-30; *Gerleman*, THAT II, 843f.

[5]Schon *Budde*, a.a.O., 110ff., erwägt V.18.23 als Glossen, von denen V.26-28 thematisch aber abhängig sind! Vgl. auch *Boling*, a.a.O., 283; sekundär nach *Kaiser*, a.a.O., 152; ausführlicher Nachweis bei *Veijola*, Verheißung, 186ff.

[6]Vgl. die Kommentare z.St.; ferner *Veijola*, ebd.; *Kaiser*, a.a.O., 140; *A.G.Auld*, Joshua, Moses and the Land, Edinburgh 1980, 83ff.

Die Erweiterungen der Grundform betreffen die *Ortsbestimmung*: "und sie zogen hinauf nach Bethel" (V.18.23.26); das *Subjekt*: "Söhne Israels" (V.23.26) und die *Geschehensebene*: "sie weinten vor Jahwe bis zum Abend" (V.23); "sie saßen dort...und fasteten an diesem Tag...und sie brachten Brand- und *šlmym*-Opfer vor Jahwe dar" (V.26-28). Zusätzlich fallen die kollektivierenden Angaben "alle Söhne Israels/das ganze Volk"[7] auf. Entsprechend ist die Variation der Orakelfrage:

> "wer von uns soll als erster zum Krieg mit NN hinaufziehen?" (V.18aβΓ) > "soll ich fortfahren (*ysp* Hi.) mich zum Kampfe gegen NN zu nähern (*ngš*)...?" (V.23aβ) > "soll ich nochmals fortfahren (*ysp* Hi. + *ᶜwd*) zum Kampf herauszugehen (*yṣ'*) gegen NN, oder soll ich es unterlassen (*ḥdl*)?" (V.28aβ), und der Orakelantwort:

> "...Juda als erster" (V.18b) > "...zieht gegen ihn hinauf" (V.23b) > "...zieht hinauf, denn morgen gebe ich ihn in deine Hand" (V.28b).

Die Abfolge der Szenen ist deutlich gesteigert[8] und -vgl. *ysp* Hi. "fortfahren zu tun" und erweitert um *ᶜwd* (V.23.28)- zeigt, daß V.23 auf V.18, V.26-28 auf V.18+23 zurückgreifen[9]. V.18.23.26-28 erweisen sich so als ein zusammengehörender Komplex.[10]

Die Erweiterungen auf der *Geschehensebene*: kollektives Weinen, Sitzen vor Jahwe[11], Brand- und *šlmym*-Opfer entsprechen der um die Übergabeformel[12] erweiterten Orakelantwort. Israel kann am "dritten Tag" (V.30) den Sieg über Benjamin erringen, nachdem es zuvor -trotz Orakelantwort- zweimal ge-

---

[7] *kl bny yśr'l* in Ri nur 2,7; 20,1.26; *wkl hᶜm* in Ri nur 7,1; 9,34; 20,26. *kl hᶜm* aber in Dtn 13,10; 17,7.13; 20,11; 27,15 u.ö.; vgl. *Boling*, a.a.O., 283.

[8] So *Veijola*, a.a.O., 187f. Anm. 39.

[9] Ebd. Anm. 36.

[10] Dabei gilt V.27b-28a allgemein als Zusatz; vgl. die Kommentare z.St.; *Veijola*, Königtum, 22f.; *ders.*, Verheißung, 188 Anm. 41.

[11] Vgl. u. 266ff.

[12] Zur Übergabeformel *ntn yhwh 't NN byd NN* vgl. *Richter*, Untersuchungen, 21ff.

schlagen (V.20f.24f.) wurde. Ähnlich ISam 7,5-9[13] wird auch in Ri 20,26-28 Jahwes hilfreiches Eingreifen (Ri 20,35) an die Durchführung einer kultischen, kollektiven *Fastenfeier* gebunden.

Theologiegeschichtlich wie für die Entstehung des *ṣôm*-Rituals aufschlußreich ist an der Gestaltung von V.26-28 die singuläre Einbettung einer *š'l-Befragung*[14], die *idealtypische Kollektivierung*[15] und die Opferterminologie.

Die Wendung *ᶜwlh wšlmym* + gemeinsamem Darbringungsterminus *ᶜlh* Hi. begegnet außerhalb von P nur noch in Ri 21,4 (+ Altarbau); IISam 24,25 (+ Kauf des Kultortes + Altarbau); IISam 6,17f. (Plazierung der Lade im Jerusalemer Tempel) und IKön 9,25 (regelmäßige Opfer Salomos).[16] Die Belege stimmen darin überein, daß durch die Opferdarbringung entweder ein Kult installiert oder ein Kultort eingeweiht wird.[17] Kultinstallation in Form von Altarbau und Opferdarbringung setzt aber Ri 21,4 voraus.[18] Es scheint, als ob V.26-28 von 21,2-4 her gebildet wäre und eine Kontamination von Orakelbefragung und Klage-Ritual unter dem Stichwort *ṣôm* stattgefunden hätte.

Ri 20,26-28 gewinnt damit den Charakter einer aitiologischen Erzählung, deren Anliegen es ist, das Fasten als umfassende *Volksversammlung* herauszustellen. Das im Vergleich mit ISam 7 fehlende Sündenbekenntnis[19] scheint

---

[13]S.o. 166ff.

[14]Ebenfalls singulär ist, daß im Kontext einer mit *š'l* formulierten Gottesbefragung Opfer erwähnt werden.

[15]Das "ganze Volk" spielt nur schwerlich eine Rolle im aktiven Kriegsgeschehen, s.o. zu ISam 7,5.

[16]Vgl. *Rendtorff*, Studien, 42ff., vgl. auch Ex 32,6.

[17]So kommt *Rendtorff*, a.a.O., 125f. zu dem Urteil bezüglich Brand- und *šlmym*-Opfer, daß sie "insbesondere bei Altar- und Heiligtumsweihen" erscheinen, 126. Zur Herkunft der *šlmym*-Opfer vgl. grundsätzlich *Janowski*, UF 12 (1980), 231-259, dazu *Dietrich-Loretz*, UF 13 (1981), 64-100, bes. 77-88.

[18]Im Vergleich zu Ri 21,2-4 (ebenfalls in Bethel) fällt auf, daß bis auf das Fasten und bis auf die kollektivierenden Partikeln alle Erweiterungen von V.18 bis zur Endgestalt von V.26-28 hier enthalten sind. Zusätzlich bietet 21,2-4 eine mit *lmh* "warum" eingeleitete Du-Klage. Vgl. *Dus*, OrAn 3 (1964), 231, Benjamin wird ferner in 21,3 als "untergegangen(er)" Stamm beweint. Vgl. auch *Veijola*, Verheißung, 188.

[19]Vgl. *Fraine*, Rechters, 121.

ferner darauf hinzudeuten, daß Ri 20,26-28 und ISam 7 zwei verschiedenen dtr Redaktionsstufen angehören. Diese These kann durch VEIJOLAs Beobachtung, daß die Bethel-Traditionen (Ri 20) der älteren dtr-Bewegung (DtrH) und die Mizpa-Traditionen (ISam 7) einer jüngeren dtr-Bewegung (DtrP/N) zugehören[20], erhärtet werden.

Ri 20,26-28 zählt damit neben Jer 14,11f.[21] und ISam 7,2.5ff. zu einer sich von den anderen Fasten-Texten unterscheidenden Textgruppe. Ihr gemeinsames Kennzeichen ist die opferkultisch ausgerichtete und idealisierte Darstellung des *ṣôm*-Rituals.

Während das Fasten selbst wohl nur eine kollektive Bedrohung und eine Anklage Jahwes[22] voraussetzt, hat zuerst DtrH das Trauer- und Klageritual zur idealen Volksversammlung ausgestaltet. Dies ist am ehesten in einer Situation denkbar, die durch Vereinzelung und Deportation den Zusammenhalt des Volkes bedroht, dh. frühestens seit dem Verlust des Nordreiches und spätestens seit dem Exil. Die Zusammenkunft ganz[23] Israels zur Trauer und Klage ist damit der von Dtr abgesteckte kultische Handlungsraum für die Exilszeit. Indem besonders ISam 7,5ff. und Ri 20,26ff. dem kollektiven Fasten Aussicht auf Erfolg und die Wende der Not bescheinigen, wird das *ṣôm*-Ritual zur exilischen Standardklage.[24]

## 4.2 Jahwes Beistand auf der Reise: Esr 8,21ff.

> "Im 7. Jahre des Artaxerxes (458) sei der Schriftgelehrte- Schreiber-Priester Esra von Babylon nach Jerusalem gezogen, um im Auftrage des persischen Königs und auf Grund eines in seiner Hand befindlichen Gesetzes über Juda eine Untersuchung anzustellen und Verwal-

---

[20] Verheißung, 187ff.

[21] S.o. 136f.

[22] Vgl. die Bestimmung von Jer 14,2-9 als kollektive Notbeschreibung und Klage unter dem Stichwort *ṣôm* in V.11-12a.

[23] So kennt IKön 21 zwar auch ein kollektives Fasten, dies ist jedoch auf die konkrete Ortsgemeinde, wo die Gefährdung erfahren wird, beschränkt.

[24] Vgl. u. 209f.

ter und Richter für die Judenschaft von Juda und überhaupt von Transeuphratene einzusetzen."

Mit diesem Statement beschreibt GUNNEWEG die Intention des Heimkehr-Berichts in Esr 8[1], innerhalb dessen V.21-23.31 von einem kollektiven Fasten zu Beginn der Reise und der glücklichen Ankunft in Jerusalem erzählen. Am Ufer des Flußes Ahawa[2] ruft Esra alle Heimkehrer zu einem kollektiven Fasten (*ṣôm*) zusammen. Anlaß ist die bevorstehende Reise nach Jerusalem (8,1.21.31). Grammatisch wird durch eine doppelte, finale Infinitivkonstruktion (V.21aβ.b) der Zweck des Fastens wie folgt bestimmt:

> auf die Ausführenden bezogen: "um uns vor unserem Gott zu demütigen (*lhtᶜnwt*), auf Jahwe bezogen: "um von ihm zu erbitten (*bqš* Pi.[3]) eine(n geraden Weg) gute Reise für uns, unsere Kinder und all unsere Habe."

Unter Verwendung von *ṣûm* "fasten" und *bqš* Pi. "erbitten" formuliert V.23a die Ausführung der Fastenversammlung, während V.23b die mit *ᶜtr* Ni.[4] gebildete Erhörungsbestätigung bietet: "und er (Gott) ließ es sich erbitten für uns (*lnw*)."

Das Fasten (*ṣôm*) erscheint hier als "Demütigung" (*ᶜnh* II.Pi.) und verfolgt das Ziel, Jahwes erbetenen (*bqš* Pi.) Beistand zu erlangen. Eine weitergehende Bestimmung des Fastens liegt in V.22, in zwei einander untergeordneten Begründungssätzen vor. Neben der in V.22a vordergründigen "Scham" (*bwš*) Esras, vom König militärischen Geleitschutz zu erfragen (*š'l*), nennt V.22b den theologische Grund:

---

[1]Zu den politisch-historischen Verhältnissen in Esr-Neh und den tatsächlichen Verhältnissen zur Zeit der Abfassung beider Bücher vgl. *S.Japhet*, ZAW 94 (1982), 66-98; dies., ZAW 95 (1983), 218-229; *R.Rendtorff*, ZAW 96 (1984), 165-184; s.a. *A.J.H.Gunneweg*, Esra, KAT 19/1, Gütersloh 1985, 21ff.

[2]Bislang läßt sich dieses Gewässer nicht lokalisieren.

[3]Zu *bqš* Pi. s.u. 237ff.

[4]Zur Bedeutungsentwicklung von ug. *ǵtr* "töten", ar. *ᶜatara* "Opfer schlachten" vgl. *Sobottka*, Zephanja, 119; *vRad*, Theologie I, 392 Anm.23; *Ap-Thomas*, VT 6, 240f.; *Albertz*, THAT II, 385f.; *Dietrich-Loretz-Sanmartin*, UF 7, 138; *Janowski*, Sühne, 114.

"Denn wir hatten dem König gesagt: Die Hand unseres Gottes ist über allen, die ihn suchen (*bqš* Pi.) zum Wohl. Seine Strenge und sein Zorn (*w'pw*) sind über allen, die ihn verlassen (*ᶜzb*)."

Die zwei antithetischen Aussagen formulieren als Ziel, daß Gegenwart wie zorniger Selbstentzug Jahwes vom menschlichen Verhalten abhängig sind. Entsprechend bezeichnet das zweimal verwendete *bqš* Pi. in V.21f. den Vorgang der Bitte und als Gegenbegriff zu *ᶜzb* "verlassen" die vertrauensvolle Hinwendung zu Jahwe.[5]

Form, Inhalt und Ziel der Fastenfeier in Esr 8,21-23 können *rituell* als "Demütigung", *sprachlich* als "Bitte um Beistand" und *theologisch* als "Verhinderung des göttlichen Zorns" verstanden werden, so daß V.31b schließlich konstatiert:

"Und die Hand unseres Gottes war über uns, und er riß (*nṣl* Hi.) uns aus der Hand der Feinde und Wegelagerer".

---

[5]Hier ist Zuwendung und Verlassen also vom Menschen ausgesagt, vgl. oben zu Jer 14, 123.

## 4.3 Das Fastenritual in II.Chron 20,1-19

Innerhalb der Kriegsberichte[1], die zum chronistischen Sondergut[2] gehören, erzählt IIChr 20,1-19[3], wie König Josaphat[4] angesichts einer heranrückenden feindlichen Koalition[5] (V.1-2) ein Fasten (*ṣôm*) ausruft.

Bereits G.v.RAD[6] hat IIChron 20 in den Kontext des sog. heiligen Kriegs gestellt und die "paradigmatische Vollständigkeit" der Topik des Hl. Krieges betont. Daß diese Topik hier in einer "geistlichen Sublimierung"[7] dargeboten werde, läßt sich nach vRAD u.a. an der Verwandlung des Kriegsgeschreis "zum Lobgesang einer beamteten Gruppe des Kultuspersonals"[8] erkennen, die in einer "Vergeistlichung und Levitisierung des alten Vorstellungskreises" ihre Ursache habe[9].

---

[1]S. dazu *Welten*, Geschichte, 186ff.

[2]Vgl. *Welten*,a.a.O., 140ff.

[3]Die Abgrenzung des Textes erfolgt hier nach dem inhaltlichen Kriterium, daß die in IIChr 20 geschilderten Aktionen auf einen ersten (V.1-19) und einen zweiten Tag (V.20-30) verteilt sind, wobei für uns nur die Aktion des ersten Tages von besonderem Interesse ist.

[4]Diese Josaphat-Erzählung findet in den Königsbüchern keine Vorlage, trotzdem scheinen Verbindungen zu der Jahwebefragung in IKön 22,5ff. von IIChr 20,13f. her zu bestehen.

[5]Zu den topo- und ethnographischen Angaben innerhalb von IIChron 20,1-9 vgl. besonders *Welten*, a.a.O., 143ff.; *M.Noth*, Eine palästinische Lokalüberlieferung in 2.Chr.20,ZDPV 67 (1945),45-71; neuerdings *E.A.Knauf*, Mu'näer und Meuniter, WdO 16 (1985), 114-122.

[6]*vRad*, Heiliger Krieg, 80.

[7]Ebd.

[8]*vRad*, a.a.O., 81.

[9]Exegetisch wird IIChr 20 kaum beachtet. Vgl. *Lind*, Jahwe, 60.133; *Schmitt*, Sondergut, 273ff.; *ders.*, Gottesbescheid,49.

### 4.3.1 Vorbereitung und Gebet

Die Ereignisse in IIChron 20,1-19 beginnen mit einer Schilderung, daß eine feindliche Koalition immer näher heranrücke und bereits bei En-Gedi Position bezogen habe (V.1-2). Josaphat selbst befindet sich in Jerusalem, denn nach V.5 richtet der König sein Gebet an Jahwe "im Tempel, vor dem neuen Vorhof".[10] Des Königs Reaktion auf diese Nachricht der Boten ist zunächst "Furcht" (*yr'*), dann trachtet er danach[11] Jahwe zu "befragen" (*drš*)[12] und ruft ein Fasten (*qr' ṣôm*) aus (V.3)[13] Es versammelt sich ganz Juda und Jerusalem, um sich an Jahwe "zu wenden", "ihn zu suchen".[14] Innerhalb dieser Versammlung tritt Josaphat auf und spricht ein Gebet (V.6-12), das postwendend durch den Leviten Jehasiel beantwortet wird, nachdem der Geist Jahwes (*rwḥ*) ihn mit prophetischer Fähigkeit begabt hat (V.14.15-17).[15] Schließlich schildern V.18-19 die Reaktion von König und Volk auf die erteilte Orakelantwort, die in einer allgemeinen Proskynese vor Jahwe besteht.[16]

---

[10]Nach Jo 2,17 sollen die Priester "zwischen Vorhalle und Altar" das Klagegebet sprechen, s.o. 158; Ist dieser Platz mit dem hier genannten identisch? Vgl. auch *Wolff*, Bk XIV/2,61; *Welten*, Kulthöhe, 23; *Fritz*, MDOG 112, 53ff.

[11]Die Absicht wird ausgedrückt durch *ntn + 't pnyw*; vgl. dazu *vdWoude*, THAT II, 440.

[12]Hier Inf.cstr. *drš + lyhwh*. Diese Terminologie wird in der Chron bevorzugt verwandt. Von insgesamt 34 Belegen des Verbs *drš* mit Objekt Jahwe finden sich allein 16 in der Chr: IChr 10,14; 28,9; 22,19(.18); IIChr 16,12; 22,9; 12,14; 14,3; 15,12; 18,7; 20,3; 34,26; 26,6; 18,14; 34,21; 15,13.

[13]Vgl. IKön 21,9.12; Jo 1,14; 2,15; Jon 3,5; Esr 8,21.

[14]Ausgedrückt durch die zwei parallelen Wendungen *bqš* Pi. + *myhwh*, bzw. + *'l yhwh*. Die Konstruktion *bqš* Pi. + *mn* ist nur zweimal belegt: Ps 27,4 und hier IIChron 20,4, während *bqš* Pi. Inf.cstr. + *l* + *'t yhwh* noch in Hos 5,6; Sach 8,21f; IIChron 11,16 und hier gebraucht wird.

[15]Zur Geistbegabung *hyh + 'l/ᶜl rwḥ* vgl. ISam 16,23; 19,9; Num 24,2; Ri 3,10; 11,29; ISam 19,9.20.23; 16,16; IIChr 15,1.

[16]Die Mitteilung ist zweigliedrig mit einer gemeinsamen Intention: *lhštḥwt lyhwh*. Dazu "beugt sich Josaphat mit seinem Angesicht zur Erde" *qdd + 'pyw 'rṣh* (zur Wendung vgl. Ex 34,8; ISam 24,9; 28,14; IKön 1,31; Num 22,31; Neh 8,6), während es von der Versammlung heißt: *nplw lpny yhwh* "sie fielen nieder vor Jahwe". Daran anschließend lassen levitische Sänger der Korachitengruppe Lobgesang (*hll* Pi.) für Jahwe "nach oben hin" (*lmᶜlh*) erklingen.

V.6 Und er sprach: Jahwe, Gott unserer Väter! Bist nicht du der Gott, der im Himmel ist, und Herrscher über alle Reiche der Völker, und in deiner Hand ist Kraft und Stärke, niemand vermag neben dir zu bestehen. V.7 Bist du nicht unser Gott, der die Bewohner dieses Landes vor deinem Volk vertrieben hat und es den Nachkommen Abrahams, deines Freundes, auf ewig gab? V.8 Und sie wohnten darin und erbauten dir dort ein Heiligtum für deinen Namen und sprachen: V.9 'Wenn über uns Unheil kommt, Schwert, Strafgericht, Pest und Hunger, dann wollen wir vor dieses Haus und dich hintreten, denn dein Name ist in diesem Haus, und zu dir schreien wir aus unserer Bedrängnis, und du wirst hören und helfen.' V.10 Und nun siehe, die Ammoniter, Moabiter und die Leute vom Gebrige Seir, die du Israel nicht preisgabst beim Zug durch ihr Gebiet als sie aus dem Land Ägypten kamen, sondern sie wichen um sie herum aus und vernichteten sie nicht.' V.11 Und siehe, sie führen es an uns aus, sie kommen, um uns zu vertreiben aus deinem Besitz, den du uns zugeeignet hast. V.12 Unser Gott, willst du sie nicht richten, denn bei uns ist keine Kraft angesichts dieses großen Haufens, der gegen uns zieht, wir wissen nicht, was wir tun sollen, sondern auf dich sind unsere Augen gerichtet.

Das Gebet setzt mit einer Anrede an den Vätergott und einer hymnischen Prädikation ein.[17] Als Vätergott ist er ein Gott, der im Himmel ist und zugleich die Königreiche der Völker beherrscht.[18] Ab V.7 zeigt das Tempus schon stilistisch ein neues Element des Gebets an. Im erzählenden Stil verweist V.7 auf Jahwes früheres Heilshandeln[19], auf die Vertreibung der kanaanäischen Bevölkerung[20] und die Landgabe an Abraham und seine Nachkommen[21], während V.8 das Wohnen Israels und den Tempelbau in diesem Land erinnert, bevor V.9 in Anlehnung an das salomonische Tempelweihgebet (IKön 8/IIChron 6)[22] den Tempel als Gebetstätte zu kollektiven Notzeiten benennt.

---

[17]*kḥ* und *gbwrh* als qualificativa der göttlichen Hand noch in IChr 29,12; s. dazu *Ringgren*, ThWAT IV, 135.

[18]Vgl. *H.Groß*, Art. *māšal* II, ThWAT V, 73-77.

[19]S.u. 258ff.

[20]Innerhalb der Geschichtstraditionen Israels ist dies ein geläufiger Topos, vgl. *Lohfink*, ThWAT III, 958ff.

[21]Zum Landgabe/Landnahme-Topos in den Geschichtsrückblicken vgl. a.a.O., 970ff.

[22]S. dazu *Veijola*, Verheißung, 179ff.

V.7–9 rekapitulieren damit ein Stück israelitischer Geschichte, welche die Zeitspanne von der Landnahme bis zur Tempeleinweihung umfaßt.[23] Dabei sind V.7 und 8 so einander zugeordnet, daß Jahwes Handeln (V.7) die sachliche und geschichtliche Voraussetzung für Israels Wohnen und Leben (V.8–9) im Land Kanaan bildet.

Durch *wᶜth* werden V.10–11 als nächstes Aufbauelement von V.7–9 abgegrenzt.[24] Zunächst greift V.10 auf die aus V.1 bekannte feindliche Koalition zurück. Dann wird jedoch innerhalb des *ʾšr*-Satzes wiederum Geschichte thematisiert: Als Israel aus Ägypten auszog, habe Jahwe ihnen verboten, diese Völker zu bekämpfen, so sei man um sie herum ausgewichen. Eben dieser Hinweis auf den früheren Gehorsam Israels und sein friedliches Verhalten gegenüber den nun anrückenden Heeren präjudiziert das Verständnis der in V.11 artikulierten Feind-Klage.[25] Einerseits durch den Grundstamm, andererseits durch das Kausativ des Verbs *yrš*[26] wird nun sachlich und explizit auf das geschichtliche Ereignis der Landgabe zurückgegriffen mit dem Ziel, das Anstürmen der Feinde als gegen Gott gerichtetes Tun zu qualifizieren. Aber auch zwischen V.7–9 und V.10–11 besteht eine besondere Beziehung. Während Israel entsprechend der Landgabe seinem Gott einen Tempel errichtet, haben die anstürmenden Völker vergessen, daß sie damals verschont wurden. Erzählte Geschichte setzt somit ein Verhältnis zwischen Israel, den feindlichen Völkern und Jahwe. Der durch die Kriegshandlungen mögliche Abbruch der Geschichte

---

[23]Im Vergleich zu den Geschichtsspannen in den KV des Psalters, wo hauptsächlich Exodus bis Landnahme eine Rolle spielt, s.u. 250ff., erscheint hier das Tempelweihgebet Salomos als "End"punkt der Geschichtsvergegenwärtigung. Der Grund dafür könnte sowohl darin gesehen werden, daß die augenblickliche Not mit den im Tempelweihgebet genannten Nöten übereinstimmt, oder aber darin, daß für den kultisch interessierten Chronisten, vgl. *Welten*, Geschichte, 149; *vRad*, Theologie I, 363, die Geschichte als Vergangenheit mit der Tempelweihe zu einem vorläufigen Ende gekommen ist und somit der existierende Tempel Geschichte als Gegenwart ausweist.

[24]Auch hier ist wieder der Wechsel bei den Verbformen festzustellen: Infinitiv- und Partizipialkonstruktion im Hauptsatz, Perfekt in den *ʾšr*-Sätzen.

[25]Zur Feindklage als einem möglichen Element der Klage innerhalb der KV vgl. *Westermann*, Lob, 39f.

[26]Vgl. *Lohfink*, ThWAT III, 966ff.

Israels mit seinem Gott dient als Argument, um Jahwe zu einem die bisherige Geschichte erhaltenden Handeln zu veranlassen.[27]

Besonders augenfällig ist, daß inmitten des Gebets vor dem Tempel an die Ursituation dieses Geschehens selbst erinnert wird. Indem die Tempelweihe und das Versprechen, in der Not hier zu beten, zitiert werden, wird nicht nur eine Analogie zwischen damals und jetzt hergestellt, sondern zugleich das aktuelle Handeln aus der früheren Situation hergeleitet.[28]

### 4.3.2 Die Zusage der göttlichen Hilfe

Im Anschluß an das Gebet Josaphats (V.6-12) in Gegenwart aller Judäer, deren Kleinkindern, Frauen, Söhnen und Töchtern (V.13), erzählt V.14 von der Begabung des Leviten Jehasiel mit göttlichem Geist (*rwḥ*), und V.15-17 übermitteln den Wortlaut der prophetischen[29] Orakelantwort.[30] Innerhalb des Orakels werden die Judäer zweimal angewiesen, den Kampf Jahwe allein zu überlassen: V.15bβ "denn nicht euer ist der Kampf, sondern Gottes" und V.17a "nicht an euch ist es, dort zu kämpfen". Darüberhinaus werden die Judäer angewiesen, einen bestimmten Platz an der Trift von Jeruel einzunehmen (V.16) und dort "die Hilfe Jahwes zu sehen" (*yr'w 't yšwᶜt yhwh*) (V.17). Das Heilsorakel verkündet damit nicht nur Hilfe für Israel im Sinne einer Unterstützung, sondern läßt alle Aktivität allein von Jahwe ausgehen, während Juda passiv bleibt. Der darauf bezogene entsprechende Ausführungsbericht schließt innerhalb der Erzählung den so gespannten Erwartungshorizont V.22:

> "Und zur Zeit (*wbᶜt*) als sie anfingen mit Jubel und Lobpreis, stellte Jahwe den Ammonitern, Moabitern und den Leuten vom Gebirge Seir, die gegen Juda gezogen waren, Auflauerer (*m'rbym*) entgegen und sie schlugen sich selbst (*ngp* Ni.)."

---

[27]Die Geschichtserzählung erweist das Verhalten Israels als legitim, das der Feinde als illegitim.

[28]S.u. 262f.

[29]Zur prophetischen Amtsausübung der Leviten am zweiten Tempel vgl. *Gese*, Geschichte, 147ff.

[30]Zu diesem Orakel siehe ausführlich *Schmitt*, Sondergut,.273ff.

Den Judäern bleibt damit nur noch das Einsammeln der Beute (V.24-25), Lob Jahwes (V.26) und die Rückkehr nach Jerusalem (V.27-28).[31] Das von Josaphat veranlaßte Fasten anläßlich der heranrückenden feindlichen Heereskoalition und die sprachliche Handlung, die mit *drš* und *bqš* Pi. bezeichnet ist, führen somit in formaler Hinsicht zu einer positiven Orakelantwort, konkret zur Zusage und Durchführung des Krieges durch Jahwe selbst.[32]

**Exkurs 5: Jahwes Auszug vor den Kriegern**

Nach V.22 erfolgt Jahwes Hilfe genau zu der Zeit (*b*$^{c}$*t*), als man anfängt Jahwe zu loben.
"Und er (Josaphat) beriet sich mit dem Volk und bestellte Sänger für Jahwe (*mšrrym lyhwh*) und Lobsänger *lhdrt qdš* beim Auszug (Inf.cstr. *yṣ*ʾ *+ b*) vor (*lpny*) den Gerüsteten. Und sie sangen: 'Preist Jahwe, denn seine Treue währet alle Zeit'".
Gewöhnlich wird der unübersetzt gelassene Ausdruck in V.21 mit "in heiligem Schmuck" wiedergegeben[33] was statt *lhdrt* eher ein *bhdrt* erwarten ließe.[34]
Der entsprechende Versteil V.21aΓ ist parallel konstruiert. Abhängig von dem Verbum $^{c}$*md* folgen je zwei direkte Objekte + mit *l* eingeleiteter Präpositionalphrase. Es ergibt sich damit eine der Struktur nach identische Syntagmenfolge: Ptz.akt.pl. st.abs. (*mšrrym*) + *l* + *yhwh* / Ptz.akt.pl. st.abs. (*mhllym*) + *l* + *hdrt qdš*, wobei Synonymität nicht nur zwischen Partizipien zu herrschen scheint, sondern auch zwischen *yhwh* und *hdrt qdš*.
Die Wurzel **hdrh* ist im AT nur als st.cstr. *hdrt* belegt. Die Klärung der Bedeutung von **hdrh/hdrt qdš* hat sich zunächst an der zugrundeliegenden Basis *hdr* zu orientieren. *hdr* begegnet vor allem als Attribut Jahwes oder seiner Stimme.[35] Jahwe zeichnet mit *hdr* Menschen aus (Ps

---

[31]Zuvor wird in V.23 nochmals ein Ausführungsbericht zu V.22 gegeben, der berichtet, wie durch die Auflauerer Verwirrung entsteht und sich die feindlichen Truppen selbst vernichten. Zu diesem Topos des Jahwekrieges vgl. *vRad*, Heiliger Krieg, 10f.

[32]Vgl. auch zu diesem Topos des Jahwekriegs *vRad*, a.a.O., 7-9.

[33]Vgl. *Welten*, Geschichte, 141.

[34]*b*$^{!}$*hdrt qdš(w)* in Ps 29,2; 96,9; IChr 16,29. *hdrt mlk* in Prv 14,28. Da der st.cstr. eines femininen Nomens **hdrh* nur in diesen formelhaften Wendungen begegnet, muß die Konstruktion in IIChr 20,21 mit präformativem *l* einen anderen Aussagegehalt haben. Vgl. auch *Warmuth*, ThWAT II, 362 zu IIChr 20,21: *b(!)hdrt* fehlerhaft für *lhdrt*.

[35]Ps 96,6; 104,14; 111,3; 145,5.12; 149,9; 90,6; Jes 32,2; 2,10.19.21; Hi 40,10; IChr 16,27.

8,6), speziell den König (Ps 21,6) oder Israel (Ez 16,14). In Dtn 33,17 heißt es vom Hause Joseph, daß er den *hdr* eines erstgebornen Stieres (*bkwr šwr*) besitzen solle, parallel und erläuternd dazu "Hörner eines Wildochsen seien seine Hörner" (*wqrny r'm qrnyw*). Der erstgeborene Stier unterliegt nach Dtn 15,19 einem generellen Arbeitsverbot, denn er ist *tqdyš lyhwh* "heilig für Jahwe". Heiligkeit und *hdr* als göttliche Attribute des Wildochsen scheinen hier durch die Erstgeburt begründet zu sein, während im Akkadischen *ri-i-mu qar-nu-ú* als Epitheton des Wettergottes Adad bezeugt ist und auf numinose Qualitäten hinweist.[36] In Verbindung mit dem Königtum steht *hdr* außer in Ps 21,6 noch in Dan 11,20. Als Synonym- oder Parallelbegriffe sind neben *hdr* belegt: *kbwd, hwd, ᶜz, tp'rt, ᶜṭh-'wr, kḥ* und *pḥd* als Jahweattribute in den besprochenen Stellen. Damit ist *hdr* primär eine Aussage über Jahwe und ist an ihm selbst und den von ihm mit *hdr* ausgezeichneten Geschöpfen erkennbar.[37] In diesem Sinne geben die Wörterbücher *hdr* mit "Pracht, Schmuck, Herrlichkeit" wieder.[38] Daran sollte sich auch die Bedeutung von **hdrh* orientieren.

Die drei Belege für die Wendung *bhdrt qdš(w)* (Ps 96,9; IChr 16,29; Ps 29,4) befinden sich durchweg in literarischer Abhängigkeit von Ps 29,4:[39]
*hb'w lyhwh kbwd šmw/hštḥww bhdrt qdšw*[40] "gebt Jahwe die Ehre seines Namens/fallt nieder bei seiner heiligen *hdrh*".

Aufgrund der parallelen Struktur der Kola, interpretieren sich *yhwh* und *hdrt qdšw* gegenseitig.

*hštḥww lyhwh bhdrt qdšw*[41]*/hylw mpnyw kl h'rṣ* "Fallt nieder vor Jahwe, bei/an seiner heiligen *hdrh*/zittert vor seinem Antlitz, alle Lande" (Ps 96,9). Auch hier fungiert die Wendung *hdrt qdšw* als Explikativ zu *yhwh* und steht synonym zu *pnyw*, dem göttlichen Antlitz.[42] Demgegenüber liegt in Prv 14,28 übertragener Sprachgebrauch vor: "Ein großes Volk ist *hdrh* für den König, das Fehlen eines Volkes bedeutet Untergang/Verderben für den Fürsten". Hier scheint der königliche *hdr* von Ps 21,6 mit der sonst nur von Jahwe ausgesagten *hdrh* kombiniert zu sein, wodurch dem König ein numinoses Attribut beigelegt wird. Doch gehört der König in Prv 10,1-22,16 überhaupt der numinosen, statt der menschlichen Sphäre an.[43]

Aufgrund der teilweisen Synonymität mit Jahwe oder seinem Antlitz, fügt sich *hdrh* als göttliches Attribut in das Bedeutungsfeld von *hdr* ein. Durch die Verwendung der Phrase *bhdrt qdšw* als Apposition des Objekts

---

[36]Vgl. SBH 20,27; 23,11; *Tallqvist*, Götterepitheta, 166; WdM I, 255,137.

[37]Vgl. *Warmuth*, ThWAT II, 359ff.

[38]Vgl. KBL³ und Ges. s.v.

[39]Dies hat besonders *S.Mittmann*, Komposition und Redaktion von Psalm XXIX, VT 28 (1978), 172-194, bes. 174f.Anm.5 gezeigt und hervorgehoben.

[40]Nach LXX *qdšw*; vgl. *Kraus*, Psalmen I, 377; s. auch *Mittmann*, ebd.

[41]Nach LXX *qdšw*; vgl. auch *Kraus*, Psalmen II, z.St.

[42]Ps 96,9 parallel zu IChr 16,29bβ.30a.

[43]Vgl. *Gemser*, Sprüche, 59f.

*lyhwh* von *ḥwh*-Št.[44] bekommt *hdrt qdšw* nicht nur semantische Nähe zu *yhwh*, sondern auch einen *lokalen* Aspekt. *ḥwh* Št. + *lyhwh* + mit *b* eingeführter Apposition begegnet nur noch in Jes 27,13b: *whštḥww lyhwh bhr hqdš byrwšlym* "sie werden niederfallen vor Jahwe, auf dem heiligen Berg in Jerusalem". Mittels der Apposition wird nach dem Objekt der Ort der Anbetung, Zion, bzw. der Tempel in Jerusalem benannt. In analoger Weise scheint nun auch *bhdrt qdšw* interpretiert zu werden, nämlich als lokale Manifestation Jahwes, d.h. als sinnlich wahrnehmbare Form seiner Präsenz.[45]

Ausgehend von diesen Überlegungen, wonach *hdrt qdšw* als "heilige Herrlichkeit" Jahwes verstanden werden kann, klärt sich die mit *l* konstruierte Wendung *lhdrt qdš* als Parallelbegriff zu *lyhwh* in IIChr 20, 21:

"Und er (Josaphat) bestellte Sänger für Jahwe, Lobsingende der heiligen Herrlichkeit, beim Auszug vor den Gerüsteten..."

Von diesem Verständnis von *hdrt qdš* her, ließe sich Jahwes "heilige Herrlichkeit" als die Art und Weise seiner Präsenz innerhalb des Kriegsgeschehens erklären. Es bleibt jedoch unklar, ob diese Präsenz durch Feldzeichen, Standarten o.ä. realisiert wurde.[46] Da allerdings nach Ri 4,14; IISam 5,24; Jos 3,11; Ex 14,19 Jahwe dem Heerbann voranzieht, bzw. sich vor (*lpny*) den Kriegern befindet[47], scheint man auch hier *lpny hḥlwṣ* auf Jahwe bezie-

---

[44]In der überwiegenden Mehrzahl wird *ḥwh*-Št. + *l* + GN/NN/PSuff. konstruiert, sonst nur mit *ᶜl*, *ʾl*, absolut oder mit lokativ-adverbialis *-h*, vgl. die Wörterbücher s.v.

[45]In ähnlicher Weise spezifizieren akkadische Texte die Erscheinungsweise von Gottheiten durch deren Licht- oder Schreckensglanz, vgl. grundsätzlich *Cassin*, Le splendeur divine, pass. Die gegenüber *hdr* speziellere Bedeutung von *hdrh* scheint auch formal ersichtlich zu sein, wenn *hdr-hdrh* ein Oppositionspaar der Klasse *nomen collectivum-nomen unitatis* bildet. Als *nomen unitatis* bezeichnete *hdrh* dann nicht allgemein "Herrlichkeit", sondern eine ganz bestimmte, einzelne Herrlichkeit -die Gottesherrlichkeit Jahwes, vgl. zur Sache *Michel*, Grundlegung, 65f.; 68; Beispiele 67.

[46]Vgl. *H.J.Fabry*, Art. *nēs*, ThWAT V, 468-473; bes.*B Couroyer*, Le nes Biblique: Signal ou Enseigne?, RB.91 (1984), 5-29.

[47]Nur die Parallele aus dem Maribrief ARMT 2,22,23-26 des Ibâl-pî-El, Gesandter des Königs Zimrilim am babylonischen Hof Hammurapis (ARMT 15,148), könnte die Vermutung stützen, daß Kultbedienstete einen Kriegszug anführen: "*Vor der Truppe meines Herrn geht Ilušunaṣir, der bārû, der Diener meines Herrn, und mit der Truppe Babylons geht ein bārû der Babylonier"*. Es wäre allerdings auch denkbar, daß der die Mari-Truppen anführende *bārû* stellvertretend für den König diese Position einnimmt, vgl. *A.Finet*, La Place, 90, so daß dieser Beleg eher zufälligen Charakter besitzt.

hen zu können. IIChr 20,21 zufolge stünde Jahwe an der Spitze des Kriegszuges, präsentiert durch seine "heilige Herrlichkeit", während die Sänger Lobgesang erklingen lassen. Der Zeitpunkt (V.22 *b^ct*), zu dem Jahwe zugunsten Israels hilfreich eingreift, ist demnach mit der von V.21 beschriebenen Situation identisch. Jahwes Rettungshandeln vollzieht sich genau in dem Moment, als das ihm geltende Lob einsetzt.[48]

[48]Vgl. auch *Gese,* a.a.O., 155; *Welten,* a.a.O., 149.

## 5. Fasten und die neue Gottespräsenz

### 5.1 Jährliches Fasten bei Sacharja

Folgt man dem formalen Aufriß der sog. Fastenpredigt[1] im Sacharja-Buch, Kap.7-8, so zeigt das Vorkommen der Wortereignisformel "das Wort Jahwes erging (an NN folgendermaßen)" in Verbindung mit der Botenspruchformel "so spricht Jahwe (Zebaoth)" oder letztere allein[2], daß eine Sequenz von neun Einzelsprüchen, erweitert um Sach 7,8-10; 8,9-13.23[3], vorliegt und durch die Fastenfrage[4] in Sach 7,1-3 motiviert ist. Dabei ist es für die Fastenthematik der Sequenz unerheblich, ob sie sich auf Sacharja selbst oder eine im Sinne sacharjanischen Auftretens wirksame Sammlertätigkeit[5] zurückführen läßt.

Die von den genauer als Frage und Antwort zu bezeichnenden Rahmenaussagen (7,1-3; 8,18-19.20-22)[6] umschlossene Spruchsequenz umfaßt thematisch die immer noch andauernde Unheilszeit Israels (7,4-14) und die zukünftig

---

[1] Zum Text vgl. etwa die neueren Arbeiten von *Amsler*, Zacharie 1-8, 112-125; *Rudolph*, KAT 13/4, 135-153; *R.Mason*, Some Echoes of the Preaching in the second Temple? Tradition Elements in Zechariah 1-8, ZAW 96 (1984), 221-235, bes. 229-233; *Ackroyd*, Exile, 206-217; *Elliger*, ATD 25/II, 132-144; besonders zu Sach 7,1-3 s. *Veijola*, Verheißung, 194ff.

[2] Wortereignisformel: 7,1b.4 + Botenspruchformel: 7,8.9a; 8,1.2aα.18.19aα; Botenspruchformel: 8,3aα.4aα.6aα.7aα.9aα.14aα.20aα.23aα.

[3] Daß 7,8-10; 8,9-13.23 sekundäre Erweiterungen sind, zeigt das Satzfragment 7,7 mit seiner Fortsetzung in V.11, wobei V.8-10 offenbar als inhaltliche Wiedergabe der angesprochenen Prophetenworte dienen sollen; 8,9-13 erweist sich durch die Rahmenaussage *tḥzqnh ydykm* (9aβ.13bβ), aber auch durch den die Verkündigung Haggais und Sacharjas voraussetzenden Hinweis auf die prophetische Wirksamkeit seit der Tempelerneuerung (V.9) als sekundär. Darüberhinaus teilt V.9-13 mit V.23 Anspielungen auf die jahwistische Segensverheißung (vgl. Gen 12,3 mit Sach 8,13; Gen 11,1-9 mit Sach 8,23), wodurch sie sich als zusammengehörig erweisen; vgl. *Elliger*, a.a.O., 135, 142; *Rudolph*, a.a.O., 148, 152; *Mason*, a.a.O., 231; *Ackroyd*, a.a.O., 210, 215.

[4] S.u. 209.

[5] Die Wiederaufnahme von Fasten + Begütigung Jahwes (*ḥlh ʾt pny yhwh* (7,1-3; 8,18-19.20-22) weist Sach 7,1-3 und 8,18ff. als Rahmen der Spruchsequenz aus, die besonders durch die Abfolge der thematisierten Ereignisse besticht.

[6] S. zuletzt *Mason*, a.a.O., 229.

aktualeschatologische[7] Heilszeit (8,1-8.14-17). Wodurch wird diese Form der Geschichtsbetrachtung ausgelöst?

> "Und es geschah im vierten Jahr des Königs Darius[8] [da erging das Wort Jahwes an Sacharja][9] im neunten Monat am vierten Tag [im Kislev]: 2 Da sandte Bethel[10] den Sarezer und Regem-melek mit seinen Männern[11], um das Angesicht Jahwes zu begütigen[12] 3 (wie folgt) zu den Priestern des Hauses Jahwe Zebaoths und an die Propheten: 'Soll ich (weiterhin) weinen im fünften Monat unter Enthaltsamkeit[13], wie ich es so viele Jahre getan habe?'" (Sach 7,1-3)

Der hier genannte Fastentermin "im 5.Monat" (Ab) bezieht sich auf die Zerstörung des Jerusalemer Tempels im Jahre 587 v.Chr. Nach Jer 52,12ff. (par. IIKön 25,8ff. par IIChr 36,17ff. par. Jer 39,8-10) wurde der Tempel von Nabusaradan verbrannt, Kultmobiliar und Tempelschatz wurden "weggenommen",

---

[7] Zum Terminus und den verbundenen Implikationen s. *Koch*, Profeten II, 122f.; 166ff.

[8] 4.Jahr, 4.Monat, 9.Tag der Regentschaft Darius' fiele auf den 07.12.518 v.Chr. Entsprechend der Chronologie *Rudolphs*, a.a.O., 136, fällt dieses Datum fast genau in die Mitte der Bautätigkeit am zweiten Tempel.

[9] [ ] markieren Zusätze. Einerseits ergeht im folgenden kein Jahwewort wie hier, andererseits ist der neunte Monat durch *bkslw* doppelt bestimmt; vgl. die o. A. 1 genannte Lit.

[10] *Veijola*, Verheißung, 194ff., hat gegenüber anderslautenden Auffassungen des Verses deutlich gemacht, daß der Name Sarezer nicht nur der nB Personennamenbildung gemäß als korrekte Verkürzung von *bīt-ili-šar-uṣur* zu verstehen ist, sondern auch in Jes 37,38 und IIKön 19,37 begegnet. Ferner findet Bethel als Subjekt der *šlḥ*-Aussage ein korrektes Gegenstück in dem Städte"dialog" 8,20-21. Zu *rgm-mlk* vgl. *Veijola*, a.a.O., 196 Anm. 31.

[11] Die neuerdings von *Amsler*, a.a.O., 112, 114, vertretene Auffassung von "Béthel-Sarétser, grand officier du roi" (*rb mg hmlk*) ist beachtenswert, stellt aber doch vor das Problem, Darius als Initiator der Gesandtschaft ansehen zu müssen.

[12] *ḥlh ʾt pny yhwh* ist hier wie in 8,20f. terminus der Reverenzerweisung und geschieht nicht durch das Medium der an die Priester gerichteten Frage, wie *Jeremias*, Reue Gottes, 79 Anm. 77, vermutet. Vgl. *Seybold*, ThWAT II, 969-971; ders., Reverenz und Gebet. Erwägungen zu der Wendung *ḥilla panîm*, ZAW 88 (1976), 2-16, bes. 16; zum Verhältnis der Wurzeln *ḥlʾ/ḥlh* zuletzt *C.Dohmen*, Die Wurzel חלא im Alten Testament, BN 20 (1983), 15-18.

[13] Zum modalen Charakter des nachgestellten Inf.abs. vgl. Ges.-K. § 113r. Die Bedeutung von *nzr* Ni. "fasten", eigentlich "sich entziehen", an dieser Stelle ist durch das ab V.4 vorliegende *ṣôm* "Fasten" motiviert.

der Hohepriester und die Schwellenhüter deportiert und in Hamath hingerichtet. Während die Fastenfrage das zentrale Ereignis der Einnahme Jerusalems anspricht, beziehen sich die Fastentermine in den Antworten (7,4-7; 8,18-19): im 7., 4. und 5. Monat auf die Ereignisse im Zusammenhang dieses Geschehens: So erinnert das Fasten im 4.Monat (Tammuz) nach Jer 39,2; IIKön 25,3f. und Jer 52,6f. an die Überwindung der jerusalemischen Stadtmauer; das Fasten im siebten Monat (Tischri) an die Ermordung Gedaljahs (Jer 41,1f.; IIKön 25,25) und das Fasten im zehnten Monat (Tebet) an den Beginn der neubabylonischen Belagerung Jerusalems durch Nebukadnezar (Jer 39,1; 52,4; IIKön 25,1).[14]

Als Dauer dieser begangenen Gedenkfasten gibt Sach 7,5 genau "siebzig Jahre"[15] an. Diesem Zeitraum entspricht nach Jer 25,11; 29,10 die von Jahwe verhängte Exilszeit[16] und nach Sach 1,12 die Zeit der göttlichen Verfluchung (*z$^{c}$m*)[17]. Das Sacharjabuch bietet damit die einzigen Belege für terminlich festliegende *ṣôm-Fasten-Rituale* im Alten Testament. Seit der Eroberung Jerusalems wären diesem Zeugnis zu Folge in den Jahren 589/88-518 v.Chr.[18] vier jährliche Fastenrituale veranstaltet worden.

Mit der Frage nach einer Fortsetzung des Fastens im 5. Monat steht allerdings auch zur Debatte, ob die Zeit des Exils und der Verfluchung nun vorüber sei.

---

[14]Vgl. *Rudolph*, a.a.O., 159f.; *Amsler*, a.a.O., z.St.; *Elliger*, a.a.O., 133f.; *Veijola*, a.a.O., 195 Anm. 24; Str.-Bill. IV, 79ff.; s. auch Art. Fasting, Fast Days, EJ 6 (1971), 1189-1196, bes. 1195f. zur Nachgeschichte und Ausweitung des Fastens im Monat Ab und Tammuz auf die Zerstörung des zweiten Tempels durch Titus.

[15]Vgl. auch IIChr 36,21 und Dan 9,2f. s. dazu *Koch*, Profeten II, 168f.; *Steck*, Weltgeschehen, 278-283; ders., Israel, 190 Anm. 2; *Rudolph*, a.a.O., 144 Anm. 4; 78 mit Anm. 20-21.

[16]Das unterschiedliche Alter der Jeremia-Sprüche verbietet es aber, die 70 Jahre in wörtlichem Sinn zu verstehen, vgl. *Rudolph*, Jeremia, 162.; 184f.; vgl. auch Jer 27,2.

[17]Zur semantischen Verwandtschaft zwischen *z$^{c}$m* + Subjekt Gott und den Aussagen vom Zorn Jahwes vgl. *Wiklander*, ThWAT II, 623-626.

[18]Damit begegnet das sonst spontan und okkasionell veranlaßte Fastenritual als jährlich wiederkehrende Begehung, vgl. u. 276ff.

## 5.2 Tempelbau als Indiz neuer Jahwepräsenz

Zur Beantwortung der Frage nach dem Ende des Exils, die durch den im Gange befindlichen Tempelaufbau veranlaßt ist[19], greift der Text zunächst auf die die Gegenwart noch qualifizierende Vergangenheit (7,4–14) zurück, bevor er Neues (8,1–8.14–17) in Aussicht stellt.

Der Darstellung des menschlichen Ungehorsams (7,7.11–14) gegenüber den früheren Propheten (*hnby'ym hr'šnym*)[20], dem daraus resultierenden Gotteszorn (*qṣp gdwl*)[21] und der anschließenden Zerstreuung Israels stellt 7,5–6 die folgende Aussage über das Fasten (*ṣôm*) parallel voran:

> "Sage zu dem ganzen Volk des Landes und zu den Propheten: 'Wenn ihr gefastet (*ṣmtm*) und getrauert (*wspwd*) habt im fünften und im siebten (Monat) diese siebzig Jahre hindurch, habt ihr da etwa mir[22] gefastet (*hṣwm ṣmtny 'ny*)? Und wenn ihr eßt und trinkt, seid ihr (*'tm*) es nicht, die essen, seid ihr (*'tm*) es nicht, die dann trinken?'" (V.5–6)

Der pointierte Gegensatz (*'ny–'tm*) und der Vergleich mit dem existentiellen Nahrungsbedürfnis[23] ordnen das exilische Fasten nicht nur Israels Ungehorsam (7,7.11) zu, sondern sprechen dem Fasten des Volkes jede gottes*dienstliche* Relevanz ab und widersprechen einem ursächlichen Zusammenhang zwischen Fasten und erneuter Heilszuwendung in 7,1–3.[24]

---

[19] Da die Fastenfrage nur den fünften Monat, d.h. den Monat der Tempelzerstörung erwähnt, der Tempelaufbau aber im vollen Gange ist, scheint diese Beziehung gesichert.

[20] Im Sinne dieser mit der dtr Propheten-Aussage verwandten Thematik wurde V.8-10 mit Rückgriff auf die älteste Sozialgesetzgebung (Ex 20,20ff.) eingefügt, vgl. *Steck*, Israel, 144.

[21] Vgl. die antithetische Bezeichnung *qn'h gdlh* "großer Eifer" in 8,2a. Zu *qṣp* vgl. *Sauer*, THAT II, 663-666.

[22] Nachstellung des sPP bei suffigierter Verbform dient der Betonung, vgl. Ges.-K. § 135e.

[23] An Opferfeiern scheint das Wortpaar "essen-trinken", *Rudolph*, KAT 13/4, 144, aufgrund der Fastenthematik kaum zu denken.

[24] Solches, seinem Wesen nach als Eigennutz qualifiziertes Fasten hat ebenfalls Jes 58,3b.5 zum Gegenstand der Kritik gemacht, s. den folgenden Abschnitt.

Entgegen allen Bemühungen, etwa durch Fasten die Beendigung des Exils zu erreichen, formuliert 8,1-17 eine großangelegte Heilsverheißung. Indem sie Jahwes großen Eifer (*qn'h*)[25] für Zion (8,1-2) als das auslösende Moment konstatiert, wird Jahwes Rückkehr (*šbty 'l ṣywn*)[26] zum Zion (8,3), die Neubesiedlung Jerusalems (8,4-6) und die Heimholung der Exilierten (8,7-8) angekündigt. Als Ziel (Perf.cons.) schließt der Abschnitt mit der Bundeserneuerungsformel:

> "So/Dann werdet ihr mein Volk sein und ich werde euer Gott sein, in Treue und Gerechtigkeit" (8,8b).[27]

Bekräftigend (*ky*)[28] schließt der Vergleich (*k'šr - kn*) in 8,14.15 die Heilsverheißung ab. Wie auf die Vergehen der Väter kein Mitleid (*nḥm*)[29] folgte (8,14), so wird Jahwe nun Jerusalems gedenken (*šbty zmmty*[30] 8,15). Der Reihe indikativischer Heilszusagen, die einzig in Jahwes Eifer um Zion (8,2) begründet sind, folgt in 8,16-17 eine Aufforderung zu sozialem und gerechtem Handeln.[31]

Jahwes Eifer und seine Rückkehr zum Zion gehen der Wiederbevölkerung Jerusalems und der Rückführung der Exilierten voran. Das erneute Wohnung-Nehmen Jahwes inmitten Jerusalems (8,3aβ: *wšknty btwk yrwšlym*)[32] ist der

---

[25] *qn'/qn'h* eigentlich "eifersüchtig s./Eifersucht" drückt in anthropomorpher Weise einen emotionalen Vorgang aus, vgl. *Sauer*, THAT II, 647ff., dem sachlich das *wl' nḥmty* (8,14b) antithetisch gegenübersteht, s. *Jeremias*, Reue Gottes, 52.

[26] Vgl. hier besonders die ezechielianischen Aussagen vom Fortgang und der Rückkehr des *kbwd yhwh* in Ez 11,22-25; 43,1-4.

[27] Vgl. Jer 31,33; *Baltzer*, Bundesformular, 69f.

[28] Daß *ky* hier keine begründende Funktion hat, zeigt der Vergleich mit der Unheilsgeschichte, die bereits in 7,7.11-14 und 8,1-8 zur Sprache kam.

[29] Vgl. zu *nḥm* Ni. *Jeremias*, Reue Gottes, pass.

[30] *zmm* bezeichnet immer den einer konkreten Tat vorangehenden und antreibenden Akt des Planens, vgl. *Steingrimsson*, ThWAT II, 599ff.

[31] S.u. 214ff.

[32] Zusammenstellung der Belege und Kommentierung der Vorstellung vom "Einwohnen Jahwes" bei *Janowski*, Sühne, 296ff.; ders., Schekina, 190; 167 Anm. 11; s.a. *Hulst*, THAT II, 906ff.

entscheidende Akt, der das Ende des Exils initiiert. Wenngleich auch der Tempelbau Jahwes erneutes Wohnen überhaupt erst ermöglicht, so sind dennoch rituelles Verhalten und der Tempel selbst nicht ausschlaggebend, sondern allein die göttliche Entscheidung.

Erst wenn das angekündigte Geschehen zum Abschluß gekommen ist und Israel sich mit Taten der Gerechtigkeit entsprechend verhält (8,16–17), gilt für das Fasten im 4., 5., 7. und 10. Monat (8,18.$19a_3$):

> "Es (das Fasten) wird für das Haus Juda zum Jubel (*lśśwn*) werden und zur Freude (*wlśmḥh*) und zu frohen Festzeiten (*wlmᶜdym ṭwbym*)" ($19a_4$–$19a_5$).[33] Dann wird nicht nur eine Betheler Gesandtschaft (7,1–3) zum Zion ziehen, sondern "Völker, Bewohner vieler Städte und Nationen, um Jahwes Angesicht zu begütigen und ihn zu suchen (*bqš*)"[34], wie V.20–22 abschließend in Aussicht stellen.[35]

Das hier als Jahres"fest" vorgestellte *ṣôm*-Ritual gehört nach der Theologie der Fastenpredigt in die Reihe selbstersonnener Menschenwerke, die für das Verhältnis der Menschen zu Gott ohne Bedeutung sind. Statt die am fortgeschrittenen Aufbau des Tempels aufgebrochene Fastenfrage mit einem einfachen Ja oder Nein zu beantworten, ergeht die Auskunft, daß Jahwe selbst in einer zukünftigen Zeit durch seine *Gegenwart* das Trauer-Fasten in Freudenfeste verwandeln wird. Deutlich wird damit zwischen dem Tempel als Wohnort und dem göttlichen Wohnung-Nehmen unterschieden.

Wie die parallel zu *ṣôm* gebrauchten Aussagen *bkh* "weinen", *nzr* Ni. "sich entziehen"[36] und das für Totentrauer typische *spd* "klagen, trauern" in 7,3.5 deutlich machen, kann auch in der Fastenpredigt Sacharjas das "Fasten" nicht allein als Nahrungsverweigerung verstanden werden. Es gehört vielmehr

---

[33] Das Parallelpaar *śśwn* - *wśmḥh* begegnet in Jes 22,13; 35,10; 51,3.11 zur Kennzeichnung der Freude angesichts der Heimkehr, in Jer 7,34; 16,9; 25,10; 33,11 bezogen auf Jubel und Freude von Bräutigam (*ḥtn*) und Braut (*klh*), die mit der Gerichtszeit zum Erliegen kommen; vgl. auch Est 8,16.17 bes. Jer 15,15! Zu den Festzeiten s. *Koch*, ThWAT IV, 748ff.

[34] *bqš* Pi. meint hier ein Aufsuchen Jahwes zum Zwecke der Verehrung und keinen kultisch-divinatorischen Akt, vgl. *Wagner*, ThWAT I, 764; *Diez-Merino*, Bib 133 (1982), 140ff.

[35] Zur Verbindung von *bqš* Pi. und Fasten in Esr 8,21-23 und IIChr 20,1ff. s.u. 237ff.; vgl. vorläufig *Welten*, Geschichte, 146f.

[36] Vgl. *Mayer*, ThWAT V, 329-334.

in den größeren Rahmen ritueller Aktionen, die denen der Totentrauer ähnlich sind.[37]

### 5.3 Eschatologische Jahwepräsenz in Jes 58,1–12

#### 5.3.1 Fasten als Tat der Gemeinschaftstreue

Der Text Jes 58,1–12[1] ist unter Modifizierung der von HANSON gegebenen Argumente in das ausgehende 5.Jh.v.Chr. zu datieren[2] und entwickelt, indem er

---

[37]Darüberhinaus widerlegt die Wendung *hṣwm ṣmtny ʾny* die Behauptung, daß Trauer, bzw. Fasten niemals auf Gott zu beziehen wäre. Ähnlich wie Jes 58,5-7 das Fasten unter dem Stichwort der göttlichen Erwählung (*bḥr*) und seines Gefallens (*rṣwn*) thematisiert, belegt auch Sach 7,6 den vom Fasten intendierten Bezug auf Jahwe.

[1]Textzitate im folgenden nach kolometrischer Zählung: Vers + Kolonziffer; vgl. auch o. 142 A. 137.

[2]S. jetzt *Koenen*, Ethik, 259ff. und 266f., wobei der Grundbestand von Jes 58 gut 100 Jahre älter zu sein scheint. *Steck*, Heimkehr, 76f. S. dort auch zu den reflektierten Gruppenauseinandersetzungen bei *Hanson*, Apocalyptic, 110ff.; (Frühdatierung auch bei *G.Wallis*, Gott und seine Gemeinde. Eine Betrachtung zum Tritojesaja-Buch, ThZ 27 (1971), 182-200). Unterstützt wird die Datierung durch die fast wörtliche Identität zwischen V.12.1 und dem auf die eschatologische Erneuerung Jerusalems bezogenen Vers Jes 61,4.1. Auch der für diese Spätzeit charakteristische Rückgriff auf dtn-dtr Gedankengut, vgl. *Steck*, a.a.O., 78 mit Anm. 90f.; ders., Tradition, 311f.; ders., Israel, 121ff., sowie auf die vorexilische und exilische Prophetie deuten auf die Spätzeit hin: vgl. V.1 mit Hos 8,1; Mi 3,8b; V.2.5 mit Dtn 16,18 und Ps 119,7.63.106.160.164 zu *mšpṭ(y) ṣdq*; V.2.6 mit Ps 73,28; V.4.3-4 mit Jer 14,12a, s.o. 136f.; V.5.4 mit Est 4,3; zur Wendung "in Freiheit entlassen" *šlḥ* Pi. + *ḥpš(y)* in V.6.4 vgl. Dtn 15,12ff.; Ex 21, 2ff.; Jer 34, 9ff.; Lev 19,9f.; 25,17 und Hi 31,16-20; vgl. V.6.1-7.4 mit dem ebenfalls unter der Gerechtigkeitsthematik stehenden Abschnitt Ez 18,5-9, s. *Zimmerli*, BK XIII/1, 397ff. - kontrastiv der Sündenkatalog Hi 22,6ff.; V.7.3-4 ist strukturell identisch mit Dtn 22,1; zur besonderen Abhängigkeit von V.8ff. von Dtjes und der Verwandtschaft mit den übrigen Trtjes-Texten vgl. *Hanson*, a.a.O., 100f.; zur Übernahme und Variierung von V.8b aus Jes 52,12b s. *Zimmerli*, Sprache, 219ff. Darüberhinaus zeigt die Fortsetzung der Infinitive durch Gebotsformen der 2.sg.m. in V.6-7 Verwandtschaft mit der dtr Paränese, vgl. *Westermann*, ATD 19, 269; zuletzt dazu *D.Mathias*, "Levitische Predigt" und Deuteronomismus, ZAW 96 (1984), 23-49. Zur Thematik des "bewässerten Gartens" in V.11.4-6 s. Jer 31,11ff.; das ebenfalls in den Kontext einer restitutio in integrum hineingehört, s. *J.M.Bracke*, *šûb šᵉbūt*: A Reappraisal, ZAW 97 (1985), 233-244, bes. 236f.

eine aus der KV stammende Du-Klage[3] zitiert, in 2.1-3.2 das Thema des Fastens als gemeinschaftstreues Verhalten.[4]

Bereits die Struktur von 2.1-3.2 macht aufgrund des Schemas a-b-c/a'-b'-d deutlich, daß die Elemente c und d kontrastiv aufeinander bezogen sind.

| | | | |
|---|---|---|---|
| 2.1 | a | Kultisches Befragen | *drš* |
| 2.2 | b | Gefallen des Volkes | *ḥpṣ* |
| 2.3 | c1 | Taten der Gerechtigkeit | *ṣdqh ᶜśh* |
| 2.4 | c2 | Gebote Jahwes | *mšpṭ* |
| 2.5 | a' | Kultisches Befragen | *š'l* |
| 2.6 | b' | Gefallen des Volkes | *ḥpṣ* |
| 3.1 | d1 | Fasten | *ṣôm* |
| 3.2 | d2 | Selbstkasteiung | *ᶜnh npš* |

Mittels kultischer Terminologie des "Befragens"[5] formuliert 2.1[6]-3.2, daß das Volk "gerechte Urteile"[7] begehrt, welche durch die *ḥpṣ*-Sätze als "Wissen" um Jahwes Wege[8] und die "Nähe Gottes"[9] nicht nur präzisiert werden, sondern

[3]Zur Abgrenzung von V.13-14 und der redaktionellen Klammer Jes 56,1-8; 58,13-14; 66,18-24 s. *Hanson*, a.a.O., 100ff.; *Steck*, Heimkehr, 72ff.; *H.A.Brongers*, Einige Bemerkungen zu Jes 58,13-14, ZAW 87 (1975), 212-216, bes. 216; vgl. ferner die Kommentare z.St. Zur Du-Klage vgl. besonders Jer 14,8f.

[4]V.1 ist redaktionell. Nicht nur die Kontamination von Hos 8,1 und Mi 3,8b zum Zwecke der Legitimation des Propheten deutet daraufhin, vgl. *Westermann*, a.a.O., 266, sondern ebenso die Einordnung der Anklage-Texte Jes 56,9ff.; 57,1-13; 59,4-8 vgl. *Steck*, a.a.O., 73, sowie die Tatsache, daß ab V.2 keine Sündenverkündigung stattfindet, sondern sich eine Art Disputation entwikkelt.

[5]Zu *drš* und *š'l* hier vgl. *Hanson*, a.a.O., 109; vgl. auch Ri 20,26ff.; IIChr 20,2ff. Man könnte erwägen, ob nicht in Analogie zu der Objektsangabe *mšpṭy ṣdq* in 2.5 auch *'wty* in 2.1 als "mein Zeichen" zu verstehen wäre, wie auch Jes 66,19 ein eschatologisches Zeichen ( *'wt*) verheißt.

[6]V.2 hat inhaltlich die Funktion einer thematischen Klammer zwischen der redaktionellen Einleitung V.1 und der eigentlichen Fastenthematik in V.3-12, vgl. *K.Koenen*, Ethik, 108ff.

[7]*mšpṭ(y) ṣdq* nur noch in Dtn 16,18 (und in Ps 119) und zwar in konkreter Bedeutung des richterlichen Entscheides, vgl. *Hanson*, ebd.; *Whybray*, Isaiah, 213.

[8]Nach Mal 2,7 ist der Priester (*khn*) derjenige der *dᶜt* und Tora bewahrt und erteilt, so daß auch hier an eine priesterliche Toraerteilung gedacht sein könnte - doch läßt der Text davon kaum etwas erkennen. Vgl. aber *Th.Lescow*, Die dreistufige Tora. Beobachtungen zu einer Form, ZAW 82 (1970), 362-379, bes. 369ff.

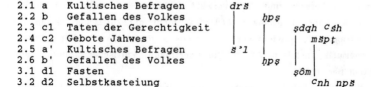

zugleich als das subjektive Bemühen des Volkes zu bestimmen sind.[10] Ein solchermaßen "hektische[s] kultische[s]"[11] Bemühen erfolgt nach 2.3-4 so, als ob (*k^e*)[12] das Volk "Gerechtigkeit übe und die Gebote seines Gottes nicht verlasse". Auf diesen Vorwurf antwortet 3.1-3 mit der Frage: "Warum fasten wir und du siehst es nicht, kasteien wir uns[13] und du nimmst es nicht zur Kenntnis?". Vorwurf und Gegenvorwurf markieren die vertretenen Positionen: Um Gottes Nähe zu erlangen, bedarf es nicht nur kultischer Aktion (Fasten und Befragung[14]), sondern vor allem eines *ṣdqh*-gemäßen Handelns. Unter dieser Thematik entfalten V.3.3ff. die Übertragung kultischer Ordnung "auf den sozialen Bereich".[15]

Nachdem 2.1-3.2 hat deutlich werden lassen, daß Jahwe trotz aller kultischen und rituellen Bemühungen keine Notiz von seinem Volk nimmt, ergeht - eingeleitet durch *hn* - die Begründung für den in 2.3-4 formulierten Vorwurf und kommt mit 4.3-4 zu einem vorläufigen Abschluß.[16] Statt das Fasten wie

---

[9] Aufgrund der Parallelität der Aussagen in 2.1-2.3-4, die darauf ausgerichtet sind von Jahwe etwas in Erfahrung zu bringen, läßt sich *qrbt ʾlhym* nicht als gen.obj., sondern nur als gen.subj. verstehen: alles zielt darauf ab, daß Gott sich seinem Volk nähert, vgl. *Pauritsch*, Gemeinde, 81 gegen *Westermann*, a.a.O., 266; *Duhm*, HKAT III/1, 435 und *Hanson*, a.a.O., 109, der im sich Nähern zu Gott eine spezifisch priesterliche Handlung erkennt.

[10] *ḥpṣ* dürfte aufgrund der kontrastierenden Aussagen von göttlicher Wahl (*bḥr*) und Gefallen (*rṣwn*) in 5.1, 5.6 und 6.1 eher den Gegensatz zwischen dem Volk und Jahwe ausdrücken als priesterlicher Anrechnungstheologie entstammen, wie *Pauritsch*, a.a.O., 81, vermutet.

[11] *Pauritsch*, a.a.O., 75.

[12] Wörtlich: "Wie ein Volk, von dem gilt: es handelt gerecht und verläßt nicht das Recht seines Gottes", *k^e* markiert also Irrealis.

[13] *ᶜnh* II Pi. + *npšw* "sich kasteien" oder pl.: Lev 16,29.31; 23,27.32; Num 29,7; 30,14; Ps 35,13; Pu. Lev 23,29. Parallel zu *ṣûm* "fasten" in Ps 35,13. Zur Wiedergabe beider Wendungen in LXX vgl. *Behm*, ThWNT IV, 928ff.; *Janowski*, Sühne, 138f. mit Anm. 164.

[14] Vgl. besonders zu Ri 20,26ff. und ISam 7,5ff.; ferner Jer 14,12a und Esr 8,21ff. Aufgrund der Lichtmetaphorik V.8-10 kommt *H.J.Kraus*, Die ausgebliebene Endtheophanie. Eine Studie zu Jes 56-58, ZAW 78 (1966), 317-332, hier 326, zu dem Schluß, daß das Fasten eine Theophanie herbeiführen solle.

[15] *Hermisson*, Sprache, 83.

[16] Vgl. auch die entsprechende Gegenaussage in V.9.1-2.

einen "Feiertag" (*ᶜṣrh*) nach Jo 1,14aα[17] zu halten, an dem man sich jeglicher Arbeit und Geschäfte enthält, faste man (3.3-4.2) angesichts von Geschäftemacherei, Streit und Zank und handle außerdem gewalttätig.[18]

Dieses Fehlverhalten hat zur Konsequenz, daß das Fasten "eurer Stimme in der Höhe kein Gehör verschafft" (*lhšmyᶜ bmrwm qwlkm*).[19] Entsprechend dieser Aussage ist das Fasten in 4.3-4 ein die sprachliche Handlung *unterstützender* Ritus, wobei der Art und Weise der Durchführung entscheidende Bedeutung zukommt. Unter dem Stichwort des göttlichen *bḥr* und *rṣwn*[20] stellt V.5-7 in antithetischer Weise (*hkzh* 5.1 gegen *hlwʾzh* in 6.1) die abzulehnende (V.5) einer gewünschten (V.6-7) Fastenpraxis gegenüber.

Hier wird das Fasten erläutert durch die parallele Aussage vom "Tag der Selbstkasteiung" (5.2) wozu in 5.3-4 die Riten des Kopfbeugens (*kpp rʾš*)[21] und das Benutzen von Saq und Asche (*yṣᶜ* Hi. + *śq wʾpr*)[22] als Schlafunterlage treten. Diesen Riten setzt 6.1-7.4 eine Reihe von sozialen Handlungen entgegen, welche nicht das Fasten ersetzen sollen, sondern, wie nominales *ṣôm*

---

[17] *ᶜṣrh* "Feiertag, Feier, Festversammlung" bedeutet nach Lev 23,26; Num 29,35; Dtn 16,8 ein generelles Verbot von Arbeit jeglicher Art (IIKön 10,20; Am 5,21 allgemeiner "Feier"). Nach Jo 1,14a und 2,15 ist auch das kollektive Fasten unter der näheren Qualifizierung einer *ᶜṣrh* zu verstehen, vgl. *Wolff*, Bk XIV/2, 38.

[18] 3.3-4 betonen das Moment der Arbeit (*tmṣʾw ḥpṣ* parallel zu *ᶜṣybkm tngšw*), während 4.1-2 mit *ryb, mṣh* und *ʾgrwp ršᶜ* offenbar handgreifliche Streitigkeiten meint.

[19] Die Verbindung von *šmᶜ* Hi. "zu Gehör bringen" , vgl. *Schult*, THAT II, 979, mit dem rituellen Fasten betont die Parallelität von sprachlicher und gestischer Äußerung, wie sie auch der Tat selbst größte Relevanz zuordnet.

[20] Daß Jahwe sich "nicht für eine bestimmte Form des Fastens entscheiden kann", wie *Seebaß*, ThWAT I, 607, interpretiert, findet kaum Anhalt am Text. Vielmehr steht eine von Jahwe selbst gewählte (*bḥr*) Fastenpraxis neben einer gänzlich anderen, nicht sein Gefallen findenden Durchführung.

[21] Die Wendung ist singulär und deutet durch den parallelen Stichos 5.4 auf einen Trauerritus hin. Ob man aber durch den Vergleich (*kᵉ*) mit dem Schilfhalm (*ʾgmwn*) darauf schließen kann, daß hier der ägyptische Trauerritus "das Haupt auf das Knie legen" gemeint sei, bleibt zumindest fraglich. Vgl. *Seybold*, Gebet, 60 Anm.27; zum ägyptischen Bereich s. zuletzt *E.Feucht*, Ein Motiv der Trauer, in: FS Westendorf, 1102-1112.

[22] Vgl. Est 4,3.

in 6.1 zeigt, das Fasten inhaltlich neu qualifizieren. Neben rituelle Trauerhandlungen treten Taten der Nächstenliebe.[23]

Wie bereits WESTERMANN[24] bemerkt hat, bietet 6.2–5 eine Häufung verschiedener Ausdrücke, die den Akt der Befreiung im Blick haben. Das Öffnen "unrechtmäßiger (*rš<sup>c</sup>*) Fesseln" (6.2), sowie die zweimalige Aussage vom Joch (*mwṭh*), das selbst oder dessen Halteriemen oder -stangen zerissen (*ntr* III Hi. par. *ntq* Pi.) werden sollen (6.3 und 6.5) konvergieren in 6.4: "entlasse die Gebeugten in die Freiheit".[25]

Besonders die Gesetzgebung im Bundesbuch (Ex 21,2ff.) verwendet *ḥpšy* (mit *yṣʾ*) ebenso wie das dtn-Gesetz (Dtn 15,12ff. mit *šlḥ* Pi.[26]) als "Freiheitsbezeichnung" für den *ᶜbry*.[27] Die von 6.2–5 geforderten Befreiungshandlungen stehen damit im Kontext ältester sozialer Gesetzgebung und bezeichnen zugleich Jahwes früheres Handeln an Israel.[28] 7.1–4 ergänzt konkretisierend: Speisung des Hungernden (7.1), Obdach für den Obdachlosen (7.2), Bekleidung des

[23]Insofern wird das Fasten nicht spiritualisiert, d.h. durch innere Einstellung oder ein Sprachelement "ersetzt", sondern rituelles durch soziales Handeln, vgl. *Hermisson*, a.a.O., 83f.

[24]ATD 19, 268.

[25]*ḥrṣbwt ršᶜ* ist ebenfalls eine singuläre Wortverbindung. Das Joch (*mwṭh*) gilt nach Lev 26,13 als die ägyptische Gefangenschaft Israels, nach den messianischen Texten Jes 9,13 und Ez 34,27 ist die Lösung aus dem Joch gleichbedeutend mit der eschatologischen Erneuerung Israels unter dem künftigen Davididen vgl. *Wildberger*, Bk X/1, 375. Zu *ʾgdh* "Bande, Seile des Jochs" vgl. KBL³ 10a. Wie Ex 21,2.5; Dtn 15,12ff.; Lev 23,10-13; 25,1-7 und Jer 34,9ff. (*šlḥ* Pi. bzw. *yṣʾ* + *ḥpš[y]*) zeigen, gehört der Akt der Freilassung wesentlich zusammen mit der in Bundesbuch, dtn- und Heiligkeitsgesetz geforderten Praxis des Sabbatjahres, vgl. *Elliger*, Leviticus, 349f.; *Boecker*, Recht, 136f.

[26]Zu *ḥpš, ḥpšy* vgl. *Lohfink*, ThWAT III, 123-128; s.a. *N.P.Lemche*, The Manumission of Slaves - the Fallow Year - the Sabbatical Year - the Jobel Year, VT 26 (1976), 38-59; *Loretz*, *Ḫabiru*-Hebräer, 252ff.; zuletzt *N.P.Lemche*, The Hebrew and the Seven Year Cycle, BN 25 (1984), 65-75, bes. 71f. Zum sachlich mit dem Jobeljahr zusammengehörenden Sabbatjahr vgl. *A.Meinhold*, Zur Beziehung Gott, Volk, Land im Jobel-Zusammenhang, BZ 29 (1985), 245-261, bes. 256ff.

[27]Zum *ᶜbry* als Bezeichnung eines sozialen Standes vgl. zuletzt und ausführlich *Loretz*, a.a.O., 18ff.; 272; kritisch demgegenüber *Lemche*, BN 25, pass.; zur Spätdatierung der atl. Texte durch *Loretz* s. *W.vSoden*, UF 16 (1984), 364-368, bes. 366.

[28]S.o. A. 2.

Nackten (7.3) und negativ formuliert: Zuwendung zum Nächsten.[29] Ernährung des Hungrigen und Bekleidung des Nackten werden schon in Ez 18,7b als Rechtssätze zusammengestellt, die auf eine Gerechtigkeitserklärung (*ṣdyq hwʾ* Ez 18,9) abzielen.[30] Hingegen bleibt die Gewährung von Obdach für den Armen (*ᶜny*)[31] ohne Parallele. Das V.7.3-4 zugrundeliegende Wortpaar *rʾh* par. *ᶜlm* Hitp. begegnet noch Dtn 22,1 mit dem Sinn, sich geschehenem Unheil nicht zu verschließen.[32]

Wie der teilweise explizite Rückbezug auf die von Jahwe geforderte Gesetzeseinhaltung, aber auch Anklänge an frühere Heilsverheißungen zeigen, schöpft TrJes hier aus vorgegebener, besonders dtn-dtr Tradition, wobei die V.6.1-7.4 geforderten Taten als Explikat von V.2.3-4 und damit als Taten der Gerechtigkeit zu verstehen sind.[33]

### 5.3.2 ṣôm-Fasten und eschatologische Theophanie

V.8-10.11-12 schließen an die rechte Durchführung des Fastens eine zweiteilige Heilsverheißung (V.8-9.2 und 9.3-12) an, wobei die Licht-Aussagen (8.1, 10.3-4) den ersten Verheißungsabschnitt umrahmen. Des näheren zeigt die Struktur von V.9.3 (*ʾm* "wenn") und V.10.3-4 (Perf.cons.), daß das hier vorliegende Konditionalgefüge ebenfalls für V.6-7 und V.8.1 (*ʾz*) bzw. V.9.1 (*ʾz*)

---

[29]Aufgrund der Zusammengehörigkeit von V.7.3-4 handelt es sich damit um drei exemplarische Handlungen, welche in V.9.3-10.2 variiert werden.

[30]Die Folge von Rechtssätzen und die abschließende deklaratorische Formel in Ez 18,5-9 haben nach *Zimmerli*, Bk XIII/1, 397ff., eine kultische Begehung am Tempel zur Voraussetzung, vielleicht eine Torliturgie.

[31]Zum *ᶜny* als einem nicht im Vollbesitz der Rechte Hilflosen vgl. *Martin-Achard*, THAT II, 344f.

[32]*ᶜlm* Hitp. "sich verbergen, verschließen" begegnet außer Dtn 22,1.3f. und Jes 58,7 nur noch in der Gebetssprache Ps 10,1 und 55,2 (cj.) von der (Nicht)-Zuwendung Jahwes gegenüber dem Beter. Hingegen zeigt das Paar *rʾh* par. *ᶜlm* Hitp. in Dtn 22,1.3f., wo es auf "deinen Bruder" (*ʾḥyk*) bezogen ist, daß *mbśrk* Jes 58,7 ebenfalls eine (ethnische ?) Zugehörigkeit ausdrükken will im Sinne von "Volksgenosse, Bruder, Nächster".

[33]Entsprechend formuliert V.8.3 mittels *ṣdq* + Suff. 2. sg.m. die Restitution. So führt das Tun von Gerechtigkeitshandlungen (*ṣdqh* fem.) zur Zueignung von Gerechtigkeit (*ṣdq* masc.).

vorausgesetzt werden darf, so daß V.6–7, 9.3–10.2 jeweils als Protasis, V.8.1–9.2, 10.3–4 jeweils als zugehörige Apodosis zu verstehen sind.[34] Das Licht (*'wr*) des Volkes wird wie die Morgenröte (*kšḥr*) aufbrechen (*bqᶜ*), bzw. in der Dunkelheit (*bḥšk*) aufgehen (*zrḥ*) und antithetisch dazu die "Dunkelheit" (*'pltyk*) des Volkes wie der Mittag (*kṣhrym*). Mittels traditioneller Theophanietermini[35] wird die Verheißung formuliert und durch Vergleiche mit *šḥr* und *ṣhrym* als ein Geschehen beschrieben, daß in Analogie zum Sonnenlauf mit der Morgendämmerung anhebt und am Mittag -beim Höchststand der Sonne- abgeschlossen sein wird.[36] V.8.2–9.2 konkretisiert das heilvolle Geschehen am Volk (2.sg.m.) als eilends sich vollziehende "Heilung" (*'rwkh*)[37] und als Zueignung von Gerechtigkeit und göttlichem Glanz (*kbwd*[38], V.8.2–4). In modifizierter Form wird die sich auf den Auszug aus dem Exil beziehende Zusage von Jes 52,12b[39] in V.8.3–4 aufgenommen: "Dein Heil (*ṣdqk* wörtlich "deine Gerechtigkeit"[40]) geht vor dir her/die Herrlichkeit Jahwes (*kbwd yhwh*) bildet deine Nachhut (wörtlich "sammelt dich")." Wie die parallele Stellung von *ṣdqk* und *kbwd yhwh*, aber auch Jes 52,12b (*yhwh* par. *'lhy yśr'l*) zeigt, umgibt

---

[34]Vgl. *Pauritsch*, Gemeinde, 77.

[35]*bqᶜ* + *'wr* höchstens noch in Ez 13,11 (cj.!); *zrḥ* in Ps 112,4; Prv 13,9; als Theophanieterminus von Jahwe in Dtn 32,2 (par. *ypᶜ* Hi.); Jes 60,2; vom *kbwd yhwh* in Jes 60,1. Vgl. *Aalen*, ThWAT I, 180f.; *Ringgren*, ThWAT II, 661-663; *F.Schnutenhaus*, Das Kommen und Erscheinen Gottes im Alten Testament, ZAW 76 (1964), 1-21, bes. 9f. mit einer astralen Deutung der Lichtmetaphorik.

[36]Entsprechend deutet "in der Finsternis" und deine "Dunkelheit" (*bḥšk*, *'pltyk*) als sachlicher Gegensatz zum Licht auf die augenblickliche Notlage des Volkes. Daß mit dem Aufgang der Sonne, angekündigt durch die Morgenröte (*šḥr*), zugleich die Überwindung der chaosähnlichen Nacht impliziert ist, daß das aufgehende Licht Finsternis, Unheil, Krankheit und Tod "durchleuchtet" hat *Janowski*, Rettungsgewißheit, 23ff., 80ff., für Ägypten, Mesopotamien, Ugarit und Kleinasien exemplarisch nachgewiesen.

[37]Der Begriff ist kaum jemals in medizinischem Sinne verwendet. Jer 8,22; 30,17; 33,6f. bezieht sich auf Juda, Jerusalem und Israel; Neh 4,1 und IIChr 24,13 auf die Erneuerung von Tempel und Stadtmauer.

[38]Vgl. Jes 60,1, wobei das Erscheinen von Jahwes Herrlichkeit den Lichtglanz Jerusalems bewirkt. Vgl.auch *Aalen*, ThWAT I, 180.

[39]Vgl. *Zimmerli*, Sprache, 219ff.

[40]Zur semantischen Differenzierung von *ṣdq* vgl. KBL³, 942ff.

Jahwe selbst schützend sein Volk[41], so daß *ṣdqk* nur im Sinne eines von Jahwe Israel verliehenen Attributes verstanden werden kann. Israels Heilung (8.2) erfolgt so sicher wie der morgendliche Sonnenaufgang[42] und geht einher mit der Epiphanie der Herrlichkeit Jahwes, die nun als Gabe der in V.2.6 begehrten Gottesnähe erfolgt. Dann wird Israel zu Jahwe rufen und er wird, sich selbst lokalisierend, antworten: "Hier bin ich" (*hnny*, V.9.1-2).[43]

Solchermaßen verheißenes Heil, in V.9.3-10.2[44] nochmals unter Aufnahme der Joch- und Hungerthematik mit dem "Aufstrahlen des Lichts" Israels verbunden, beschreibt das Verhältnis zwischen Israel und seinem Gott qualitativ neu: verhält sich Israel entsprechend diesem Katalog sozialer Anforderungen, so wird Jahwe für sein Volk präsent sein.

Die Bedeutung solcher Gottespräsenz entfaltet V.11-12. Indem auf das Hirtenmotiv[45] und die Wüstentradition[46] mit dem paradigmati-

---

[41]Das schützende Umgeben eines Klienten durch numinose Schutzgenien mittels links-rechts oder vorne-hinten Oppositionspaaren findet sich häufig in mesopotamischen Texten. Im Zusammenhang des Aufgangs von Šamaš heißt es z.B.: daß "Gott 'Recht' an deine rechte Seite treten, Gott 'Gerechtigkeit' an deine linke Seite treten" möge vgl. *R.Borger*, Einige Texte religiösen Inhalts, OrNS 54 (1985), 14-26, zum Text BA 10/I Nr.1, 14-18, hier Z.17ff. Weitere Belege bei *Vorländer*, Mein Gott, 23ff.

[42]Zum atl. Material vgl. *J.Ziegler*, Die Hilfe Gottes "am Morgen", in: FS Nötscher, BBB 1 (1950), 281-288. Zu *bqr* "Schauopfer" oder "Morgen" vgl. zuletzt *O.Loretz*, Leberschau, Sündenbock, Asasel in Ugarit und Israel, UBL 3 (1985), 18ff.

[43]Vgl. Jes 65,1. Auf das Befragen (*drš*) antwortet Jahwe ebenfalls mit *hnny* "hier bin ich".

[44]Wahrscheinlich liegt der Verwendung von *npš* in 10.1-2 ein Wortspiel zugrunde, will man trotz G und S den Text beibehalten: "Und du gibst dein Mitgefühl (*npšk*) einem Hungernden und stillst das Bedürfnis (*npš*) des Gebeugten" vgl. KBL³ s.v. *pwk* Hi. 869; *npš* 673, vgl. *Westermann*, THAT II, 74ff. Erweitert wird die Thematik von V.7 um das "Entfernen" von *šlḥ, ʾṣbᶜ* und *dbr ʾwn*, womit ein den Mitmenschen frevelhaftes Beschuldigen gemeint sein dürfte, vgl. die parallele Wendung in I QS XI,2 *šwlḥy ʾṣbᶜ wmdbry ʾwn*, s. ferner *Bernhardt*, ThWAT I, 151-159, bes. 156; zum ausgestreckten Finger im akk. *ubāna tarāṣu* im bösen wie guten Sinne vgl. AHw III 1326 s.v. *tarāṣu* 1d.

[45]Vgl. *nḥh kṣʾn* "führen wie Kleinvieh" Ps 77,21; 78,52 u.ö.; s.a. *Barth*, ThWAT V, 339f. zur Hirtenfunktion in der Umwelt.

[46]Vgl. *nḥh*: Ex 15,13; 13,17.21; Dtn 32,12; Ps 77,21; 78,52; Neh 9,12.19.

schen Begriff der "Führung (*nḥh*)"[47] hingewiesen wird, ergeht die Ankündigung, daß solche Führung nun dauerhaft (*tmyd*) sein werde. Sie ist verbunden mit der "Sättigung des Verlangens" (*śb*ᶜ *npš*)[48] in "dürren Gebieten" (*bṣḥṣḥwt*)[49] und der "Stärkung der Knochen" (*ḥlṣ* Hi. ᶜ*ṣmwt*[50]). Israel wird künftig sein "wie ein bewässerter Garten (*kgn rwh*[51])".

Die Ausgestaltung des Bildes vom *gn rwh* durch die Metapher vom nichtversiegenden Wasserquell[52] führt direkt zu den Aussagen der eschatologischen Restitution Israels und Jerusalems, die sich im Kontext von endzeitlichem Völkerkampf und dem Tempel als Wasserquell[53] bewegen. Es erfolgt der Aufbau der Grundmauern des Tempels[54] und der "Trümmer" Jerusalems, von V.12 un-

---

[47] Vgl. *Barth*, ThWAT V, 334-342.

[48] Vgl. besonders Jer 31,14(.12).

[49] Der Gegensatz bewässerter Garten - Sättigung in Gebieten der Dürre spricht eher für *ṣḥṣḥwt* "dürre Gebiete" als für *b* + arab. **ṣaḥ* "good, healthful" wie *Whybray*, Isaiah, 217 ansetzt.

[50] Die Wendung ist ein hapax legomenon.

[51] Schon Jer 31,10-14 dient das Bild vom *gn rwh* zur Beschreibung der Heimkehr Jakobs (vgl. Jes 58,1.4) aus dem Exil. Vgl. aber *U.Schröter*, Jeremias Botschaft für das Nordreich, zu N.Lohfinks Überlegungen zum Grundbestand von Jeremia XXX-XXXI, VT 35 (1985), 312-329, bes. 326.

[52] V.11.5-6 "Und wie ein Ort wo Wasser quillt, dessen Wasser nicht versiegen".

[53] Vgl. z.B. Ps 46,5ff. (endzeitlicher Völkersturm); Ez 47,1ff. (endzeitliche Tempelherrlichkeit); Jes 33,21 (ewiges Jerusalem); Jo 4,18 (paradiesische Zustände); Sach 14,8 (Königtum Jahwes). Hier liegt das exakte Gegenstück zu Jes 1,30 "gewiß, ihr sollt einer Terebinthe gleichen, deren Blätter verwelken, einem Garten ohne Wasser". Zu den Wasseranlagen der Tempel, bzw. zum Tempel als Quelle leben- und segenspendenden Wassers vgl. *Keel*, Bildsymbolik, 122. Zur kosmologischen Bedeutung des ägyptischen Tempels vgl. *J.Assmann*, Ägypten. Theologie und Frömmigkeit einer frühen Hochkultur, Stuttgart 1984, 43ff.; s.a. *Clements*, ThWAT IV, 860.

[54] Jer 51,26; Ez 41,8 (Q) zeigen neben Jes 58,12.2, daß *mwsd* die Grundmauern, Fundamente eines Hauses bezeichnet, womit hier wohl nur der Tempel auf dem Zion gemeint sein kann, vgl. *Mosis*, ThWAT III, 673 im Unterschied zur sonstigen kosmologischen Bedeutung des Begriffs.

mittelbar und Jes 60,1ff. explizit als Jerusalems Lichtherrlichkeit beschrieben.[55]

Obwohl Jes 58,6-7 das kollektive Fasten als soziales Verhalten neu definiert, gibt besonders V.4f. zu erkennen, daß das Nomen *ṣôm* einen Tag (5.2) meint, an dem man Trauerriten ausführt, zu denen auch das Fasten zählt.[56] Das eintägige Fasten bildet den rituellen Rahmen einer Jahwebefragung (*drš/š'l*).[57] Ihre Verbindung als rituelle und sprachliche Komplemente eines Rituals wird nach 4.3-4 und 9.1-2 dahingehend bestimmt, daß die Art und Weise des Fastens, des rituellen Teils[58] also, über Erfolg oder Mißerfolg entscheidet. Die Notwendigkeit dieser Ergänzung der Fastenriten durch soziales Handeln (Gerechtigkeitsthematik[59]) hat ihren Grund in der Auseinandersetzung zwischen traditionell priesterlicher Kultauffassung und prophetischer Sozialkritik.[60]. Soziales statt rituellem Fasten, d.h. auf den Mitmenschen bezogene Abstinenz von eigenen Bedürfnissen (V.3.3-4.2) verhilft zum Attribut der Gerechtigkeit. Sie bildet die Voraussetzung dafür, daß die erbetene Gottesnähe (V.2.6) dem Menschen gleichsam als permanente Theophanie (8.3-4) zuteil wird.

---

[55]Vgl. Jes 58,12.1 mit 61,4; zur Vorstellung der endzeitlichen Erneuerung Jerusalems vgl. z.B. *vRad*, Theologie II, 303ff.; *Hanson*, Apocalyptic, 62ff., 112.

[56]Vgl. zur zeitlichen Komponente bes. Ri 20,26ff.; ISam 7,6.

[57]Vgl. o. 193ff.

[58]Der symbolische Charakter der Riten wird damit nicht nur in Frage gestellt, sondern in der Konkretion entmythologisiert und entsymbolisiert.

[59]Zur hinlänglich bekannten Rezeption des Fastens unter dem Thema der Gerechtigkeit Gottes in der Bergpredigt (Mt 6,1.16-18) vgl. *R.Guelich*, The Sermon on the Mount. A Foundation for Understanding, Waco 1982, 298ff., 305f., 316ff.

[60]Vgl. *Hanson*, Apocalyptic, 220ff.; *Steck*, Strömungen, 211ff.

## FÜNFTES KAPITEL: צום-FASTEN ALS RAHMEN INDIVIDUELLER UND KOLLEKTIVER KLAGE

### 1. Kollektives und individuelles Fasten

#### 1.1 Die Gebete Nehemias und Daniels: Dan 9,3 und Neh 1,4

Hauptgegenstand der bisherigen Untersuchung war das kollektive Fasten in Verbindung mit einer nationalen Notsituation, sei es um diese zu bewältigen, sei es um diese präventiv fernzuhalten. Neben diesen Verwendungen von *ṣôm* sind jedoch auch individuelle *ṣôm*-Praktiken bezeugt, die sich ebenfalls nicht auf konkrete Totentrauer[1] beziehen, sondern auf individuelle und kollektive Notlagen.

Dan 9,3 und Neh 1,4 zeichnen sich dadurch aus, daß es jeweils ein Einzelner (Daniel-Nehemia) ist, der "fastet" und ein Gebet spricht.[2]

Nehemia erfährt in Susa[3], daß die in Jerusalem verbliebene Bürgerschaft Not leide, daß Stadtmauer und -tore zerstört seien (V.1-3), V.4:

> "Als ich diese Dinge gehört hatte, da setzte (*yšb*) ich mich, weinte (*bkh*) und trauerte ( *'bl* Hitp.) tagelang. Und ich war ein Fastender (Ptz.akt.Sg.m. *ṣm*) und Betender (Ptz.akt.Sg.m. *pll* Hitp.) vor dem Gott des Himmels[4]."

---

[1] Belege für Totentrauer-Fasten, s.o. 13f.

[2] Zu dem Gebet Daniels, Dan 9,4-19 s.u. 226ff.

[3] Zu den vorausgesetzten historischen Verhältnissen von Esr-Neh s. die o. zu Esr 8,21ff. angegebene Literatur.

[4] Vgl. pCow 30,15; s.o. 118f.

In V.5-11a folgt der mutmaßliche Wortlaut des mit *pll* Hitp. bezeichneten Gebetes[5], das jedoch sekundär in den vorliegenden Zusammenhang eingefügt wurde und darum hier außer Betracht bleibt.[6] Analog läßt sich Dan 9,1-3 auffassen.

Durch die noch immer andauernde Not Jerusalems veranlaßt, denkt Daniel über die von Jeremia (25,11f; 29,10) angesagte siebzigjährige Leidenszeit der Stadt nach (V.1-2) und fährt ebenso wie Nehemia im Ich-Bericht fort, V.3:

> "Ich wandte mein Angesicht zum Herrn, dem Gott, suchte zu beten (*lbqš* Pi.+ *tplh*) und zu flehen (*wtḥnwnym*) unter Fasten (*bṣwm*), Saq (*wśq*) und Asche (*w'pr*)."

Dem Fasten des Kollektivs analog bezeugen auch diese beiden Texte die Zusammengehörigkeit von Fasten und anderen Trauerriten, wie s.hinsetzen (?), weinen (*bkh*), trauern (*'bl* Hitp.), tragen des Saqgewandes und s. mit Asche bestreuen (*wśq w'pr*).

Das in Daniels Gebet[7] (V.4-19[20]) vorgetragene Nachdenken über die siebzigjährige Unheilszeit[8] stellt angesichts der Religionsverfolgung unter Antiochus IV. Epiphanes (175-164 v.Chr.)[9] sachlich die Frage nach der Dauer der

---

[5]Vgl. o. 136f.; 170ff.; 174ff.

[6]Gegen die ursprüngliche Zugehörigkeit des Gebetes spricht vor allem der Plural "Knechte" in V.11, nachdem nach V.1ff. Nehemia allein spricht; ferner setzt der Hinweis V.10 auf das Volk doch wohl Juda als Ort voraus, nach V.4 ist Susa gemeint; desweiteren fehlt eine Antwort -im Gegenteil ist in Neh 2,4 nochmals von einem Gebet Nehemias die Rede, das sich nun viel besser in den Kontext fügt als V.5-11; zu weiteren Kontextverknüpfungen, die gegen die Ursprünglichkeit sprechen vgl. *Steck*, Israel, 111f. Anm.11.

[7]S. zu diesem Gebet z.B. *Plöger*, KAT XVIII, 137ff; *Zimmerli*, a.a.O. 207f.; weitere Hinweise bei *Janowski*, a.a.O., 121 mit Anm. 75.

[8]Zu den Siebenereinheiten der Geschichts- und Zeitstrukturierung vgl. zuletzt *K.Koch*, Sabbatstruktur und Geschichte, ZAW 95 (1983), 403-430, hier speziell 426f.

[9]Vgl. *Janowski*, Sühne, 120f mit Anm.73 (Lit.); zur Authentizität des Gebetes im vorliegenden Textzusammenhang und zur Betrachtung der Religionsverfolgung auf dem Hintergrund der neubabylonischen Eroberung Jerusalems 587 v.Chr. s. *Zimmerli*, Theologie, 206f; *Steck*, Weltgeschehen und Gottesvolk im Buche Daniel, in: ders., Wahrnehmungen Gottes im Alten Testament, ThBü 70 (1982), 262-290, hier 281ff.; 284ff. Zu den (religions)politischen Verhältnissen im seleukidischen Jerusalem unter Antiochus IV ab 168 v.Chr. s.z.B. *A.H.J. Gun-*

Not.[10] Der Gesamtaufbau des neunten Danielkapitels entspricht, wie STECK deutlich gemacht hat, dem Dreischritt "Befragung Jahwes um Orakelauskunft angesichts einer Notlage (sc. 9,1-2), Volksklage (sc. 9,3-19), Orakelantwort (sc. 9,20-27 = Deuterede des *angelus interpres* Gabriel)."[11] Zwischen Dan 9,4-19 und Jer 14; Jo 1-2; IIChr 20[12] besteht somit eine zumindest formale Analogie.

Im Unterschied zu den Gebeten und Gebetsfragmenten von Jer 14,6-9.19-22; IIChr 20,6-12 und Jo 1,16-21; 2,17 ist hier jedoch der erste Teil des Gebetes (Dan 9,4b-15) als Sündenbekenntnis formuliert.[13] Jahwe wird (V.4bβ) als derjenige angerufen, welcher "den Bund bewahrt" (*šmr hbryt*) und (V.15aα) Israel "mit starkem Arm aus Ägypten herausgeführt hat".[14] Innerhalb des großen Sündenbekenntnisses erinnern die in die Anrede eingebauten Geschichtsrückblicke an Jahwes frühere, für Israel konstitutive Heilstaten. Kontrastiv dazu wird die vorexilische, exilische und nachexilische Geschichte als Zeit des Ungehorsams Israels dargestellt.

Der vorexilischen Zeit als Zeit des Ungehorsams entspricht die exilisch-nachexilische Zeit als Gerichtszeit[15]. Der gegenwärtige Standort wird damit geschichtstheologisch eingeordnet und gedeutet.

Ebenfalls im Vergleich mit den o.g. Texten fehlt die für die KV konstitutive DU-Klage.[16] Statt dessen gipfelt der Geschichtsüberblick in einer Gerechtigkeitserklärung Jahwes und seines Tuns, die zugleich die folgende Bitte motiviert: Dan 9,15bα.16-19:

---

*neweg*, Geschichte Israels bis Bar-Kochba, Stuttgart u.a. 1976², 151ff.; *M. Hengel*, Judentum und Hellenismus, WUNT 10, Tübingen 1973², 515ff.

[10] Vgl. *Janowski*, ebd.; *W.Zimmerli*, Alttestamentliche Prophetie und Apokalyptik auf dem Wege zur "Rechtfertigung des Gottlosen", in: Rechtfertigung, FS E.Käsemann, hg.v. J.Friedrich, W.Pöhlmann und P.Stuhlmacher, Tübingen-Göttingen 1976, 575-592, hier 585.

[11] *Steck*, a.a.O., 285 mit Anm.92. Zur Einordnung des Gebets zu den KV s. bereits *Gunkel-Begrich*, Einleitung, 117ff.

[12] S. jeweils in Kap. 4.

[13] Vgl. *Janowski*, a.a.O., 123 Anm.87.

[14] Zur Kategorie des Bundes in diesem Zusammanhang vgl. bereits o. zu Jer 14,19-22; zum Rekurs auf den Exodus vgl. Dtn 6,21.

[15] Vgl. *Steck*, a.a.O., 286 Anm.93.

[16] S. dazu o. 124ff.

"denn (*ky*) gerecht (*ṣdyq*) ist Jahwe, unser Gott, in allem, was er tut.[17] 16 'Herr, entsprechend deiner Gnadenerweise wende doch deinen Zorn und Grimm (*šwb* + *'pk wḥmtk*)[18] von deiner Stadt Jerusalem, deinem heiligen Berg, denn (*ky*) wegen unserer Sünden[19] und der Schuld unserer Väter ist Jerusalem und dein Volk zur Schande (*lḥrph*) geworden[20] bei all unseren Nachbarn. 17 Und nun höre, unser Gott, auf das Gebet (*tplh*) deines Knechtes und auf sein Flehen (*tḥnwn*), und laß leuchten dein Angesicht[21] über deinem verwüsteten Heiligtum, um deinetwillen[22], Herr. 18 Neige, mein Gott, dein Ohr und höre; öffne[23] deine Augen und sieh auf unsere Trümmer und die Stadt, über der dein Name genannt ist[24], denn nicht aufgrund unserer Gerechtigkeiten lassen wir unser Flehen vor dir niederfallen, sondern aufgrund deines großen Erbarmens. 19 Höre doch, Herr, vergib[25] doch, Herr[26], merke auf und handle! Zögere nicht um deinetwillen, mein Gott, denn dein Name ist über deiner Stadt und deinem Volk ausgerufen[27].'"

Neben Sündenbekenntnis und Gerichtsdoxologie[28] gliedert sich das Bittelement vor allem in zwei thematische Gruppen: Bitte um göttliche Zuwendung

---

[17]Vgl. Esr 9,15; Neh 9,33; Dtn 32,4 und 1QS I,26; s. auch *Baltzer*, Bundesformular, pass., hier 58; zu der Übereinstimmung dieser Gerichtsdoxologien mit dem dtr Geschichtsbild vgl. *Steck*, Israel, 124ff.; 111ff.

[18]Zum Motiv der göttlichen Zornabwendung s.o. zu Jon 3,9.

[19]*ḥṭ'ynw* + präformatives *b*, das hier den sachlichen Grund der folgenden Aussage nennt.

[20]Israel als Schande unter den Völkern widerspricht der Abrahamsverheißung Gen 12,1ff, daß Israel Segen für die Völker bringen soll, s. auch o. zu Jo 2,17.

[21]Hier Imp.2.Sg.m. Hi. *'wr* vgl. *Aalen*, ThWAT I, 175.

[22]Lies mit V.19 *lmᶜnk*, s.a. App. BHS z.St.

[23]Lies mit T und Q Imp.2.Sg.m. *pqḥ*.

[24]Zur Eigentumsübereignung mittels Ausrufen des Namens des neuen Eigentümers über dem den Eigentümer wechselnden Objekt vgl. bereits o. zu Jer 14,9.

[25]Adhortativ; zu *slḥ* als t.t. der Sündenvergebung vgl. *Stamm*, THAT II, 150ff.

[26]S. App. BHS z.St.

[27] S.o. 125.

[28]Sachlich gehören zu diesem Gebetstyp das Gebet in Neh 1,5-11; Esr 9,6-15 und Neh 9,5-37. S. dazu *Baltzer*, Bundesformular, 51ff; 56ff; *Steck*, Israel, 110ff.

(hören, sehen, aufmerken V.17aα.18a.19a) und Zornabwendung: Zornabwendung (V.16aα), Leuchten des Angesichts (V.17aβ.Γ) und Vergebung der Sünden (V.19aα).

Gebetstermini sind entsprechend V.3.17.21 *tplh* und *tḥnwn*, nach V.20 *pll* Hitp.[29] Terminologisch und inhaltlich (Sündenbekenntnis) besteht damit ein Zusammenhang mit den Gebeten in Jer 14,6-9.19-22 und dem Tun Samuels in ISam 7,2ff.[30] Obwohl in Dan 9 die für die Fürbitte (*pll* Hitp.) typische Präposition *bᶜd* fehlt, läßt sich der fürbittende Charakter des Danielgebetes kaum leugnen.[31]

Die Beantwortung der Anfrage, sachlich als Orakelantwort aufzufassen[32], erfolgt in der Deuterede des Engels Gabriel in Dan 9,24-27, wobei V.24 als vorangestelltes Summarium fungiert. In diesem Summarium wird in Reaktion auf Daniels Nachdenken über die Dauer der Not (V.1-2), eine Zeit von "70 Jahrwochen" (V.24a$\alpha_1$) für Israel und Jerusalem bestimmt mit dem Zweck[33] V.24a$\alpha_2\beta$.b:

> "um auszutilgen[34] den Frevel und um zu versiegeln[35] die Sünde[36] und zu sühnen die Schuld / und um ewige Gerechtigkeit zu bringen und zu versiegeln Gesicht und Prophet und zu salben Hochheiliges".

Die zwei Dreierreihen *kl' pšᶜ / ḥtm ḥṭ't / kpr ᶜwn* und *bw' ṣdq ᶜlmym / ḥtm ḥzwn wnby' / mšḥ qdš qdšym* sind dabei jeweils nicht nur als Synonymgruppen zu verstehen, sondern benennen die jetzige Zeit als Gerichts-

---

[29]Zu *pll* Hitp. und dem zugehörigen Nomen *tplh* vgl. *Stähli*, THAT II, 430f.; s. auch *Kraus*, BK XV/1, 49ff.; *Zimmerli*, Theologie, 130; zu dem Abstraktplural *tḥnwnym* vgl. *Fabry*, ThWAT III, 27; 35; vgl. auch *Pomponio*, JCS 36, 96ff. zu ebl. zà.úš, ba-i-la-tum - *p/bail.

[30]S. dazu o. 170ff.

[31]Vgl. etwa *Hesse*, THAT II, 431.

[32]Vgl. zu V.24 auch *Janowski*, Sühne, 120-123.

[33]Zur finalen Interpretation s. *Janowski*, a.a.O., 121 Anm.77.

[34]Lies K.

[35]Lies K mit LXX Θ'.

[36]Lies mit Q.

zeit, in der bereits die Heilszeit vorbereitet wird.[37] Konkret bedeutet die als Notwende angesagte Heilszeit (V.19 *slḥ*) Sündenvergebung, Aufrichtung gerechter Herrschaft, die Erfüllung des von den früheren Propheten geschauten göttlichen Planens[38] und die Wiedereinweihung des Tempels (= *qdš qdšym*).[39]

Das individuelle Fasten Daniels ist damit wie das Fasten des Kollektivs auf die Not Israels, auf seine "Schande" und das "zerstörte Heiligtum" (V.16f.) und die damit verbundene "Infragestellung Gottes"[40] bezogen.

Eng mit diesem Gebetstypus verwandt ist das angesichts *kollektiven* Fastens gesprochene "Gebet" in Neh 9,5-37.

Nach einem hymnischen Lobpreis des Schöpfergottes (V.5-6) folgt ein Überblick über die israelitische Geschichte von Abraham bis hin zum Exil (V.7-31), während V.32-37 Jahwes Bewahrung des Bundes, seine Gerechtigkeit (V.33) und die begangenen Sünden des Volkes und seiner Führer betonen (V.34-35). Ausschließlich V.36bβ.37bβ deuten eine kollektive Not (Knechtschaft im eigenen Land, Bedrängnis) als politische Abhängigkeit an. Weder Bitte (V.32a[*ab segolta].b) noch Klage werden so formuliert, daß man an eine reale kultische Begehung denken könnte. Neh 9,5bβ-37 bietet vielmehr einen groβangelegten, Ps 78 ähnlichen[41] Geschichtsüberblick mit dem Ziel, Jahwes Heilshandeln in der Geschichte Israels aufzuzeigen und die gegenwärtige Bedrängnis in eine Linie mit den vielfältigen Verstößen gegen Jahwes Weisungen zu stellen.

Da das Geschehen offensichtlich eng mit der Verpflichtung des Volkes auf das Gesetz (Neh 10) verbunden ist, scheint Neh 9,5-37 auch nicht für den rituellen Rahmen des Fastens konstitutiv zu sein.[42] Hingegen entspricht es gut

---

[37] Vgl. dazu im einzelnen *Janowski*, a.a.O., 122.

[38] S. dazu *Otzen*, ThWAT III, 287.

[39] Vgl. *Steck*, Weltgeschehen, 281 Anm. 75; *Janowski*, a.a.O., 122.

[40] *Steck*, a.a.O., 281.

[41] Vgl. z.B. *Galling*, ATD 12, 239. Neh 9,5ff. nimmt damit eine Zwischenstellung ein. Der Text entspricht weder den Bußgebeten in Dan 9; Esr 9, noch einem Klagegebet.

[42] Zur Problematik der Abfolge ritueller Begehungen in der Esra-Geschichte, deren Abschluß Neh 9-10 bilden, vgl. die Kommentare z.St.

chronistischer Darstellung, wenn als Handlungsträger nun Leviten in ehemals kultprophetischer Funktion erscheinen.[43]

### 1.2 Fasten als "Fürbitte": IISam 12,16.21ff.; Ps 35,13f.

Innerhalb der David-Batseba-Geschichte IISam 11-12 berichten IISam 12,15bff über Krankheit und Tod des Batseba-David Kindes, sowie von Davids Bemühungen, das Kind vor dem Tod zu retten.[44] Nachdem V.15b kurz notiert, daß Jahwe das Kind der Frau Urijas, das sie dem David geboren hatte[45], "geschlagen" (*ngp*)[46] hatte, so daß es erkrankte, steht ab V.16 Davids Rettungsversuch im Mittelpunkt. In ihrem gegenseitigen Bezug als Handlung und Deutung erklären V.16.22 zugleich das Fasten Davids.

---

[43]Entsprechend ist IIChr 20 der Levit Jehasiel am Ablauf beteiligt; vgl. *Gese*, Kultsänger, 154f., bes. 147f.

[44]Innerhalb von IISam 12 bilden V.15bff. die ältere literarische Schicht, die erst nachträglich um die vorangehende David-Nathan-Perikope erweitert wurde, vgl. *Veijola*, Verheißung, 202; ders., Dynastie, 113 mit Anm. 43; *Smend*, Entstehung, 122; *Stolz*, ZüBiAT 9, 240; s. aber auch *Schulte*, Entstehung, 158f.

[45]Hier heißt Batseba noch "Frau Urijas", während sie am Ende der Erzählung, nachdem das Kind gestorben ist, in V.24 erstmals mit Namen genannt und als Frau *Davids* erwähnt wird. Sollte die Erzählung mittels dieser Ersetzung sagen wollen, daß der Tod des Kindes die Beziehung zwischen David und Batseba erst legitimiert. Dem könnte der Name des zweiten Kindes V.24b :Salomo (š^e^-lomō) entsprechen, was als "sein (Davids) Friede" zu übersetzen wäre, sofern man mit einer Graphie /h/ statt /w/ für das PSuff. 3.Sg.m. rechnet. Nur wenn dieses Suffix auf das verstorbene Kind zu beziehen wäre, läge ein Ersatzname vor, was allerdings noch immer nicht bedeutet, *š^e^lomō* hieße "sein Ersatz", wie *Stolz*, a.a.O.,241f versteht, da dies eine Namenbildung mit *šlm* Pi. voraussetzte, s. im Einzelnen *J.J.Stamm*, Der Name des Königs Salomo, in: *Ders.*, Beiträge zur hebräischen und Altorientalischen Namenkunde, hg. v. E.Jenni und M.A.Klopfenstein, OBO 30, Fribourg-Göttingen 1980, 45-57, hier 54ff.; s. auch *Gerleman*, THAT II, 932.

[46]Das Verbum *ngp* + Subj. Jahwe hat auch hier eine strafende Konnotation. Vgl. etwa Jahwes strafendes Handeln an den Ägyptern = schlagen (*ngp*) in Ex 7,27; 12,23 (J); 12,27 (P); s. auch ISam 25,38f wo Jahwes "Schlag" gegen Nabal als Zurückwendung des Bösen auf den Übeltäter interpretiert wird: *šwb* Hi. + Subj. Jahwe + direktes Obj. *r^c^h* + Ziel *br'š*, vgl. auch *Welten*, Geschichte, 121; zum Unterschied zu *ng^c^* s. *Seybold*, Gebet, 26.

V.16a wybqš dwd ᾽t ᾽lhym[47] b<sup>c</sup>d[48] hn<sup>c</sup>r
V.16b wyṣm dwd ṣwm wb᾽ wln wškb ᾽rṣh
V.22a b<sup>c</sup>wd hyld ḥy ṣmty w᾽bkh
V.22b ky ᾽mrty my ywd<sup>c</sup>[49] yḥnny yhwh wḥy hyld.

V.16a Und David holte ein Orakel[50] bei Gott für den Knaben ein
V.16b und David fastete, er kam, übernachtete und schlief auf dem Boden.
V.22a Als das Kind noch lebte, fastete und weinte ich,
V.22b denn ich dachte: Vielleicht ist Jahwe mir gnädig und läßt das Kind am Leben.

Gemäß der textinternen Deutung von V.22 muß Davids Fasten und Weinen zusammen mit seiner Orakeleinholung als ein Handlungszusammenhang verstanden werden. Das Ganze dient einem doppelten Ziel: Gnadenerweis gegenüber David und Gesundung des Kindes. Bei Davids Hofleuten löst jedoch höchste Verwunderung aus, daß David sein Fasten im Moment des Todes beendet (V.18-21), also in einer Situation, in der Fasten und Trauer erst recht angebracht und normal wäre.[51] Der scheinbare Widerspruch wird jedoch in Davids Erklärung (V.23) aufgelöst:

> "Nun aber ist das Kind gestorben, warum (*lmh*) soll ich da ein Fastender (Ptz.akt.Sg.m. *ṣm* + *᾽ny*) sein, vermag ich etwa, es noch zurückzubringen? Ich werde zu ihm gehen, es aber wird nicht zu mir zurückkehren."

Der Tod des Kindes macht Davids mit dem Fasten verbundene Absicht unmöglich. Es bedeutet zugleich, daß die Erzählung nicht Totentrauer im Blick

---

[47] Qumran liest statt *᾽t* hier *min* und versteht *bqš* Pi. + *min* wohl im Sinne einer Rechtseinforderung, vgl. *Wagner*, ThWAT I, 761f.

[48] Die Präposition *b<sup>c</sup>d* markiert hier den fürbittenden Charakter von Davids Tun.

[49] Vgl. zu diesem "vielleicht" o. zu Jon 3,9 und Jo 2.

[50] Zur Orakeleinholung im Krankheitsfalle vgl. *Kutsch*, ThST 78 (1965), 39 Anm. 26; *Seybold*, a.a.O., 58f.

[51] *G.Gerleman*, Schuld und Sühne, in: Beiträge zur Alttestamentlichen Theologie, FS W.Zimmerli, hg. v. H.Donner, R.Hanhart u. R.Smend, Göttingen 1977, 132-139, hat dieses Verhalten dadurch zu erklären versucht, daß David aufgrund seiner Begegnung mit Nathan darüber informiert gewesen sei, daß der Tod des Kindes als Strafe für den Ehebruch mit Batseba zu verstehen sei, und so seine Hofleute bewußt im Unklaren über die wahren Zusammenhänge gelassen habe. Sobald man jedoch V.15bff. als gegenüber V.1-15a ursprünglich ansieht, muß man nach einer anderen Erklärung suchen.

hat, sondern eine Form ritueller Trauer, die auf ein noch lebendes Objekt, das Kind, gerichtet ist.[52] Die Funktion solcher Trauer besteht entweder darin, Jahwe zur Rettung des Kindes zu bewegen oder aber den Tod selbst von dem Kind fernzuhalten.

Diese Interpretation wird in gewisser Hinsicht durch das Trauerverhalten des Psalmisten in Ps 35,13-14 bestätigt. Der von Widersachern schwer bedrängte Beter beschreibt, wie er sich den Feinden gegenüber verhalten hat, als sie erkrankt waren, V.13-14:

> "Ich aber, während ihrer Krankheit, zog ein Saqgewand an (*lbš śq*), demütigte durch Fasten mich (*ᶜnh* II.Pi. *bṣwm npšy*) und mein Gebet (*tplty*) kam zu mir selbst zurück[53]. 14 Wie um einen Freund, einen Bruder von mir, ging ich umher, wie einer der um die Mutter trauert (*k'bl 'm*), geschwärzt war ich niedergebeugt (*qdr šḥwty*)."

Fasten, Trauer (*'bl*) und Gebet (*tplh*) eines Einzelnen beziehen sich hier wie in IISam 12,16ff. auf eine erkrankte Person. Deutlich wird in V.14 (*ky*) der Bezug zur Trauer um ein Familienmitglied hergestellt, so daß durch das *fürbittende* Eintreten des Beters die Feinde wie Familienangehörige behandelt werden. Die Aussage stellt damit zunächst nur die Intensität des fürbittenden Handelns heraus. Ungelöst bleibt die zu IISam 12,16ff. notierte Differenz zwischen Davids Verhalten und der Erwartung seiner Hofleute.

Sowohl der Psalmbeter als auch David üben Trauer-Fasten hinsichtlich der Heilung eines anderen, während die Hofleute den Tod bereits voraussetzende Totentrauer im Blick haben. Das Kuriosum ist also nicht, daß David zuvor fastet und betet, sondern daß er seine Trauer nach dem Tod des Kindes abbricht. Die gegebene Erklärung stellt m.E. im Alten Testament den einzigen Versuch dar, rituelles Verhalten zu rationalisieren und funktional zu bestimmen.

---

[52] Genau das Gegenteil vermutet *D.W.Caspari*, KAT VII, 535 wenn er Davids Trauer so versteht, daß er sich selbst vor der Todesgefahr schützen möchte.

[53] Vgl. zu Formulierung und der vermutlich repräsentierten Gebetshaltung *Seybold*, Gebet, 60; *K.Seybold-U.Müller*, Krankheit und Heilung, Stuttgart u.a. 1978, 36.

Vor dem Hintergrund der ebenfalls in Jes 58,4[54] vorliegenden Verbindung von Fasten + Gebet stellt sich die Frage, ob und inwiefern Trauer als gebetsunterstützender Ritus zu verstehen ist.

Jede Form der Klage in Verbindung mit einer Bitte verläuft stets in zwei Richtungen. In der Anrede wendet sie sich an eine Hilfe bringende Instanz, in Klage und (Für-)Bitte ist sie auf den Notleidenden bezogen. In diesem doppelten Bezug lassen sich auch die rituellen Handlungen verständlich machen. Sie schaffen einerseits die Voraussetzungen zur Gebetserhörung, andererseits entschärfen sie die Situation des Notleidenden bzw. des an seiner Stelle Betenden.[55]

Ob als Ort von Gebet und Fasten an ein Heiligtum zu denken ist, läßt sich nicht mit Sicherheit ausmachen.[56]

### 1.3. Fasten als Buße: IKön 21,27-29

In den Anhängen zur Naboth-Novelle in IKön 21 begründen V.27-29 nachträglich, warum das von Elia angekündigte Gericht über Ahab nicht diesen selbst, sondern erst seine Nachfolger traf.[57] Durch *hdbrym h'lh* auf das vorangehende Gerichtswort zurückbezogen, schildern V.27-29 Ahabs Reaktion, V.27:

> "Und als Ahab diese Worte vernommen hatte, da zerriß er sein Gewand (*qr*ᶜ*+bgd*)[58], legte ein Saqgwand (*śq*) um seinen Körper und fastete (*ṣwm*), und er schlief im Saqgewand und ging gedrückt (*'t*) umher".

---

[54]S.o. 214ff.

[55]Identität liegt z.B. in dem für die KV typischen "wir-uns" vor, wo sich der Klagende in die notleidende Gemeinschaft miteinbezieht, zu unterscheiden sind Beter und Notleidender z.B. in IISam 12,16ff und hier in Ps 35,13f.

[56]Träfen *Gerstenberger*'s, Der bittende Mensch, 117f., Vermutungen über eine private Kultausübung unter der Leitung eines von den offiziellen Kultbediensteten des Tempels zu unterscheidenden Liturgen zu, so wäre die geschilderte Situation auch im Privathaus denkbar.

[57]Zur literarischen Schichtung in IKön 21 vgl.o. 177 A. 5.

[58]S. zu diesem Ritus o. 83f.; 184f.

In dem daraufhin an Elia ergehenden Gotteswort (V.28) deutet Jahwe selbst Ahabs Verhalten (V.29) als *kn*$^{c}$ "vor mir" und wendet das angekündigte Gericht von Ahab ab. Neben dem das Fasten deutenden Terminus $^{c}$*nh* II. Pi.[59] steht ein für die Chronologie der Textstelle und ihr Verständnis bedeutsamer Begriff: *kn*$^{c}$ Ni.[60]

In Lev 26,41 und IIChr 7,13f (chr Fassung des Tempelweihgebetes) dient *kn*$^{c}$ Ni. zusammen mit dem Sündenbekenntnis der Umkehr (*šwb*) zu Jahwe. In den Bußszenen der Chr (IIChr 34,27; 12,6ff; 32,26; 33,12.19) gehören Gerichtsdoxologie[61], Gebet, Kleiderzerreißen und Weinen zum typischen Bußverhalten des chronistischen Königsbildes.[62]

Zusammen mit diesen Texten bildet auch IKön 21,27-29 eine Königsbußszene, die aufgrund der ihnen explizit oder implizit eignenden Umkehr-Theologie[63] zu interpretieren ist.[64]

## 1.4 Individuelles Fasten: Ps 69,11; Ps 109,24

In dem individuellen Klagegebet Ps 69 nennt der sich selbst in Todesnot[64] (V.2-3) befindende Beter in V.11a.12a die Riten, die er angesichts der feindlichen Bedrohung ausführt:

---

[59] S.o. 197.

[60] Zum hauptsächlich dtr und chr Gebrauch der Wurzel *kn*$^{c}$ vgl. *Wagner*, ThWAT IV, 216ff.

[61] S.o. 185f.; 157f.

[62] Im einzelnen dazu s. *Wagner*, a.a.O.,220-222.

[63] Umkehr wurde im Zusammenhang mit Fasten nur in Jo 2,12ff. und Jon 3,5ff. thematisiert, wobei sich die Trauerriten als rituelles significans der ethischen Kategorie Umkehr verstehen ließen.

[64] Damit entspricht diese Form individuellen Fastens der auch im kollektiven Fasten belegten Verbindung mit der Umkehr-Forderung in Jon 3 und Jo 2,12ff.

[64] Zu den Wasser- und Schlammotiven als Todesmetaphern vgl. *Barth*, Errettung, 85f.

V.11a "ich schlug[65] unter Fasten (*bṣwm*) mich selbst"
V.12a "ich nahm als Kleid mir ein Saqgewand (*śq*)".

Die Ursache der Not sieht er nicht in eigenem Verschulden (V.5), sondern in seinem Eifer für Jahwes Haus (V.10). Die Trauerriten begleiten damit kein Sündenbekenntnis[66], sondern sind auf die von Feinden bewirkte Todesgefahr des Beters zu beziehen.

In Ps 109,24a äußert der Beter, ebenfalls in einer individuellen Klage, daß seine Knie "vom Fasten (*mṣwm*)" ermüdet seien. Auf ihm und seiner Familie lastet eine ganze Kette von Flüchen (V.6-20), die ihm sein öffentliches Amt (*pqdh*) nehmen und ihn selbst töten sollen[68].

MOWINCKEL hat die drei Psalmtexte (Ps 35,13f.; 69,11; 109,24) zu den Ich-Klagen gerechnet, die in Wahrheit aber einen national-kollektiven Hintergrund hätten.[69] Die Differenz löst er durch die Annahme, daß in Form der KE die individuelle Not eines Repräsentanten des Volkes thematisiert werde.[70] Da jedoch weder Ps 35, noch Ps 69 und Ps 109 Hinweise auf eine solche Repräsentantenfunktion bieten, liegt eine andere Erklärung näher.

Sowohl die Psalmstellen, als auch die dem kollektiven Fasten verwandten Reaktionen Ahabs und Davids zeigen, daß eine individuelle tödlich verlaufende Not vorliegt. Sachlich beziehen sich individuelles und kollektives Trauer-Fasten auf den bevorstehenden Tod, während rituell individuelle (KE) und kollektive Formen (KV) unterscheidbar werden.[71]

Individuelles Fasten findet demnach eine zweifache Verwendung: 1. angesichts kollektiver Not (Dan 9, Neh 1), und 2. angesichts einer individuellen

---

[65]Lies mit LXX *'dkh*.

[66]S.o. etwa zu IKön 21, 26.

[68]Vgl. V.9 Frau und Kinder sollen zur Witwe und zu Waisen werden; V.8 *pqdh* als allgemeine Amtsbezeichnung ohne nähere Spezifizierung, s. *Schottroff*, THAT II, 468.

[69]Psalms, 219.

[70]A.a.O., 235.

[71]Die formale Analogie zwischen KV und KE betont ebenfalls *Welten*, TRE 7, 434.

Not des Fastenden selbst (Ps 69; 109; IKön 21,27ff) oder eines Dritten (IISam 12; Ps 35).

Die besondere Gestaltung des Fastens in Nehemia und Daniel, die vorausgesetzte Not und die Repräsentantenfunktion erweisen den kollektiven Sinn der individuellen Fasten. Als eigentlich individuelles Fasten mit einem eigenen Sitz im Leben können darum nur Ps 69; 109; IISam 12 und IKön 21,27ff. gelten. Vergleicht man den parallelen Aufbau in KE und KV, sowie die Jahwebefragung (*bqš* Pi.) Davids mit der (kult)prophetischen Funktion Elias in IKön 21,27ff., so wird deutlich, daß kollektives und individuelles Fasten hinsichtlich ihres Sitzes im Leben nur formal als *individuelle* und *kollektive* Formen zu unterscheiden sind.[72]

Setzt man voraus, daß nicht nur das kollektive, sondern auch das individuelle Fasten unter Mitwirkung kultischer Experten stattfand, gewinnen die rituell-kultischen Differenzierungen bei SEYBOLD[73] und GERSTENBERGER ein zusätzliches Gewicht, insofern damit in Analogie zu mesopotamischen Beschwörungen auch für das Alte Testament die Existenz eines individuellen Klage- bzw. Restitutionsrituals bezeugt wäre.[74]

### 1.5 Die Gebetstypen

Kollektive Gebete und Gebetsfragmente begegnen innerhalb der Fasten-Texte ausgesprochen spärlich. Das einzige komplett überlieferte Gebet findet

---

[72]Dabei ist es durchaus fraglich, ob das Fasten auch im Danklied seinen Ort haben kann, wie *Welten*, TRE 7, 434, die inviduellen Psalmstellen versteht und auf die Todafeier als SiL verweist. Angesichts der Differenzierungen von Seybold und Gerstenberger, s.o. A. 56, ist -trotz aller Überschätzung der mesopotamischen Beschwörungsliteratur- die bei *Kraus*, Psalmen I, 49ff., vertretene Subsumierung von Klage- und Dankliedern unter die Gebetslieder kaum aufrechtzuerhalten. Besonders die KV als reiner Klagevortrag setzt doch eine grundsätzlich andere "Situation" voraus als die für "Gebetslieder" eigentlich konstitutive Form der Bitte.

[73]Gebet, 82ff.; 86 ; *Gerstenberger*, Der bittende Mensch, 139, wobei nach Gerstenberger, a.a.O., 134, Abschnitt 2.3.3, Bittzeremonie und KE sachlich identisch sind.

[74]A.a.O., 146ff.

sich in IIChr 20,6-12[75], mehrere Elemente eines Gebets in Jer 14,6-9.19-22[76], einzelne, z.T. fragmentarische Elemente in Jo 1,15-19; 2,17b[77].

Der charakteristische Unterschied zwischen den gemeinhin als Bußgebete[78] bezeichneten Gebeten in Dan/Neh und den o.g. Gebeten besteht darin, daß der selbständige Rückblick auf Jahwes frühere Heilstaten eng verbunden ist mit dem Ungehorsam des Volkes, die gegenwärtige Not auf eigene Sünden zurückgeführt und schließlich Jahwe in seinem Unheilshandeln als gerecht gepriesen wird.[79]

Demgegenüber finden Ungehorsam und Sünden des Volkes in IIChr 20,6-12 und in Jo 1,15ff;2,17b keinerlei Erwähnung. Auch Jer 14,7-9.19-22 -Bezugnahme auf Sünden in V.7 und V.20- zieht nicht die Konsequenz der Bußgebete und führt die Not auf eigenes Verschulden zurück.[80] Der Unterschied läßt sich ferner anhand der Du-Klage verdeutlichen. Während Jer 14,8.9 in Form der warum-Frage[81] Jahwe anklagt und V.21b dem Bundesbruch *Jahwes* zuvorkommen will, steht im Vordergrund der Bußgebete die Bezichtigung des *eigenen* Bundesbruchs.[82] Die Ableitung der Gefahr mithilfe der Bundesvorstellung wird damit zum exemplarischen Unterscheidungsmerkmal der Gebetstypen: Bundesbruch Jahwes - Bundesbruch des Volkes.

Auch terminologisch wird dieser Unterschied greifbar. Bei Gebeten mit Sündenbekenntnis steht vornehmlich das Verbum *pll* Hitp. (Dan 9,4.20; Neh

---

[75] S.o. 199ff.

[76] S.o. 121ff.

[77] S.o. 144ff.

[78] S. beispielsweise *Steck*, Israel, 110ff.; *Baltzer*, Bundesformular, 56f.

[79] So auch schon *Steck*, a.a.O., 125.

[80] S.u. 275ff.

[81] Vgl. *Ballentine*, The Hidden God, 116ff., bes. 129; *A.Jepsen*, Warum? eine lexikalische und theologische Studie, in: Das Ferne und Nahe Wort, BZAW 105, Berlin 1967, 106-113.

[82] Zur Wirkung des Fluchs bei Übertreten des Bundes (Dan 9,11; Neh 1,7;9,32) vgl. *Baltzer*, a.a.O., 54ff.

1,4) oder die Konstruktion *pll* Hitp.+ *bᶜd* (ISam 7,5; Jer 14,11)[83], während sonst die Verben *š'l, drš* und *bqš* Pi. Verwendung finden.[84]

<u>Klagegebet</u>:

Termini: *š'l, bqš, drš*

Anklage Gottes

Bundesbruch Jahwes

Abfolge göttlicher Heilstaten

<u>Bußgebet</u>:

Terminus: *pll* Hitp.

Sündenbekenntnis

Gerichtsdoxologie

Bundesbruch des Volkes

Abfolge göttlicher Heils- und menschlicher Unheilstat.

Können somit Bußgebete von reinen Klagegebeten abgegrenzt werden[85], wäre auch die schon von BALTZER vertretene These einer Bundeserneuerungsfeier als Sitz im Leben der Bußgebete[86] erneut zu überdenken. Aufgrund der formalen Kriterien und Parallelen in den Fasten-Texten hätten die Klagegebete ihren Sitz im Leben in den Volksklagefeiern, im Fastenritual.

Die definierte Unterscheidung kann exemplarisch an drei Gebeten, die ein und dasselbe Ereignis reflektieren (Fertigung des goldenen Kalbes Ex 32,1ff.), Dtn 9,26$a\alpha_2$-29; Ex 32,11b-13 und Ex 32,31b-32 veranschaulicht werden.

---

[83] Zu dem Zusammenhang von Fürbitte und Sündenbekenntnis s.o. zu ISam 7,5ff., s.o. 170ff.

[84] IIChr 20,3f.; Esr 8,21; Jes 58,2; Ri 20,26f.; ferner *qr'* Jon 3,8; *zᶜq* Jo 1,14; *'mr* Jo 2,17 und vielleicht *ḥlh* Pi. + Angesicht Gottes in Sach 7,2; 8,21.

[85] Diese Unterscheidung wird innerhalb der Volksklagegebete kaum vorgenommen, vgl. die Subsumierungen beider Typen unter eine Gattung bei *Gunkel-Begrich*, Einleitung, 117; *Kaiser*, Einleitung, 336; formgeschichtlich differenzierter *Kühlewein*, Geschichte, 47; *Westermann*, Lob, 159 "Das Bußgebet ist also auch eine Abwandlung des Klagepsalms, in der die Klage fast oder ganz zurücktritt und an ihrer Stelle ein anderes Motiv den Psalm beherrscht", ist sich der Differenz zwar bewußt, nivelliert aber den grundlegenden, gegensätzlichen Unterschied.

[86] Vgl. *Baltzer*, a.a.O., pass.; auch *Steck*, Israel, 134.

Das Beispiel wurde gewählt, da eine Notlage des Volkes und die charakteristischen Merkmale: Sündenbekenntnis, Anklage Gottes, Gebetsbezeichnungen und Rückblick auf Jahwes frühere Heilstaten vorliegen. Inhaltlich schlägt das Völkerspottmotiv eine Brücke zu den KV.[87]

Jedem der drei im folgenden zitierten Gebete des Mose entspricht eine Gebets- bzw. Funktionsbezeichnung: *pll* Hitp. in Dtn 9,26a$\alpha_1$, *ḥlh* Pi. + Angesicht Jahwes in Ex 32,11a und *kpr* Pi.+ *b$^c$d* in Ex 32,30bβ.[88]

Dtn 9,26a$\alpha_2$-29: "Herr, Jahwe (ANREDE), verdirb nicht dein Volk und dein Eigentum (1.BITTE), das du erlöst hast mit deiner Macht, das du aus Ägypten geführt hast mit starkem Arm (EXODUS-AUSSAGE).(27) Gedenke deiner Knechte Abraham, Isaak und Jakob (VÄTERAUSSAGE). Wende dich nicht zu der Verstocktheit dieses Volkes, seiner Bosheit und seiner Sünde (BITTE UM NICHTBEACHTUNG d. SÜNDE), (28) sonst spräche das Land, aus dem du uns führtest: "Weil Jahwe es nicht vermochte, sie in das Land zu bringen, das er ihnen versprochen hatte, und weil er sie haßte, hat er sie herausgeführt, um sie in der Wüste zu töten" (ABWEHRFORMEL: Völkerspott). (29) Doch sie sind dein Volk und dein Eigentum, das du herausgeführt hast mit deiner großen Kraft und deinem ausgestreckten Arm (EXODUSAUSSAGE)."

Ex 32,11b-13: "Warum, Jahwe, entbrennt dein Zorn gegen dein Volk (ANREDE+ZORNKONSTATIERUNG), das du herausgeführt hast mit großer Macht und starkem Arm aus Ägyptenland (EXODUSAUSSAGE)? (12) Warum sollen die Ägypter sagen: Im Bösen hat er sie herausgeführt, um sie im Gebirge umzubringen und um sie vom Erdboden zu vertilgen (ANKLAGE: Völkerspott); kehr um von deinem glühenden Zorn, laß dich gereuen, das Böse deinem Volk zu tun (BITTE UM ZORNBESÄNFTIGUNG). (13) Gedenke Abrahams, Isaaks und Jakobs, deiner Knechte (VÄTERAUSSAGE), denen du bei dir selbst geschworen und zugesagt hast: 'Ich will eure Nachkommen so zahlreich machen wie die Sterne des Himmels, und dieses ganze Land, von dem ich sprach, gebe ich euren Nachkommen, daß sie es auf ewig besitzen' (SCHWURZITAT)."

Ex 32,31b-32: "Ach, eine große Sünde hat dies Volk begangen und sich einen goldenen Gott gemacht (SÜNDENKONSTATIERUNG). (32) Und

---

[87] So auch in Jo 2,17b und in Ps 79,10.

[88] Zum Vergleich der Gebete hinsichtlich der Reue Gottes s. *Jeremias,* Reue, 60ff.; zur Sühnevorstellung in Ex 32,31b-32 sowie zur Verhältnisbestimmung der beiden Exodus-Texte vgl. *Janowski,* Sühne, 142-145.

nun, wenn du ihre Sünde vergebest (VERGEBUNGSBITTE) - und wenn nicht, dann streiche mich doch aus deinem Buch, das du geschrieben hast (SOLIDARITÄTSERKLÄRUNG)."

Während sich Ex 32,31b-32 deutlich von den anderen beiden Gebeten durch die explizite Vergebungsbitte und Solidaritätserklärung[89] unterscheidet, erweisen sich Ex 32,11b-13 und Dtn 9,26a$\alpha_2$-29 in der Exodusaussage, in der Väteraussage und im Völkerspottmotiv als zusammengehörig. Differenziert ist jedoch die Form der Völkerspottaussage als warum-Frage (*lmh*) in Ex 32,12 und als Abwehr-Aussage (*pn:* daß nicht eintrete, das und das...[90]) in Dtn 9,28.

Derselbe formale Unterschied besteht zwischen imperfektisch formulierter Bitte in Dtn 9,26aα und dem vorwurfsvoll konstatierten (*lmh*) Jahwezorn (Ex 32,11b). Desweiteren wird die in Dtn 9,27a isoliert stehende Väteraussage in Ex 32,13 um ein ausgeführtes Zitat des Väterschwurs erweitert. Schließlich steht anstelle der Bitte um Nichtbeachtung der Sünde (Dtn 9,27b) in Ex 32,12b die Bitte um Zornbesänftigung[91] und Rücknahme des Vernichtungsbeschlusses. Der fehlende Sündenbezug ist in Ex 32,11b-13 durch die Vorstellung vom Gotteszorn ersetzt, die bittende Diktion durch vorwurfsvoll klagende Fragen.[92]

Den skizzierten und geprüften Kriterien zur Bestimmung einer kollektiven Klage entspricht in den Psalmen ein eng begrenztes Korpus von Texten: Ps 44; 60; 74; (79); 80; 83; 85; 89B; (90);(126)[93], deren konstitutive Elemente: An-

---

[89] *Janowski*, a.a.O., 143f., zufolge besteht die auf Sühne (*kpr*) abzielende Interzession des Mose darin, daß Mose für den Fall der Nichtgewährung von Sündenvergebung anbietet, wie das Volk die Strafe für das Vergehen -obwohl er unschuldig! ist- mittragen zu wollen.

[90] Zu dieser Bedeutung der Partikel s. KBL³ s.v.

[91] Zur Selbstrücknahme des göttlichen Zorns s.o. 186.

[92] Von insgesamt 38 Belegen für die an Gott gerichtete warum-Frage (*lmh*) Ex 5,22; *32,11;* Num 11,11; 21,5; *Jos 7,7; Jes 63,17; Jer 14,8.9;* Hab 1,3.13; Ps 10,1; 22,2; 42,10; 43,2; *44,24.25; 74,1.11; 80,13;* 88,15; Hi 7,20; 10,18; 13,24; *Thr 5,20;* Gen 25,22; *Ex 32,12;* Ri 6,13; *21,3; Jes 58,3;* Jer 15,18; 20,18; Ps 2,1; 42,10; 49,6; 68,17; *79,10; 115,2; Jo 2,17* finden sich allein 17 im Kontext von kollektiver Not und Volksklage/Volksklageelementen (kursiv), der Rest ebenfalls in Klagekontext.

[93] Rückblick auf Jahwes frühere Heilstaten: Ps 44,(2)3-4; 60,8-10; 74,13-17; (77,6-7.14-21); 79 (kein Rückblick, dafür aber Bitte um Sündenvergebung V.8-9)); 80,9-12; 83,10-13 (eingeschlossen in der Bitte); 85,2-4; 89,10-13;

klage Gottes und Rückblick auf Jahwes frühere Heilstaten im folgenden zu untersuchen sind.

## 2 Formen der Gottverlassenheit im Volksklageritual

### 2.1 Gottverlassenheit in der KV

Als das zentrale Motiv in den *ṣôm*-Texten konnte die Klage über Jahwes Untätigkeit, die Abwesenheit seiner lebensnotwendigen Gaben -Regen und Wasser- oder seine Verborgenheit[94] festgestellt werden. Hinweise in dieser Richtung enthalten ebenso die Klagegebete des Volkes im Psalter.[95]

Bereits R.ALBERTZ[96] hatte für das Gottesverständnis in den KV dargelegt, daß Jahwe hier als Gegner seines Volkes, als Verursacher der Not angesehen und ihm vorgehalten werde, sein Volk "verworfen" und "verlassen" zu haben.[97] Daneben werden aber weitere Vorstellungen greifbar:

> 1. Ps 44,24-25.27: (24) "Erwache (*ᶜwrh*), warum schläfst (*yšn*) du, Herr? Wach auf (*qyṣ* Hi.), verwirf nicht (*znḥ*) auf ewig. (25) Warum verbirgst du dein Angesicht (*str* Hi. *pnym*), vergißt (*škḥ*) unsere Not und Drangsal? (27) Erhebe dich (*qwmh*), eile uns zu Hilfe, erlöse uns um deiner Treue willen."

Die mythischen Aussagen vom Gottesschlaf[98] (*ᶜwr*, *qyṣ*, *yšn*) und von der Verborgenheit des göttlichen Antlitzes (*str* Hi. *pnym*) korrespondieren den

(90,1-2, in V.8 aber Bezug auf Sünde); (126,1-3 aber keine Du-Klage); Du-Klage/Anklage Gottes: Ps 44,10-15.25; 60,3-5.12; 74,1.11; (77,8-10); (79,5); 80,5-7.13; 83 (indirekt innerhalb der Bitte V.1-2.14-17); 85,6; 89,39-47.50; (90,7.9-12); Unschuldsbeteuerung: nur einmal Ps 44,18-20; Vorwurf des Bundesbruchs/Bitte um Bundesbewahrung: Ps 74,20; 89,40(.50); demgegenüber bildet der meist hier genannte Ps 106 fortlaufend die Antithese: Heilstat Jahwes-Ungehorsam des Volkes und gehört darum nicht in diese Gruppe.

[94] S.o. Kap.4.

[95] Vgl. die Belege o. A. 92.

[96] Zur forschungsgeschichtlichen Ortung s.o. 23ff.

[97] Vgl. *Albertz*, Frömmigkeit, 38ff; 224 mit Anm. 131ff (Belegstellen).

[98] Zu der hier parallelen Vorstellung in Ps 78 vgl. o. 31f.

das Israel-Jahwe-Verhältnis deutenden Aussagen vom Verwerfen und Verlassen (*znḫ*, *škḫ* und positiv *pdh*). Das Mythologem vom Gottesschlaf wird damit auf die Geschichte Israels bezogen, so daß Mythos und Geschichte nicht exklusiv, sondern komplementär zueinander stehen.[99]

> Der des öfteren begegnenden Annahme, der Rede vom Gottesschlaf und der Bitte um Jahwes Erwachen liege ein Ritual zugrunde, mit dessen Hilfe ein schlafendes oder gestorbenes Numen wieder zum Leben erweckt werde[100], ist besonders M.WEIPPERT[101] entgegengetreten. Er verweist nicht nur darauf, daß das AT Jahwe als "schlafenden Gott" im vollen anthropomorphen Sinne eigentlich nicht kenne (Ps 121,4), sondern daß auch die Kategorie des göttlichen Schlafes schon in den mesopotamischen Epen Atra-Ḫasīs (I, ii 57-84) und Enūma elîš (1,59-69; 5,125-130; 6,51f.54) vorliege und zusammen mit dem *Gebet an die Götter der Nacht*[102] die Vorstellung widerspiegele, daß Götter wie Menschen ihrem Ruhe- und Schlafbedürfnis nachkommen, also ein reiner Anthropomorphismus vorliege.[103] Auf-

[99]S.u. 258ff.

[100]Vgl. z.B. "Mit solchen Wendungen wird nur noch auf den mythischen Gottesschlaf angespielt..." *Schmidt*, Glaube, 159 zu Ps 44,24ff.; in Hinblick auf *ᶜwr* und *qyṣ*: ihre Imperative "verraten deutlich ihre Herkunft aus Fruchtbarkeitsriten, die es mit Tod und Auferstehung der Vegetationsgottheiten zu tun haben", *Jeremias*, Kultprophetie, 72 zu Hab 2,19. "Der Schlaf ist ein mythisch-ritueller Zustand der Vegetationsgottheit (IKön 18,27). עורה ist in dieser religiösen Sphäre ein kultischer Weckruf, der das mit der Vegetation gestorbene Numen wieder ins Leben ruft", *Kraus*, Psalmen I, 196 zu der Ps 44,24ff verwandten Stelle Ps 7,7. Zwar leugnen die genannten Autoren, ebd., daß diese mythische Vorlage im AT noch irgendeine Relevanz besäße, sehen aber einheitlich den Tod der Vegetationsgottheit als Grundlage dieser Redeweise an.

[101]Vgl. BDBAT 3 (1984), 75-87.

[102]Vgl. *Weippert*, a.a.O., 82ff.; das Gebet an die Götter der Nacht bei *A.L.Oppenheim*, A New Prayer to the "Gods of the Night", in: AnBib 12 (1959), 282-301.

[103]Hinter dieses Ergebnis *Weipperts* fällt neuerdings *Müller*, ZAW 97 (1985), 300, wieder zurück, wenn er beschreibt: "Vielmehr deutet das Schlafbedürfnis des Enlil....auf ein Zurückstreben der älteren Götter zu einer *vorkosmisch-chaotischen* (sc. Hervorhebung nicht im Original), ungegliederten Einheit, wie sie vor jener Serie von Differenzierungen und Integrationen bestand, die in Mesopotamien und Israel die Schöpfungen (sic!) ausmacht". Den von *Weippert* wie *Müller* zugrundegelegten Belegstellen läßt sich m.E. nicht mehr entnehmen, als daß die "jüngere Generation" die ältere durch ihren Lärm (in ihrem Ruhe- und Schlafbedürfnis) stört, was hier zugleich den konfliktreichen Übergang von einer älteren zur jüngeren Göttergeneration markiert. Der mythische Wechsel der Göttergenerationen scheint dabei auch die Erhebung Marduks zum Oberhaupt des babylonischen Pantheons (vgl. *Sommerfeld*, Aufstieg, pass.) zu reflektieren.

grund der weiteren Verwendung der in Ps 44,24ff begegnenden Termini *ᶜwr*, *qyṣ* und seiner Nebenform *yqṣ*, und *qwm* mit göttlichem Subjekt geht hervor, daß nicht einmal die mythischen Belege für die anthropomorphe Rede vom "Gottesschlaf" zur Erklärung ausreichen. *qyṣ* wie *yqṣ* bezeichnen primär das natürliche morgendliche Aufwachen aus Schlaf, Traum oder dem Alkoholrausch.[104]

Neben *qyṣ/yqṣ* begegnet die Aufforderung *ᶜwrh* an Jahwe nur noch in Ps 59,5b.6a: "Erwache angesichts meiner und sieh. Und du, Jahwe Zebaoth[105], wache auf (*hqyṣh*) um heimzusuchen all die Völker". Wiederum als Bitte formuliert V.11a in Parallele zu V.5b.6a:

"Mein gnädiger Gott[106], komm mir entgegen (*qdm* Pi.)" und im Lobversprechen (V.17–18) V.17aα "ich will besingen deine Macht, will bejubeln deine Güte am Morgen (*lbqr*)", d.h. nachdem Jahwe dem Beter am Morgen zu Hilfe geeilt ist. Neben der Zeitbestimmung "am Morgen" läßt auch das in V.11 verwendete Verbum *qdm* (Pi.), das nominal den Osten als Ort des Sonnenaufgangs bezeichnet[107], an das morgendliche Erwachen denken.

Weitere Bestätigung liefert Ps 57,9 (=108,3), wenn der Beter im auf die Klage (V.7) folgenden Bekenntnis der Zuversicht (V.8–11 + Lobversprechen) gelobt V.9 "...ich will wecken (*ʾᶜyrh*) die Morgendämmerung (*šḥr*)[108]". Daß die

---

[104]Vgl. ISam 26,12; Ps 17,15; Jer 31,26; Ps 3,6; 73,20; Prv 6,22; Jo 1,5; Prv 23,35; in Verbindung mit dem ewigen Schlaf oder Tod: IIKön 4,31; Jes 26,19; Jer 51,39.57; Hi 14,12; v. Holz als Schnitzbild einer Gottheit: Hab 2,19; v. Gott: Ps 35,23; 44,24; 59,6; 78,65. Vgl. unter starker Betonung des Akzentes des wiedererlangten Bewußtseins *G.Wallis*, Art. *jqṣ*, ThWAT III, 849-855.

[105]Die Ergänzungen der Anrede in MT "Gott" nach Jahwe und "der Gott Israels" scheinen literarisch sekundäre Zutaten (kolometrisch in diesem Verständnis von V.6: 13/16/14, sonst im ersten Kolon 27).

[106]Lies mit Q und V.18bβ *ḥsdy* mit Suff. 1.Sg.

[107]Zu *qdm* vgl. *E.Jenni*, Art. *qaédaem*, THAT II, 587-589, wo der Osten als Ort des Sonnenaufgangs allerdings nicht thematisiert wird.

[108]Daß *šḥr* die Morgendämmerung bezeichnet und damit kaum aufgrund der ug. Vorkommen als Götterpaar *šaḥar* und *šalim* (KTU 1.23) die Repräsentationen der Venusgottheit *Aṯtar(tu)* als Morgen- und Abendstern, betont zuletzt *J.Henninger*, Zum Problem der Venussterngottheit bei den Semiten, Anthr 71 (1976), 129-168, 143 Anm. 52; s.a. *P.Xella*, Il mito de Šhr e Šlm. Saggio sulla mitologia ugaritica, StSem 44, Roma 1973, 107. Inwieweit mit einem morgendlichen an die Gottheit gerichteten Weckruf tatsächlich zu rechnen ist, bleibt zumindest solange ungeklärt, wie sich der rituelle und mythische Ebenen miteinander verbindende ugaritische Text KTU 1.23 einer Funktionsbe-

an Jahwe ergehende Bitte, aus dem Schlaf zu erwachen auf den Morgen als Zeit der göttlichen Hilfe hinweist, geht ebenfalls aus Ps 35,23a "wach auf (*ᶜwr* Hi.), erwache (*qyṣ* Hi.) zu meinem Rechtsprozeß (*lmšpṭy*)" hervor, insofern die Rechtsprechung nicht einfach nur am Morgen,[109] sondern nach vorderorientalischem Vorbild am Morgen zur Zeit des Sonnenaufgangs[110] stattfindet. Demnach setzt auch der an Jahwe gerichtete Weckruf in Ps 44,24f. voraus, daß Jahwe zur Zeit des morgendlichen Sonnenaufgangs seinem Volk zu Hilfe eilt.

> Von dieser Tradition sind sowohl das Verbergen des göttlichen Antlitzes (*str* Hi. *pnym*), als auch das Sich-Erheben (*qwm*) streng zu unterscheiden. Während *str* Hi. + *pnym* vorwiegend in der Gebetsliteratur und dort auffallend häufig im Zusammenhang einer todesähnlichen Not[111] des Beters auftritt, weist der Ruf *qwmh* auf die Num 10,35f. vorliegende ältere Ladetradition zurück[112]. Er bezeichnet dort das Sich-Erheben des im/auf dem Kriegspalladium präsenten Gottes zur Vertreibung der Feinde, während der parallel dazu gestaltete V.36 mit *šwbh* "kehre zurück" die Rückkehr und Rast der Lade im israelitischen Heerlager ausdrückt.

Ps 44,24f.27 liegt somit eine mythisch-anthropomorphe Redeweise zugrunde, die Jahwes Handeln in Analogie zum morgendlichen Sonnenaufgang erwartet. Dem steht gegenüber, daß (V.25.27) Jahwes "nächtliche" Untätigkeit das Volk in Todesgefahr stürzt.

---

stimmung entzieht. Vgl. z.B. *Kinet*, Ugarit, 95-100; *del Olmo Lete*, MLC, 437ff.

[109]Vgl. IISam 23,3f.; Ps 37,6; Hos 6,5; zur Sache *J.Ziegler*, Die Hilfe Gottes "am Morgen", in: Alttestamentliche Studien, FS F. Nötscher, BBB 1 (1950), 281-288, hier 285; vgl. auch *A.Gamper*, Gott als Richter in Mesopotamien und im Alten Testament. Zum Verständnis einer Gebetsbitte, Innsbruck 1966, 76ff.

[110]Diese Vorstellung hat *B.Janowski*, Rettungsgewißheit, pass., ausführlich untersucht und dargestellt. Für die atl. Belege dieser Vorstellung ist ein zweiter Band geplant.

[111]Vgl. z.B. Ps 13,2.4; 22,25.30; 30,4.8; 69,3.15-17.18; 88,4-8.12-13.15; 104,29; 143,7. Ps 143,7b macht dies exemplarisch deutlich: "...verbirg nicht dein Angesicht vor mir, so daß ich nicht denen gleiche, die zur Grube (*bwr*) hinabfahren"; zu *bwr* als p.p.t. Bezeichnung für die Unterwelt vgl. *Verf.*, L'Aldila, 172f.; zu *str pnym* im Einzelnen s. *Balentine*, The Hidden God, pass., bes. 59ff.

[112]Vgl. *Jeremias*, a.a.O., 72f.; *Kraus*, Psalmen I, 195f. Vgl. auch Ps 7,7 hier ebenfalls parallel zu *ᶜwr* und *mšpṭ*.

Weniger massiv stellen Ps 89,47a mit *str* Ni. "wie lange verbirgst du dich fortwährend" die Verborgenheit Jahwes und Ps 90,14a mit *bbqr* das die Nacht überwindende morgendliche Handeln dar.[113]

2. Das Verstoßensein des Volkes als Folge göttlicher Untätigkeit expliziert ebenfalls Ps 60,12: "Hast Du, Jahwe, uns nicht verstoßen (*znḥ*) und bist nicht ausgezogen (*yṣ'*) mit unseren Heeren?",[114] wobei neben der bereits o.g. Ladetradition ein weiteres Element des Jahwekrieges Verwendung findet: Jahwes Auszug zum Kampf.[115]

Ausführlicher formuliert der Beter in Ps 74, wenn er erwartet, (V.3a) daß Jahwe seinen "Fuß" (*pᶜm*) "erhebe" (*rwm* Hi.), also beginne, sich in Bewegung zu setzen. Ebenso V.22a: "erhebe dich (*qwmh*)[116] Jahwe, führe den Streit (*rybh rybk*)" als Aufforderung zum Handeln.[117] Entsprechend der aktuellen Untättigkeit Jahwes konstatiert V.9 das Fehlen sichtbarer "Zeichen" (*'wt*) und "Propheten" (*nby'*). Niemand im Volk weiß "bis wann" (*ᶜd mh*) die Not dauert. Institutionen, die Jahwe hinsichtlich zukünftigen Geschehens befragen könnten[118] sind außer Kraft gesetzt, die divinatorisch-mantische Verbindung zu Jahwe abgebrochen. Ähnliches setzt auch Ps 77,9 voraus, wenn das Ende "der Güte" (*ḥsd*) Jahwes mit dem Aufhören des göttlichen "Spruchs" (*'mr*) in Beziehung gesetzt wird.

Auf ein schnelles (*mhr*) Eingreifen Jahwes bezieht sich die zweite Hälfte von Ps 79,8a: "schnell komme/trete (*qdm* Pi.)[119] uns entgegen dein Erbarmen". Zu Beginn von V.10a wird die Konsequenz von Jahwes Untätigkeit beklagt: "warum sollen die Völker sagen: 'Wo (*'yh*) ist nun ihr Gott'?". Die Frage setzt damit nicht nur voraus, daß Israels Unglück Anlaß zum Völkerspott bietet[120],

---

[113]Vgl. o. A. 109f.

[114]Streiche mit Ps 108,12 *'th* in V.12a, mit 2Mss σ' θ' *'lhym* in V.12b.

[115]S.o. zu IIChr 20 zum Auszug Jahwes im Krieg,

[116]Vgl. auch Ps 44,24ff.

[117]Vgl. Num 10,35; gemeint ist das Sicherheben der Lade zum Kampf.

[118]Vgl. Jer 14,18b.

[119]Zu *qdm* Pi. vgl. auch Ps 44,24ff.

[120]Vgl. Jo 1,15ff.; 2,17.

sondern daß an Israels geschichtlichem Geschick die Präsenz Gottes ablesbar wird.

Ps 80,4b.8b.20b wiederholt im Kehrvers dreimal die Bitte "laß leuchten (*'wr* Hi.) dein Angesicht (*pnyk*), daß wir Rettung erfahren". Daneben steht die Bitte um das "Erscheinen" (*yp*ᶜ Hi.) des auf den Keruben Thronenden (V.2b) und in V.15a: "Jahwe Zebaoth, kehre doch zurück (*šwb n'*), schau her vom Himmel (*mšmym*) und sieh". Einerseits machen traditionelle Termini (*'wr/yp*ᶜ Hi.)[121] deutlich, daß ein theophanes, vielleicht ebenfalls auf den Sonnenaufgang[122] zu beziehendes Handeln erwartet wird, andererseits setzt V.15a mit der Bitte um Rückkehr[123] Jahwes momentane Abwesenheit voraus. Der zweite Teil der Bitte (V.15a) benennt den Himmel nicht nur als Ausgangsort theophanen Geschehens (*mšmym*), sondern zugleich als Ort der Verborgenheit Jahwes.[124]

Kombinierte Vorstellungen begegnen in Ps 83,2.16. Göttliche Passivität (*dmy*), Schweigen (*ḥrš*) und Untätigkeit (*šqṭ*)[125] in V.2 stehen der göttlichen Hilfe (V.16) in Form eines Wetterphänomens: "Sturm" (*s*ᶜ*r*) und "Sturmwind" (*swph* = Schirokko) gegenüber.[126]

Ps 85,10 verkündet im Kontext eines vorher ergangenen Heilsorakels (V.9) die Zuversicht der göttlichen Hilfe: "Wahrlich nahe ist seine Hilfe denen, die ihn fürchten, daß wohne (*lškn*) seine Herrlichkeit (*kbwdw* [127]) in unserem Lande (*b'rṣynw*)". Die Ankündigung des (erneuten) Einwohnens der Jahwe-Herrlichkeit im Land setzt wie Joel und Sach[128] die gegenwärtige Abwesenheit Jahwes voraus.

---

[121]Vgl. Jes 58,8ff; ferner *Jeremias*, Theophanie, 146f.

[122]S.o. 244f.

[123]So schon in dem Ladespruch Num 10,36, wenn unter Rückkehr Jahwes die Rast und Ruhe der Lade im israelitischen Lager verstanden wurde.

[124]Vgl. etwa wie in der Nabonid-Inschrift $H_1B$ der Gott *Sîn* seine Stadt Harran verläßt und im Himmel Zuflucht nimmt, s.o. 38f.

[125]Besonders zu der willentlich aktiven Komponente des Schweigens (*ḥrš*) vgl. *Baumann*, ThWAT II, 279f.

[126]Vgl. *Jeremias*, a.a.O., 71.90; hier auch weitere Wetterphänomene im Vergleich zur Umwelt.

[127]Lies parallel zu *yš*ᶜ*w* und mit *S* mit Suff. 3.Sg.m.

[128]Zur damit verbundenen Vorstellung s.o. 212 A. 32.

## 2.2 Fruchtbarkeit und Tod

Schon aus ISam 7,9ff (Jahwes Eingreifen im Gewitter), Jer 14, Jo 1 (Dürre-Not, Jahwe als Regenspender) und Jes 58,11 (Bild vom Garten) ging hervor, daß Regen, Fruchtbarkeit und Vegetation nicht von Jahwes Abwesenheit oder seiner Zuwendung getrennt werden können.[129] Dies findet in den KV des Psalters z.T. weitergehende Parallelen.

In Ps 77,18f. erscheint Jahwe (Donner und Blitz[130]) deutlich als Wettergottheit. Ps 80,9ff. vergleicht Israel selbst mit einem Weinstock, die Not des Volkes als Kahlfraß des Weinstocks.[131] Ps 83,16 ist wiederum von Jahwes Handeln in Wetterphänomenen (Sturm/Schirokko) die Rede[132], während Ps 85,12-13 einen Terminus der Pflanzenwelt "sprossen" (*ṣmḥ*)[133] auf Jahwes "Treue" (*ʾmt*) überträgt und V.13 das "Gute" (*ṭwb*) Jahwes mit dem vegetabilischen Ertrag (*ybwl*)[134] des Landes parallelisiert.

Ps 90,5-6 vergleicht Jahwes Handeln an seinem Volk und dessen Existenz mit dem "Aussäen" (*zr*$^{c}$), "Wachsen" (*ḥlp*), "Blühen" (*ṣyṣ*), "Verwelken" (*mll* Po.) und "Eintrocknen" (*ybš*) des "Grases" (*ḥṣyr*).[135]

Am ausgeprägtesten ist die Vegetationsmetaphorik in Ps 126,4-6. In der Bitte um endgültige Wiederherstellung (*šwb šbwt*)[136] wird in V.4 ein göttliches Handeln "wie an den Bächen im Negev/Südland" erbeten -nach KRAUS

---

[129] S.o. 166ff.; 121ff.; 144ff.; 214ff.

[130] S.u. 255f.

[131] S.u. 252.

[132] S.u. 252f.

[133] Von Pflanzen und Bäumen z.B. in Gen 2,5.9; 3,18; 41,6; Jes 55,10 u.ö.; vgl. auch *S.Amsler*, THAT II, 563f.

[134] Vgl. z.B. Lev 26,4.20; Dtn 11,17; 32,22; Ri 6,4 u.ö., s. a. *Hoffner*, ThWAT III, 392f.

[135] Sowohl *ḥlp*, als auch *mll* und *ybš* gehören zum engeren Wortfeld von *ḥṣyr* "Gras". Vgl. z.B. Jes 40,6; 51,12; Ps 37,2; 103,15, s. ferner *Barth*, ThWAT III, 139.

[136] Lies *šbwt*.

eine Metapher für den Winterregen.[137] V.5-6 verwendet ein Bild aus dem Saat- und Erntebereich. Es vergleicht die gegenwärtige Not mit dem unter Weinen erfolgenden Aussäen des Saatgutes, die Wende der Not mit dem freudigen Heimbringen der Erntegaben.

Den Hintergrund des Bildes von der Saat-Trauer scheint der ägyptische Ritus des Erdaufhackens zu liefern. In der ägyptischen Spätzeit symbolisiert das Erdaufhacken die "rituelle Beerdigung des Osiris, der mit seinem Körper die Erde befruchtet".[138]

Die spezielle Verwendung von Termini aus den Bereichen Wetter, Vegetation und Fruchtbarkeit ist weder im AT, noch für die Beschreibung des Israel-Jahwe-Verhältnisses auffallend. Signifikant ist allerdings, daß die Vorstellung gerade in den Fastentexten (ISam 7,9ff.; Jer 14; Jo 1; Jes 58,11) und den KV des Psalters (Ps 77,18f.; 80,9ff.; 83,16; 85,12f.; 90,5; 126, 2-4) ungewöhnlich breit bezeugt ist.

Wirkungsgeschichtlich daran anknüpfend bezieht der größte Teil von mTaan das Fasten (*tᶜnyt*) auf Termine, die die Regenperiode in ihrer längsten zeitlichen Erstreckung bezeichnen und stellt das Fasten so primär als Regenritual dar.[139]

Die Verbindung von Fruchtbarkeit und Tod realisieren neben der durch *str* Hi. *pnym* implizierten Todesnot[140] auch Ps 79,11b: "Kinder des Todes" (*bny tmwth*)[141] und Ps 85,7a: "willst du uns nicht wieder (*šwb*) beleben (*ḥyh*)".

---

137Psalmen II, 1034.

138*Guglielmi*, LÄ I, 1262, 1261f. Hinweise zu Verwendung und Entwicklung dieses Ritus. s. auch *teVelde*, LÄ I, 1ff zu äg. Erntebräuchen; zu Osiris in diesem Zshg. vgl. *Assmann*, Ägypten, 151ff.; ob das Maneros-Lied, von Herodot (II 79) mit dem aus Zypern und Phönizien bekannten Linos identifiziert, beim Erdaufhacken gesungen wurde, ist höchst unsicher; vgl. *J.G.Griffiths*, LÄ III, 1180; *U.Klein*, KP 3, 676; *Reiner*, Totenklage, 109ff.; bei Reiner, a.a.O., 113 auch die ursprünglich auf Baudissin zurückgehende Gleichung griech. *linós* = semit. *ʾai lānu* "wehe uns", was zumindest für den Weheruf *ʾai* < hbr. *ʾôy/hôy*, s.a. bei Blaß-Debrunner-Rehkopf, Grammatik, 6, wahrscheinlich ist.

139S.u. 285ff.

140Vgl. auch Ps 102,21 in kollektivem Kontext.

### 3. Geschichte und Mythos

### 3.1 Themen der geschichtlichen Zeit

In den Rückblicken auf Jahwes frühere Heilstaten spielen neben Ereignissen aus mythischer Zeit[142] vor allem Exodus und Landnahme eine herausragende Rolle.

In Ps 44,3-4[143] wird die Landnahme als zentrales Ereignis herausgestellt. Dabei zeigt die Verwendung von *yrš* G und Hi. (V.4.3a), daß Jahwe die Völker vetrieben hat, um Israel die Aneignung des Landes zu ermöglichen.[144] Aber auch außerhalb von Ps 44,3-4 gehören die Motive Völkervertreibung und Hineinführung ins Land eng zusammen (Ps 47,4f.; 78,55a.55b; 80, 9baβ.bβ.10f.).[145] Ebenfalls mit dem Landnahmekontext in Ex 15,17 ist das Bild vom "Einpflanzen" (*nṭ*ᶜ) eng verbunden.[146]

Inwieweit die "Freilassung" (*šlḥ* Pi.) der Väter[147] analog der Bitte Moses vor dem ägyptischen Pharao Ex 5,1 zu verstehen ist und damit auch das Exodusgeschehen[148] thematisiert, ist nicht mit Sicherheit auszumachen. Der Bezugnahme auf (Exodus und) Landnahme entspricht jedoch die aus der Jahwekriegs-Tradition stammende Aussage[149]: Jahwe habe mit seiner "Rechten"

---

142 S.u. 254ff.

143 *ʾth ydk* gehört noch noch zu V.2; vgl. App. BHS z.St.; *Kraus*, Psalmen I, 478f.

144 Vgl. Ex 34,24; Num 32,11; Dtn 4,38 u.ö.; s. auch *Lohfink*, ThWAT III, 961ff.

145 Weitere Besipiele und zur Sache bei *Kühlewein*, Geschichte, 151f.

146 Vgl. z.B. Ps 80,9, s.w.u.; *Reindl*, ThWAT V, 421.423.

147 Das Suffix bezieht sich auf V.2 *ʾbwtynw* zurück.

148 Demgegenüber bezieht sich das parallele *tr*ᶜ *lʾmym* aber wieder auf die Völkerwelt, da *lʾmym* dichterische Variante und hier synonym zu *gwym* ist, s. *Preuß*, ThWAT IV, 412f.

149 S. dazu beispielsweise *F.J.Helfmeyer*, Art. *zᵉrôᶜ*, ThWAT II, 650-660, 653f mit weiteren Beispielen und dem Hinweis, daß die dtr Verwendung des Begriffs u.U. die Kriegerschaft Baals "ersetzt" und auf Jahwe übertragen habe.

und seinem "Arm" geholfen.[150] Ps 44,3-4 referiert auf das Landnahme- (und Exodus)-Geschehen, in dem Jahwe als Kriegsmann dargestellt wird.[151]

Ps 60,8-10 zitiert eine ehemals ergangene Orakelantwort[152], die Jahwe selbst in seinem Heiligtum (V.8aα) gegeben hat. V.8aβ-10:

> "Jubeln will ich, Sichem will ich (ver)teilen (*ḥlq* Pi.) und das Tal Sukkoth vermessen (*mdd* Pi.). (9) Mein ist Gilead, mein ist Manasse. Ephraim ist die Fluchtburg (*mᶜwz*) meines Hauptes und Juda mein Herrscherstab (*mḥqq*). (10) Moab ist mein Waschbecken (*syr rḥṣ*) und auf Edom werfe ich meinen Schuh (*šlk nᶜl*), über die Philister will ich[153] frohlocken."

Deutlich stehen zwei Vorstellungskreise im Mittelpunkt: die Verteilung und Besitznahme des Landes (*ḥlq* Pi.; *mdd* Pi.; *šlk nᶜl*; *syr rḥṣ*)[154] einerseits, der kriegerische Aspekt Jahwes, ausgestattet mit Helm und Herrscherstab[155] -repräsentiert durch die Stämme Ephraim und Juda- andererseits. Umrahmt

---

[150]Vgl. aber auch Jes 51,9 (s.u. 2.3.3); Ex 15,16; Ps 79,11; 89,11; aber auch im Kontext des schöpferischen Handelns in Jer 27,5 "mit ausgerecktem Arm" (*bzrwᶜ hnṭwyh*).

[151]In V.5-7 stehen diese Aussagen allerdings unter dem Bekenntnis zu Jahwe als dem persönlichen Gott und König.

[152]Wäre V.8-10 die der Klage (V.3-5.12) und Bitte (V.6f.13f.) entsprechende Antwort, so bliebe die unmittelbar auf V.8-10 folgende Frage (V.11) und die neuerliche Klage (V.12) kaum verständlich, da ein Stimmungsumschwung zu erwarten wäre.

[153]Lies Sg.

[154]*ḥlq* Pi. ist neben *šll* t.t. der Beute- Verteilung im Krieg, vgl. Ex 15,9; Ri 5,30 <Landnahme-Kontext/Richterzeit>, oder t.t. der Landzuteilung, vgl. Jos 13,7; 18,10 <+Erbteil *nḥlh* in Jos 19,51>; s. weiteres bei *M.Tsevat*, Art. *ḥālaq* II, ThWAT II, 1015-1020, 1017f. *mdd* ist zentraler Begriff für Maß und Messen im Verfassungsentwurf des Ezechiel (Ez 40-48) und dient dort zur Maßangabe des visionär geschauten neuen Heiligtums, wobei in Ez 48 in der abschließenden Landverteilungsliste zusätzlich die "Maße" (V.16) der Landparzellen festgelegt werden; vgl. ferner *Fabry*, ThWAT IV, 704.708; für den symbolischen Akt des "Schuhwerfens" als Ritus der Besitzergreifung vgl. Ps 108,10; Ruth 4,7.8; Dtn 25,8f. Die Zuordnung Moabs als "Waschbecken" für Jahwe ist hingegen einzigartig.

[155]Singulär ist die Vorstellung von der "Burg (*mᶜwz*) des Hauptes", womit nur ein Kopfschutz, ein Helm, gemeint sein kann, vgl. *H.J.Zobel*, Art. *māᶜôz*, ThWAT IV, 1019-1027, 1023. Als "Herrscherstab" (*mḥqq*) begegnet Juda bereits in Gen 49,10, wobei die Grundbedeutung des Verbs *ḥqq* auch für den Herrscherstab eine ordnende und rechtssetzende Funktion involviert, vgl. *H.Ringgren*, Art. *ḥāqaq*, ThWAT III, 149-157, 151ff.

wird V.8-10 von Aussagen des Jubels und Triumphes (*ᶜlz* V.8; *rwᶜ* Hitp. V.10), die -einzigartig im Alten Testament- Jahwes Siegesjubel bezeichnen.[156] V.8-10 stellen so ein geographisch ideales (West-Ost=Sichem/Manasse-Sukkoth/Gilead, Nord-Süd=Ephraim-Juda) Terrain vor, dessen Herr der Krieger Jahwe ist.

Ps 80,9-21 rekurriert auf Jahwes früheres Heilshandeln mit dem Bild vom Weinstock (*gpn*).[157] Jahwe habe diesen Weinstock "aus Ägypten weggenommen (*nsᶜ* Hi.), habe "Völker (*gwym*) vertrieben (*grš* Pi.)"[158] und ihn "eingepflanzt" V.9 (*nṭᶜ*)[159]. So habe er Israel "Raum geschaffen" und es konnte "Wurzeln schlagen" und das "Land erfüllen" (*ʾrṣ mlʾ*) (V.10). Mit dem Bild vom Wegnehmen und der Verwurzelung des Weinstocks beschreibt V.9-10 die Befreiung Israels aus Ägypten und die Besitznahme des Landes. Im Land habe Israel sich ausgedehnt von den "Bergen" bis zu den "Gotteszedern" (*ʾrzy ʾl*).[160] V.12 beschreibt Israels Sein im Lande in seiner größtmöglichen Ausdehnung vom "Meer", d.h. dem Mittelmeer, bis zum "großen Strom", d.h. dem Euphrat, womit entweder die Ausdehnung des davidischen Großreichs (Ps 72,8) oder die verheißene Ausdehnung in Dtn 11,24 gemeint ist. Themen von Ps 80,9-12 sind damit die Ereignisse Exodus, Landnahme und die ideale Zielvorstellung von einem israelitischen Großreich zwischen Mittelmeer und Euphrat.

Ps 83,10-13 kleidet das frühere Heilshandeln Jahwes in die Bitte ein, so daß eigentlich kein selbständiger Rückblick vorliegt. Durch eine fünffache Vergleichsreihe wird um Jahwes Handeln an Israels Feinden "wie an Midian, wie an Sisera, wie an Jabin am Kison-Bach" (V.10), an den Anführern der

---

[156] Vgl. zu *rwᶜ* das entsprechende, Kriegslärm bezeichnende Nomen *trwᶜh* (z.B. in Jer 20,6; Ez 21,27 u.ö.), s. auch 285ff.

[157] Zur Weinstock Metaphorik und zur Vorstellung von Israel als einem Weinstock vgl. *R.Hentschke*, Art. *gaepaen*, ThWAT II, 56-66, 65f.

[158] *grš* ebenfalls in Ex 33,2 (Aufbruch ins heilige Land); 23,28; Jos 24,12; Ri 6,9 (Vertreibung der Völker bei Landnahme und im Frühstadium der Seßhaftigkeit!); vgl. auch Ps 78,55.

[159] Das Bild vom Einpflanzen ebenfalls in Ps 44,3a in Parallele zur Völkervertreibung.

[160] Ps 104,16 nennt "Bäume Jahwes, die Zedern des Libanon (*ʾrzy lbnwn*)". Meint Ps 80,11 ebenfalls den Libanon, so bleibt allerdings offen , welche "Berge" gemeint sind.

Feinde "wie an Oreb und Seeb" (V.12)[161] gebeten. Ps 83,10-13 spielt auf Ereignisse der Richterzeit unter Gideon (Midian, Oreb und Seeb in Ri 7,25) und unter Deborah-Barak (Sisera, Jabin in Ri 4-5) an. Statt Exodus und Landnahme nimmt V.10-13 Ereignisse auf, die in die Frühzeit der israelitischen Seßhaftigkeit gehören[162] und die Auseinandersetzungen um das Land mit deren ursprünglichen Bewohnern reflektieren. Die Überlieferungen um Gideon, Deborah und Barak bilden einen thematischen Komplex, der aus dem Jahwe-Krieg stammt.[163]

Ps 85,2-4 zitiert, bevor Bitten (V.5.7-8) und Klage (V.6) laut werden, ein früheres Handeln Jahwes[164]:

> "Du, Jahwe, hattest Wohlgefallen an deinem Land, hast Jakob wiederhergestellt[165]. (3) Du hast getragen die Schuld deines Volkes, hast zugedeckt all ihre Sünde - Sela. (4) Du hast deine Wut im Zaum gehalten, hast abgelegt deine Zornesglut".

Statt an Exodus und Landnahme erinnert Ps 85,2-4 an eine zurückliegende Restitution Jakobs, welche in V.3f. als Sündenvergebung und Zornbesänftigung näher erläutert wird. Auffällig ist jedoch, daß V.2a programmatisch eine Aussage über Jahwes Wohlgefallen an seinem Land voranstellt und so die Wiederherstellung Jakobs und das Folgende unterordnet.

Eine enge Parallele zu Ps 85,2 bietet Ps 126,1 "Als Jahwe wandte das Geschick[166] Zions" mit Bezug auf die Aufhebung des Exils, bzw. die Tempelerneuerung.[167] Eine weitere Parallele zu *šwb šbwt* und zur Restitution Jakobs enthält das Trostbuch in Jer 30-33. Bezieht sich Jer 30,18ff auf die "Zelte Jakobs", so formuliert Jer 30,3:

---

[161]Die weiteren Vergleiche in V.12 sind wohl zu streichen vgl. App. BHS z.St.

[162]Vgl. etwa *Herrmann*, Geschichte, 147f.

[163]S. z.B. *Stolz*, Kriege, 102ff., 113ff.

[164]Erst ab V.9 gibt Ps 85 Hinweise auf ein die Not beendendes Orakel, so daß V.2-4 als zurückliegendes Geschehen zu begreifen ist, vgl. *Kraus*, Psalmen II, 756.

[165]Lies *šwb šbwt*, vgl. *Bracke*, ZAW 97 (1985), 242.

[166]Lies mit LXX *šbwt*; vgl. App. BHS z.St.

[167]Vgl. *Kraus*, Psalmen II, 1033ff.

"Denn siehe, es kommen Tage -Spruch Jahwes- da wende ich das Geschick (*šwb 't šbwt*) meines Volkes, Israel und Juda, sagt Jahwe, und ich bringe sie (*whšbtym*) in das Land, das ich ihren Vätern gegeben habe, daß sie es in Besitz (*yrš*) nehmen."[168]

Vor dem Hintergrund dieser Heilsankündigung, die die Heimkehr der Exilierten als neue Landnahme unter dem Stichwort *šwb šbwt* darstellt, erscheint es möglich, Ps 85,2 (Betonung des Landes in V.2a) in analoger Weise zu verstehen. Zentrales Thema in Ps 85,2-4 wäre die im Lichte der Landnahme gespiegelte Beendigung des Exils.[169]

Zusammenfassend sind die Rückblicke auf Jahwes früheres Heilshandeln an den Ereignissen von Exodus und Landnahme oder am Land selbst orientiert.

### 3.2 Themen der mythischen Zeit

Rückblicke auf Jahwes früheres Heilshandeln in mythischer Zeit oder mythische Reminiszenzen begegnen innerhalb der Klagegebete des Volkes in Ps 74,13-17; 77,14-21; 90,1-2 und 89,10-13[170].

Jeweils eingeleitet mit *'th* "Du" gibt Ps 74,13-17 eine Aufstellung verschiedener Taten Jahwes, die thematisch mit Chaoskampf und Schöpfung in Verbindung stehen. V.13-14 schildert Jahwes Sieg über das Meer[171] (Yammu)

---

[168]Z.St. in diesem Kontext s.a. *Bracke*, a.a.O., 236.

[169]Ähnliches könnte für Ps 126, 1-3 gelten, wobei V.1b-3 nur noch die Freude des Volkes und die Anerkennung Jahwes durch die Völker, damit die Konsequenzen aus der einen Tat Jahwes, nennen.

[170]Ps 89, zuletzt von *Veijola*, Verheißung, 173f., zu den Volksklagepsalmen gezählt, ist insofern ein Sonderfall, als hier das Verhältnis zwischen Jahwe und König David thematisiert wird. Darüberhinaus stellt Ps 89 auch kompositorisch vor Schwierigkeiten. Wenn hier die mythischen Elemente zur Sprache kommen, so ist auf das Nebeneinander dieser mit geschichtlichen Heilstaten Jahwes hinzuweisen. V.20-38 bietet einen großen Rückblick auf die Treue- und Bundesverheißung Jahwes gegenüber David, nicht aber dem *Volk* gegenüber, so daß V.20-38 nicht näher untersucht wurden. Es ist allerdings bezeichnend, daß auch in V.20-38 an Jahwes Versprechen, den Bund zu halten, erinnert wird, bevor Jahwe selbst des Bundesbruchs angeklagt wird.

[171]Neben den mit Namen vorgestellten Meerungeheuern Tannin und Leviathan scheint auch *ym* hier als Eigenname -und nicht eo ipso als Göttername- ge-

und die Ungeheuer Tannin[172] und Leviathan[173]. V.16-17 beinhaltet die Festlegung von Tag und Nacht durch Sonne und Mond[174], sowie die Bestimmung der Erdgrenzen[175] und Jahreszeiten[176]. Zwischen beiden Abschnitten scheint V.15 den Abfluss der Chaoswasser und die Trockenlegung der Erdoberfläche vor der Schöpfung anzusprechen.[177]

Die Entfaltung der Themen Chaoskampf, Trockenlegung der Erde und die Bestimmung des Raumes und der rhythmischen Zeiteinheiten steht nach V.12 unter dem Bekenntnis zu "Gott, meinem König von uralten Zeiten (*mqdm*)[178], der Heilstaten bewirkt inmitten der Erde". Die Entfaltung der Königsprädikation unter Hinweis auf die mythische Vorzeit vergegenwärtigt und legitimiert so das Königtum Jahwes.[179]

Weniger eindeutig ist Ps 77 hinsichtlich der Bestimmung der mythischen Elemente.[180] Innerhalb des Abschnitts V.14-21 folgt nach dem Lobpreis der Einzigartigkeit Jahwes (V.14-15) eine Anspielung auf den Exodus V.16.21 [181],

---

meint zu sehen; vgl. *Loretz*, UBL 3, 90 "Gottesname"; *Petersen*, Mythos, 132f. "Meer"; indifferent *Day*, God's Conflict, 21ff.

[172]Der hier vorliegende Plural ist wohl durch *r'šy* veranlaßt; zu *tnnyn* s. ferner *Cooper*, RSP III, IV 15hh; IV 31; *Petersen*, a.a.O., 133f.

[173]Vgl. zu hbr. *lwytn* und dem ug. Äquivalent *ltn* *Cooper*, RSP III, IV 20; *Day*, a.a.O., 21ff.4f.; *Petersen*, a.a.O.,134f.

[174]Parallel zu *ywm* und *lylh* steht chiastisch *m'wr* und *šmš*. *m'wr* meint eher den Mond als allgemein Gestirn; s. auch *Petersen*, a.a.O., 145f.

[175]Gemeint ist wohl die dem antiken Weltbild von der Erdscheibe entsprechende Vorstellung von den äußeren Begrenzungen der Erde, s. auch *Petersen*, a.a.O.,146f.

[176]Der jahreszeitliche Rhythmus zwischen Sommer und Winter, vgl. Gen 8,22 und *Petersen*, a.a.O.,147.

[177]Über eine bloße Vermutung kommt man hier nicht hinaus; s. *Petersen*, a.a.O., 143f.; zustimmend *Loretz*, a.a.O., 91.

[178]*qdm* Osten, Alter als Terminus für eine mythische Zeit; s. *Petersen*, a.a.O., 52f. mit Anm.64.

[179]S. dazu u. 260f.

[180]Zur Berücksichtigung dieses Psalms s.o. A. 93.

[181]V.16 spricht vom "Erlösen" des Volkes, *g'l*, während V.21 von der Führung durch die Hand von Mose und Aaron berichtet. Auffällig ist in V.16 der Terminus *bzrwk* (lies mit LXX, S,T), der auf die Jahwekriegstradition verweist, auch kolometrisch gehören V.16 (14+12) und V.21 (11+11) zusammen.

die zugleich den Rahmen von V.17-20[182] bildet. Der Mittelteil ist beherrscht von der (Chaos-)Wasser-Thematik. Wasser und Urfluten (*thwmwt*) geraten in Bewegung (V.17) vor Jahwe, der hier mit den Attributen Regen, Donner und Blitz (V.18) als Wettergott dargestellt wird.[183] In V.19 erscheint Jahwe als Wagenfahrer (Bezug auf das Rad *glgl*)[184] und Blitzeschleuderer, während die Erde schwankt und bebt[185]. V.20 schließlich bezieht sich auf Jahwes unsichtbaren "Weg durch das Meer" (*bym drkk*) und schlägt damit die Brücke zum Exodus in V.16.21.

> Die thematische Verbindung von Exodus, Jahwetheophanie und Urfluten *thwmwt*[186] deutet allerdings an, daß V.17 eine Reminiszenz an Chaoskampf-Geschehen und vorkosmische Zustände (Gen 1,1) enthält. Der Exodus als Geschichtsereignis rückt in die Nähe des Mythos.[187]

In Ps 90[188] steht der Klage des Volkes (V.7) eine hymnische Jahweprädikation voran (V.1-6), worin V.2 durch die zeitliche Bestimmung *bṭrm*[189] in die Urzeit zurückführt:

> "Bevor die Berge geboren wurden, Erde und Festland in Wehen lagen[190] - von Ewigkeit zu Ewigkeit warst/bist du Gott."

Auch hier ist nicht ein mythisches *Geschehen* geschildert, sondern Gottes Existenz selbst wird in einer vorkosmischen Zeit verankert.

---

[182] V.17-20 sind schon kolometrisch deutlich von V.16.21 abgehoben; V.17: 12/12/12, V.18: 11/12/13, V.19: 12/13/13 und uneinheitlich V.20: 7/15/14.

[183] Zu diesen theophanen Begleiterscheinungen s. *Jeremias*, Theophanie, 25.28.

[184] Vgl. *Jeremias*, a.a.O., 28; zum Götterwagen *Keel*, Jahwevisionen, 180ff.

[185] Auch hier ist theophanes Geschehen gemeint, s. *Jeremias*, ebd.

[186] Zu *thwm* als vorkosmischer Gegebenheit s. *Verf.*, L'Aldilà, 174; *Day*, a.a.O., 96ff.

[187] S.u. 258ff.

[188] S.o. A. 93.

[189] Hier konjunktional + Perf.pass.

[190] Vgl. auch Prv 8,25; Am 4,13 dazu *Petersen*, a.a.O., 120 Anm.17.

Die ältesten Abschnitte von Ps 89,2-3.6-16[191] entfalten in V.10-13 in mythischer Weise die Einzigkeit[192] Jahwes. Jahwe herrscht über das Meer und seine Wellen (V.10)[193], er hat Rahab[194] vernichtet und mit seinem "mächtigen Arm (*bzrw$^c$ $^c$zk*)"[195] seine Feinde besiegt (V.11). Nicht Exodus, sondern der Kampf Jahwes gegen die feindlichen Chaosmächte[196] steht hier im Zentrum der Aussage. Chaoskampf und Schöpfung werden durch V.12-13 miteinander verbunden: Jahwe herrscht über Himmel und Erde und erscheint als Gründer (*ysd*)[197] des Erdkreises, dessen Fundament er gelegt hat (V.12). Explizite Schöpfungsterminologie begegnet in V.13a *br'* (Gen 1,1) mit der Erschaffung von "Nord" und "Süd".

Selbst die Berge Tabor und Hermon (V.13b), vermutlich als alte Götterwohnsitze zu verstehen, bejubeln Jahwe als Schöpfer. Aufgrund der geringen geographischen Entfernung[198] sind Tabor und Hermon kaum als Synonyma von Nord und Süd aufzufassen, ebensowenig wie die Verben *rnn* und *br'* ein Synonympaar bilden.[199]

Wie die Fortführung der hymnischen Prädikation in V.14-16 zeigt, wird Jahwe in V.15a als König angesprochen. Sein Thron (*ks'*) ist von Gerechtigkeit und Recht "gestützt" (*mkwn*)[200]. Die Mythologeme von Chaoskampf und Schöpfung in Ps 89,10-13 zielen damit auf die Aussage vom Königtum Jahwes.

---

[191]Zur Analyse s. *Veijola*, Verheißung, 45f.

[192]Dies geht aus dem unmittelbar vorangehenden Abschnitt V.6-9 hervor.

[193]Zum folgenden s. auch *Day*, a.a.O., 25ff.; *Petersen*, a.a.O.,170ff.

[194]Nach Tannin und Liwjatan Ps 74,13f begegnet hier mit Rahab ein weiteres Chaosungeheuer, vgl. *Petersen*, a.a.O., 135f.

[195]Zum Motiv des Armes in Jahwe-Kriegs- und Exodus-Tradition s.o. 250f.

[196]Vgl. etwa *Day*, a.a.O., 26f.

[197]Vgl. Ps 24,2; 102,26; Jes 48,13. Gemeint ist mit *ysd* nicht ein einzelnes Schöpfungswerk, sondern die Grundlegung dessen, worauf die Schöpfung weiterhin aufbaut; vgl. auch *Mosis*, ThWAT III, 677f.

[198]Vom Tabor etwa 72 km Luftlinie zur Südspitze des Hermon-Massivs.

[199]*Petersen*, a.a.O., 173f bezieht deshalb V.13b auch auf V.12b zurück und versteht V.13b als Abschluß und Höhepunkt des Abschnitts V.10-13.

[200]Parallel Ps 97,2 (Prv 16,12). Die Stützen (*mkwn*) sind nach Ps 104,5 die Stützfeiler auf denen Jahwe die Erde gegründet hat (*ysd*).

### 3.3 Die Funktion des geschichtlichen Rückblicks

Inhaltlich ließ die Bestimmung des eigenständigen Rückblicks auf Jahwes frühere Heilstaten in den sicheren KV[201] zwei thematische Komplexe erkennen: die mythischen Anspielungen auf Chaoskampf und Schöpfung (z.B. in Ps 74,12-17; 89,10ff.) sowie die geschichtlichen Ereignisse um Exodus und Landnahme. Die jeweilige Funktion dieser Themenkomplexe bietet dabei zugleich den Grund für ihre Austauschbarkeit.

Die rückblickenden Elemente bilden sowohl ein für die KV konstitutives Gattungsmerkmal als auch mit der KV selbst rituell gebundene Gebetsformulare. Die rein stilistisch orientierte Betrachtung und Funktionsanalyse der Rückblicke mit dem Ziel, "Kontrast" zu erzeugen[202], übersieht den rituellen Gesamtzusammenhang. Der Rückblick erhält nicht nur konstitutiven Charakter für die KV, sondern für das Ritual selbst. Dies gilt besonders dann, wenn die Rezitation von Mythen in Ritualen immer auch legitimierende, bzw. ableitende Funktionen erhält, die gegenwärtige Verhältnisse und Handlungen in der Urzeit verankern.[203]

Im Alten Testament selbst werden urzeitlich-mythische und geschichtliche Ebenen häufiger im Rahmen eines bestimmten theologischen Denkens miteinander verbunden. Innerhalb der priesterschriftlichen Geschichtsschreibung wird z.B. in den Bauabschlußnotizen für das Zeltheiligtum (Ex 39,32.42f; 40,17.33b)

---

[201] S. dazu o. 241ff.

[202] Als Kontrastfunktion stehe das Element antithetisch gegenüber der jetzigen Not und wolle lediglich eine Differenz in Jahwes früherem und jetzigem Handeln aufzeigen, wobei diese Differenz Jahwe zu erneutem Heilshandeln motivieren solle. Vgl. *Gunkel-Begrich,* Einleitung, 125f.130; *Kühlewein*, Geschichte, 59; 60: "eine wehmütige Erinnerung an die gute alte Zeit"; *Zirker*, Vergegenwärtigung, 118ff; *Albertz*, Frömmigkeit, 28. Eine mögliche Bedeutung des rückblickenden Elements für die notleidende Gemeinschaft wird hier gar nicht thematisiert.

[203] Zu diesen Zeitkategorien, nichtgeschichtliche Zeit und Urzeit, in atl. mythischen Elementen vgl. zuletzt *Petersen*, Mythos, 49ff. Zur Ableitungs-, Legitimierungs- und Sicherungsfunktion vgl. neuerdings im Vergleich mit klass. griech. Material der "orientalisierenden Epoche" *W.Burkert*, Die orientalisierende Epoche in der griechischen Religion und Literatur, SbHAkdW, Phil.-hist. Kl. 1984/1, Heidelberg 1984, 114ff.

eine deutliche Analogie zum Abschluß der Schöpfungserzählung (Gen 2,1f.) hergestellt, so daß als Ziel der Schöpfung der historische Kultus, repräsentiert durch Zelt- und Tempelheiligtum, genannt wird.[204] Mythische und historische Ebene, Schöpfung und Kultus werden so aufeinander bezogen, daß der Kultus die Schöpfung geschichtlich zum Abschluß bringt, wie andererseits die Schöpfung konstitutive Voraussetzung dieses Kultus ist. Ungleich problematischer und signifikanter ist die Zusammenstellung mythischer und geschichtlicher Ereignisse in Jes 51,9f[205]:

> V.9aα Reg dich, reg dich, bekleide dich mit Kraft, Arm Jahwes!
> V.9aβ Reg dich wie in den Tagen der Vorzeit, den Geschlechtern der Urzeit!
> V.9b Bist *du* es nicht, der Rahab niederschlug, Tannin durchbohrt hat?
> V.10a Bist *du* es nicht, der das Meer ausgetrocknet hat, die Wasser der großen Urflut[206],
> V.10b der die Tiefen des Meeres zu einem Weg gemacht hat, daß die Erlösten hindurchziehen konnten?

Aufgrund der formalen Entsprechungen zwischen V.9aα und V.9aβ, sowie zwischen V.9b und V.10a hat PETERSEN[207] V.10b von den vorhergehenden Parallelpaaren abgesetzt und "allein"[208] aufgrund der formalen Struktur gefolgert, daß in Israel mythisches und geschichtliches Handeln immer diffe-

---

[204]Im einzelnen s. zur literarischen Analogie *Janowski*, Sühne, 309ff.; s. auch *vRad*, Theologie I, 246f. Parallelen zu der Abfolge Schöpfung oder Chaoskampf + Heiligtumsbau bieten sowohl die ug. Baal-Texte, vgl. *Kinet*, Ugarit, 74 zu KTU 1.4 V, als auch das babylonische Weltschöpfungsepos *Enūma eliš* (Ee VI 49ff); Bezüge zwischen dem Bau des Heiligtums und dem Bau der Arche Noahs erkennt darüberhinaus *E.Zenger*, Gottes Bogen in den Wolken, SBS 112, Stuttgart 1983, 175. Darum ist es gerade typisch priesterlich, daß priesterlicher Dienst und damit auch sein Ort, der Tempel, in der Schöpfung verankert werden.

[205]S. dazu besonders *Petersen*, Mythos, 38f.; s. ferner *Th.Seidl*, Jahwe der Krieger-Jahwe der Tröster, BN 21 (1983), 116-134. Vgl. ferner *Day*, God's Conflict, 91f.; *Jeremias*, Theophanie, 93f.

[206]Hier deutet der Terminus *thwm* eindeutig daraufhin, daß ein der Schöpfung vorausliegendes Geschehen gemeint ist. Insofern läßt sich hier nicht zwischen Chaos- und Meerkampf, s. *Schmidt*, Glaube, 166f., unterscheiden.

[207]*Petersen*, ebd.

[208]Ebd.

renziert worden wäre.[209] Dabei konzediert er jedoch die Möglichkeit einer "gewissen inhaltlichen Parallelität". Diese Parallelität erreicht Dtjes -entgegen PETERSEN- allerdings dadurch, daß syntaktisch V.10a in V.10b fortgeführt wird und die Parallelpaare V.9aα.aβ,9b.10a in V.10b ihre Steigerung erfahren. Ziel der Steigerung ist, daß Jahwes chaosüberwindendes Handeln die Voraussetzung für den Exodus bildet, wie auch der Exodus als Ziel der Chaosüberwindung erscheint. Jahwes Befreiungstat ist durch die Voranstellung der mythischen Chaosüberwindung[210] für Dtjes nicht mehr nur ein geschichtliches Ereignis, sondern ihm liegt das Handeln Jahwes *als des* Chaoskämpfers zugrunde. Es wird also weder mythisches Geschehen einfach historisiert[211], noch historisches Geschehen in den Rang des Mythos erhoben[212], sondern Jahwes Eingreifen in der Geschichte erfolgt in Analogie zu seinem Handeln in den Chaoskampf und Schöpfungsmythen. Die sachliche und theologische Voraussetzung dieser Analogiebildung ist in der bereits Dtjes vorgegebenen Jerusalemer Kulttradition zu suchen. *"Diese universalen Machteigenschaften des Chaos- und Völkersiegers Jahwe sind es, die man im vorexilischen Jerusalem in der Geschichte Israels manifestiert sieht"*[213].

Ausgehend von der Kombination mythischer und historischer Ebene stellt sich die Frage nach Herkunft und Verwendung beider Ebenen in den KV. Die mythischen Elemente Chaoskampf und Schöpfung begegnen gemeinsam sowohl in

---

[209]Zu beachten ist, daß auch in V.9 Jahwes "Arm" genannt wird, so daß Jahwekriegs- und mythische Traditionen hier kombiniert werden.

[210]Der Terminus "Theogonie" *Seidel*, a.a.O., 127, ist substantiell hier kaum angebracht.

[211]Diese Möglichkeit möchte *Petersen*, a.a.O., 40, explizit ausschließen.

[212]Ein solches Verständnis folgern *Albertz*, Frömmigkeit, 37f., und *A.Lelievre*, YHWH et la Mer dans les Psaumes, RHPhR 56 (1976), 253-275, für die KV Ps 74,13-17, insofern hier aufgrund des Zerbrechens der Geschichte 587 v.Chr. an die Stelle der Geschichtsvergegenwärtigung die Vergegenwärtigung prähistorischen, mythischen Handelns getreten sei. Hier wäre jedoch zu fragen, inwiefern eine nationale Katastrophe wie die des Jahres 587 v.Chr. zu einem "zerbrechen" von Geschichte führen soll. Ist nicht eher umgekehrt damit zu rechnen, daß ein solches Ereignis das Geschichtsbewußtsein schärft und geschichtliche Argumentation verstärkt. Immerhin entstehen unter dem Eindruck des Exils zwei große Geschichtsdarstellungen (P und DtrG), welche beide nach einer geschichtlichen, nicht mythischen, Gegenwartsbestimmung suchen.

[213]*O.H.Steck*, Deuterojesaja als theologischer Denker, in: *ders.*, Wahrnehmungen, 204-220, hier 211f. Anm.8.

Ps 74,13-17, als auch in Ps 89,10-13.[214] Dabei zeigt das den mythischen Themen vorangestellte Bekenntnis (Ps 74,12) zu "Gott, meinem König von Urzeiten an (*mlky mqdm*)", daß Jahwes urzeitliches Königtum gemeint ist.[215]

Königsherrschaft Gottes als Folge eines siegreichen Kampfes gegen Chaos und andere Götter bezeugt gleichfalls die mythisch-epische Literatur Ugarits und Mesopotamiens. Hier treten Baal bzw. Marduk die Königsherrschaft über die anderen Götter des Pantheons an und werden als König der Götter proklamiert.[216]

Die Funktion der mythischen Elemente in Ps 74,12-17 und 89,10ff.15a besteht demnach nicht darin, daß einfach an Jahwes frühere Heilstaten erinnert wird, sondern in der Vergegenwärtigung Jahwes als mythischer Götterkönig. Demgegenüber stellen die ausschließlich an Exodus und Landnahme erinnernden Rückblicke[217] Jahwe nicht als König, sondern unter Verwendung der Jahwe-Kriegs-Tradition als Kriegsmann dar.[218]

Wurzeln so mythische wie geschichtliche Traditionen in spezifischen Traditionsfeldern (Königtum Jahwes/Landnahme + Jahwe-Krieg), dann vergegen-

---

[214] S. dazu *Petersen*, a.a.O., 130ff.; 170ff.

[215] Dabei zeigt die Kombination von Chaoskampf und Schöpfung, daß hier unterschiedliche Entlehnungen aus der Umwelt vorliegen. Weisen die Chaoskampfvorstellungen hinsichtlich der Gestaltung und Namengebung der Ungeheuer deutlich auf syr.-kan. Herkunft, vgl. die Baal-Mot oder Baal-Yammu Kämpfe, KTU 1.1-2; 1.3-4, so scheint die Kombination Chaoskampf-Schöpfung in den ugaritischen Texten bislang nicht belegbar, wohl aber im babylonischen Ee. Auch Gottesepitheta oder Gottesnamen wie *ʾl qn ʾrṣ* "El, der die Erde geschaffen hat" (KAI 26, AIII 18; KAI 129,1) und der im heth.kan. Ašertu-Mythos bezeugte *Elkuniršа* können den Mangel an kan. Schöpfungsmythen (noch) nicht ersetzen. Hinsichtlich der motivischen Ausgestaltung hätte man also mit einer Entlehnung syr.-kan. Vorstellungen, hinsichtlich der Motiv-Kombination mit Rezeption mesopotamischer Tradition zu rechnen. Zur Kombination der Motive s. auch *Day*, God's conflict, 10f.

[216] Vgl. Ee IV,2; VI, 50ff.140ff.; KTU 1.6 VI 33f.; 1.2 IV 32; im einzelnen bei *Day*, God's conflict,12ff.

[217] Die Ausnahme bildet Ps 44,5ff., wenn Jahwes kriegerisches Handeln unter dem Bekenntnis zu ihm als König steht. Die Ausnahme zeigt dabei, daß man noch zwei verschiedene Traditionen erkennen kann, diese aber durchweg kombinierbar waren.

[218] So besonders deutlich in der Exodus-Tradition, als Jahwe Israels Feinde im Meer ertränkt und dem entsprechenden hymnischen Reflex auf Ex 14,15ff. in 15,1ff.; ebenfalls Ps 83,10f. unter Aufnahme der Ereignisse unter den Richtern Deborah und Barak (Ri 4-5).

wärtigen sie je einen besonderen Aspekt: Jahwe als König und Jahwe als Krieger! Der Gegensatz von Mythos und Geschichte ist *funktional* aufgehoben.

Die Ableitung konkret rituellen Handelns mithilfe mythischer Erzählung begegnet primär in der Umwelt des Alten Testaments. In den Mythen vom verschwundenen Telepinu[219], wie auch in anderen Zusammenhängen:

> So findet beispielsweise der Mythos vom *Mondgott und der Kuh*[220] in Geburtsritualen Verwendung, bestimmte Passagen des *Atra-Ḫasīs-Epos* (II, II) in einem Ritual gegen Dürre[221], Teile des *Erra-Epos* auf Pest-Amuletten, welche das Haus oder den Träger vor der Pest bewahren sollen[222], und die *Beschwörung gegen Zahnschmerz* führt den das Übel verursachenden Wurm mit einer kosmologischen Herleitung ein.[223]

Die zentralen Themen: Chaoskampf-Schöpfung und Exodus-Landnahme bezeichnen jeweils ein ursprüngliches Geschehen, im ersten Fall den Ursprung des Kosmos, im zweiten Fall den Ursprung Israels. Während Ps 83,10 mittels der Vergleichspartikel *kᵉ* Jahwe um ein Handeln wie damals, in der Ursprungssituation, bittet, führen die thematisch selbständigen Rückblicke der notleidenden Gemeinschaft ihren eigenen, von Jahwes Wirken hervorgebrachten Ursprung vor Augen. Der Rückblick dient der aktuellen Standortbestimmung -die Gemeinschaft ist trotz aller Not im Weltgeschehen fest verankert! Die vergegenwärtigende Rezitation des kosmischen und nationalen Anfangs bedeutet somit nicht nur eine rituelle Wiederholung dieses Geschehens, sondern zugleich wird die geschichtliche Kontinuität des Volkes *und* ihres Gottes aufrechterhalten.

---

[219] S. dazu o. 53ff.

[220] Vgl. *Röllig*, OrNS 54 (1985),260-273.

[221] Vgl. *W.G.Lambert, A.R.Millard, Atra-Ḫasīs.* The Babylonian Story of the Flood, Oxford 1969, 28.

[222] Vgl. zu den Amuletten *E.Reiner*, Plague Amulets and House Blessings, JNES 19 (1960), 148-155; *dies.*, Die akkadische Literatur, 166f. Zu Erra s. *L.Cagni*, The Poem of Erra, SANE 1,3, Malibu 1977; die auf den Amuletten begegnenden letzten Zeilen der 3.Tafel, a.a.O., 46ff. "Išum Extols the Power of Erra".

[223] Vgl. *E.A.Speiser*, A Cosmological Incantation: The Worm and the Toothache, ANET³, 100f.

Die Diskontinuität der gegenwärtigen Not, der Zustand des sowohl-als auch[224], wird in ein eindeutiges Verhältnis überführt. Der Rückblick auf Jahwes frühere Heilstaten wäre dann aber weder nur Kontrastmittel, noch einfach Quelle von Zuversicht und Hoffnung, sondern das Element, das das Funktionieren des Rituals/Gebets ermöglicht.

## 4. Spuren ritueller Einbettung

Daß die KV des Psalters selbst Hinweise auf eine rituelle Einbindung enthalten, wird (a) an Handlungsbeschreibungen und (b) an Anspielungen auf Orakel deutlich:

(a) Rituelle Handlungen setzt Ps 44,16 "jeden Tag ist meine Schande (*klmh*) mir gegenüber und Schmach bedeckt mein Angesicht (*ksʾ pnym*)" voraus.[225] Ebenso V.26 "Ja, wir sind zum Staub (*lᶜpr*) gebeugt, unsere Leiber kleben (*dbq*) an der Erde (*ʾrṣ*)".[226] In beiden Fällen liegen Anspielungen auf Trauerriten vor, in denen "Staub" und "Erde" häufig belegt sind.[227]

Ps 74,21a bittet "Laß nicht zurückkehren den Unterdrückten in Scham" und verweist darauf, daß die Notleidenden nicht ohne zugesagte göttliche Hilfe das Heiligtum wieder verlassen sollen, wie etwa Jer 15,2f. voraussetzt.[228] Das sprachliche Handlungselement im Fastenritual nennt Ps 77,2.3 mit den bereits aus den Fastentexten bekannten Termini: *zᶜq* "rufen, schreien" und *drš* "suchen, befragen".[229]

(b) Hinweise auf Orakel bietet vor allem Ps 85,9 "Ich will hören, was Jahwe[230] reden wird...". Das Bittelement (V.5-8) wird so unterbrochen, als ob

[224]S.o. zu den Separationsriten, welche im Ritual den Zustand in der Schwebe bezeichnen, 76f.

[225]Vgl. Jer 14,2-6.7-9 und o. 121ff.

[226]Zu *dbq* vgl. Ps 119,25.

[227]S.o. 13f.; 73f.

[228]S.o. 138.

[229]S.o. 238f.

[230]Vgl. App. BHS z.St.

jetzt eine Orakelantwort ergehe, deren Inhalt V.10ff. summarisch mitteilt. Ob das Ausbleiben von "Zeichen" und "Propheten" (Ps 74,9) auf ein Orakel zu beziehen ist, bleibt ungewiß. Ps 60,8-10 zitiert jedoch ein älteres Orakel und bezeugt die Beziehung zwischen KV und Orakelantwort.

Schließlich kann der Kehrvers in Ps 80,4.8.20 sowohl auf eine stilistisch bedingte Responsion als auch auf rituelles Geschehen hinweisen. Der häufig bezeugte Sprecherwechsel vom kollektiven "wir-uns" zum individuellen "ich-mein" in Ps 44,5.16; 60,11; 74,12; 83,14; 85,9 stellt demgegenüber kein Kriterium für eine Wechselrede zwischen versammeltem Volk und einem Vorbeter dar.[231]

Besonders IIChr 20,6-12 macht deutlich, daß der einzelne Sprecher im kollektiven Stil spricht, sich selbst also in das Kollektiv miteinbezieht.[232] Der Sprecher tritt in doppelter Funktion auf: als persönlicher Inhaber eines Amtes mit Verantwortung für das Ergehen des Volkes, als König, Priester oder Prophet[233] und als Mitglied des Kollektivs selbst.[234]

---

[231]So z.B. bei *Gunkel-Begrich*, Einleitung, 119, die "verschiedenen Gruppen des Volkes werden chorweise geklagt und gebetet haben", 123 von einem "Chor" vorgetragen, während das "ich" einen "Vorbeter" meine, 124. Auch *Seidel*, Spuren, 27 setzt dies voraus: "wie mit einer Stimme redet es (sc. das Volk) seinen Gott mit 'Du' an...".

[232]S.o. zu Josaphats Gebet, 200ff.

[233]Nach Jer 14; Jes 58 Prophet; ISam 7 Richter; Jo 1,14;2,17 Priester; IIChr 20,6ff. König.

[234]Vgl. den Ich-Wir-Wechsel in Muršilis Pestgebeten. Muršili leitet seine Not von einer Vatersünde ab (ICH):"It is true, WE have done it", vgl. *Götze*, ANET$^3$, 359,9. Auch *J.Scharbert*, Das 'Wir' in den Psalmen auf dem Hintergrund altorientalischen Betens, in: *E.Haag-F.L.Hossfeld* (Hrsg.), Freude an der Weisung des Herrn, Stuttgart 1986, 297-324, macht auf die differenzierte Verwendung des "wir" aufmerksam. Analog der Entwicklung von der exklusiven zur inklusiven Fürbitte rechnet er 1. mit einer Gebetsform, in der sich der Beter im "wir" mit der Gemeinde zusammenschließt (inklusiv), und 2. mit einem seit etwa 722 v.Chr. (Eroberung Samarias) sich langsam entwickelnden kollektiven Gemeindebewußtsein, bes. 321ff.

## SECHSTES KAPITEL: VERSTÄNDNIS UND ENTWICKLUNG DES KOLLEKTIVEN FASTENS

### 1. Das *ṣôm*-Ritual

Nachdem das kollektive Fasten sowohl hinsichtlich seiner literarischen Bezeugung, als auch im Verhältnis zum individuellen Fasten untersucht ist, stellt sich abschließend eine dreifache Aufgabe: 1. anhand der gewonnenen Ergebnisse das Ritual zu rekonstruieren (1.1), 2. das *ṣôm*-Ritual in seinen verschiedenen Varianten zu interpretieren (1.2), und 3. die historische Entwicklung zu skizzieren (1.3)

#### 1.1 Rekonstruktion des Rituals

Der Ablauf des kollektiven Fastens ist grundsätzlich durch vorbereitende und ausführende Elemente strukturiert: 1. Anberaumung als terminliche Festsetzung durch Heiligung einer speziellen Zeit + Versammlung des bedrohten Kollektivs durch führende Institutionen. 2. Kollektive Ausführung von Trauerriten, individueller Klagevortrag + Orakelantwort, abschließende Proskynese mit Lobgesang.[1] Das Fasten dauert gewöhnlich einen Tag, d.h. bis zum Sonnenuntergang[2], und tritt nur einmal in verschärfter Form als dreitägiges Fasten

[1] In ISam 7,5ff.; IKön 21; Jer 36,9; Jo 1-2; Jon 3; Esr 8,21ff.; IIChr 20,1ff.

[2] S.o. zu Ri 20,26ff. und ISam 7,5ff.

auf[3]. Charakteristisch sind die für den Klagevortrag verwendeten Termini: *š'l*, *drš* und *bqš* Pi.[4]. Verschiedentlich erwähnte Opfer und Sündenbekenntnisse[5] sind durch das Verständnis der Klage als Fürbitte (*pll* Hitp.) vermittelt und gehen auf eine deuteronomistisch geprägte Adaption des Fasten-Rituals zurück, sind insofern sekundär.

Als Beteiligte sind kultische Funktionsträger, König, Priester oder Prophet[6], die die Klage vortragen, von den das Ritual organisierenden -vermutlich staatlichen- Instanzen[7] zu unterscheiden. Der Anberaumung steht die eigentliche Volksversammlung, der jeweiligen Intention der Texte entsprechend, als ideale Vollversammlung[8] gegenüber. Die Klage wird vorgetragen von kultischen Funktionsträgern wie Propheten oder Priestern, oder aber vom König selbst als Repräsentant des Kollektivs.

Schließt man von der Beteiligung der "Leviten" in IIChr 20 und Neh 9,1ff. zurück, so hätte man an Kultpropheten als Übermittler der Orakelantwort zu denken.[9]

Als Ort des Fastens findet entweder der Tempel Jahwes[10] Erwähnung, wobei der Klagevortrag offenbar im Vorhof vor dem Brandopferaltar stattfand,

---

[3]Nur in Est 4,16 s.o. 189ff.

[4]S.o. 237ff.

[5]S.o. 170ff.

[6]König in IIChr 20,1ff.; prophetische Beteiligung setzen Jeremia und Dtjesaja voraus, Priester in Joel; Samuel als Richter und Naboth an der Volksspitze (?), vielleicht auch Esra als Leiter der Reisegruppe sind als dem Volk voranstehende Funktionsträger zugleich deren Repräsentanten.

[7]So liegt die Anberaumung und Organisation in den Händen des königlichen Hofes, vgl. Jon 3 und IKön 21,9. Aber auch die Ältesten, Vollbürger und Priester werden hier erwähnt.

[8]So besonders deutlich in Jo 1,14ff.; 2,12ff. und beinahe satirisch unter Einbeziehung der Tiere in Jon 3. Sonst von den Bewohnern von Stadt und Land. Die Betonung der Gesamtheit des Volkes in ISam 7,5ff. und Ri 20,26-28 dient hingegen dem dtr Verfasser zur Stilisierung eines Idealbildes, s.o. 166ff.; 193ff.

[9]Vgl. *Jeremias*, Kultprophetie, 139ff., bes. 146; *Welten*, TRE 7, 434.

[10]Jer 36,9; (Jes 58); Jo 1,14; IIChr 20,1ff. s. jeweils zu den Texten. Die Verlegung des Rituals vor den königlichen Palast in Est 4 bildet eine Strukturanalogie und läßt entsprechend an den Tempel Jahwes denken, s.o. 191f.

oder er wird durch die Wendung *lpny yhwh/'lhym*[11] bezeichnet. Als konkrete Orte, wo das Ritual *lpny* + GN ausgeführt wird, sind Mizpa, Bethel und ein Fluß Ahawa, bei einer babylonischen oder persischen Ortschaft Kasiphja (Esr 8,17) bezeugt.

Während Bethel und Mizpa zweifellos über alte Lokaltraditionen und Lokalheiligtümer verfügten, u.U. sogar religiöse Zentren während der Exilszeit wurden[12], läßt sich dies für den Ort am Fluß Ahawa nicht behaupten. Die Wendung "vor dem Angesicht Jahwes/Gottes" meint mit großer Wahrscheinlichkeit ein lokales Heiligtum mit einer anikonischen Jahwepräsentation oder ist als Richtungsangabe zu verstehen. Im ersten Fall hätten archäologische Zeugnisse den Nachweis exilischer Heiligtümer zu liefern,[13] im anderen Falle wäre mit dem dtr Tempelweihgebet Salomos (IKön 8) von der Vorstellung auszugehen, daß das Volk, sofern nicht in Tempelnähe, in Richtung auf Land und Stadt, wo sich der Tempel als Wohnort Jahwes befindet, beten soll (V.48).[14] Darf man die Wendung *lpny* + GN so interpretieren, daß die Gebetsrichtung gemeint ist, dann wäre auch hier der Jerusalemer Tempel als zentrale Klagestätte impliziert.

Die räumliche Strukturierung bei Jo 2,17 "zwischen Vorhalle und Altar" als Angabe des Standortes der Priester meint den Bereich zwischen dem vermutlich im Tempelvorhof stehenden Altar und der Eingangshalle des eigentlichen Tempelgebäudes.[15] Aufgrund der grundsätzlichen graduellen Heiligkeitsbezirke im Tempelbereich[16] wird deutlich, daß aktiv beteiligt nur die Priester

---

[11]S.o. 168; 194.

[12]Vgl. *Veijola*, Verheißung, 190ff.; vgl. auch *D.Kellermann*, Heilige Stätten II, TRE 9, 677-679.

[13]Aufgrund literarischer Hinweise nimmt *Veijola*, a.a.O.,190ff. zwar lokale Heiligtümer während des Exils in Mizpa und Bethel an, vermag deren Existenz allerdings empirisch nicht nachzuweisen.

[14]Vgl. auch *Veijola*, a.a.O., 182f.

[15]Vgl. die Rekonstruktionszeichnung des Begegnungszeltes bei *Janowski*, Sühne, 223 und die Überlegungen zur Analogie mit dem Jersualemer Tempel, 335f.

[16]Vgl. *Leach*, Kultur, 101ff. Rückschließend aus dem erweiterten Tempelareal des herodianischen Tempels lassen sich von außen nach innen folgende Heiligkeitsbezirke erkennen: 1. Vorhof der Heiden, 2. Vorhof der Frauen, 3. Vorhof der israelitischen Männer, 4. Priestervorhof mit Altar und 5. das Tempelgebäude mit seinen eigenen Unterteilungen, vgl. auch *E.Lohse*, Umwelt des Neuen Testaments, NTDE 1, Göttingen 1978, 109ff.

waren, während das Volk den eigentlichen Tempelbereich überhaupt nicht erreichen konnte.[17]

Als Anlässe, die zu einer Anberaumung und Durchführung des Fastenrituals führen, kommen Kriegsgefahr, Heuschrecken- und Dürre-Not, die Zerstörung von Städten und andere Gefahren[18] zur Sprache. Den Anlässen entsprechen die den Texten selbst zu entnehmenden Funktions- und Zweckbezeichnungen des Rituals.

Läßt sich einerseits das Ritual als Unterstützung und Rahmen der Bitte um die Wende der Not[19] formal beschreiben, so wird dies inhaltlich an der speziellen Bitte konkret, die der Klage um Jahwes Abwesenheit deutlich untergordnet ist. Allgemein wird Jahwes hilfreiche Zuwendung erbeten: als Gabe seines Regens, als Rücknahme eines Vernichtungsbeschlusses oder seines Zornes, als Präsenz im Kriegsgeschehen oder als erneutes Einwohnen auf dem Zion[20].

Indem sich Anlaß und Funktion des Rituals mit den Kategorien Gottverlassenheit und Gottespräsenz beschreiben lassen, spiegelt sich zugleich ein bestimmtes Gottesverständnis wider.

### 1.1.1 Das Gottesverständnis

Grundlegend ist die Vorstellung, daß das Volk in Not und Gefahr gerät, wenn sich der Gott von ihm, analog dem persönlichen Gott des Einzelnen[21],

---

[17]Vgl. auch IIChr 20,5 Josaphat steht "in der Volksversammlung...vor dem neuen Vorhof", d.h. im Gegensatz zu Jo 2,17 nicht im inneren Priestervorhof.

[18]So besonders die Gefahr auf der Reise von Babylon nach Israel (Esr 8,21ff.31) und durch ein todeswürdiges Verbrechen (IKön 21,9ff), aber auch die Zerstörung des Jahu-Tempels.

[19]Vgl. bes. o. 217f.

[20] Besonders in Joel oder als Wettergott in ISam 7,10ff., in Jona 3 und Sacharja 7-8.

[21]S. die Beispiele für das AT wie auch in der Umwelt bei *Vorländer*, Mein Gott, 91ff., zum persönlichen Gott in Mesopotamien s. jetzt *Groneberg*, Einführungsszene, 93ff., wo nicht nur die Schutzfunktion dieses Gottes betont wird, sondern vor allem dessen interzessorisches Handeln bei den großen Göttern zugunsten seines Schützlings.

abwendet. Eine solche Gottverlassenheit äußert sich in der Fremdlingsschaft Jahwes in seinem eigenen Land, in der Verheißung eines *erneuten* Wohnens auf dem Zion, in der Abwesenheit der Lade, in der Zerstörung seines Heiligtums oder im Ausbleiben seines Fruchtbarkeit garantierenden und lebenspendenden Regens[22].

Diese Formen der Gottverlassenheit, die weitgehend den Typen in Israels Umwelt entsprechen, insbesondere dem Verlust des Gottesbildes (vgl. Lade), der Zerstörung eines Heilgtums und Störungen von Fruchtbarkeit und Vegetationsrhythmus werden im Alten Testament *geschichtlich* gedeutet.

Jahwes Abwesenheit in der Form ausbleibenden Regens oder in der Form seines zerstörten Heiligtums steht der Verweis auf seine die Geschichte Israels begründenden Taten gegenüber. Natürliche Phänomene werden parallelisiert und konkretisiert mit Hilfe der Bundes- und Ziontradition in Jer 14, oder mittels der Vorstellung eines universalen Völkergerichtes in Joel und Sacharja. Die Tendenzen dieser Entwicklung scheinen darin begründet zu sein, daß nur im Alten Testament die Erfahrung der Gottverlassenheit zur Ausbildung eines kollektiven Rituals geführt hat.

In diesem Sinne begegnet das Fasten selbst bereits als enge Verbindung zwischen einzelnem Fastenritus und komplexen Trauerriten, wie sie auch die Umwelt[23] bezeugt. Ob diese singuläre Verbindung einen bewußten Gegensatz zu den altorientalischen Konzeptionen vom Tode eines Gottes darstellt, kann allenfalls vermutet, aber nicht bewiesen werden.

Mit der Existenz des *ṣôm*-Rituals ist aufgrund von IKön 21 seit der mittleren Königszeit zu rechnen.[24] Das Fasten erscheint hier als archaische, prophylaktische Form, innerhalb dessen die Trauerriten noch am ehesten apotropäisch schützende Funktionen wahrnehmen. Wie allerdings die erstmalige auch am Ablauf und am religiösen Bezug des Rituals interssierte Bezeugung des Fastens erkennen läßt, erlangt das kollektive Fasten erst unter dtr Einfluß und dann in exilisch-nachexilischer Zeit eine besondere, auch der literarischen Überlieferung werte Bedeutung.[25]

---

[22]So in Jer 14,8, Sach 8,3; Jo 2,27; 4,17; ISam 7,2; pCow 30 und Jo 2,21ff.; Jer 14,2ff.

[23]S.o. 35ff.

[24]S.o. 177f.

[25]Vgl. die dtr Überarbeitung von Jer 14-15,4a und die Rückprojektionen des Fastens in die Richter-Zeit in Ri 20,26ff. und ISam 7,5ff.

Den ältesten Beleg bildet dabei die dtr Interpretation von Jer 14,2-10 und ihrem Dreischritt: Notbeschreibung - Klage - Orakelantwort, als Inhalt eines *ṣôm*-Rituals.[26] Zugleich findet sich hier die wohl älteste Übertragung der prophetischen Verkündigung der Sünden in ein kollektives, in der 1. Person pl. formuliertes Sündenbekenntnis. In dieser Verbindung von Klage + Sündenbekenntnis läßt sich das Fastenritual über ISam 7,2ff. bis zu Jon 3 (Aufnahme der prophetischen Umkehrforderung) und den späten Bußgebeten Daniels und Nehemias weiterverfolgen.[27]

Dieser Form des kollektiven Fastens stehen die exilischen KV des Psalters ohne jedweden Sündenbezug gegenüber. Die Unterscheidung zweier verschiedener Formen des Fastens bestätigen die in den *ṣôm*-Texten selbst verwendeten Gebetstermini, insofern ***š'l, drš*** und ***bqš*** Pi. im Gegenatz zu ***pll*** Hitp. nicht im Kontext von Sünde und Verfehlung verwendet werden.[28]

Terminologisch, thematisch und formal sind damit beide Formen des *ṣôm*-Rituals unterscheidbar: Klagefeier und Bußtyp[29]. Die Verbindungen des *ṣôm*-Rituals mit der Fürbitte und in dessen Gefolge mit Opfern und Sündenbekenntnis in Jer 14,11f., ISam 7 und Ri 20,26ff. zeigen weitere Differenzierungen. Unter zunehmendem dtr Einfluß wird die Sündenthematik stetig ausgeweitet und erscheint schließlich in Verbindung mit der Umkehr-Theologie in Jer 36, Joel und Jona, um in den Bußgebeten bei Neh und Dan als Vorbereitung der Gerichtsdoxologie schließlich den Endpunkt dieser Ausgestaltung zu erreichen. Die Opferthematik hingegen wird an keiner weiteren Stelle mehr aufgenommen.

Stand noch bei Jeremia die Anklage Jahwes als Urheber der Not im Vordergrund, so ist diese Form der Notbewältigung der Spätzeit völlig fremd und hat das Gottesverständnis fundamental korrigiert. Im Zentrum des Rückblicks auf Jahwes frühere Heilstaten steht nicht mehr die Vergegenwärtigung von Jahwes Ursprungshandeln in der Welt und an Israel, sondern die Korrelation zwischen diesem Handeln und menschlichem Ungehorsam.[30] Jahwes Präsenz ma-

---

[26] S.o. 139.

[27] S.o. 225ff.

[28] S.o. 237ff.

[29] Vgl. vorsichtig *Welten*, TRE 7, 434. Das Fasten gehört allerdings ursprünglich zur Klagefeier, die der Buß"feier" vorangeht.

[30] S.o. 238f.

nifestiert sich nicht allein in seinen früheren Heilstaten, sondern darin, daß er *trotz des Ungehorsams seines Volkes* dessen Bundespartner geblieben ist. Die Klage tritt fast ganz zurück und wird durch ein Bekenntnis zu dem selbst angesichts fortdauernder Not "gerechten" Gott Jahwe ersetzt.[31]

Neben dem Klage- und Bußtyp des Fastens kann als dritte Form die unter dem Einfluß prophetischer Kultkritik erfolgte Neuformulierung des Fastens in Jes 58 angesehen werden, die das Handlungselement der rituellen Trauer besonders herausstellt. Die Trauergebärden werden ersetzt durch Sozialverhalten, nicht durch Bekenntnisse oder Erklärungen.

### 1.1.2 Die Funktion der Trauerriten

Diesem skizzierten Wandel des Gottesverständnisses entspricht eine grundsätzliche Bedeutungsverschiebung der Trauerriten. Als ursprüngliche Riten aus der Totentrauer erfüllen sie Solidarität stiftende und vor den Todesmächten schützende Funktionen.[32] Angesichts dieser paradigmatischen Funktion werden profane[33] und auf die Götter[34] bezogene Handlungen abgeleitet.

Die ursprüngliche Konzentration der Riten auf Tod und Verstorbene ist damit aufgegeben und wird vom Jenseits ins Diesseits verlagert.[35] In dieser Übertragung und deutlich von der Umwelt beeinflußt liegen die Trauerriten auch im Alten Testament vor. Dabei wird Jahwe nicht als toter Gott oder Unterweltsgänger vorgestellt, sondern als ein Gott, dessen Verborgenheit und Untätigkeit die Geschichte Israels gefährdet.

Unter dem Einfluß prophetischer Kultkritik und der dtr Entfaltung der Sündenthematik verändern die Trauerriten ihre Funktion. Stellten sie ur-

---

[31] Vgl. auch *Veijola*, Klagegebet, 304f.

[32] S.o. 144f.

[33] Vgl. o. 78ff.

[34] Vgl. o. 35ff.

[35] Mittelbar wurde dies durch die Vorstellung von Gottheiten, die in die Unterwelt hinabsteigen und als Grenzgänger angesprochen werden können erreicht. Besondere Ausgestaltung hat dieses Motiv scheinbar nur im Umfeld der Götter Inanna/Ištar und Dumuzi erfahren und nicht etwa für den Sonnengott, der Nacht für Nacht die Unterwelt durchquert.

sprünglich die Minderung des diesseitigen Lebens im Unterschied zur Existenz nach dem Tode dar, so erscheint nun das Element der Minderung als Unterlassen bestimmter Handlungen (Sündenbekenntnis + Um-/Abkehr) und schließlich als sozial orientiertes Handeln selbst.[36]

Mit der Weiterbildung des Klage- zum Bußritual ereignet sich ein tiefgreifender Umbruch im Ritual- und Gottesverständnis. Kultisch-rituelles Handeln wird zum Symbol und äußeren Kennzeichen ethischer Gesinnung, während das komplementär zu verstehende Verhältnis zwischen rituellem Fasten und konkreten Taten der Gemeinschaftstreue das Element der büßenden Gesinnung durch aktives Handeln ergänzt.

Eine weitere, wenn auch singuläre Dimension vertritt die Spiritualisierung der Trauerriten in Jo 2,13: "zerreißt eure Herzen und nicht eure Kleider". An die Stelle der Riten tritt hier die Demut des Herzens[37], wie in den späteren jüdischen Schriften und auch in Qumran.

### 1.2 Zum Verständnis des kollektiven Fastens

Im Alten Testament selbst liegt bereits eine feste Verbindung zwischen dem ursprünglich mit Nahrungsriten zusammengehörenden Fastenritus und Trauerriten vor, so daß das *ṣôm*-Fasten zum Oberbegriff komplexer Trauer- und Klageriten werden konnte und schließlich als Ritualbezeichnung selbst dient. Da die Trauerriten, inklusive des Fastenritus, nicht angesichts eines konkreten Todesfalls ausgeübt werden, war ihre Funktion neu zu bestimmen.

Als gemeinschaftlich ausgeführte und auf ein Objekt bezogene Riten erfüllen sie zunächst eine soziale Funktion. In der gemeinsamen Trauer um ein der Gemeinschaft entrissenes Mitglied entsteht nicht nur unter den Trauernden Solidarität[38], sondern auch zwischen ihnen und dem nun fernen Menschen. So ereignet sich in der Trauer eine rituelle Begleitung des Toten während dessen

---

[36] S. besonders Kap.5 und zu Joel, Jona und Jes 58.

[37] S.o. 174.

[38] Solidaritätsbildung kann dann auch zur Gemeinschaftsbildung führen. In der kollektiven Vereinheitlichung aller sozialen status entsteht nach *Turner*, Process, 94ff.; 131ff., *communitas*. Vielleicht ist hier der Ursprung des kollektiven "wir" in den Gebetstexten zu suchen?

aufgehobener Sozialität[39], sie endet mit der Integration des Toten in den negativen Familienkreis, die Ahnenfamilie.

Neben dieser zweiseitig sozialen Funktion steht eine religiöse, insofern der Tod selbst mit dem Toten präsent ist. Vor allem die Beispiele aus Mesopotamien[40] zeigen, daβ ein Trauernder sich selbst oder ein anderes betrauertes Objekt in einen status versetzt, der ihn für die Todesmächte unangreifbar machen will. Da der Tod nie als Nicht-Sein aufgefaβt wurde, sondern als eine um die Lebensqualität verminderte Form der diesseitigen Existenz, ahmen die Trauerriten genau diese Lebensminderung nach und schützen zugleich -der Trauernde ist wie der Tote: für den Tod selbst bedeutungslos.

Beide Funktionen, Solidaritätsgewinn und Schutz vor dem Tod, verleihen den Trauerriten einen paradigmatischen Charakter und ermöglichen ihren übertragenen Gebrauch.

Das kollektive Trauer-Fasten ist darum in erster Linie ein Trauerritual, das auf die Solidarität des bedrohten Volkes und den Schutz vor dem drohenden Tod abzielt.[41] Wie aus den Fasten- und Gebetstexten hervorgeht, ist die eigentliche Ursache der Not darin zu suchen, daβ Jahwe seine das Volk schützenden und erhaltenden Aufgaben nicht erfüllt, daβ er sich verbirgt oder Israel verläβt. Schon das alttestamentliche Todesverständnis setzt für den Einzelnen voraus, daβ überall da der Tod ist und lauert, wo Jahwe nicht ist: ein vom Kultus isolierter Einzelner ist praktisch tot.[42] Es ist diese Koinzidenz von Gottverlassenheit und Todesnähe, die das Trauer-Fasten in kollektiven Krisenzeiten geradezu erfordert. Daβ es dabei nicht zu einlinigen Vorstellungen gekommen ist, zeigen die zwei Fastentypen: der Klagetyp und der Buβtyp.

---

[39] Gemeint ist der unbestattete, vitale Tote, der nicht mehr zu den Lebenden gehört, aber auch noch nicht zu seiner Familie im Jenseits; zur Sache s.o. 87f.

[40] S.o. 78ff.

[41] Der Tod ist sowohl bei Dürre, Hungersnot, Kriegsgefahr und Seuchen jedem Beteiligten vor Augen, auch wenn die Texte dies nicht explizit ausdrücken.

[42] S. auch *Verf.*, L'Aldilà, 171ff.

### 1.2.1 Trauer-Fasten als Klage

Innerhalb der Klage, welche durch die Gebetstermini *drš, š'l* und *bqš* Pi. bezeichnet wird, sind zwei Elemente inhaltlich konstitutiv: Die vorwurfsvolle Anklage Gottes und der Rekurs auf Jahwes frühere Heilstaten.[43]

Beide Elemente konstatieren im Handeln Jahwes einen Kontinuitätsbruch. In dieser Form des Fastens ist allerdings nicht das dtr Geschichtsbild (dtrGB) leitend, das Jahwes Unheilshandeln auf Israels Ungehorsam zurückführt und zur Buße und Umkehr aufruft, sondern das subjektive Empfinden der Unschuld.

Als *Geschichte* kommt in diesen Texten nur die Spanne zwischen Exodus und Landnahme, als *mythische* Themen kommen nur Schöpfung und Chaosüberwindung zur Sprache.[44] Das Charakteristikum der geschichtlichen wie mythischen Taten Jahwes ist, daß sie einerseits Israels Volkwerdung bis hin zur Landnahme Kanaans fortschreitend umfassen, andererseits aber auch -von 1Sam 7; Ri 20,26ff.; Jer 14,2ff. und Jo 1 ausgehend- als punktuelle geschichtliche Hilfeleistung in Notsituationen erfahren werden.

Im Gegensatz zum dtrGB, welches die Sündengeschichte der Königszeit besonders betont, wird so auf ein früheres Ursprungs-Handeln Jahwes verwiesen, das die Voraussetzung für die Existenz Israels in diesem Land bildet. Hinter dem Aufweis geschichtlicher Diskontinuität steht dabei die Absicht, die Kontinuität dieses früheren Handelns durch Geschichtserinnerung wieder herzustellen. Damit ist das Handeln Jahwes an Israel in der Geschichte das ausschließliche Medium in dem Gott/Jahwe angesichts der aktuellen Not (noch) präsent und wahrnehmbar ist. Geschichtserinnerung ist damit zugleich die einzige Möglichkeit, überhaupt in eine Beziehung mit dem verborgenen und fernen Gott zu treten.[45]

Im Vergleich zur Totentrauer fällt bei einem solchen Verständnis auf, daß Trauer und Totenpflege, welche die durch den Toten dezimierte Gemeinschaft diesem angedeihen läßt, im wesentlichen durch zwei Elemente gekennzeichnet sind: Trauerriten und positive Erinnerung des Toten.[46] Trauerriten und *Erin-*

---

[43] S.o. 250ff.

[44] S.o. 254ff.

[45] Darauf bezieht sich sowohl die Verpflichtung aller Israeliten auf das Gesetz unter Nehemia und Esra, als auch in Qumran der Eintritt in den Bund Gottes.

[46] S.o. 87ff.

*nerung* bilden dasjenige Medium, in welchem der Tote für seine Hinterbliebenen (noch) erreichbar und ansprechbar ist.

Die Grundform der atl. *ṣôm*-Fastenfeier ist darum primär die reine Klage über die Ferne, Verborgenheit oder Untätigkeit Jahwes. Diese Klageform, repräsentiert durch die KV des Psalters, ließe sich hinsichtlich ihres fehlenden rituellen Rahmens am ehesten in den von Sacharja bezeugten exilischen Gedenkfasten vorstellen[47], vielleicht aber auch in denjenigen KV des Psalters, die Exodus und Landnahme besonders betonen.[48]

### 1.2.2 Trauer-Fasten als Buße

In Jes 58 und z.T. in Sach 7-8 wird das rituelle Element der Trauer in der Weise kritisiert, daß es im Blick auf die innere Einstellung und Ernsthaftigkeit rein äußerlich bleibe und darum nicht die Gottesbeziehung beeinflussen könne. Besonders in Jes 58 werden der Trauer soziales Wohlverhalten und Taten der Gerechtigkeit zur Seite gestellt. Trauer symbolisiert so den Wechsel des Existenzmodus: Anstelle egoistischen Verhaltens soll ein Handeln treten, das an den Bedürfnissen und der Not des Mitmenschen ausgerichtet ist. Wirkliche, von Jahwe anerkannte und beachtete Trauer, entsteht dann, wenn Trauer als ein bloßes Zur-Schau-Stellen dadurch überwunden wird, daß dem einzelnen Trauerritus auch eine konkrete Verhaltensänderung entspricht.[49]

Genau diese ethische Dimension des Trauer-Fastens bindet die Aufhebung der Gottesferne, und damit die erneute Zuwendung Jahwes, an eine der rituellen Trauer korrespondierende innere Einstellung und deren aktive Umsetzung. So entsteht in Verbindung mit der Umkehr-Theologie in Joel und Jona[50] der Bußcharakter des Fastens. Trauer-Fasten als rituelle Unterbrechung der lebensspezifischen Funktionen wird zum Paradigma und Modus dessen, was Umkehr und Buße heißt. Wer fastet enthält sich nicht nur der Nahrung, wer

---

[47] S.o. 208ff.

[48] S.o. 250ff.

[49] Diese Ritus-Kritik entspricht nahezu dem neuzeitlichen Verständnis eines Ritus als rein äußerlicher aber sinnentleerter Verhaltensweise.

[50] S.o. 156ff.; 184ff.

trauert verzichtet nicht nur auf Lebensqualität, sondern in der beiden gemeinsamen Unterbrechung des täglichen Lebens findet die Konzentration auf das Verlorene statt. Wie die Hinterbliebenen ihre Toten solidarisch begleiten, so richten die Büßer ihr Leben an dem abgewandten und in seiner Forderung zur Umkehr dennoch präsenten Gott aus.

Hier liegt begründet, daß im Bußfasten die Klage um den verborgenen Gott schließlich ganz zurücktritt und an ihre Stelle Selbstanklage, Sündenbekenntnis und Gerichtsdoxologie treten.

### 1.3 Historische Einflüsse und Traditonsträger

Entsprechend der chronologischen Ordnung der Fastentexte stellt sich die Geschichte des kollektiven *ṣôm*-Fastens in den folgenden Grundzügen dar.

Als ältester, vorexilischer Text kennt IKön 21 ein kollektives Fasten, das vermutlich mit einer kollektiven Bedrohung durch Individualschuld verbunden ist. Nicht nur das Alter des Textes, sondern auch die Ausgestaltung der Novelle mit ihrem grundsätzlichen Desinteresse an Ablauf und eigentlichem Anlaß lassen eine Begehung erkennen, die nur formal mit den übrigen Fastentexten übereinstimmt.

Das Bild ändert sich in den dtr beeinflußten Fasten-Texten, zunächst in Jer 14, ISam 7 und Ri 20. Kollektives Fasten erscheint jetzt als Trauer- und Klageversammlung und verbindet eine kollektive Not mit der Untätigkeit Jahwes und dem Ausbleiben seiner lebensfördernden Gaben, wie Regen und Fruchtbarkeit. Auf die Aufnahme des kollektiven Fastenrituals innerhalb der dtn-dtr Bewegung geht die in o.g. Texten ansatzweise erkennbare Sündenthematik zurück.[51] Die verschiedenen dtr Redaktionen stilisieren das Fasten zu einer idealtypischen Versammlung des ganzen Volkes und setzen damit angesichts der Zersplitterung der judäischen Bevölkerung seit den neubabylonischen Eroberungen und Deportationen[52] eine Situation voraus, die historisch längst nicht mehr gegeben ist.

---

[51]Im Unterschied zur Gerichtsdoxologie der Bußgebete.

[52]Auch diese ideale Kollektivierung begegnet innerhalb der Tätigkeit Nehemias und Esras wieder.

Während der Zeit des Exils werden in Jerusalem und vermutlich auch in Mizpa und Bethel regelmäßige Klagefeiern abgehalten, wofür die Fastenfrage in Sacharja und die Erwähnung von Mizpa als ehemaliger Klagestätte in IMakk 3,46ff. einen sicheren Anhaltspunkt bieten.

IMakk 3,46ff. ist darüberhinaus insofern aufschlußreich, als dort angesichts der Verfolgung durch *Antiochus IV. Epiphanes* (175-164 v.Chr.) ebenfalls ein kollektives Fasten in Verbindung mit Trauerriten und einem Klagegebet überliefert ist.

Anlaß und Datierung der Fastenfrage (Sach 7) 518 v.Chr. in der Regierungszeit Darius I. steht in enger Verbindung mit dem Tempelaufbau und der Situation in der persischen "Provinz" Judäa. Unter maßgeblicher Beteiligung der Propheten Haggai und Sacharja begann im Jahre 520 v.Chr. der Aufbau des zerstörten Tempels.[53] Beide Propheten -wie auch Esr 4,1ff.- setzen soziale Spannungen aus der ihnen eigentümlichen Sicht voraus.

Nach Hag 1,1ff. amtieren im Jahr 520 v.Chr. ein Hoherpriester (Josua) und ein persischer Kommissar (*pḫh*)[54], Serubbabel, in Jerusalem. Beide avancieren zu Führern der restaurativen Bewegung, deren Gegner Hag 1,4 erwähnt. Diese sind die Besitzer städtischer "getäfelter" Häuser, die sich um ihre eigenen Häuser, aber nicht um das Haus Gottes bemühen (Hag 1,9), und vermutlich auch Kreise repatriierter Rückkehrer. Der zur gleichen Zeit aktive Tritojesaja (66,1) lehnt demgegenüber die Tempelerneuerung nicht aus eigennützigen, sondern aufgrund sozial-ethischer Motive ab.[55]

Daß ein genereller Notstand vorliegt, geht sowohl aus den Lichtverheißungen in Jes 58, aus den von Sach 7,10ff. beklagten Mißständen und insbesondere daraus hervor, daß Haggai die Tempelruinen explizit als Ursache für mangelnden Regen, Dürre und generelle Unfruchtbarkeit (V.10) verantwortlich macht. Indem Hag 2,6ff.15ff. und Sach 8,12 als Wende dieser Not die Rückkehr der Herrlichkeit Jahwes und eine neue Fruchtbarkeit als Folge der Tempelerneuerung in Aussicht stellen, stehen sie nicht nur gegen Tritojesaja, sondern lassen auch eine andere Bewertung der sozialen Mißstände erkennen.

---

[53]Vgl. *Donner*, Geschichte, 409ff.

[54]Zum Titel *pḫh* akk. *bēl piḫāti*, s. *Stolper*, Entrepreneurs, 58; *Donner*, Geschichte, 410.

[55]S.u. 281.

Gegner der Tempelrestauration sind sowohl unter "einer vermögenden bäuerlichen Schicht mit landwirtschaftlichen Interessen"[56] zu finden, als auch unter Teilen der judäischen Landbevölkerung und in samarischen Gruppen (Esr 4,1ff.).[57] Als Befürworter religiös restaurativer Ideen stehen die Propheten Sacharja und Haggai, aber auch Serubbabel[58] diesen konservativ orientierten Gruppierungen gegenüber.[59] Während sie die bestehenden sozialen Mißstände (Hag 1,7; Sach 8,10ff.16f.), vor allem Schuldknechtschaft und Verarmung als Folge des noch immer in Trümmern liegenden Tempels, also als Folge noch andauernder Gottverlassenheit, interpretieren, wendet sich Tritojesaja zugunsten der Unterdrückten sowohl gegen die herrschende Oberschicht als auch gegen die restaurative Bewegung.

Vertritt letztere die Interessen von Priestern, Leviten und Rückkehrern, die nun auf ihre angestammten Besitztümer zurückkehren wollen und zu diesem Zweck eine streng endogame Verfassung[60] entwerfen, so stellt Tritojesaja sich auf die Seite derjenigen, die unter dem Druck der Tempelbau-Partei zu Arbeiten in Jerusalem zwangsrekrutiert wurden und auf die Seite der produzierenden aber immer mehr verarmenden Landbevölkerung.[61]

Reflektiert wird ein Teil dieser Auseinandersetzung in der Fastenanfrage in Sach 7. Aufgrund der babylonischen Namen, die die Gesandten aus Bethel[62] tragen, darf vermutet werden, daß sich hier Leute zu Wort melden, die der im

---

[56] *Talmon,* Sektenbildung, 251.

[57] Vgl. *Donner,* Geschichte, 414f.

[58] A.a.O., 411ff.

[59] Konservativ in dem Sinne, daß diese Gruppen sich aus den im Lande verbliebenen zusammensetzen. Sie wurden nicht in die Gefangenschaft geführt, sondern konnten z.T. das wirtschaftliche Erbe der weggeführten Oberschicht antreten und so selbst sozial zu einer neuen "Aristokratie" aufsteigen. Als Bewohner der Städte, die für diese Zeit als "Knotenpunkte(n) der babylonischen Zivil- und Militärverwaltung", *Talmon,* a.a.O., 251, dienten, stehen sie neben der aus den Städten auf die ländlichen Gebiete ausgewichenen Bevölkerung.

[60] So später vor allem Nehemia, s.u. 280.

[61] Vgl. *Koenen,* Ethik, 262.

[62] S.o. 208 A. 10f.

Lande verbliebenen Mischbevölkerung[63] angehören, und daß es offenbar diese Teile der Bevölkerung waren, die während des Exils regelmäßige Klagefeiern gehalten haben und die sich nun an die Rückkkehrer wenden mit der Frage, ob die Notzeit jetzt zu Ende gehe.

Die unterschiedliche Akzentuierung der sozialen Kritik kommt in der Beantwortung der Anfrage in Sach 8 zum Ausdruck. Als Menschenwerk hat das Fasten keinerlei Auswirkung auf Jahwes Rückkehr zum Zion, sondern allein der Tempelbau. Ganz anders Tritojesaja, der das Fasten einer neuen Inhaltsbestimmung unterzieht.

Der von den restaurativen Kräften unterstellte Zusammenhang von Tempelruinen, Dürre und gewaltigem Einzug der Jahweherrlichkeit liegt ebenfalls den Aussagen im Joel-Buch zugrunde. Dürre und Feindbedrängnis werden als Anläße kollektiven Fastens beschrieben, universales Völkergericht und erneutes Wohnung-Nehmen Jahwes auf dem Zion als Wende der Not. Joels Aufruf, ein kollektives Fasten auszurufen (1,14), ergeht an die Priester des restaurierten Tempels. Es verwundert nicht, wenn Joel die doch als Tempelzulieferer und Nahrungsproduzenten zu verstehenden Bauern ins Zentrum der Klage neben den gefährdeten Opferkult stellt (Jo 1,11f.).

Die Fasten im Joel-Buch wären damit historisch in einer Situation greifbar, die zweierlei voraussetzt: 1. einen schon seit längerer Zeit wieder praktizierten Tempelkult, und 2. eine veränderte Gesellschaftstruktur. Die Ältesten, in IKön 21 noch für die Ansetzung des Fastens verantwortlich, zählen jetzt selbst zu der von Priestern geleiteten Versammlung. Die rituelle Interessengemeinschaft von Bauern und Priestern, sowie der in Jo 4,6 enthaltene Hinweis, daß Phönizier die Kinder der Judäer an Griechen verkauft hätten, entspricht recht genau der von Neh 5 und Neh 10 vorausgesetzten judäischen Krise in der zweiten Hälfte des 5.Jh.s.[64]

Die erstmalige explizite Verbindung des Fastens mit der Umkehr-Theologie in Jo 2,12ff. und das statt ritueller Trauer angemahnte Zerreißen der Herzen,

---

[63]Aufgrund assyrischer wie babylonischer Deportations- und Umsiedlungspraxis muß mindenstens seit 722 v.Chr. mit der Existenz verschiedenster ethnischer Gruppen im Norden, seit 598 v.Chr. auch im Süden Palästinas gerechnet werden. Vgl. auch oben zu vermuteten babylonischen Enklaven in der achaemenidischen Zeit, s.o. 87 A. 193.

[64]Vgl. *Kippenberg*, Religion, 56f., 63-68; *Crüsemann*, Israel, 213.

verweisen dabei sowohl auf den Bußcharakter der Gebete in Neh 1,5ff.; 9,5ff., als auch auf die Ethisierung des Fastens in Jes 58,1–12.[65]

Daß Joel und Neh 5 etwa zeitgleiche Verhältnisse und zwei konkurrierende Gruppen voraussetzen, bestätigt sich ferner durch einen Vergleich der Thematik von Neh 9 mit den geschichtlichen Traditionen in den KV.

Fragt man, wem die zentrale Erinnerung an Exodus, Landnahme, Landverteilung und göttlichen Landbesitz[66] als Hoffnungsquelle nutzen konnte, so ist primär an (verschuldete) Bauern und enteignete Rückkehrer aus Babylonien[67] zu denken. Genau diese Zielgruppe neben Priestern und Leviten hat die Bundesverpflichtung und Sozialordnung in Neh 10 Blick[68] [vgl. auch die beklagten Mißstände in Jes 58,2ff.].

Nehemia selbst findet jedoch zu Beginn seiner zweiten Entsendung nach Judäa (Neh 13,6) etwas später als 433 v.Chr. neue Mißstände vor: Handel am Sabbath, Mischehen und Ungenauigkeiten in der Abgabepraxis für Leviten und Sänger, also Tempelpersonal (13,10). Diese Verhältnisse werden wenig später noch Esra und seine Heimkehrer-Gruppe vorfinden.

Esr 8 bezeugt nicht nur die Verwendung des kollektiven Fastens in der die alten religiösen Traditionen konservierenden babylonischen Diaspora, sondern nennt zugleich als Datum die Regierungszeit eines der als Artaxerxes bekannten persischen Könige. Anhand einer relativen Chronologie, derzufolge Esras Tätigkeit nach Nehemia anzusetzen ist[69], ermöglicht Esr 7,7–9 die folgende Chronologie: Im ersten Monat des 7.Jahres des Artaxerxes habe Esra den Auszug aus Babel angeordnet (Esr 8,21ff.), im fünften Monat desselben Jahres sei man in Jerusalem angekommen (Esr 8,31f.).

---

[65]Nach der Analyse *Koenen's*, Ethik, 284f. wäre Jes 58,3-12 von Tritojesaja, dem Schüler Dtjesajas, zwischen 515 und 520 v.Chr. verfaßt, während die redaktionelle Einbindung in den Gesamtduktus von Trjes die Ausländervertreibung unter Nehemia und Esra voraussetze, also die zweite Hälfte des 5.Jh.s. Aufgrund der massiv sozialen Thematik in Jes 58,1-12 scheint für den Haupttext aber auch eine Datierung nach Esra möglich.

[66]S.o. 251f.

[67]Ps 44,12f.; 79,11 setzen die Diaspora-Situation explizit voraus.

[68]Vgl. *Crüsemann*, Israel, 216f.; *Kippenberg*, a.a.O., 67f.; *Donner*, Geschichte, 425f.; vgl. auch die geschichtliche Thematik in dem Bußgebet Neh 9.

[69]Donner, a.a.O.,419.

Ist diese Chronologie im Recht, so wäre Esra mit seiner Gruppe im Jahre 398/7 v.Chr. nach Jerusalem gezogen und hätte dort dieselben Mißstände vorgefunden, derer Nehemia nicht Herr wurde und die das Maleachi-Buch und Jes 58,2ff. sachlich voraussetzen.[70]

Die Transformation des einfachen Klagerituals zum Bußritual muß demnach, wie die Bußgebete bei Nehemia und Esra zeigen, zwischen dem Jahr 520 v.Chr. unter Beteiligung Nehemias (a) 455-433 b) -424? v.Chr.) unter Artaxerxes I. (465-424 v.Chr.) und dem Wirken Esras zu Beginn des 4.Jh.s. v.Chr. stattgefunden haben. Leitende Gesichtspunkte stellte dabei sowohl das dtr Geschichtsbild, als auch die in Mizpa, Bethel und Jersualem[71] abgehaltenen exilischen Klagefeiern zur Verfügung.

In ihrem Mittelpunkt stand die durch die Tempelruine signifikante Gottverlassenheit. Nur vermutungsweise kann diesen im Lande stattfindenden Klagefeiern die *mythische* Thematik der geschichtlichen Rückblicke in den KV zugeordnet werden. Angesichts der Herkunft der Chaoskampf- und Weltschöpfungsaussagen aus den alten Jerusalemer Kulttraditionen[72] macht das einen guten Sinn. Ebenso vermag der frühnachexilische Nationalismus in den auf das Königtum Jahwes abzielenden mythischen Traditionen eine seiner Ursachen haben.

Die verschiedenen Konflikte der frühen nachexilischen Zeit werden darüberhinaus an der unterschiedlichen Bestimmung von Not und Notwende sichtbar. Während Haggai und Sacharja eine segensreiche Zukunft vom Tempelbau abhängig machen, stellt Trjes (66,1) die sozialen Mißstände eindeutig als Ursache der gegenwärtigen Not dar.[73] Damit ist eine unterschiedliche Auffassung der Heilszeit verbunden. Während Joel und Sacharja exklusiv ein universales Völkergericht erwarten, stellt Tritojesaja eine freiwillige und unterwürfige Wallfahrt der Völker zum Zion in Aussicht.[74]

---

[70]S.o. 214ff.

[71]S.o. 193ff.

[72]S.o. 260f.

[73]Vgl. *Koenen*, Ethik, 284.

[74]Anders als Jona kennt Trjes keine universale Einbeziehung aller Völker bei der künftigen Notwende, sondern er bezieht diese nur auf Jerusalem. Hier werden die Völker dann aber nicht einem Vernichtungsgeschehen anheim gegeben, sondern sie werden freiwillig(!) nach Jerusalem ziehen, um sich zu un-

Die ideal gedachte kollektive Buße (Jon 3) der feindlichen Völker, bzw. die Neufassung des Fastens als Sozialverhalten (Jes 58) steht damit in einem gewissen Gegensatz zu den exklusiven Kreisen um Joel, Nehemia und Esra, die die Vernichtung aller Israel bedrängenden Völker erwarten und als dessen Prototyp die an der Umkehr der "Heiden" verzweifelnde Gestalt des Jona verstanden werden kann.

Neben der endogam exklusiven und streng religiösen Nehemia-Esra-Gruppe[75] kann man nun mit TALMON eine nationale Binnengruppe (alte Aristokratie)[76] und eine prophetisch-religiöse exogame Außengruppe unterscheiden.[77]

Mit dieser Differenzierung vermögen sowohl der Umschwung von der Trauer-Klage zur Buße und zur Ethisierung des Fastens, als auch die dafür verantwortlichen Kreise bestimmt zu werden. Vereinfacht dargestellt kann für die Ausgestaltung des Fastens zum Bußritual die traditionell denkende Rückkehrer-Gruppe aus Babylonien namhaft gemacht werden, während rituell-kultische Kritik und soziale Frontstellung in der späten Prophetie, besonders bei Tritojesaja[78] zu suchen sind.

---

terwerfen und um Jerusalems Vormachtstellung anzuerkennen (Jes 62,2), vgl. *Koenen*, Ethik, 264.

[75]Vgl. auch die Beteiligung der von dieser Gruppe vertretenen Leviten und Tempelsänger am Fasten-Ritual in IIChr 20. Das Charakteristikum der dieser Gruppe zuzuordnenden Bußthematik, Rekurs auf die Sünden der Väter und Gerichtsdoxologie findet sich später in den Sündenbekenntnissen der Qumran-Texte wieder, vgl. *Lichtenberger*, Menschenbild, 93-98. Auch die im Zusammenhang des Tempelaufbaus und ihrer Befürworter nun zuerst belegte Zweiteilung eines davidischen (Serubbabel) und hohepriesterlichen Regenten (Josua), vgl. Sach 4,9; 6,11; wird später von den Qumran-Leuten adaptiert, vgl. *K.Schubert-J.Maier*, Die Qumran Essener, München 1973, 31ff.

[76]Vermutlich die gegen Ende des 4.Jh.s. sich konstituierenden Samaritaner, s. *Talmon*, Sektenbildung, 257.

[77]*Talmon*, a.a.O., 254. Dazu zählt sowohl der Redaktor von Trjes, als auch die Neuformulierung des Fastens als gemeinschaftstreuem Sozialverhalten, vgl. *Koenen*, Ethik, 284f. Dieser Traditionsstrang reicht bis in die unter der Gerechtigkeitsthematik stehenden Fastenaussagen der Bergpredigt in Mt 5,1618.

[78]Das Interesse Trjesajas an den sozialen Mißständen zur Zeit der Tempelrestauration und der Zeit nach 515 v.Chr., wie auch die bewußte Interpretation deuterojesajanischen Gedankengutes, inklusive der von Dtjes in Aussicht gestellten neuen Heilszeit, macht deutlich, daß Tritojesaja selbst die Interessen einer von der Sacharja-Haggai-Serubbabel-Partei unterschiedenen Rückkehrer-Gruppe vertritt.

In der späten Perserzeit liegen somit mindestens zwei konkurrierende Ausgestaltungen des kollektiven Fastenrituals vor. Unter Aufnahme des dtr Sündenbegriffs und der Bundesthematik wird das Fasten zum Bußritual (Gesinnungsethik) transformiert, zum zweiten erscheint es unter Aufnahme traditionell prophetischer Kult- und Sozialkritik als Komplement soziale Mißstände konkret beseitigender Handlungen.

Steht im Bußritual die Verpflichtung auf Gesetz und Tora im Mittelpunkt, so steht im Zentrum eines sozial ausgerichteten Fastens der tatkräftige Einsatz für sozial Schwache und Unterdrückte.

Rezeption und Umbenennung des atl. ṣôm-Fastens im rabbinischen Judentum unter dem Terminus *tᶜnyt* werden diese Konstellation nur sehr bedingt aufnehmen.[79]

## 2 Gottesbegriff und menschliche Geschichte

Von den frühesten Texten in Israels vorderasiatischer Umwelt bis zum babylonischen Exil Israels konnte die Vorstellung verfolgt werden, daß nicht nur die Abwendung des persönlichen Gottes vom Einzelnen[80], sondern auch von Tempel, Stadt oder Land Not verursacht. Als Formen solcher Abwendung kommen sowohl mythische Unterweltsfahrten, als auch geschichtlich erfahrenes Ausbleiben göttlicher Funktionen (Regen, Vegetation) oder Zerstörung und Raub ikonischer Gottespräsentationen in Betracht.[81] Eine Festlegung dieser Vorstellung auf einen bestimmten Gottestyp ließ sich weder an mythischen, noch an historisch-literarischen Texten gewinnen.[82] Im Verhältnis zur Umwelt zeigen die atl. Adaptionen der auf dieser Vorstellung basierenden kollektiven Trauer jedoch, daß die Notlagen zwar geschichtlich erfahren, aber in Bezug auf Geschichte unterschiedlich bewältigt werden. In Israels Umwelt sind es vornehmlich Mythen und mythische Vorstellungen, die das geschichtserhaltende Walten der Götter angesichts der Not sicherstellen und legitimieren.

---

[79] S.u. 285ff.

[80] Vgl. *Vorländer*, Mein Gott, 91ff.

[81] S.o. 160ff.

[82] Vgl. Kap.2.

Im Alten Testament jedoch ist zunächst die Geschichte selbst, d.h. die Geschichte Israels, das Medium göttlicher Erfahrung und Präsenz. Als Regenspender ist Jahwe zwar Baal funktional vergleichbar, doch ist die Gabe seines Regens als geschichtliches Handeln an Israel verstanden.[83] Erst in exilischer Zeit wird der geschichtlichen Präsenz Jahwes sein kosmisch-mythisches Ursprungshandeln zur Seite gestellt, so daß Geschichte und Mythos ihre Konturen verlieren. Die Zusammenstellung von Exodus und Chaoskampf, die Explikation des Schöpfers als Gott Abrahams (Neh 9,5ff.), der sein Volk bis zum Exil führt und leitet, zeigt eine zunehmende Mythisierung der Geschichte, die geleitet ist von der Vorstellung eines immerwährenden göttlichen Königtums. Jahwes Königtum umspannt damit sowohl sein kosmisches Handeln als Schöpfer und Überwinder des Chaos, als auch sein geschichtliches Handeln an Israel.[84]

Die mit der Exilierung und Tempelzerstörung problematisch gewordene geschichtliche Präsenz Jahwes wird unter Zuhilfenahme mythischer Elemente neu definiert. Dem entspricht, daß Jahwes Präsenz nun nicht mehr an Tempel, Stadt oder Land gebunden erscheint, sondern, wie Ez 1 verdeutlicht, als Herrlichkeit Jahwes auch im fernen Babylonien erfahrbar ist.[85] Analog erwarten besonders die Heilsverheißungen der nachexilischen *ṣôm*-Texte nicht mehr ein geschichtliches Handeln Jahwes in der Gegenwart, sondern rechnen mit einem universalen Völkergericht (Jo 4), einer universalen Geistausgießung über Israel (Jo 3), der herrlichen Restitution Jerusalems (Jes 58) oder dem erneuten Einwohnen der Herrlichkeit Jahwes auf dem Zion (Jo 2; 4; Sach 8). Damit jedoch werden Mythos wie Geschichte als Raum der Erfahrbarkeit und Präsenz Jahwes problematisiert. Indem die eigentlichen Bußgebete (Mythos und) Geschichte in Bezug auf den sie ebenfalls durchziehenden Ungehorsam der Menschen darstellen, erfolgt eine grundsätzliche Neubestimmung und Korrektur der Gottesvorstellung.[86]

Unter Aufnahme des mit dem Königtum Jahwes konstitutiv verbundenen Begriffs der Gerechtigkeit integriert die nachexilische Theologie die menschli-

---

[83]S.o. zu Jer 14-15,4a, bes. 132f.

[84]Vgl. *T.N.D. Mettinger*, Fighting the Powers of Chaos and Hell - Towards the Biblical Portrait of God, StTh 39 (1985), 21-38.

[85]Zur Vorstellung von Jahwes Herrlichkeit als Modus seiner Gegenwart bei P vgl. nun besonders *Janowski*, Sühne, 299ff., 9ff.

[86]Vgl. auch *Koch*, Profeten II, 204: "für die Profeten gibt es anscheinend ein 'Werden' Gottes, der nicht als unveränderlich gedacht wird."

che Sündengeschichte in den Gottesbegriff. Das Erfahrungsmedium Jahwes ist nun nicht mehr das geschichtliche Heilshandeln Jahwes an Israel, sondern eine dieses wie die Geschichte des Ungehorsams der Menschen übergreifende Vorstellung.

Mit dem Verlust der politisch-nationalen Selbständigkeit Israels, auf die Jahwes geschichtliches Handeln von allem Anfang an ausgerichtet war[87], scheitert zugleich die Konzeption einer geschichtlich orientierten Gottesvorstellung. Weder die Einweihung des zweiten Tempels, noch geschichtsmythisierende Hilfskonstruktionen haben dies verhindern können.

Die Akzeptierung der nationalen Unselbständigkeit und damit auch der strikten Trennung zwischen national-politischer und religiöser Ebene führt damit zu einem ethisch-futuristischen Gottesbegriff.[88]

## 3 Nachgeschichte: Ein Ausblick

Auf die Nachgeschichte des alttestamentlichen Fastenrituals als okkasionell veranlaßtes kollektives[89] Ritual kann hier nur in Form eines Ausblicks und in aller Kürze eingegangen werden.[90]

---

[87] Kernstück der geschichtlichen Rückblicke, s.o. 250ff., ist entsprechend die Geschichte vom Exodus bis zur Landnahme.

[88] Vgl. *Koch*, a.a.O., 204. Diesen Sachverhalt beschreibt *Gese*, Tod, 44, anhand des Hiobproblems für den Einzelnen mittels der "Erfahrung eines Transzendenzraumes", der unabhängig von Glück und Elend, Wohlergehen oder Not sei, s. aber *Koch*, a.a.O., 200, zur Transzendenz Gottes.

[89] tTaan 2,4 differenziert deutlich zwischen individuellem und kollektivem Fasten: beim kollektiven Fasten darf tagsüber gegessen und getrunken werden, beim individuellen Fasten nicht; ferner darf man beim kollektiven Fasten 1. nicht arbeiten, baden, salben oder Sandalen tragen, 2. man ist in der Synagoge versammelt; 3. der Thoraschrein wird in die Straßen getragen; 4. die 18 Bitten werden um zusätzliche 6 Bitten auf 24 erweitert; 5. viermal erheben täglich die Priester die Hände zum Gebet; 6. keine Unterbrechung durch Festtage. All dies wird für das individuelle Fasten verneint.

[90] Zu den festliegenden Fastenzeiten und zum individuellen Fasten vgl. z.B. EJ 6, 1190-1196 s.v. Fasting and Fast Days; *Mantel*, Fasten II, 45-48; zur Sühnefunktion des Fastens *Janowski*, Sühne, 138f.; *J.Behm*, nästis ktl., ThWNT

Für die jüdische Gemeinde von Qumran lassen sich bezüglich des Fastens keine sicheren Angaben machen, so daß offen bleiben muß, ob die Gemeinde angesichts ihrer eschatologischen Existenz überhaupt gefastet hat, oder aber das Fasten in ihren Schriften nur nicht thematisiert wurde.[91] Wahrscheinlich ist letzteres.

Im nachbiblischen jüdischen Schrifttum firmiert das atl. *ṣwm*-Ritual unter dem Begriff *t$^{c}$nyt* in den Traktaten Taanith z.B. von Mischna, Tosefta und der Talmudim. Mit der Umbenennung in *t$^{c}$nyt* wird der bereits in Ps 35,13 vorliegenden Kombination von Fasten und Selbstdemütigung (*$^{c}$nyty bṣwm npšy*), die das Fasten instrumentral (b$^{e}$) dem *$^{c}$nh npš* unterordnet, Rechnung getragen.

Neben den Diskussionen über die Meinungen der verschiedenen Gelehrten zu bestimmten Ausnahme- und Sonderfällen läßt sich den Traktaten tTaan, mTaan und bTaan eine Grundstruktur über Anlaß und Ablauf des öffentlichen Fastens entnehmen. Im Unterschied jedoch zu den atl. Fasten-Texten handeln die Traktate Taanith größtenteils und primär über das Regenfasten und nur in wenigen Passagen über andere nationale Katastrophen.

Zur leichteren Einordnung der Datierungen sei im folgenden eine kurze Darstellung der Festabfolge vorangestellt:

> Das Jahr beginnt[92] mit dem Herbstanfang am 1.Tishri und gliedert sich in vier Perioden Herbst (Tishri, Marcheshwan, Kislew), Winter (Tebet, Shebat, Adar[93]), Frühjahr (Nisan, Ijar, Siwan) und Sommer (Tammuz, Ab, Elul). Die für unseren Zusammenhang wichtigen Feste und Feiertage sind im Frühjahr am 15.-21./22. Nisan Pesach, im

---

4, 928-932; *A.Büchler*, Types of Jewish-Palestinian Piety, New York 1968, 196ff.

[91]Das Fasten am großen Versöhnungstag, der auch *ṣwmh rbh* heißt, wurde aber wohl gehalten, wenn man einen der wenigen צום-Belege (1QpHab XI,8) dafür in Anspruch nehmen darf. Die übrigen Belege für צום in Qumran, 4QSD 7,v,4; 4QBéat 15,7: und 4QD$^{b}$ 18,v,5 par. בכי "weinen", sind wenig aussagekräftig; 4QH$^{B}$ 11,4 ist צמי im Par. membrorum st.cstr. zu צמים "Schlinge, Fallstrick" (briefl. Mitteilung v. Herrn Prof.Dr.Dr.H.Stegemann).

[92]Zur unterschiedlichen Bewertung der verschiedenen Jahresanfänge vgl. bRHSh 1a. Demnach ist vermutlich zwischen einem politischen Kalender (Neujahr im Nisan) und einem agrarisch orientierten (und dann kultischen) Kalender (Neujahr im Tishri) zu unterscheiden.

[93]Im interkalierten Jahr wird ein zusätzlicher Adar eingefügt und entsprechend Adar I und Adar II unterschieden.

Herbst am 1.-2. Tishri Neujahr, am 10. Tishri der große Versöhnungstag[94] und vom 15.-22. Tishri das Laubhüttenfest.[95]

Für die Frage, ab wann man die Regenkraft "erwähnen" (*'mr*), bzw. um sie "bitten" (*š'l*) solle, ist die Abfolge der Herbstfeierlichkeiten konstitutiv. Am Neujahrsfest wird über alle Weltbewohner Gericht gehalten, am Laubhüttenfest aber über das Wasser.[96] Darauf bezieht sich explizit bTaan 1b, so daß der letzte Teilnehmer der Altarprozession am Laubhüttenfest[97] als *erster* die Regenkraft erwähnen soll. Letztmalig soll die Regenkraft aber vom ersten Redner des Pesach-Festes erwähnt werden. Beide Termine markieren damit die Spanne zwischen Beginn und Ende der Regenzeit als segensreiche Zeit, während es umgekehrt als Fluch gilt, wenn außerhalb dieser Termine Regen fällt.

Das Regenfasten ist damit zeitlich eng mit den Herbstfeierlichkeiten und sachlich mit der am Neujahrstag erneuerten Schöpfungsordnung verbunden. Die Bestimmungen gelten für den unmittelbar auf Tishri folgenden Monat Marcheshvan, insofern am 3.Tag dieses Monats um Regen gebetet, ab dem 17. desselben Monats aber mit Fasten begonnen wird, falls bis zu diesen Terminen nicht entsprechende Regenmengen gefallen sein sollten. Das Regen-Fasten gewinnt so den Charakter eines zusätzlichen Rituals, das die Bestimmungen des Traktates Sukkah über das Wasser fortführt und ergänzt, dh. zur Anwendung kommt, wenn die durch entsprechende Riten gesicherte Regenzeit ausbleibt. [98] Die

---

[94]Die Spanne zwischen Neujahr und dem großen Versöhnungstag gilt als Bußzeit, bzw. als die zehn Tage der Umkehr.

[95]Vgl. auch *E.Otto*, Feste und Feiertage II, TRE X (1983), 96-106; *D.Mach*, Feste und Feiertage III, a.a.O., 107-115.

[96]mRHSh 1,2; bRHSh 16a.

[97]Vgl. mTaan 1,2.

[98]In diesem Sinne ist das Regenfasten nur in übertragenem Sinne ein Regenritual, da es Praktiken der Regenmagie am Laubhüttenfest ergänzt, nicht aber ersetzt. Zur Sache vgl. *Loretz*, UBL 4, 70ff. Die hier vertretene Ansicht, daß Fasten, Weinen und Wasserspende Elemente eines kanaanäischen Regenbewirkunsgrituals (76) seien, wird damit durch die o.g. Abfolge der Zeremonien erhärtet, insofern die Libationen am Laubhüttenfest zur Sicherung des Regens, das Regenfasten aber zur Herbeiführung des (ausbleibenden) Regens dient. Zu weiteren Praktiken der Regenmagie vgl. *R.M.Good*, The Carthaginian *Mayumas*, SEL 3 (1986), 99-114; *I.Wegner*, Regenzauber im Hatti-Land, UF 10 (1978), 403-409.

vorausgesetzten Riten der Regensicherung am Laubhüttenfest sind: 1. das Schwingen des Feststraußes[99], dessen *vier Arten* von Pflanzen als Fürsprecher für das Wasser gelten[100]; 2. das Schlagen der Bachweide am 7.Tag[101]; 3. die täglich einmal, am 7.Tag sieben mal zu vollziehende Prozession um den Altar mit dem Feststrauß[102] und 4. die zusätzlich zum Trankopfer dargebrachte Wasserspende.

Die Wasserspende erfolgte in eine von zwei auf dem Altar stehende silberne Schalen[103], vermutlich in die "westlich" stehende. Durch zwei Abflußkanäle in/unter dem Altar (*šyt*) floß das Wasser aus den Schalen durch den Grundstein (*'bn štjh*) zum Urwasser, der Tehôm.[104]

Besonders der zuletzt genannte Ritus ist insofern von besonderer Bedeutung, weil er sowohl auf die die Schöpfung abbildende Funktion des Tempels verweist, als auch kultisch mit dem Grundstein verbunden ist, dessen Funktion darin bestand, "einerseits die Urflut zurückzuhalten[105] und daran zu hindern, die Welt zu zerstören, andererseits aber auch durch seine Verbindung mit der Urflut das rechte Maß der Feuchtigkeit und Bewässerung der Erde zu ermögli-

---

[99]Vgl. bSuk 37b. Er besteht aus Palmzweig, Bachweide, Myrte und Etrog (Zitrusfrucht).

[100]Vgl. bTaan 2b.

[101]Die am Vorabend gesammelten Zweige werden zunächst an den Seiten des Altars aufgestellt; sie reichen bis an die Hörner, vgl. bSuk 45a; anschließend wird mit Palmzweigen (?) an den Seiten des Altars auf die Erde geschlagen.

[102]Vgl. bSuk 45a; mSuk IV,5.

[103]Vgl. bSuk 48a-b, tSuk 3,10ff.

[104]Nach tSuk 3,14ff. Vgl. auch *P.Schäfer*, Tempel und Schöpfung, in: ders., Studien zur Geschichte und Theologie des rabbinischen Judentums, AGSU XV, Leiden 1978, 122-133, hier 126f.

[105]Religionsgeschichtlich zu vergleichen sind in diesem Zusammenhang auch die Ausführungen von *W.Fauth*, Der Schlund des Orcus, Numen XX (1974), 105-127, sowie die Notiz bei Pausanias I, 18,7f., wonach im Bezirk des Athener Zeus-Heiligtums, im Heiligtum der Gaia, die Erde etwa eine Elle auseinanderklaffte. Nach der Legende seien hier einst die Wasser der Flut abgeflossen, und diesem Ereignis gedenke man jährlich dadurch, daß man Brote aus Weizenmehl und Honig in den Spalt hinabwerfe.

chen".[106] Schöpfung und Welterhaltung werden damit von den an den Grundstein gebundenen kultischen Praktiken abhängig.

Das Regenfasten erhält durch seinen direkten Bezug zur Sicherung des jährlich notwendigen Wassergleichgewichts damit auch eine schöpfungstheologische Komponente, die sich vermutlich ebenfalls aus der Notiz ergibt, daß während des Fastens der Stände der Bevölkerung (*m$^{c}$mdwt*) sich die Bevölkerung selbst in den Synagogen versammelt und die Abschnitte des Schöpfungsberichtes liest.[107]

Im Mittelpunkt dieses Fastens um Regen stehen auch hier Trauerriten und Gebete, wobei der Thoraschrein in die Straßen, bzw. auf den Marktplatz getragen und mit Asche und Staub bestreut wird.

---

[106] *Schäfer*, a.a.O., 128.

[107] Vgl. bTaan 15b mit mTaan 4,1-3 und tTaan 3,3.

## LITERATUR

Literatur und Kurztitel, die nicht unten aufgeführt werden, sind entweder in den Anmerkungen vollständig nachgewiesen, oder sie beziehen sich auf altorientalische Texte und folgen dem in der Altorientalistik üblichen Abkürzungsverfahren. Diese Abkürzungen erschließen sich durch R.Borger, Handbuch der Keilschriftliteratur (HKL), I-II, Berlin-New York 1967/1975 und W.v.Soden, Akkadisches Handwörterbuch (AHw), Wiesbaden 1965ff.

Zitierungen richten sich bei Monographien und Beiträgen in Sammelwerken nach einem repräsentativen Stichwort des Titels oder Abkürzungen, die in () den Titeln unten folgen. Zitierungen von Zeitschriften- und Lexikonbeiträgen werden aus Raumgründen ohne Nennung des Titels angegeben. die verwendeten Abkürzungen folgen S.Schwertner, Theologische Realenzyklopädie Abkürzungsverzeichnis, Berlin-New York 1976.


Aalen, S., Art. ʾôr, ThWAT I, 160-182

Ackroyd, P.R., Exile and Restoration. A Study of Hebrew Thought of the Sixth Century BC, London 1980$^4$

Afanasieva, V. Vom Gleichgewicht der Toten und der Lebenden. Die Formel sag-AŠ sag-a-na in der sumerischen mythologischen Dichtung, ZA 70 (1980), 161-169

Albertz, R. Persönliche Frömmigkeit und offizielle Religion. Religionsinterner Pluralismus in Israel und Babylon, CThM 9, Stuttgart 1978

Albertz, R., Art. Gebet II, TRE XII, 34-42

Albertz, R., Art. $^c$tr beten, THAT II, 385-386

Alster, B., The Mythology of Mourning, ASJ 5 (1983), 1-16.

Amsler, S., Aggée, Zacharie 1-8, Commentaire de l'ancien Testament XIc, Neuchatel/Paris 1981.

Amsler, S., Art. $^c$md stehen, THAT II, 328-332

Amsler, S., Art. qrh widerfahren, THAT II, 681-684

Amsler, S., Art. ṣmḥ sprießen, THAT II, 563-566

Angerstorfer, A. Ašerah als "consort of Jahwe" oder Aširtah?, BN 17 (1982), 7-16

Ap-Thomas, D.R., Notes on Some Terms Relating to Prayer, VT 6 (1956), 225-241

Arbesmann, P.R., Das Fasten bei den Griechen und Römern, RGVV 21, Giessen 1929

Arbesmann, P., Art. Thesmophoria, RE 11, 15-28

Assmann, J., Ägypten-Theologie und Frömmigkeit einer frühen Kultur, Stuttgart et al. 1984

Assmann, J., Re und Amun. Die Krise des polytheistischen Weltbilds im Ägypten der 18.-20. Dynastie, OBO 51, Fribourg-Göttingen 1983

Astour, M.C., The Nether World and its Denizens at Ugarit, CRRAI 26 (1979), 227-238.

Avishur, Y., The "Duties of the Son" in the "Story of Aqhat" and Ezekiel's Prophecy on Idolatory (Ch.8), UF 17 (1985), 49-60

Balentine, S.E., The Hidden God. The Hiding of the Face of God in the Old Testament, Oxford 1983

Baltzer, K., Das Bundesformular, WMANT 4, Neukirchen 1960

Balz, H. Art. pentheo- , EWNT III, 162-163

Bardtke, H., Das Buch Esther, KAT 17/5, Gütersloh 1963

Bardtke, H., Zusätze zu Esther, JSHRZ I/2, Gütersloh 1977, 2.Aufl., 16-62

Barre, W. La, Die kulturelle Grundlage von Emotionen und Gesten, in: Kulturanthropologie, 264-285.

Barstad, H.M., The Religious Polemics of Amos. Studies in the Preaching of Am 2,7B-8; 4,1-13; 5,1-27; 6,4-7; 8,14, SVT 34, Leiden 1984

Barth, Chr., Art. gîl II-V, ThWAT I, 1013-1018

Barth, Chr., Art. ḥāṣîr, ThWAT III, 137-140

Barth, Chr., Die Errettung vom Tode in den individuellen Klage- und Dankliedern des Alten Testaments, Zollikon 1947 [neu herausgegeben v. *B.Janowski*, Zürich 1987²]

Barth, Chr., Art. nāḥāh, ThWAT V, 334-342

Bauer, J., Zum Totenkult im Altsumerischen Lagasch, ZDMG Suppl. I (1969), 107-114

Baumann, A., Art. dāmāh II., ThWAT II, 277-283

Baumann, A., Art. kwl, ThWAT IV, 91-95

Baumann, A., Art. ʾāḇal, ThWAT I, 46-50

Baumann, A., Urrolle und Fasttag. Zur Rekonstruktion der Urrolle nach den Angaben in Jer 36, ZAW 80 (1968), 350-373

Baumgartner, W., Joel 1 und 2, in: Beiträge zum Alten Testament, FS K.Budde, hg.v. K.Marti, BZAW 34, Berlin 1934, 10-19

Bayliss, M., The Cult of Dead Kin in Assyria and Babylonia, Iraq 35 (1973), 115-125

Behm, J., Art. nästis ktl., ThWNT IV, 925-935

Berger, P.R., Der Kyros-Zylinder mit dem Zusatzfragment BIN II Nr. 32 und die akkadischen Personennamen im Danielbuch, ZA 64 (1975), 192-234

Bergmann, E., Untersuchungen zu syllabisch geschriebenen sumerischen Texten, ZA 56 (1964), 1-43

Bergman, J., Art. Askese I., TRE IV, 195-198

Bernhardt, K.H., Art. ʾāwaen, ThWAT I, 151-159

Bernhardt, K.-H., Art. bārāʾ III, ThWAT I, 774-777

Bertholet, A., Die israelitischen Vorstellungen vom Zustand nach dem Tode, Tübingen 1914²

Besters, A., Le sanctuaire centrale dans Jud. XIX-XXI, ALBO 18

Beyer, K., Die aramäischen Texte vom Toten Meer samt den Inschriften aus Palästina, dem Testament Levis aus der Kairoer Genisa, der Fastenrolle undden alten talmudischen Zitaten, Göttingen 1984.

Bic, M., Das Joel-Buch, Berlin 1960

Biran, A., Two Discoveries at Tel Dan, IEJ 30 (1980), 89-98

Birch, A.B.C., The Rise of the Israelite Monarchy: The Growth and Development of ISam 7-15, SBL Diss. Ser. 27, Missoula 1976

Blackman, A.M., The Significance of Incense and Libations in Funerary and Temple Ritual, ZÄS 50 (1912), 69-75

Blass, F., Debrunner, A., Rehkopf, F., Grammatik des neutestamentlichen Griechisch, 15. durchges. Aufl., Göttingen 1979

Boecker, H.J., Recht und Gesetz im Alten Testament und im Alten Orient, Neukirchen-Vluyn 1976

Boecker, H.-J., Die Beurteilung der Anfänge des Königtums in den deuteronomistischen Abschnitten des 1. Samuelbuches. Ein Beitrag zum Problem des "Deuteronomistischen Geschichtswerks", WMANT 31, Neukirchen-Vluyn 1969

Boecker, H-.J., Redeformen des Rechtslebens im Alten Testament, 2., erw. Aufl., WMANT 14, Neukirchen-Vluyn 1970

Börker-Klähn, J., Altvorderasiatische Bildstelen und vergleichbare Felsreliefs, BaFo 4, Mainz 1982

Bohlen, R., Der Fall Naboth. Form, Hintergrund und Werdegang einer alttestamentlichen Erzählung (IKön 21), TThSt 35, Trier 1978

Boling, R.G., Judges. The Anchor Bible, New York 1975

Borger, R., Der Aufstieg des neubabylonischen Reiches, JCS 19 (1965), 59-78

Borger, R., Art. Gottesbrief, RlA 3, 575-576

Botterweck, G.J. - Bergman, J., Art. jāḏaᶜ, ThWAT III, 479-512

Bottéro, J., Les inventaires de Qatna, RA 43 (1949), 137-215

Bottéro, J., Les morts et l'au-delà dans le rituels en accadien contre l'action des "revenants", ZA 73 (1983), 153-203

Bottéro, J., La Mythologie de la Mort en Mésopotamie Ancienne, CRRAI 26 (1979), 25-52.

Bratsiotis, N.P., Art. ʾîš, ThWAT I, 238-252

Braun-Holzinger, E.A. Frühdynastische Beterstatuetten, ADOG 19, Berlin 1977

Brichto, H.Ch., The Problem of "Curse" in the Hebrew Bible, JBL.MS Vol. XIII, Philadelphia 1963

Brinkman, J.A., A Political History of Post-Kassite Babylonia, AnOr 43, Roma 1968

Brongers, H.A., Fasting in Israel in Biblical and Post-Biblical Times, OTS XX (1977), 1-21.

Bron, F., Recherches sur les inscriptions phéniciennes de Karatepe, Genève-Paris 1979

Brunner, H., Grundzüge der Altägyptischen Religion, Darmstadt 1983

Brunner, H., Art. Enthaltsamkeit, LÄ I, 1229-1231.

Buber, M., Die Erzählung von Sauls Königswahl, VT 6 (1956), 113-173

Budde, K., Das Buch der Richter, KHCAT, Tübingen 1897

Burkert, W., Literarische Texte und funktionaler Mythos Ištar und Atraḫasīs, in: J.Assmann, W.Burkert, F.Stolz, Funktionen und Leistungen des Mythos, OBO 48, Fribourg-Göttingen 1982, 63-82

Burkert, W., Griechische Religion der archaischen und klassischen Epoche, RM 15, Stuttgart u.a. 1977

Burkert, W., Opfertypen und antike Gesellschaftsstruktur, in: G.Stephenson (Hg.), Der Religionswandel unserer Zeit im Spiegel der Religionswissenschaft, Darmstadt 1976, 168-187

Busink, Th.A., Der Tempel von Jerusalem von Salomo bis Herodes. Eine archäologisch-historische Studie unter Berücksichtigung des westsemitischen Tempelbaus, 2. Band, Leiden 1980

Canby, J.V., The Stelenreihen at Assur, Tell Halaf, and Massebot, Iraq 38 (1976), 113-128

Cancik, H., Grundzüge der hethitischen und alttestamentlichen Geschichtsschreibung, ADPV, Wiesbaden 1976

Cancik, H., Die Rechtfertigung Gottes durch den 'Fortschritt der Zeiten'. Zur Differenz jüdisch-christlicher und hellenisch-römischer Zeit und Geschichtsvorstellungen, in: Die Zeit, hg.v. A.Peisl u. A.Mohler, München 1983, 257-288.

Caquot, A., Art. Rephaim, SDB X/55 (1981), 344-357

Caquot, A., Sznycer, M., Herdner, A., Textes Ougaritiques, T. I. Mythes et Légendes, LAPO 7, Paris 1974 (TO I)

Caspari, D.W., Die Samuelbücher, KAT VII, Leipzig 1926

Cassin, E., La splendeur divine. Introduction à l'étude de la mentalité mésopotamienne, Paris/La Haye 1968

Cassin, E., The Death of the Gods, in: The Anthropology of Death, ed. by S.C.Humphreys, H.King, London 1981, 317-325.

Cassirer, E., Philosophie der symbolische Formen. Zweiter Teil: Das Mythische Denken, Darmstadt 1977 (PSF)

Clements, R.E., Art. ḥāšak, ThWAT III, 238-243

Clements, R.E., Art. majim I-III, ThWAT IV, 843-865

Conrad, D., Samuel und die Mari-"Propheten". Bemerkungen zu I Sam 15:27, ZDMG S I (1969), 273-280

Conrad, J., Art. nkh, THWAT V, 445-454

Conrad, J., Art. zāqen, ThWAT II, 639-650

Correspondence Féminine, transcrite et traduite par G.Dossin, ARM X, Paris 1978

Couroyer, B., Le Nes Biblique: Signal ou Enseigne, RB 91 (1984), 5-29.

Cowley, A., Aramaic Papyri of the Fifth Century B.C., Oxford 1923

Cross, F.M., Art. ʾel, ThWAT I, 259-279

Crüsemann, F., Studien zur Formgeschichte von Hymnus und Danklied in Israel, WMANT 32, Neukirchen-Vluyn 1969

Crüsemann, F., Israel in der Perserzeit, in: W.Schluchter (Hrsg.), Max Webers Sicht des antiken Christentums, Frankfurt 1985, 205-232

Day, J., God's conflict with the dragon and the sea. Echoes of a Canaanite myth in the Old Testament, Cambridge 1985

Diakonoff, I.M., Kashkai, S.M., Geographical Names According to Urartian Texts, RGTC 9, Wiesbaden 1981

Dietrich, M., Loretz, O., Die Inschrift der Statue des Königs Idrimi von Alalah, UF 13 (1981), 201-207.

Dietrich, M., Loretz, O., Neue Studien zu den Ritualtexten aus Ugarit (II), UF 15 (1983), 17-24.

Dietrich, M., Loretz, O., Neue Studien zu den Ritualtexten aus Ugarit (I), UF 13 (1981), 63-100.

Dietrich, M., Loretz, O., Schriftliche und mündliche Überlieferung eines "Sonnenhymnus" nach KTU 1.6 VI 42-53, UF 12 (1980), 399-400

Dietrich, M., Loretz, O., Sanmartín, L., Der keilalphabetische šumma izbu-Text RS 24.247+265+268+328, UF 7 (1975), 133-140

Dietrich, W., Prophetie und Geschichte. Eine redaktionsgeschichtliche Untersuchung zum deuteronomistischen Geschichtswerk, FRLANT 108, Göttingen 1972

Diéz-Merino, L., Il Vocabolario relativo alla "Ricerca di Dio" nell'Antico TestamentoII, BeO 133 (1982), 129-145

Döbert, R., Systemtheorie und die Entwicklung religiöser Deutungssysteme. Zur Logik des sozialwissenschaftlichen Funktionalismus, Frankfurt 1973

Donner, H., Geschichte des Volkes Israel und seiner Nachbarn in Grundzügen, ATD G 4, Göttingen 1987

Donner, H. et al. (Hrsg.), *W.Gesenius*, Hebräisches und Aramäisches Handwörterbuch über das Alte Testament, 18. Aufl., 1.Lfg., Berlin 1987

Douglas, M., Ritual, Tabu und Körpersymbolik. Sozialanthropologische Studien in Industriegesellschaft und Stammeskultur, Frankfurt 1981

Douglas, M., Reinheit und Gefährdung. Eine Studie zu Vorstellungen von Verunreinigung und Tabu (orig. Purity and Danger, 1966), Berlin 1985.

Drewermann, E., Psychoanalyse und Moraltheologie, Bd.3: An den Grenzen des Lebens, Mainz 1984

Duhm, B., Das Buch Jeremia, KHC XI, Tübingen-Leipzig 1901

Duhm, B., Das Buch Jesaja, HKAT III/1, Göttingen 1968, 5.Aufl.

Duhm, B., Anmerkungen zu den zwölf Propheten, ZAW 31 (1961), 161-204

Duhm, B., Die Theologie der Propheten als Grundlage für die innere Entwicklungsgeschichte der israelitischen Religion, Bonn 1875

Durkheim, E., Die elementaren Formen des religiösen Lebens, Frankfurt 1981

Dus, J., Bethel und Mizpa in Jdc 19-21 und Jdc 10-12, OrAnt 3 (1964), 227-243

Dux, G., Die Logik der Weltbilder. Sinnstrukturen im Wandel der Geschichte, Frankfurt 1982

Ebach, J.; Rüterswörden, U., Unterweltsbeschwörung im Alten Testament. Untersuchungen zur Begriffs- und Religionsgeschichte des 'ob, I, UF 9 (1977), 57-70; II, UF 12 (1980), 205-220

Eisele, W., Der Telepinu-Erlaß, Diss. München 1970

Eisenhut, W., Art. Cerealia, KP 1, München 1979, 1115

Eisenhut, W., Art. Ceres, KP 1, München 1979, 1113-1115

Eising, H., Art. zākar, ThWAT I, 571-593

Eissfeldt, O., Einleitung in das Alte Testament, Tübingen 1976

Elliger, K. Leviticus, HAT I/4, Tübingen 1966

Elliger, K., Das Buch der zwölf kleinen Propheten II, ATD 25/II, 3. neubearb. Aufl., Göttingen 1956

Elliger, K., Deuterojesaja, 1.Teilband Jesaja 40,1-45,7, Bk XI/1, Neukirchen-Vluyn 1978

Fabry, H.-J., Art. ḥānan, ThWAT III, 23-40

Fabry, H.-J., Art. ḥbl I, ThWAT II, 699-706

Fabry, H.-J., Art. kisse', ThWAT IV, 247-272

Fabry, H.-J., Art. mādad, ThWAT IV, 695-709

Fabry, H.-J., Art. marzeaḥ, ThWAT V, 11-16

Falkenstein, A., Zu "Inannas Gang zur Unterwelt", AFO 14 (1941-44), 114-138.

Falkenstein, A., von Soden, W., Sumerische und akkadische Hymnen und Gebete, Zürich-Stuttgart 1953 (SAHG)

Farber, W., Beschwörungsrituale an Ištar und Dumuzi, Wiesbaden 1977 (BID)

Farber-Flügge, G., Der Mythos "Inanna und Enki" unter besonderer Berücksichtigung der Liste der me, Studia Pohl Diss. 10, Rome 1973

Fauth, W., Sonnengottheit ($^{D}$UTU) und 'Königliche Sonne' ($^{D}$UTU$^{ši}$) bei den Hethitern, UF 11 (1979), 227-263

Fauth, W., Art. Demeter, KP 1, 1459-1463

Fehrle, E., Fasten, Handwörterbuch des Deutschen Aberglaubens I/2, Berlin-Leipzig 1929/30, 1234-1244.

Feucht, E., Ein Motiv der Trauer, in: Studien zu Sprache und Religion Ägyptens, FS W.Westendorf, Bd.2, Göttingen 1984, 1103-1112

Ficker, R., Art. rnn jubeln, THAT II, 781-786

Finet, A., La place du devin dans la société de Mari, CRRAI 14 (1966), 87-93

Finkelstein, J.J., The Genealogy of the Hammurapi Dynasty, JCS 20 (1966), 95-118

Finkel, I.L., Necromancy in Ancient Mesopotamia, AfO 29/30 (1983/4), 1-17.

Firth, R., Verbal and bodily rituals of greeting and parting, in: The Interpretation of Ritual. Essays in Honour of A.I.Richards, ed. by J.S. La Fontaine, London 1972, 1-38.

Fleischer, R., Der Klagefrauensarkophag aus Sidon, Tübingen 1983

Fohrer, G., Abgewiesene Klage und untersagte Fürbitte in Jer 14,2-15,2, in: Künder des Wortes, FS J.Schreiner, hg.v. L.Ruppert, Würzburg 1982, 77-86

Fohrer, G., Das Buch Jesaja, 3.Bd. Kapitel 40-66, Zürich-Stuttgart 1964

Fohrer, G., Studien zum Buche Hiob (1956-1979), 2., erw. u. bearb. Aufl., BZAW 159, Berlin-New York 1983

Fraine, J. de, Rechters. De Boeken van het Oude Testament, Roermond 1955

Frazer, J.G., The Golden Bough, Part V. Spirits of the Corn and of the Wild, Vol. I., London 1925 (GB V)

Freedman, D.N., Lundblom, J., Art. ḥānan I-III., ThWAT III, 23-40

Freedman, D.N., Lundblom, J., Art. ḥārāh II-III, ThWAT III, 183-188

Frey, J., Tod, Seelenglaube und Seelenkult im alten Israel. Eine religionsgeschichtliche Untersuchung, Leipzig 1898

Friedrich, G., Die Verkündigung des Todes Jesu im Neuen Testament, BthSt 6, Neukirchen-Vluyn 1982

Friedrich, J., Hethitisches Wörterbuch, Heidelberg 1952 (HWb)

Friedrich, J., Röllig, W.; Phönizisch-Punische Grammatik, 2. völlig neu bearb. Aufl., AnOr 46, Roma 1970 (PPG)

Fritz, V., Der Tempel Salomos im Licht der neueren Forschung, MDOG 112 (1980), 53-68

Fuhs, H.F., Art. gāᶜal, ThWAT II, 47-50

Galling, K., Biblisches Reallexikon, HAT I, Tübingen 1937 (BRL)

Galling, K., Erwägungen zum Stelenheiligtum von Hazor, ZDPV 75 (1959), 1-13

Galling, K., Art. Jagd, BRL$^2$, 150-152

Galling, K., Die Bücher der Chronik, Esra, Nehemia, ATD 12, Göttingen 1954

Galling, K., (Hg.), Textbuch zur Geschichte Israels, 3., durchges. Aufl., Tübingen 1979 (TGI)

Galter, H., Der Gott Ea/Enki in der akkadischen Überlieferung. Eine Bestandsaufnahme des vorhandenen Materials, Diss. d. Karl-Franzens Univ. Graz 58, Graz 1983

Gamper, A., Gott als Richter in Mesopotamien und im Alten Testament. Zum Verständnis einer Gebetsbitte, Innsbruck 1966

Garcia-Treto, O., The Threeday Festival Pattern in Ancient Israel, TUSR 9 (1967/69), 19-30

Gaster, Th. Thespis. Ritual, Myth and Drama in the Ancient Near East, New York 1950

Gay, V.P., Ritual and Self-Esteem in Victor Turner and Heinz Kohut, Zygon 18 (1983), 271-282

Gehlen, A., Urmensch und Spätkultur. Philosophische Ergebnisse und Aussagen, Frankfurt 1975.

Geisau, H. von, Art. Gegeneis, KP 2, 715-716

Geisau, H. von, Art. Gigantes, KP 2, 797-798

Geisthardt, G., Skizze der Religionstheorie Niklas Luhmanns, in: M.Welker (Hg.), Theologie und funktionale Systemtheorie. Luhmanns Religionssoziologie in theologischer Diskussion, Frankfurt 1985, 16-25

Gemser, B., Die Sprüche Salomos, HAT 16, 2.verb. u. verm. Aufl., Tübingen 1963

Gennep, A. van, Les Rites de Passage, Paris 1909

Gerleman, G., Art. rṣh Gefallen haben, THAT II, 810-813

Gerleman, G., Art. šlm genug haben, THAT II, 919-935

Gerleman, G., Art. š'l fragen,bitten, THAT II, 841-844

Gerleman, G., Esther, Bk XXI, Neukirchen-Vluyn 1982$^2$

Gerlitz, P., Art. Beichte, in: Praktisch Theologisches Handbuch, hg. v. G.Otto, 2., neubearb. u. erw. Auflage, Stuttgart-Berlin-Köln-Mainz 1975, 79-98

Gerlitz, P., Fasten als Reinigungsritus, ZRGG 20 (1968), 212-222

Gerlitz, P., Religionsgeschichtliche und ethische Aspekte des Fastens, in: Ex Orbe Religionum II, FS G.Widengren, Leiden 1972, 255-265

Gerlitz, P., Art. Fasten I, TRE XI, 42-45
Gerstenberger, E., Der bittende Mensch. Bittritual und Klagelied des Einzelnen im Alten Testament, WMANT 51, Neukirchen-Vluyn 1980
Gerstenberger, E., Art. t$^c$b pi., THAT II, 1051-1055
Gerstenberger, E., Der klagende Mensch. Anmerkungen zu den Klagegattungen in Israel, in: Probleme biblischer Theologie, FS G.v.Rad, hg.v. H.W.Wolff, München 1971, 64-72.
Gesenius, W., Kautzsch, E., Hebräische Grammatik, Leipzig 1909, 28. (Ges.-K.)
Gese, H., Der Tod im Alten Testament, in: ders., Zur biblischen Theologie. Alttestamentliche Vorträge, BEvTh 78, München 1977, 31-54
Gese, H., Geschichtliches Denken im Alten Orient und im Alten Testament, in: ders., Vom Sinai zum Zion. Alttestamentliche Beiträge zur biblischen Theologie, BEvTh 64, München 1974, 81-98
Gese, H., Die Krisis der Weisheit bei Koheleth, in: ders., Vom Sinai zum Zion, 168-179
Gese, H., Die Religionen Altsyriens, in: Die Religionen der Menschheit, Bd. 10,2 Die Religionen Altsyrien, Altarabiens und der Mandäer, hg.v. C.M.Schröder, Stuttgart et al. 1970, 1-232
Gese, H., Der Messias, in: ders., Zur Biblischen Theologie, 128-151
Gese, H., Zur Geschichte der Kultsänger am zweiten Tempel, in: ders., Vom Sinai zum Zion, 147-158
Geus, C.H.J. de, The Importance of Archaeological Research into the Palestine Agricultural Terraces, with an Excursus on the Hebrew Word gbi, PEQ 107 (1975), 65-74
Gibson, J.C.L., The Theology of the Ugaritic Baal Cycle, OrNS 53 (1984), 202-219.
Gladigow, B., Jenseitsvorstellungen und Kulturkritik, ZRGG 26 (1974), 289-309
Gladigow, B., Naturae deus humanae mortalis. Zur sozialen Konstruktion des Todes in römischer Zeit, in: Stephenson, G., Leben, 119-133
Gladigow, B., Religion im Rahmen der theoretischen Biologie, in: ders.; H.G.Kippenberg (Hgg.), Neue Ansätze in der Religionswissenschaft, München 1983, 97-112
Gladigow, B., Die Teilung des Opfers. Zur Interpretation von Opfern in vor- und frühgeschichtlichen Epochen, in: Jahrbuch des Instituts für Frühmittelalterforschung der Universität Münster 18 (1984), 19-43
Gladigow, B., Götternamen und Name Gottes. Allgemeine religionswissenschaftliche Aspekte, in: Der Name Gottes, hg.v. H.v.Stietencron, Düsseldorf 1975,13-32.
Gladigow, B., Zur Konkurrenz von Bild und Namen im Aufbau theistischer Systeme, in: Wort und Bild, hg. v. H.Brunner, R.Kannicht, K.Schwager, München 1979, 103-122.
Goetze, A., Die Pestgebete des Muršiliš, KlF 1 (1930), 161-251.
Goetze, A., Kleinasien. Kulturgeschichte des Alten Orients III.1, Hdb. d. Altertumswissenschaft, III.Abt. I:Teil 3.Bd./1, München 1957.
Goetze, A., Rez. zu Gaster, Th., Thespis. Ritual, Myth and Drama in the Ancient Near East, New York 1950, JCS 6 (1952), 99-103
Goody, J., Religion and Ritual: The Definitional Problem, BJS 12 (1961), 142-164.
Goppelt, L., Theologie des Neuen Testaments, hg. v. J.Roloff, Göttingen 1980, 3.Aufl.
Gordon, C.H., Ugaritic Textbook, AnOr 38, Roma 1965 (UT)
Grabbe, L., Ugaritic ṯlṯ and Plowing: On the Proper Cultivation of Semitic Etymologies, UF 14 (1982), 89-92.
Graesser, C.F., Standing Stones in Ancient Palestine, BA 35 (1972), 34-63
Granqvist, H., Muslim Daeth and Burial. Arab Customs and Traditions Studiesd in a Village in Jordan, Helsinki 1963
Grayson, K.A., Assyria and Babylonia, OrNS 49 (1980), 140-194

Greenfield, J.C., Un Rite religieux araméen et ses Parallèles, RB 80 (1973), 46-52

Grelot, P., Documents Araméens d'Égypte. Introduction, traduction, présentation, Paris 1972.

Griffiths, J.G., Maneroslied, LÄ III, 1180.

Groneberg, B., Syntax, Morphologie und Stil der jungbabylonischen "hymnischen" Literatur, FAOS 14.1-2, Stuttgart 1987

Groneberg, B., Rez. zu Mayer, We., UFBG, JNES 39 (1980), 237-240

Groneberg, B., Eine Einführungsszene in der altbabylonischen Literatur: Bemerkungen zum persönlichen Gott, in: Keilschriftliche Literaturen, hg.v. K.Hecker, W.Sommerfeld, Berlin 1986, 93-108.

Groß, H., Art. lākaḏ, ThWAT IV, 573-576

Gruber, M.I., Aspects of Nonverbal Communication in the Ancient Near East, 2 Vols., Studia Pohl 12/I-II, Rome 1980

Grüneisen, C., Der Ahnenkultus und die Urreligion Israels, Halle 1900

Güterbock, H.G., Hethitische Literatur, in: Röllig, W., Handbuch.

Guglielmi, W., Erdaufhacken, LÄ I, 1261-1263.

Gunkel, H., Begrich, J., Einleitung in die Psalmen. Die Gattungen der religiösen Lyrik Israels, 3. Aufl., Göttingen 1975

Gunneweg, A.H.J., Bildlosigkeit Gottes im Alten Israel, Henoch VI (1984), 257-269

Gunneweg, A.H.J., Geschichte Israels bis BarKochba, 2., verb. u. erg. Aufl., Stuttgart-Berlin-Köln-Mainz 1976

Gurney, O.R., The Hittites, Melbourne/London/Baltimore 1952.

Haag, H., Teufelsglaube, 2., durchges. Aufl., Tübingen 1980

Haag, H., Art. baṯ, ThWAT I, 867-872

Haas, V., Die Unterwelts- und Jenseitsvorstellungen im hethitischen Kleinasien, OrNS 45 (1976), 197-212

Haas, V., Hethitische Berggötter und Hurritische Steindämonen. Riten, Kulte und Mythen, Mainz 1982

Haas, V., Substratgottheiten des westhurritischen Pantheons, RHA 36 (1973), 59-69

Haas, V., Der Kult von Nerik. Ein Beitrag zur hethitischen Religionsgeschichte, Stud.Pohl Diss. 4, Roma 1970.

Haas, V., Magie und Mythen im Reich der Hethiter, I. Vegetationskulte und Pflanzenmagie, Merlins Bibliothek der geheimen Wissenschaften und magischen Künste Bd.6, Hamburg o.J.

Haas, V.- Wilhelm, G. Hurritische und luwische Riten aus Kizzuwatna. Hurritologische Studien I, AOATS 3, Neukirchen-Vluyn 1974

Habachi, L., Elephantine, LÄ I, 1217-1225.

Hachlili, R., The Nefeš: The Jericho Column-Pyramid, PEQ 113 (1981), 33-38.

Hachlili, R., Killebrew, A., Jewish Funerary Customs During the Second Temple Period in the Light of the Excavations at the Jericho Necropolis, PEQ 115 (1983), 110-132.

Hall, St.G., Crehan, J.H. Art. Fasten III, TRE XI, 48-59

Halpern, B., Doctrine by Misadventure between the Israelite Source and the Biblical Historian, in: The Poet and the Historian. Essays in Literary and Historical Biblical Criticism, ed. by R.E.Friedman, Chico 1983, 41-73

Hamp, V., Art. ḥāṣer, ThWAT III, 140-148

Hanson, P.D., The Dawn of Apocalyptic. The Historical and Sociological Roots of Jewish Apocalyptic Eschatology, rev. Ed., Philadelphia 1979

Hardmeier, Chr., Texttheorie und biblische Exegese. Zur rhetorischen Funktion der Trauermetaphorik in der Prophetie, BEvTh 79, München 1978

Hartland, E.S., Art. Death and Disposal of the Dead: Introductory and Primitive, ERE IV, 411-444
Hartmann, Th., Art. rb viel, THAT II, 715-726
Hasel, G.F., Art. z/ṣā<sup>c</sup>aq, ThWAT II, 628-639
Hasel, G., Art. kārat, ThWAT IV, 355-367
Healey, J., The Akkadian "Pantheon" List from Ugarit, SEL 2 (1985), 115-125
Healey, J.F., Death, Underworld and Afterlife in the Ugaritic Texts, Ph.D. University of London 1977 (unpubl.).
Healey, J.F., MLKM/RP'UM and the KISPUM, UF 10 (1978), 89-91
Healey, J.F., Ritual Text KTU 1.161 - Translation and Notes, UF 10 (1978), 83-88
Healey, J.F., Sword and Ploughshares: Some Ugaritic Terminology, UF 15 (1983), 47-52.
Healey, J.F., The Immortality of the King: Ugarit and the Psalms, OrNS 53 (1984), 245-254
Healey, J.F., The Sun Deity and the Underworld. Mesopotamia and Ugarit, CRRAI 26 (1979), 239-242.
Hecker, K., Untersuchungen zur akkadischen Epik, AOATS 8, Neukirchen-Vluyn 1974
Heinisch, P., Die Totenklage im Alten Testament, Münster 1931
Heinisch, P., Die Trauergebräuche bei den Israeliten, Münster 1931
Henninger, J., Arabica Sacra, OBO 40, Fribourg-Göttingen 1981
Henninger, J., Les fêtes de printemps chez les Sémites et la pâque Israélite, Paris 1975
Henninger, J., Über religiöse Strukturen nomadischer Gruppen, in: ders., Arabica, 34-47
Hentschel, G., Die Elijaerzählungen. Zum Verhältnis von historischem Geschehen und geschichtlicher Erfahrung, EThSt 33, Leipzig 1977
Hermisson, H.-J., Sprache und Ritus im Altisraelitischen Kult. Zur "Spiritualisierung" der Kultbegriffe im Alten Testament, WMANT 19, Neukirchen-Vluyn 1965
Herrmann, S., Geschichte Israels in alttestamentlicher Zeit, München 1973
Hertzberg, H.W., Die Samuelbücher, ATD 10, Göttingen 1960²
Hertzberg, H.W., Die Bücher Josua, Richter, Ruth, ATD 9, Göttingen 1954
Hesse, F., Die Fürbitte im Alten Testament, Diss. Erlangen 1951
Heussi, K., Kompendium der Kirchengeschichte, Tübingen 1976, 14. unv. Aufl.
Hoffmann, I., Der Erlaß Telepinus, TdH 11, Heidelberg 1984
Hoffner, H.A., Art. 'ôb, ThWAT I, 141-145
Hoffner, H.A., Hittite Mythological Texts: A Survey, in: Unity and Diversity, ed. by H.Goedicke, J.J.M.Roberts, Baltimore-London 1975, 136-145
Hoffner, H.A. The Elkunirša Myth Reconsidered, RHA 23 (1965), 5-16
Hoffner, H.A., Art. bajit, ThWAT I, 629-638
Hoffner, H.A., Art. jbl, ThWAT III, 390-393
Hoffner, H.A., Art. 'almānāh, ThWAT I, 308-313
Hooke, S.H., Myth, Ritual, and Kingship. Essays on the Theory and Practice of Kingship in the Ancient Near East and in Israel, Oxford 1960
Hrouda, B., Grabbeigaben, s. Strommenger
Hrouda, B., Art. Grab II, RlA 3, 593-603
Hulst, A.R., Art. škn wohnen, THAT II, 904-909
Hunger, H., Babylonische und assyrische Kolophone, AOAT 2, Neukirchen-Vluyn 1968
Hunger, H., Lexikon der griechischen und römischen Mythologie, Reinbek 1974 (um den Bildteil gekürzte Fassung der 6.Aufl.)

Hutter, M., Altorientalische Vorstellungen von der Unterwelt. Literar- und religionsgeschichtliche Überlegungen zu "Nergal und Ereškigal, OBO 63, Fribourg-Göttingen 1985

Hutter, M., Religionsgeschichtliche Erwägungen zu אלהים in 1Sam 28,13, BN 21 (1983), 32-36

Hvidberg, F.F., Weeping and Laughter in the Old Testament. A Study of Canaanite-Israelite Religion, Leiden 1962 (posth. ed.)

Hyatt, J.P., Hopper, S.R., The Book of Jeremiah, IntB V, New York-Nashville 1956, 775-1142

Ihwe, J. (Hg.), Literaturwissenschaft und Linguistik. Ergebnisse und Perspektiven, Bd.1. Grundlagen und Voraussetzungen, Frankfurt 1972²

Illman, K.-J., Art. mut II-IX, ThWAT IV, 768-786

Jacobsen, Th., The Treasures of Darkness. A History of Mesopotamian Religion, New Haven-London 1976

Jacobsen, Th., Toward the Image of Tammuz and Other Essays on Mesopotamian History and Culture, ed. by W.L.Moran, Cambridge/Mass. 1970

Jacob, E., Prophètes et Intercesseurs, in: De la Tôrah au Messie, FS H.Cazelles, hg.v. M.Carrez, J.Doré, P.Grelot, Desclée 1981, 205-217.

Jahnow, H., Das Hebräische Leichenlied im Rahmen der Völkerdichtung, BZAW 36, Gießen 1923

Jakobson, R., Der Doppelcharakter der Sprache. Die Polarität zwischen Metaphorik und Metonymik, in: J.Ihwe, 323-333

James, E.O., Mythes et Rites dans le Proche-Orient Ancien, Paris 1960

Janowski, B., Rettungsgewißheit und Epiphanie des Heils. Zum Motiv der Hilfe Gottes "am Morgen", Habilitationsschrift Tübingen 1984

Janowski, B., Sühne als Heilsgeschehen. Studien zur Sühnetheologie der Priesterschrift und zur Wurzel KPR im Alten Orient und im Alten Testament, WMANT 55, Neukirchen-Vluyn 1982

Janowski, B., Erwägungen zur Vorgeschichte des israelitischen š^e^lamim-Opfers, UF 12 (1980), 231-259.

Janowski, B., Psalm CVI 28-31 und die Interzession des Pinchas, VT 33 (1983), 237-248

Janowski, B., Sündenvergebung "um Hiobs willen". Fürbitte und Vergebung in 11QtgJob 38,2f. und Hi 42,9f. LXX, ZNW 73 (1982), 251-280

Janowski, B., "Ich will in eurer Mitte wohnen". Struktur und Genese der exilischen Schekina-Theologie, in: Jahrbuch für Biblische Theologie 2 (1987), 165-193

Japhet, S., Sheshbazzar and Zerubbabel. Against the Background of the Historical and Religious Tendencies of Ezra-Nehemia I, ZAW 94 (1982), 66-98; Teil II, ZAW 95 (1983), 218-229

Jaroš, K., Hundert Inschriften aus Kanaan und Israel, Fribourg 1982

Jastrow, M., A Dictionary of the Targumim, the Talmud Babli and Yerushalmi, and the Midrashic Literature, 2 vols., Nachdruck (Israel) der Aufl. Philadelphia 1903

Jenni, E., Art. ᶜānān Wolke, THAT II, 351-353

Jenni, E., Das hebräische Piᶜel. Syntaktisch-semasiologische Untersuchung einer Verbalform im Alten Testament, Zürich 1968

Jepsen, A., Warum? Eine lexikalische und theologische Studie, in: Das ferne und nahe Wort, FS L.Rost, hg. v. F.Maass, Berlin 1967, 106-113

Jepsen, A., Ahabs Busse. Ein kleiner Beitrag zur Methode literarhistorischer Einordnung, in: Archäologie und Altes Testament, FS K.Galling, hg.v. A.Kuschke u. E.Kutsch, Tübingen 1970, 145-155

Jepsen, A., Kleine Beiträge zum Zwölfprophetenbuch, ZAW 56 (1938), 85-100

Jeremias, J., Kultprophetie und Gerichtsverkündigung in der späten Königszeit Israels, WMANT 35, Neukirchen-Vluyn 1970

Jeremias, J., Theophanie. Die Geschichte einer alttestamentlichen Gattung, 2., überarb. u. erw. Aufl., WMANT 10, Neukirchen-Vluyn 1977

Jeremias, J., Die Reue Gottes. Aspekte alttestamentlicher Gottesvorstellung, BSt 65, Neukirchen-Vluyn 1975

Jirku, A., Die Dämonen und ihre Abwehr im Alten Testament, Leipzig 1912

Jirku, A., "Das Haupt auf die Knie legen". Eine ägyptisch-ugaritisch-israelitische Parallele, ZDMG 103 (1953), 372.

Josuttis, M., Art. Gottesdienst, in: Praktisch Theologisches Handbuch, hg. v. G.Otto, 2., neubearb. u. erw. Aufl., Stuttgart-Berlin-Köln-Mainz 1975, 284-308

Jüngel, E., Tod, Stuttgart-Berlin 1977

Kaiser, O., Einleitung in das Alte Testament. Eine Einführung in ihre Ergebnisse und Probleme, 5., grundlegend neubearb. Aufl., Gütersloh 1984

Kammenhuber, A.- Friedrich, J., Hethitisches Wörterbuch, 2. völlig neubearb. Aufl., Lfg.3, Heidelberg 1978 (HW)

Kapelrud, A.S., Joel-Studies, Uppsala 1948

Keel, O., Die Welt der altorientalischen Bildsymbolik und das Alte Testament. Am Beispiel der Psalmen, Neukirchen-Vluyn 1980³

Keel, O., Kanaanäische Sühneriten auf ägyptischen Tempelreliefs, VT XXV (1975), 413-469

Keel, O., Jahwe-Visionen und Siegelkunst. Eine neue Deutung der Majestätsschilderungen in Jes 6, Ez 1 und 10 und Sach 4, SBS 84/85, Stuttgart 1977

Kegler, J., Hoffnung in Krisenzeiten; Prophetische Entwürfe für eine menschliche Zukunft im AT, in: Das Alte Testament als geistige Heimat, FS H.W.Wolff, Frankfurt 1982, 80-109

Kellermann, D., Art. Mühle, BRL², 232-233

Kellermann, D., Art. gûr, ThWAT I, 979-991

Kellermann, D., Bemerkungen zum Sündopfergesetz in Num 15,22ff., AOAT 18 (1973), 107-113.

Kellermann, U., Zum traditionsgeschichtlichen Problem des stellvertretenden Sühnetodes in 2Makk 7,37f, BN 13 (1980), 63-83

Keller, C.A., Art. qll leicht sein, THAT II, 641-647

Keller, C.A., Joel. Commentaire de l'Ancien Testament 11a, Genève 1982

Kenner, H., Das Phänomen der verkehrten Welt in der griechisch-römischen Antike, Klagenfurt 1970

Kessler, K., Untersuchungen zur historischen Topographie Nordmesopotamiens nach keilschriftlichen Quellen des 1. Jahrtausends v.Chr., BTAVO 26, Wiesbaden 1980

Kienast, B., Art. Hungersnot, RlA 4, 498-500

Kinet, D., Ugarit - Geschichte und Kultur einer Stadt in der Umwelt des Alten Testamentes, SBS 104, Stuttgart 1981

Kippenberg, H.G., Religion und Klassenbildung im antiken Judäa, StUNT 14, Göttingen 1982²

Kirk, G.S., Myth. Its Meaning and Functions in Ancient and Other Cultures, Cambridge 1973

Kitchen, K., The King List of Ugarit, UF 9 (1977), 130-142

Klengel, H., "Hungerjahre" in Ḫatti, AOF I (1974), 165-174

Klengel, H., Die Rolle der "Ältesten" (lú.meš.su.gi) im Kleinasien der Hethiterzeit, ZA 57 (1965), 223-236

Klengel, H., Zu den šībūtum in altbabylonischer Zeit, OrNS 29 (1960), 357-375

Klengel, H., Handel und Händler im alten Orient, Leipzig 1979

Koch, K., Sühne und Sündenvergebung um die Wende von der exilischen zur nachexilischen Zeit, EvTh 26 (1966), 217-239

Koch, K., Art. ḥāṭā', ThWAT II, 857-870

Koch, K., Art. môᶜe<u>d</u>, ThWAT IV, 744-750

Koch, K., Art. nîḥôaḥ, ThWAT V, 442-445

Koch, K., Die Profeten II. Babylonisch-persische Zeit, Stuttgart et al. 1980

Köberle, J., Die Motive des Glaubens an die Gebetserhörung im Alten Testament, in: FS SKH Luitpold v. Bayern, Erlangen-Leipzig 1901, 1-30

Koefoed, A., Gilgameš, Enkidu and the Nether World, ASJ 5 (1983), 17-23.

Koenen, K., Ethik und Eschatologie im Tritojesajabuch, Diss.Masch. Tübingen 1987

Krämer, W., Prähistorische Brandopferplätze, in: Helvetia Antiqua. FS E.Vogt, Beiträge zur Prähistorie und Archäologie der Schweiz, hg.v. R.Degen, W.Drack, R.Wyss, Zürich 1966, 111-122.

Kramer, S.N., BM 29616: The Fashioning of the gala, ASJ 3 (1981), 1-11.

Krause, F., Maske und Ahnenfigur: Das Motiv der Hülle und das Prinzip der Form. Ein Beitrag zur nichtanimistischen Weltanschauung, in: Kulturanthropologie, 218-237.

Kraus, H.-J., Die ausgebliebene Endtheophanie. Eine Studie zu Jes 56-66, ZAW 78 (1966), 317-332

Kraus, H.-J., Psalmen, 1. Teilband. Psalmen 1-59, Bk XV/1, 5., grundlegend überarbeitete u. veränderte Aufl., Neukirchen-Vluyn 1978

Kraus, H.-J., Psalmen, 2. Teilband. Psalmen 60-150, Bk XV/2, 5., grundlegend überarbeitete u. veränderte Aufl., Neukirchen-Vluyn 1978

Krecher, J., Sumerische Kultlyrik, Wiesbaden 1966

Krecher, J., Müller, H.-P., Vergangenheitsinteresse in Mesopotamien und Israel, Saec 26 (1975),13-44

Kühlewein, J., Geschichte in den Psalmen, CThM 2, Stuttgart 1973

Kühne, C., Hethitische Texte, in: Religionsgeschichtliches Textbuch zum Alten Testament, hg.v. K.Beyerlin, ATD Erg.1, Göttingen 1975 (RGTB), 169-204

Kühne, C., Die Chronologie der internationalen Korrespondenz von El-Amarna, AOAT 17, Neukirchen-Vluyn 1973

Kümmel, H.M., Ersatzkönig und Sündenbock, ZAW 80 (1968), 289-318

Kulturanthropologie, hg. v. W.E.Mühlmann, E.W.Müller, Köln/Berlin 1966.

Kurtz, D.C.- Boardman,J. Greek Burial Customs, London 1971

Kuschke, A., Art. Grab, BRL², 122-129

Kutsch, E. "Trauerbräuche" und "Selbstminderungsriten" im Alten Testament, ThSt 78 (1965), 25-42

Kutsch, E., Art. ḥrp I, ThWAT III, 217-223

Labuschagne, C.J., Art. qr' rufen, THAT II, 666-674

Lambert, W.G., Old Akkadian Ilaba = Ugaritic ilib?, UF 13 (1981), 299-301

Landsberger, B., Der kultische Kalender der Babylonier und Assyrer, LSS 6/1, Leipzig 1915

Langlamet, F., Les récit de l'institution de la royauté (ISam. VII XII). De Wellhausen aux travaux récents, RB 77 (1970), 161-200

Lang, B. et al., Art. zā<u>b</u>aḥ, ThWAT IV, 509-531

Laroche, E., Les Dénominations des Dieux "antiques" dans les Textes Hittites, in: FS H.G.Güterbock, ed. by K.Bittel et al., Istanbul 1974, 175-185

Laroche, E., La prière hittite: Vocabulaire et typologie, in: École Pratiques des Hautes Études 72 (1964/5), 3-29

Le Déaut, R., Aspects de l'intercession dans le Judaisme Ancien, JSJ 1 (1970),35-57.

Leach, E., Kultur und Kommunikation. Zur Logik symbolischer Zusammanhänge, übers. v. E.Bubser, Frankfurt 1978.

Leach, E., Ritual, IESS 13 (1968),520-526.

Leach, E., Zwei Aufsätze über die symbolische Darstellung der Zeit, in: Kulturanthropologie, 392-408.

Lebrun, R., Les grands mythes anatoliens. Leur langage, leur message, leur fonction, in: Homo Religiosus 9, Louvain 1983, 113-130

Lebrun, R., Hymnes et Prières Hittite, Homo Religiosus 4, Louvain-La-Neuve 1980 (HPH)

Lech, K., Geschichte des islamischen Kultus I. Das ramadan-Fasten, Wiesbaden 1979

Leeuw, G. van der, Phänomenologie der Religion, Tübingen 1956²

Leipoldt, J., Grundmann, W., (Hg.), Umwelt des Urchristentums I. Darstellung des neutestamentlichen Zeitalters, Berlin 1965

Lescow, Th., Die dreistufige Tora. Beobachtungen zu einer Form, ZAW 82 (1970), 362-379

Levy, J., Neuhebräisches und Chaldäisches Wörterbuch über die Talmudim und Midraschim, Bd. I-IV, Leipzig 1876ff.

Lévi-Strauss, C., Mythologica II. Vom Honig zur Asche, Frankfurt 1976

Lévi-Strauss, C., Mythologica I. Das Rohe und das Gekochte, Frankfurt 1980²

Lichtenberger, H.- Janowski, B., Enderwartung und Reinheitsidee. Zur eschatologischen Deutung von Reinheit und Sühne in der Qumrangemeinde, JJS 34 (1983), 31-62

Lichtenberger, H., Studien zum Menschenbild in Texten der Qumrangemeinde, StUNT 15, Göttingen 1980

Lieb, H.-H., Was bezeichnet der herkömmliche Begriff "Metapher"?, in: J.Ihwe, 334-348

Lind, M.C., Jahwe is a Warrior. The Theology of Warfare in Ancient Israel, Scottdale 1980

Linguistisches Wörterbuch Bd.2, hg. v. Th.Lewandowski, 2. durchges. u. erw. Aufl., Heidelberg 1976

Lipinski, E., La Liturgie Pénitentielle dans la Bible, Lectio Divina 52, Paris 1969

Lipinski, E., Art. nāḥal, ThWAT V, 342-360

Liverani, M., Messaggi, donne, ospitalità. Communicazione intertribale in Giud. 19-21, StStR 2 (1978), 303-341

Lohfink, N., Art. ḥāram, ThWAT III, 192-213

Lohfink, N., Art. ḥọpšî, ThWAT III, 123-128

Lohfink, N., Art. jāraš, ThWAT III, 953-985

Lohse, E., Umwelt des Neuen Testaments, 4. durchges. und erg. Aufl., GNT 1, Göttingen 1978

Long, B.O., The Effect of Divination upon Israelite Literature, JBL 92 (1973), 489-497

Long, B.O., Two Question and Answer Schemata in the Prophets, JBL 90 (1971), 129-139

Loretz, O., Ugaritisch-biblisch mrzḥ "Kultmahl, Kultverein" in Jer. 16,5 und Am 6,7, in: Künder des Wortes, FS J.Schreiner, hg.v. L.Ruppert, Würzburg 1982, 87-93

Loretz, O., Vom kanaanitischen Totenkult zur jüdischen Patriarchen- und Elternehrung, JARG 3 (1978), 149-204

Loretz, O., Das biblische Elterngebot und die Sohnespflichten in der ugaritischen Aqht-Legende, BN 8 (1979), 14-17

Loretz, O., Habiru-Hebräer. Eine sozio-linguistische Studie über die Herkunft des Gentiliziums ᶜibrî vom Appellativum habiru, BZAW 160, Berlin-New York 1984

Loretz, O., Kolometrie ugaritischer und hebräischer Poesie: Grundlagen, informationstheoretische und literaturwissenschaftliche Aspekte, ZAW 98 (1986), 249-266

Loretz, O., Leberschau, Sündenbock, Asasel in Ugarit und Israel, UBL 3, Altenberge 1985

Loretz, O., Regenritual und Jahwetag im Joelbuch, UBL 4, Altenberge 1986

Loretz, O.- Kottsieper, I., Colometry in Ugaritic and Biblical Poetry, UBL 5, Altenberge 1987

Loretz, O.- Dietrich, M.- Sanmartín, J., Die ugaritischen Totengeister RPU(M) und die biblischen Rephaim, UF 8 (1976), 45-52

Luhmann, N., Funktion der Religion, Frankfurt 1977

Luhmann, N., Sinn als Grundbegriff der Soziologie, in: J.Habermas-N.Luhmann, Theorie der Gesellschaft oder Sozialtechnologie-Was leistet die Systemforschung?, Frankfurt 1979, 25-100

Luhmann, N., Soziale Systeme. Grundriβ einer allgemeinen Theorie, Frankfurt 1984

L'Heureux, C.E., Rank Among the Canaanite Gods: El, Ba<sup>c</sup>al and the Repha'im, HSM 21, Missoula 1979

MacCulloch, J.A., Fasting (Introductory and non-Christian), ERE V (1912), 759-765.

MacLean, A.J., Fasting (Christian), ERE V (1912), 765-771.

Machinist, P., The Epic of Tukulti-Ninurta I: A Study in middle Assyrian Literature, Ann Arbor 1978

Macholz, G.Chr., Jeremia in der Kontinuität der Prophetie, in: Probleme biblischer Theologie, FS G.v.Rad, hg.v. H.W.Wolff, München 1971, 306-334.

Malamat, A., King Lists of the Old Babylonian Period and Biblical Genealogies, JAOS 88 (1968), 163-173

Mantel, H., Art. Fasten II, TRE XI, 45-48

Marböck, J., Art. nāḇāl, ThWAT V, 171-185

Margalit, B., Death and Dying in the Ugaritic Epics, CRRAI 26 (1979), 243-254.

Margueron, J., Quelques reflexions sur certaines pratiques funéraires d'Ugarit, Akk 32 (1983), 5-31

Markert, L., Art. Askese II., TRE IV, 198-199

Martin-Achard, R., Art. ᶜnh elend sein, THAT II, 341-350

Martin, J.D., The Book of Judges, CBC, Cambridge 1975

Matthiae, P., New Discoveries at Ebla. The Excavation of the Western Palace and the Royal Necropolis of the Amorite Period, BA 47 (1984), 18-29

Matthiae, P., Princely Cemetery and Ancestors Cult at Ebla During Middle Bronze II: A Proposal of Interpretation, UF 11 (1979), 563-569

May, H.G., Towards an Objective Approach to the Book of Jeremiah, The Biographer, JBL 61 (1942), 139-155

Mayer-Opificius, R., Archäologischer Kommentar zur Statue des Idrimi von Alalaḫ, UF 13 (1981), 279-290

Mayer, G., Art. nzr, ThWAT V, 329-334

Mayer, We. Untersuchungen zur Formensprache der babylonischen "Gebetsbeschwörungen", Studia Pohl: Ser. Mai. 5, Roma 1976 (UFBG)

Mayes, A.D., The Rise of the Israelite Monarchy, ZAW 90 (1978), 1-19

Meinhold, A., Zur Beziehung Gott, Volk, Land im Jobel-Zusammenhang, BZ 29 (1985), 245-261

Mettinger, T.N.D., YHWH SABAOTH - The Heavenly King on the Cherubim Throne, in:Studies in the Period of David and Saolomon and other Essays, ed. by T.Ishida, Tokyo 1982, 109-138.

Meuli, K., Entstehung und Sinn der Trauersitten, SAVK 43 (1946), 91-109

Meyer, I., Jeremia und die falschen Propheten, OBO 13, Fribourg-Göttingen 1977
Meyer, R., Hebräische Grammatik, Bd. I-IV, Berlin 1966-1972 (HG)
Michel, D., Tempora und Satzstellung in den Psalmen, AET 1, Bonn 1969
Michel, D., Grundlegung einer hebräischen Syntax, Bd.1, Neukirchen-Vluyn 1977
Miglus, P.A., Another Look at the "Stelenreihen" in Assur, ZA 74 (1984), 133-140
Miller, P.D., Roberts, J.J.M., The Hand of the Lord. A Reassessment of the "Ark Narrative" of 1Samuel, Baltimore-London 1977
Mittmann, S., Die "Handschelle" der Philister (2Sam 8,1), in: Fontes atque Pontes, FS H.Brunner, Ägypten und Altes Testament 5, Wiesbaden 1982, 327-341
Mittmann, S., Die Grabinschrift des Sängers Uriahu, ZDPV 97 (1981), 139-152
Moore, G.F., Judges, ICC, Edinburgh 1958, 7.Aufl.
Moortgat, A., Frühe kanaanäisch-sumerische Berührungen in Mari, BaM 4 (1968), 221-231
Moortgat, A., Tell Chuera in Nordost-Syrien, Wiesbaden 1967.
Moor, J.C. de, The Ancestral Cult in KTU 1.17: I 26-28, UF 17 (1985), 407-409
Moor, J.C. de, An Incantation against Infertility (KTU 1.13), UF 12 (1980), 305-310.
Moor, J.C. de, Rapi'uma-Rephaim, ZAW 88 (1976), 323-345
Moor, J.C. de, The Seasonal Pattern in the Ugaritic Myth of Ba$^{c}$lu - According to the Version of Ilimilku, AOAT 16, Neukirchen-Vluyn 1971
Moran, W.L., Notes on the New Nabonidus Inscriptions, OrNS 28 (1959), 130-140
Morgenstern, J., Rites of Birth, Marriage, Death and Kindred Occasions Among the Semites, Chicago 1966
Mosis, R., Art. jāsaḏ, ThWAT III, 668-682
Mowinckel, S., The Psalms in Israel's Worship, Vol. I-II, Oxford 1982
Müller, H.-P., Das Motiv für die Sintflut. Die hermeneutische Funktion des Mythos und seiner Analyse, ZAW 97 (1985), 295-316
Müller, H.-P., Das Wort von den Totengeistern Jes 8,19f., WO 8 (1975/76), 65-76.
Müller, U. Art. Tor, BRL², 346-348

Neumann, G., Gesten und Gebärden in der griechischen Kunst, Berlin 1965
Nicholson, E.W., Preaching to the Exiles. A Study of the Prose Tradition in the Book of Jeremiah, Oxford 1970
North, R., Art. ḥāḏāš, ThWAT II, 759-780
Noth, M., Überlieferungsgeschichtliche Studien. Die sammelnden und bearbeitenden Geschichtswerke im Alten Testament, Tübingen 1957²

Olmo-Lete, G. del, Mitos Y Leyendas De Canaan. Segun La Tradicion De Ugarit, Madrid 1981 (MLC)
Oppenheim, A.L., Ancient Mesopotamia. Portrait of a Dead Civilization, rev. Ed. Completed by E.Reiner, Chicago-London 1977
Oppenheim, A.L., "Siege-Documents" from Nippur, Iraq 17 (1955), 69-89
Oppenheim, A.L., A New Prayer to the 'Gods of the Night', AnBib 12 (1959), 282-301.
Otten, H., Die Überlieferungen des Telepinu-Mythus, MVAeG 46/1, Leipzig 1942.
Otten, H., Die hethitischen "Königslisten" und die altorientalische Chronologie, MDOG 83 (1951), 47-71.

Otten, H., Ein kanaanäischer Mythus aus Bogazköy, MIO 1 (1953), 125-150.

Otten, H., Hethitische Totenrituale, Berlin 1958.

Otten, H., Kanaanäische Mythen aus Hattusa-Bogazköy, MDOG 85 (1953), 27-38.

Otten, H., Herre, W., Bittel, K., u.a., Die Hethitischen Grabfunde von Osmankayasi = Otten, H., Bestattungssitten und Jenseitsvorstellungen nach den hethitischen Texten, Berlin 1958, 81-84.

Otzen, B., Art. ḥāṯam, ThWAT III, 282-288

Pannenberg, W., Heilsgeschehen und Geschichte, in: ders., Grundfragen systematischer Theologie, Ges. Aufs., 2. durchges. Aufl., Göttingen 1971, 22-78

Parpola, S., Letters from Assyrian Scholars to the Kings Esarhaddon and Assurbanipal. Part II: Commentary and Appendices, AOAT 5/2 (LAS II), Neukirchen-Vluyn 1983

Parrot, A., Mission Archéologique de Mari, MAM III, Paris 1967.

Pauritsch, K., Die neue Gemeinde: Gott sammelt Ausgestoßene und Arme (Jesaja 56-66), AnBib 47 (1971), 73-87

Perlitt, L., Die Verborgenheit Gottes, in: Probleme biblischer Theologie, FS G.v.Rad, hg. v. H.W.Wolff, München 1971, 367-382

Pesch, R., Das Markusevangelium I.Teil, 3., erneut durchges. Aufl. mit einem Nachtrag, HThK II/1, Freiburg-Basel-Wien 1980

Petersen, C., Mythos im Alten Testament. Bestimmung des Mythosbegriffs und Untersuchung der mythischen Elemente in den Psalmen, BZAW 157, Berlin- New York 1982

Plöger, J.G., Art. ʾaḏāmāh, ThWAT I, 96-105

Plöger, O., Das Buch Daniel, KAT 18, Gütersloh 1965

Plöger, O., Zusätze zu Daniel, JSHRZ 1/1, 2.Aufl. Gütersloh 1977, 63-87

Podella, Th., Ein mediterraner Trauerritus, UF 18 (1986), 263-269

Podella, Th., L'aldilà nelle concezioni vetero-testamentarie: sheol, in: Xella, P. (Hg.), Archeologia dell'inferno. L'aldilà nel Mondo Antico orientale e classico, Verona 1986, 161-188

Podella, Th., Thematischer Vergleich zwischen Gen 37,34-35 und KTU 1.5 VI, 23-25, SEL 4 (1987), 67-78

Podella, Th., Grundzüge alttestamentlicher Jenseitsvorstellungen, BN 43 (1988), 70-89

Pomponio, F., Urukagina 4 VII 11 and an Administrative Term from the Ebla Texts, JCS 36 (1984), 96-100

Pope, M.H., The Cult of the Dead at Ugarit, in: Ugarit in Retrospect. Fifty Years of Ugarit and Ugaritic, ed. by G.D.Young, Winona Lake 1981, 159-179

Poppa, R., Kamid el-Loz 2. Der eisenzeitliche Friedhof. Befunde und Funde, SBtrA 18, Bonn 1978

Porten, B., Archives from Elephantine. The Life of an Ancient Jewish Military Colony, Berkeley/Los Angeles 1968.

Porten, B., Jews of Elephantine and Aramaens of Syene (Fifth Century B.C.E.). Fifty Aramaic Texts with Hebrew and English Translations , ed. and newly transl. by B.Porten in collaboration with J.C.Greenfield, Jerusalem 1974.

Preuß, H.D., Art. jāḇeš, ThWAT III, 400-406

Preuß, H.D., Art. leʾom, ThWAT IV, 411-413

Preuß, H.D., Art. nûaḥ, ThWAT V, 297-307

Prinsloo, W.S., The Theology of the Book of Joel, BZAW 163, Berlin-New York 1985

Rad, G. von, Das erste Buch Mose, ATD 2/4, Göttingen 1976

Rad, G. von, Der Heilige Krieg im alten Israel, Zürich 1951

Rad, G. von, Theologie des Alten Testaments, Bd.I, Bd.II, München 1969[6] u. 1975

Rahmani, L.Y., Ancient Jerusalem's Funerary Customs and Tombs, BA 44 (1981), 171-177; 229-235

Raitt, Th.M., The Prophetic Summons to Repentence, ZAW 83 (1971), 30-49

Ratschow, C.H., Magie und Religion, Gütersloh 1947

Reichert, A., Art. Maṣṣebe, BRL[2], 206-209

Reiner, E. Die akkadische Literatur, in: Neues Handbuch der Literaturwissenschaft, Bd.1: Altorientalische Literaturen, hg.v. W.Röllig, Wiesbaden 1978, 151-210

Reiner, Eu., Die Rituelle Totenklage der Griechen, Stuttgart-Berlin 1938

Rendtorff, R., Das Alte Testament. Eine Einführung, Neukirchen-Vluyn 1983

Rendtorff, R., Esra und das "Gesetz", ZAW 96 (1984), 165-184

Rendtorff, R., Studien zur Geschichte des Opfers im Alten Israel, WMANT 24, Neukirchen-Vluyn 1967

Ribichini, S., Xella, P., La Terminologia dei Tessili nei Testi di Ugarit, Roma 1985

Richter, W., Traditionsgeschichtliche Untersuchungen zum Richterbuch, BBB 18, Bonn 1966[2]

Ricoeur, P., Stellung und Funktion der Metapher in der biblischen Sprache, in: E.Jüngel, P.Ricoeur, Metapher. Zur Hermeneutik religiöser Sprache (Sonderheft EvTh), München 1974, 45-70

Ringgren, H., Art. koaḥ, ThWAT IV, 130-137

Ringgren, H., Art. zāraḥ, ThWAT II, 661-663

Roberts, J.J.M., The Earliest Semitic Pantheon, Baltimore-London 1972

Röllig, W., Erwägungen zu neuen Stelen König Nabonids, ZA 56 (1964), 218-260

Röllig, W., (Hrsg.), Neues Handbuch der Literaturwissenschaft, Bd.1, Altorientalische Literaturen, Wiesbaden 1978

Ross, J.F., Prophecy in Hamath, Israel, and Mari, HThR 63 (1970), 1-28.

Rost, L., Studien zum Opfer im Alten Israel, BWANT 113, Stuttgart u.a. 1981

Rost, L., Weidewechsel und israelitischer Festkalender, ZDPV 66 (1943), 205-216

Rost, L., Erwägungen zum israelitischen Brandopfer, in: Von Ugarit nach Qumran, FS O.Eissfeldt, hg. v. J.Hempel u. L.Rost, Berlin 1958, 177-183

Rudolph, W., Haggai-Sacharja 1-8-Sacharja 9-14, Maleachi, KAT 13/4, Gütersloh 1976

Rudolph, W., Jeremia, 3.,verb. Aufl., HAT 12, Tübingen 1968

Rudolph, W., Joel-Amos-Obadja-Jona, KAT 13/2, Gütersloh 1971

Ruppert, L., Art. nāʾaṣ, ThWAT V, 129-137

Ruprecht, E., Art. śmḥ sich freuen, THAT II, 828-835

Sader, H., Les Etats Araméens de Syrie depuis leur Fondation jusqu'à leur Transformation en Provinces Assyriennes, Diss. Tübingen 1984

Saebo, M., Art. jôm II-VI, ThWAT IV, 566-586

Saggs, H.W., Neo-Babylonian Fragments from Harran, Iraq 31 (1969), 166-169

Sartori, P., Fastenzeit, in: Handwörterbuch des Deutschen Aberglaubens I/2, Berlin/Leipzig 1929/30, 1244-1246.

Sartori, P., Fastnacht, in: Handwörterbuch des Deutschen Aberglaubens I/2, Berlin/Leipzig 1929/30, 1246-1261.

Sauer, G., Art. qinʾā Eifer, THAT II, 647-650

Sauer, G., Art. qṣp zornig sein, THAT II, 663-666

Sawyer, J.F.A., Types of Prayer in the Old Testament. Some Semantic Observations on Hitpallel, Hithannen, etc., Sem 7 (1980), 131-143.

Sawyer, J.F., Art. jš$^{c}$, ThWAT III, 1035-1059

Schäfer, P.- Maier, J., Kleines Lexikon des Judentums, Stuttgart 1981

Scharbert, J. "Unsere Sünden und die Sünden unserer Väter", BZ NF 2 (1958), 14-26

Scharbert, J., Art. bārak̠, ThWAT I, 808-841

Scharbert, J., Art. ʾārar, ThWAT I, 437-451

Scharbert, J., Das 'Wir' in den Psalmen auf dem Hintergrund altorientalischen Betens, in: E.Haag, F.-L.Hossfeld (Hrsg.), Freude an der Weisung des Herrn, FS H.Groß, Stuttgart 1986, 297-324

Schiffmann, I., Die Grundeigentumsverhältnisse in Palästina in der ersten Hälfte des 1.Jahrtausends v.u.Z., in: Wirtschaft und Gesellschaft im Alten Vorderasien, hg.v. J.Harmatta, G.Komoróczy, Budapest 1976, 457-471

Schmid, H., Art. Begräbnis II, RGG$^3$ I, 961-962

Schmid, H., Art. Tod II., RGG$^3$ VI, 912-913

Schmid, H., Art. Trauerbräuche II, RGG$^3$ VI, 1000-1001

Schmidt, W.H., Alttestamentlicher Glaube in seiner Geschichte, Neukirchen-Vluyn 1979$^3$

Schmidt, W., Baals Tod und Auferstehung, ZRGG 15 (1963), 1-13

Schmitt, A., Das prophetische Sondergut in 2 Chr 20,14-17, in: Künder des Wortes, FS J.Schreiner, hg.v. L.Ruppert, P.Weimar, E.Zenger, Würzburg 1982, 273-285

Schmitt, A., Prophetischer Gottesbescheid in Mari und Israel. Eine Strukturuntersuchung, BWANT 114, Stuttgart 1982

Schneider, W., Grammatik des Biblischen Hebräisch, München 1982$^5$

Schnutenhaus, F., Das Kommen und Erscheinen Gottes im Alten Testament, ZAW 76 (1964), 1-21.

Schottroff, W., Art. pqd heimsuchen, THAT II, 466-486

Schottroff, W., Der altisraelitische Fluchspruch, WMANT 30, Neukirchen-Vluyn 1969

Schott, A. (vSoden,W., Hg.), Das Gilgameschepos, Stuttgart 1982

Schroer, S., Zur Deutung der Hand unter der Grabinschrift von Chirbet el Qom, UF 15 (1983), 191-199

Schröter, U., Jeremias Botschaft für das Nordreich, zu N.Lohfinks Überlegungen zum Grundbestand von Jeremia XXX-XXXI, VT 35 (1985), 312-329

Schuler, E. von, Die Kaškäer. Ein Beitrag zur Ethnographie des Alten Kleinasien, UAVA 3, Berlin 1965.

Schuler, E. von, Hethitische Königserlässe als Quellen der Rechtsfindung und ihr Verhältnis zum kodifizierten Recht, in: FS J.Friedrich, hg.v. R.v.Kienle et al., Heidelberg 1959, 435-472

Schuler, E. von, Art. Sonnengottheiten, WdM 2, 196-201

Schulte, H., Die Entstehung der Geschichtsschreibung im Alten Israel, BZAW 128, Berlin-New York 1972

Schult, H., Art. šm$^{c}$ hören, THAT II, 974-982

Schulz, H., Das Todesrecht im Alten Testament. Studien zur Rechtsform der Mot-Jumat Sätze, BZAW 114, Berlin 1969

Schwally, F., Das Leben nach dem Tode nach den Vorstellungen des alten Israel und des Judentums einschließlich des Volksglaubens im Zeitalter Christi, Gießen 1892

Seebaß, H., Traditionsgeschichte von ISam 8;10,17ff und 12, ZAW 77 (1965), 286-296

Seebaß, H., Art. bāḥar II-III, ThWAT I, 593-608

Seebaß, H., Art. bôš, ThWAT I, 568-580

Seebaß, H., Der Fall Naboth in 1.Reg. XXI, VT 24 (1974), 7774-488
Segert, St., Altaramäische Grammatik mit Bibliographie, Chrestomathie und Glossar, Leipzig 1975
Seidel, H., Auf den Spuren der Beter. Einführung in die Psalmen, Berlin (DDR) 1980
Seters, J. van, The Place of the Yahwist in the History of Passover and Massot, ZAW 95 (1983), 167-182
Seybold, K., Reverenz und Gebet. Erwägungen zu der Wendung ḥillā pānîm, ZAW 88 (1976), 2-16
Seybold, K., Art. haeb̲ael, ThWAT II, 334-343
Seybold, K., Art. ḥālāh, ThWAT II, 960-971
Seybold, K., Art. hāp̲ak̲, ThWAT II, 454-459
Seybold, K., Art. maelaek̲ II-IV, ThWAT IV, 933-956
Seybold, K., Das Gebet des Kranken im Alten Testament. Untersuchungen zur Bestimmung und Zuordnung der Krankheits- und Heilungspsalmen, BWANT 99, Stuttgart u.a. 1973
Seybold, K., Müller, U., Krankheit und Heilung, Stuttgart u.a. 1978
Shaffer, A., Sumerian Sources of Tablet XII of the Epic of Gilgamesh, Philadelphia 1963
Siegelová, J., Appu-Märchen und Hedammu-Mythus, StBoT 14, Wiesbaden 1971.
Siegelová, J., Hedammu, RlA 4, 243-244.
Sladek, W.R., Inanna's Descent to the Netherworld, Ann Arbor 1974
Smend, R., Die Entstehung des Alten Testaments, Stuttgart et al. 1978
Sobottka, L., Zephanja. Versuch einer Neuübersetzung mit philologischem Kommentar, Biblica et Orientalia 25, Rom 1972.
Sommerfeld, W., Der Aufstieg Marduks. Die Stellung Marduks in der babylonischen Religion des zweiten Jahrtausends v. Chr., AOAT 213, Neukirchen-Vluyn 1982
Spronk, K., Beatific Afterlife in Ancient Israel and in the Ancient Near East, AOAT 219, Neukirchen-Vluyn 1986
Stähli, H.-P., Art. pll Hitp. beten, THAT II, 427-432
Stamm, J.J., Art. slḥ vergeben, THAT II, 150-160
Stamm, J.J., Erlösen und Vergeben im Alten Testament. Eine begriffsgeschichtliche Untersuchung, Bern o.J.
Steck, O.H., Bereitete Heimkehr. Jesaja 35 als redaktionelle Brücke zwischen dem Ersten und dem Zweiten Jesaja, SBS 121, Stuttgart 1985
Steck, O.H., Friedensvorstellungen im alten Jerusalem. Psalmen, Jesaja, Deuterojesaja, ThSt 111, Zürich 1972
Steck, O.H., Israel und das gewaltsame Geschick der Propheten. Untersuchungen zur Überlieferung des deuteronomistischen Geschichtsbildes im Alten Testament, Spätjudentum und Urchristentum, WMANT 23, Neukirchen-Vluyn 1967
Steck, O.H., Überlieferung und Zeitgeschichte in den Elia-Erzählungen, WMANT 26, Neukirchen-Vluyn 1968
Steck, O.H., Weltgeschehen und Gottesvolk im Buche Daniel, in: ders., Wahrnehmungen Gottes im Alten Testament, ThBü Altes Testament 70, München 1982, 262-290
Steingrimsson, S., Art. zmm, ThWAT II, 599-603
Stephenson, G. (Hg.), Leben und Tod in den Religionen. Symbol und Wirklichkeit, Darmstadt 1985, 2.Aufl.
Stocton, E., Stones at Worship, AJBA 1/3 (1970), 58-81
Stoebe, H.J., Art. rp', THAT II, 803-809
Stoebe, H.-J., Das Erste Buch Samuelis, KAT VIII/1, Gütersloh 1973
Stolper, M.W., Entrepreneurs and Empire. The Murašû Archive, the Murašû Firm, and Persian Rule in Babylonia, Leiden 1985
Stolz, F., Art. ṣûm, THAT II, 536-538

Stolz, F., Das erste und zweite Buch Samuel, ZüBi AT 9, Zürich 1981

Stolz, F., Jahwes und Israels Kriege. Kriegstheorien und Kriegserfahrungen im Glauben des alten Israels, AThANT 60, Zürich 1972

Stolz, F., Psalmen im nachkultischen Raum, ThSt 129, Zürich 1983

Stritzky, M.B. von, Art. Grabbeigabe, RAC XII, 429-445

Strommenger, E. (Hrouda,B.), Art. Grabbeigabe, RlA 3, 605-609

Stummer, F., Sumerisch-akkadische Parallelen zum Aufbau alttestamentlicher Psalmen, Paderborn 1922

Sürenhagen, D., Zwei Gebete Ḫattušiliš und der Puduḫepa, AOF 8 (1981), 83-136ff.

Tadmor, H., The Inscriptions of Nabunaid: Historical Arrangement, AS 16 (1965), 351-363

Tallqvist, K., Akkadische Götterepitheta, StOr 7, Helsingforsiae 1938

Talmon, Sh., Jüdische Sektenbildung in der Frühzeit der Periode des Zweiten Tempels, in: W.Schluchter (Hrsg.), Max Webers Sicht des antiken Christentums, Frankfurt 1985, 233-280

Tambiah, S.J., Form und Bedeutung magischer Akte. Ein Standpunkt, in: Magie. Die sozialwissenschaftliche Kontroverse über das Verstehen fremden Denkens, hg. v. H.G.Kippenberg, B. Luchesi, Frankfurt 1978, 259-296

Tarragon, J.M. de, Le Culte à Ugarit. D'après les Textes de la Pratique en cunéiformes alphabétiques, CRB 19, Paris 1980

The Brooklyn Museum Aramaic Papyri. New Documents of the Fifth Century B.C. from the Jewish Colony at Elephantine, ed. by E.G.Kraeling, London 1969.

Thiel, J.F., Religionsethnologie. Grundbegriffe der Religionen schriftloser Völker, Collectanea Instituti Anthropos 33, Berlin 1984

Thiel, W., Die deuteronomistische Redaktion von Jeremia 1-25, WMANT 41, Neukirchen-Vluyn 1973

Thiel, W., Die deuteronomistische Redaktion von Jeremia 26-45, WMANT 52, Neukirchen-Vluyn 1981

Timm, St., Die Dynastie Omri. Quellen und Untersuchungen zur Geschichte Israels im 9.Jahrhundert vor Christus, FRLANT 124, Göttingen 1982

Tropper, J., "Beschwörung" des Enkidu?, WO 17 (1986), 19-24

Tsevat, M., Art. ḥālaq II, ThWAT II, 1015-1020

Tsukimoto, A., Untersuchungen zur Totenpflege (kispum) im alten Mesopotamien, AOAT 216, Neukirchen-Vluyn 1985

Turner, V., The Forest of Symbols. Aspects of Ndembu Ritual, Ithaca/London 1982²

Turner, V., The Ritual Process. Structure and Anti-Structure, Chicago 1977⁷

Turner, V., Turner, E., Religious Celebrations, in: Turner, V. (Ed.), Celebration. Studies in Festivity and Ritual, Washington 1982, 201-219.

Ungnad, A., Aramäische Papyrus aus Elephantine, Leipzig 1911

Vaux, R. de, Das Alte Testament und seine Lebensordnungen I u. II. Freiburg-Basel-Wien 1984²

Vaux, R. de, Les Sacrifices de L'ancien Testament, Paris 1964

Veijola, T., Das Klagegebet in Literatur und Leben der Exilsgeneration am Beispiel einiger Prosatexte, VTS XXXVI (1985), 286-307.

Veijola, T., Die ewige Dynastie. David und die Entstehung seiner Dynastie nach der deuteronomistischen Darstellung, Helsinki 1975

Veijola, T., Verheißung in der Krise. Studien zur Literatur und Theologie der Exilszeit anhand des 89. Psalms, Helsinki 1982

Velde, H. te, Erntezeremonien, LÄ II, 1-4.

Vincent, J.M., Studien zur literarischen Eigenart und zur geistigen Heimat von Jesaja, Kap. 40-55, BBE 5, Frankfurt-Bern-Las Vegas 1977

Vogelzang, M.E.- vanBekkum, W.J., Meaning and Symbolism of Clothing in Ancient Near Eastern Texts, in: Scripta Signa Vocis, FS J.H.Hospers, hg. v. H.L.J.Vanstiphout et al.,Groningen 1986, 265-284

Vollmer, J., Art. ᶜśh machen,tun, THAT II, 359-370

Volz, P., Der Prophet Jeremia, KAT X, Leipzig 1922

Volz, P., Jesaja II, KAT IX, Leipzig 1932

Vorländer, H., Mein Gott. Die Vorstellungen vom persönlichen Gott im Alten Orient und im Alten Testament, AOAT 23, Neukirchen-Vluyn 1975

Vorländer, H., The Power of Life. The Experience of God in the Old Testament, The Near East School of Theology Quarterly 20/3-4 (1973), 7-21.

Wachsmuth, D., Thesmophoria, -os, KP 5, 751-752

Wächter, L., Der Tod im Alten Testament, AzTh II/8, Stuttgart 1967

Wagner, S., Art. biqqeš, ThWAT I, 754-760

Wagner, S., Art. knᶜ, ThWAT IV, 216-224

Wagner, S., Art. mā'as, ThWAT IV, 618-633

Waldow, H.-E. von, Anlaß und Hintergrund der Verkündigung des Deuterojesaja, Diss. Bonn 1953

Wallis, G., Gott und seine Gemeinde. Eine Betrachtung zum Tritojesaja-Buch, ThZ 27 (1971), 182-200

Ward, E. de, Mourning Customs in 1, 2 Samuel, JJS XXIII (1972), 1-27.145-166.

Warmuth, G., Art. hāḏār, ThWAT II, 357-363

Weber, M., Wirtschaft und Gesellschaft, 5. revid. Aufl., Tübingen 1972

Wegner, I., Gestalt und Kult der Ištar-Šawuška in Kleinasien, Hurritologische Studien III, AOAT 36, Neukirchen-Vluyn 1981

Wehmeier, G., Art. ᶜlh hinaufgehen, THAT II, 272-290

Weimar, P., Die Jahwekriegserzählungen in Exodus 14, Josua 10, Richter 4 und 1 Samuel 7, Bib 57 (1976), 38-73.

Weimar, P., Jon 4,5. Beobachtungen zur Entstehung der Jonaerzählung, BN 18 (1982), 86-109

Weimar, P., Literarkritisches zur Ijobnovelle, BN 12 (1980), 62-80

Weinmann, R., Literaturgeschichte und Mythologie. Methodologische und historische Studien, Frankfurt 1977

Weippert, H., Art. Stadtanlage, BRL², 313-317

Weippert, H., Die Prosareden des Jeremiabuches, BZAW 132, Berlin-New York 1973

Weippert, H., Schöpfer des Himmels und der Erde. Ein Beitrag zur Theologie des Jeremiabuches, SBS 102, Stuttgart 1981

Weippert, M., Art. Šaddaj, THAT II, 873-881

Weippert, M., Assyrische Prophetien der Zeit Asarhaddons und Assurbanipals, in: Assyrian Royal Inscriptions, ed. by F.M.Fales, Roma 1981, 71-115

Weippert, M., ECCE NON DORMITABIT NEQUE DORMIET QUI CUSTODIT ISRAHEL. Zur Erklärung von Psalm 121,4, in:BDBAT 3 (1984), 75-87.

Weippert, M., 'Heiliger Krieg' in Israel und Assyrien. Kritische Anmerkungen zu Gerhard von Rads Konzept des `Heiligen Krieges im alten Israel', ZAW 84 (1972), 460-493.

Weiser, A., Samuels "Philister-Sieg". Die Überlieferungen in ISam 7, ZThK 56 (1959), 253-272 (auch in: ders., Samuel. Seine geschichtliche Aufgabe und religiöse Bedeutung, Göttingen 1962, 5-24)

Weiser, A., Das Buch Jeremia. Kapitel 1-25,14, ATD 20, Göttingen 1981⁸

Welker, M., Vorwort, in: Welker, M. (Hg.), s. Geisthardt, G., 7-15
Welten, P., Kulthöhe und Jahwetempel, ZDPV 88 (1972), 19-37
Welten, P., Art. Buße II., TRE VII, 433-439
Welten, P., Bestattung II, TRE V, 734-738.
Welten, P., Geschichte und Geschichtsdarstellung in den Chronikbüchern, WMANT 42, Neukirchen-Vluyn 1973
Welten, P., Gott Israels - Gott vom Sinai, ThViat NF 1 (1984), 225-239
Welten, P., Leiden und Leidenserfahrung im Buch Jeremia, ZThK 74 (1977), 123-150
Welten, P., Naboths Weinberg (1.Könige 21), EvTh 33 (1973), 18-32
Wendel, A., Das freie Laiengebet im vorexilischen Israel, Leipzig 1931
Wensinck, A.J., Some Semitic Rites of Mourning and Religion. Studies on their Origin and Mutual Relation, Amsterdam 1917
Westermann, C., Das Buch Jesaja. Kapitel 40-66, ATD 19, Göttingen 1966
Westermann, C., Genesis (1-11), Bk I/1, Neukirchen-Vluyn 1983³
Westermann, C., Genesis (12-36), Bk I/2, Neukirchen-Vluyn 1981
Westermann, C., Lob und Klage in den Psalmen, Göttingen 1977
Westermann, C., Art. náefaeš Seele, THAT II, 71-96
Westermann, C., Art. šrt pi. dienen, THAT II, 1019-1022
Westermann, C., Die Begriffe für Fragen und Suchen im Alten Testament, KuD 6 (1960), 2-30
Whybray, R.N., Isaiah 40-66, London 1975
Wiklander, B., Art. zāᶜam, ThWAT II, 621-626
Wilcke, C., Politische Opposition nach sumerischen Quellen, in: A.Finet (Hg.), La voix de l'opposition en Mesopotamie, Bruxelles 1973, 37-65
Wildberger, H., Jesaja. 1.Teilband, Jesaja 1-12, Bk X/1, 2. verb. Aufl., Neukirchen-Vluyn 1980
Wildberger, H., Jesaja, 2.Teilband Jesaja 13-27, Bk X/2, Neukirchen Vluyn 1978
Wilhelm, G., Grundzüge der Geschichte und Kultur der Hurriter, Darmstadt 1982
Willi, Th., Die Chronik als Auslegung, FRLANT 106, Göttingen 1972
Wilson, R.R., Prophecy and Ecstasy: A Reaxamination, JBL 98 (1979), 321-337
Wissowa, J., Art. Ceres, RE 3, 1970-1979
Wittfogel, K.A., Die orientalische Despotie. Eine vergleichende Untersuchung totaler Macht, Frankfurt-Berlin-Wien 1977
Wolff, H.W., Anthropologie des Alten Testaments, 4. durchges. Aufl., München 1984
Wolff, H.W., Das Kerygma des deuteronomistischen Geschichtswerkes, in: ders., Gesammelte Studien zum Alten Testament, ThB 22, München 1973, 308-324
Wolff, H.W., Der Aufruf zur Volksklage, in: ders., Gesammelte Studien zum Alten Testament, ThB 22, München 1973, 392-401
Wolff, H.W., Dodekapropheton 2. Joel und Amos, Bk XIV/2, 2., durchges. Aufl., Neukirchen-Vluyn 1975
Wolff, H.W., Dodekapropheton 3: Obadja, Jona, Bk XIV/3, Neukirchen-Vluyn 1977
Woude, A.S. van der, Art. pānīm Angesicht, THAT II, 432-460
Woude, A.S. van der, Art. ṣūr Fels, THAT II, 538-543
Woude, A.S. van der, Art. šēm Name, THAT II, 935-963
Würthwein, E., Naboth-Novelle und Elia-Wort, ZThK 75 (1978), 375-397
Wuttke, D. (Wuttke,W.), Fastnachtsspiele des 15. und 16. Jahrhunderts, Stuttgart 1978 (verb. u. erg. Aufl.)
Xella, P., I Testi Rituali di Ugarit I, Roma 1981 (TRU I)

Xella, P., Aspekte religiöser Vorstellungen in Syrien nach den Ebla- und Ugarit-Texten, UF 15 (1983), 279-290

Xella, P., Les Mythologies du Proche-Orient Ancien d'après les Découvertes Récentes, in: Les Études Classiques LIII (1985), 311-329.

Yamauchi, E.M., Tammuz and the Bible, JBL 84 (1965), 283-290

Yassine, K., Tell al-Mazar I Cemetery A., Amman 1984

Young, G.D., The Historical Background of Phoenician Expansion into the Mediterranean in the Early First Millenium B.C., Ann Arbor 1970

Zaccagnini, C., The Price of the Fields at Nuzi, JESHO XXII (19 ), 1-31.

Zayadine, F., Die Felsarchitektur Petras, in: Petra und das Königreich der Nabatäer, hg.v. M.Lindner, München-Bad Windsheim 1983$^{4}$, 212-248

Ziegler, J., Die Hilfe Gottes 'am Morgen', in: Alttestamentliche Studien, FS F.Nötscher, BBB 1, Bonn 1950, 281-288.

Zimmerli, W., Ezechiel, Bk XIII/1, XIII/2, Neukirchen-Vluyn 1979$^{2}$

Zimmerli, W., Grundriß der alttestamentlichen Theologie, 4. durchges. u. erg. Aufl., Stuttgart et al. 1982

Zimmerli, W., Das Wort des göttlichen Selbsterweises (Erweiswort), Eine prophetische Gattung, in: ders., Gottes Offenbarung, ThBü Altes Testament 19, München 1969, 120-132

Zimmerli, W., Zur Sprache Tritojesajas, in: s.o., 217-233

Zirker, H., Die kultische Vergegenwärtigung der Vergangenheit in den Psalmen, BBB 20, Bonn 1964

Zobel, H.J., Art. jiśrāʾel, ThWAT III, 986-1012

Zobel, H.J., Art. mā$^{c}$ôz, ThWAT IV, 1019-1027

Zobel, H.J., Art. ʾārôn, ThWAT I, 391-404

Zobel, H.-J., Art. māṭar, ThWAT IV, 827-842

Zobel, H.-J., Das Gebet um Abwendung der Not und seine Erhörung in den Klageliedern des Alten Testaments und in der Inschrift des Königs Zakir von Hamath, VT 21 (1971), 91-99.

Die Indices beinhalten eine Auswahl von Stichwörtern, Stellen und Wörtern, die nicht durch das Inhaltsverzeichnis oder einzelne Überschriften erschlossen werden. Kursive Seitenzahlen beziehen sich auf Anmerkungen.

## SACHINDEX

## STELLENINDEX

### I. Altes Testament

**II. Apokryphen und Pseudepigraphen**



**III. Qumran**

## IV. Rabbinische Texte



## V. Neues Testament



## VI. Antike Quellen



## VII. Inschriften und Papyri



## VIII. Ugaritische Texte



## IX. Hethitische Texte

**X. Mesopotamische Texte**



## WORTINDEX

**Hebräisch:**

**Akkadisch:**

**Eblaitisch:**

zà.úš, ba-i-la-tum
-ʾp/bail. *229*
--> hebr. pll

**Griechisch:**

Nästis ktl. 7, 9, 13
penthein 13

**Corrigenda**:

statt WdM 2 *lies* WdM 1 passim